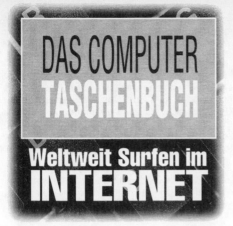

DAS COMPUTER TASCHENBUCH

Weltweit Surfen im INTERNET

Mark Torben Rudolph

Weltweit Surfen im Internet

DATA BECKER

Wichtiger Hinweis

Die in diesem Buch wiedergegebenen Verfahren und Programme werden ohne Rücksicht auf die Patentlage mitgeteilt. Sie sind für Amateur- und Lehrzwecke bestimmt.

Alle technischen Angaben und Programme in diesem Buch wurden vom Autor mit größter Sorgfalt erarbeitet bzw. zusammengestellt und unter Einschaltung wirksamer Kontrollmaßnahmen reproduziert. Trotzdem sind Fehler nicht ganz auszuschließen. DATA BECKER sieht sich deshalb gezwungen, darauf hinzuweisen, daß weder eine Garantie noch die juristische Verantwortung oder irgendeine Haftung für Folgen, die auf fehlerhafte Angaben zurückgehen, übernommen werden kann. Für die Mitteilung eventueller Fehler ist der Autor jederzeit dankbar.

Wir weisen darauf hin, daß die im Buch verwendeten Soft- und Hardwarebezeichnungen und Markennamen der jeweiligen Firmen im allgemeinen warenzeichen-, marken- oder patentrechtlichem Schutz unterliegen.

2. überarbeitete Auflage 1998 el

Reihenkonzept Peter Meisner

Lektorat Peter Meisner

Umschlaggestaltung Grafikteam DATA BECKER

Schlußredaktion Claudia Lötschert

Text verarbeitet mit Word für Windows 6.0, Microsoft

Belichtung, Druck und buchbinderische Verarbeitung Elsnerdruck, Berlin

ISBN 3-8158-1576-2

Gezielt informieren und produktiv anwenden ...

Ohne dafür viel Geld investieren zu müssen – so lautet das Prinzip der Computertaschenbücher von DATA BECKER. Hier findet man alles zum produktiven Umgang mit Software: nämlich Know-how, hinter dem die langjährige Fachkompetenz eines der erfolgreichsten Computerbuchverlage steht. Und zwar leichtverständlich und engagiert geschrieben, fachkundig und dabei äußerst preiswert.

Die Computertaschenbücher sind also direkt auf die Bedürfnisse der PC-Anwender ausgelegt: handliche und mobile Bücher, die man in nahezu jeder Lebenslage lesen kann.

... ohne dabei tief in die eigene Tasche greifen zu müssen

Vorwort

Die Taschenbuchreihe von DATA BECKER bietet dem Leser einen grundlegenden und kompetenten Überblick über das jeweilig behandelte Thema.

Wesentliche Strukturelemente werden Sie in allen Taschenbüchern wiederfinden:

- Aufzählungen und alternative Möglichkeiten

① Schritt-für-Schritt-Anweisungen

Hinweis: Wichtige Sachverhalte und Hinweise

Tip: Tips & Tricks aus der Praxis
Interessante Tips aus der Praxis für Ihre Praxis

Verweis: Thema → Kapitel

Der schnelle Zugriff wird durch ein übersichtliches Inhaltsverzeichnis, ein detailliertes Verzeichnis vor jedem Kapitel und ein umfangreiches Praxisregister gewährleistet.

Der **Visual QuickGuide** zu Beginn des Taschenbuchs bietet einen schnellen und erfolgreichen Einstieg in die Materie. Das **Praxis-Tip-Verzeichnis** bietet Ihnen einen raschen Zugriff auf die zahlreichen Profitips in diesem Taschenbuch.

Viel Spaß!

Ihr DATA BECKER Lektorat

Willkommen auf der Datenautobahn! – Einleitung und Wegweiser

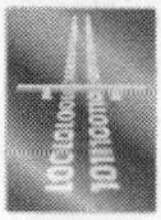

Alle reden vom Internet: das „Netz der Netze", das „globale Dorf", die „Datenautobahn". Und das zu Recht! Im Rahmen all der famosen Möglichkeiten, die uns die moderne Computertechnologie bietet, ist das Internet etwas ganz besonderes und außergewöhnliches: Hier ist jeder Teilnehmer nicht nur Empfänger eines ungeheuren Informationsflusses aus Texten, Bildern, Sprache, Videos, Musik, Programmen und generell allem, was sich irgendwie mit einem Computer erzeugen oder bearbeiten läßt, sondern zugleich auch einer der Produzenten dieser Daten.

Das bringt Ihnen das Internet

Hiermit hebt sich das Internet von allen bisherigen Medien und Informationssystemen ab. Es ist nicht nur freier, liberaler und von einer Vielzahl verschiedener Gedanken, Ansichten und Ideen bevölkert, sondern auch spannender und aufregender als jede Zeitung, Zeitschrift, jede TV-Sendung, jeder Film, jeder Brief, jedes Telefonat, Fax, jedes Programm, jede Simulation und jedes Computerspiel. Es umfaßt all dies und bietet zugleich noch viel mehr:

- Reisen Sie virtuell um die ganze Welt! Schauen Sie sich einen Film aus der aktuellen Kino-Vorschau an oder betrachten Sie das morgige Wetter in Massachusetts. Lesen Sie die Titelthemen der neuen Spiegel-Ausgabe oder blättern Sie in der Pariser „Le Monde". Holen Sie sich die neueste Musik aus aller Welt oder statten Sie amerikanischen Filmgiganten einen Besuch ab. Informieren Sie sich über heiße Eisen aus Beruf und Hobby oder machen Sie einen Rundgang durch Villa Hammerschidt und Schloß Bellevue. Wie das möglich ist, lesen Sie ab Seite 143.
- Nehmen Sie an weltweiten Diskussionen teil – egal, ob es um aktuelle Trends in der Wirtschaft, neue Aspekte aus Forschung und Technik, die Bekämpfung von Blattläusen oder Omas beste Kuchenrezepte geht. Wie das geht, steht ab Seite 265.
- Schreiben Sie Briefe an Freunde, Bekannte und Kollegen auf der ganzen Welt – und erhalten Sie schon innerhalb weniger Minuten Antwort! Wie Sie eine Nachricht in Sekunden um die ganze Welt schicken, ist ab Seite 323 erklärt.

- Holen Sie sich brandaktuelle Software-Neuheiten direkt in Ihren PC. Machen Sie mit den neuesten Virenkillern lästigen Plagegeistern den Garaus, noch bevor diese in Ihrem PC Schaden anrichten können. Besorgen Sie sich innerhalb weniger Sekunden Lösungen für Ihre Installationsprobleme und Updates für Ihre bestehenden Programme. Oder holen Sie sich digitalisierte Bilder, Filme und Musikstücke Ihrer Lieblingskünstler ins Wohnzimmer. Ein gigantischer Softwarepool wartet darauf, von Ihnen genutzt zu werden – wie Sie das tun, steht auf Seite 233.
- Das Datenreservoir des Internet ist gigantisch! Nahezu uferlos, so daß das Herausfischen einer bestimmten Datei der berühmten Stecknadel im Heuhaufen schon recht nahe kommt, sofern Sie nicht genau wissen, wo Ihre Wunschdatei – die neueste Version einer Software oder ein bestimmtes, gerade erwünschtes Programm (oder ein Bild, eine Sounddatei, ein Video ...) – lagert. Ab Seite 253 erfahren Sie, wie Sie das ganz schnell herausbekommen.

Dieses Buch ist Ihr idealer Begleiter

Dieses Buch bietet Ihnen alles, was Sie wissen müssen, um mit Spaß und Erfolg selbst am Internet teilzunehmen! Sie brauchen dafür kein Computerprofi zu sein – und Sie brauchen auch keine teuren Spezialsysteme, Ihr normaler Windows-PC reicht völlig aus.

Tip: Es muß nicht immer Windows sein ...

Obwohl die Beispiele in diesem Buch auf Rechnern mit dem Betriebssystem Windows 95 und der Internet-Zugriffs-Software Netscape durchgeführt wurden, können Sie diese genausogut auch unter OS/2, auf einem Apple MacIntosh, einer Workstation oder einem nahezu beliebigen anderen System nachvollziehen. Einzige Voraussetzung: eine sogenannte „WWW-Browser"-Software (wie Netscape, Mosaic, Web Explorer oder ähnliche) muß vorhanden sein – mehr dazu erfahren Sie ab Seite 77.

Sie erhalten kompetente Unterstützung von Anfang an – in leicht verständlichen Erklärungen und direkt umsetzbaren Anleitungen für Ihre Internet-Praxis. Dabei wird alles schnell auf den Punkt gebracht und läßt sich auch am Feierabend noch angenehm lesen.

Und zu guter Letzt finden Sie überall eine Menge Tips & Tricks eingestreut, mit denen Sie die unglaublichen Möglichkeiten des Internet sofort optimal nutzen können!

Neuigkeiten dieser Auflage

Gegenüber den vorherigen Auflagen habe ich das Buch für diese neue Ausgabe nochmals gründlich durchgesehen und an die aktuellen Gegebenheiten angepaßt. Alle Praxisanleitungen laufen jetzt unter dem Netscape Communicator, der aktuell beliebtesten (und mit einem Marktanteil von rund 80 % am weitesten verbreiteten) Zugriffssoftware, in Version 4 ab. Ebenso wurden auch die Provider-Adressen auf den neuesten Stand gebracht – der Zugriff auf das Internet ist aufgrund der erneut gewachsenen Zahl an Zugangsanbietern und des entsprechend harten Wettbewerbs inzwischen noch preiswerter geworden, und es existieren nun soviele Zugangspunkte, daß Sie von fast jedem Ort zum Ortstarif ins weltweite Datennetz starten können.

Besuchen Sie mich doch mal im Internet

Wenn Sie dann selbst im Internet sind, schauen Sie doch mal bei mir vorbei. Zusammen mit Kollegen baue ich gerade einen Web-Service auf: Sie finden diesen unter der WWW-Adresse *http://www.RuVo.com.* Ein schneller Leserbrief per elektronischer Post erreicht mich unter *mtr@ruvo.com.*

Bitte haben Sie aber Verständnis dafür, daß ich weder für eine 100%ige Antwort garantieren noch ausführlichen Support für jeden Leser leisten kann. Über Ihre Meinung, Hinweise, Kommentare und auch Kritiken freue ich mich jedoch immer.

Viel Erfolg und vielen Dank

Ich wünsche Ihnen viel Erfolg im Internet – mit diesem Buch werden Sie ihn haben, versprochen!

Bedanken möchte ich mich bei Peter Meisner (DATA BECKER) für die gute Zusammenarbeit, bei Thorsten Konetzko für die Unterstützung (nicht nur bei der „404 Not Found"-Recherche), bei den Teams von T-Online, CompuServe, AOL und Metronet für die Unterstützung mit passenden Zugängen während der Arbeiten an diesem Buch – und bei allen Internet-Freunden und Kollegen, die durch rege Diskussionen in den öffentlichen Foren und zahllose private Nachrichten viele interessante Hinweise zu diesem Werk beigesteuert haben.

Mark Torben Rudolph im Dezember 1997

PS: Treffpunkt im Netz: *http://www.RuVo.com* – abgemacht?

Inhaltsverzeichnis

1. Visual QuickGuide – Internet in zehn Minuten

Sie wollen ohne lange Vorrede direkt loslegen? Sofort Ihre erste Reise in die Welt des Internet unternehmen? Dann sind Sie hier genau richtig!

1.1 Was Sie brauchen, um loslegen zu können

Dieses Kapitel geht davon aus, daß Sie schon über einen bestehenden Internet-Zugang verfügen. Ebenso muß die passende Zugriffs-Software (in unserem Fall ist das am besten Netscape) auf Ihrem System laufen.

> **Verweis:** Ist dies noch nicht der Fall, erfahren Sie ab Seite 66 ausführlich, wie Sie diese Voraussetzungen schaffen – wo und wie Sie Zugang zum Internet erhalten, wieviel es kosten wird und welche Hard- und Software Sie benötigen.

1.2 So funktioniert der WWW-Browser (und was das überhaupt ist)

Das World Wide Web (kurz „WWW" genannt) hält seine Information für Sie in Form von einzelnen „Seiten" bereit – ähnlich den Seiten eines Buchs, nur viel moderner. Hier sind Texte und Grafiken gemischt (das kann jedes Buch), aber auch Klänge und Videos lassen sich abspielen und sogar Software-Pakete auf Ihre Festplatte übertragen (hierzu muß einem normalen Buch mindestens eine Diskette beiliegen). Selbstverständlich können Sie beliebig in den Seiten des WWW-Buchs hin- und her-"blättern" – und eben dafür gibt es die passende Software, „Browser" genannt (das englisch Wort „to browse" – sprich „braus" – heißt nämlich einfach „blättern").

So brausen Sie durchs Internet

Die Seiten dieses Buchs können aber rund um die Welt verteilt sein. Haben Sie sich eben noch über das aktuelle Kinoprogramm vor Ort informiert, machen Sie vielleicht kurz darauf einen Abstecher nach Wien, um ein bißchen im „Standard" zu lesen (der Wiener Tageszeitung), springen dann mal eben über den großen Teich und nehmen Einblick in die Akten des US-Geheimdiensts C.I.A. und beenden Ihre Reise dann auf einem Rundgang durch die aktuellen Ausstellungen des australischen Nationalmuseums. Vielleicht schauen Sie etwas später am Abend ja auch noch in Las Vegas vorbei, zu einem spannenden Spielchen in den dortigen Casinos. Auf diese Weise stellen Sie sich bei jeder WWW-Sitzung Ihr eigenes, neues und ganz individuelles Buch zusammen. Der Browser holt Ihnen dazu die gewünschten Seiten aus allen Winkeln der Online-Welt. Im Rahmen dieses Buchs verwende ich beispielhaft die Software *Netscape* als Browser. Es gibt freilich noch diverse andere Programme zum WWW-Zugriff (als Beispiele seien NCSA Mosaic, der IBM Web Explorer oder Microsofts Internet-Explorer genannt), aber Netscape ist einer der bekanntesten und beliebtesten Browser und wartet zudem mit einigen Funktionen auf, die seine Kollegen vermissen lassen.

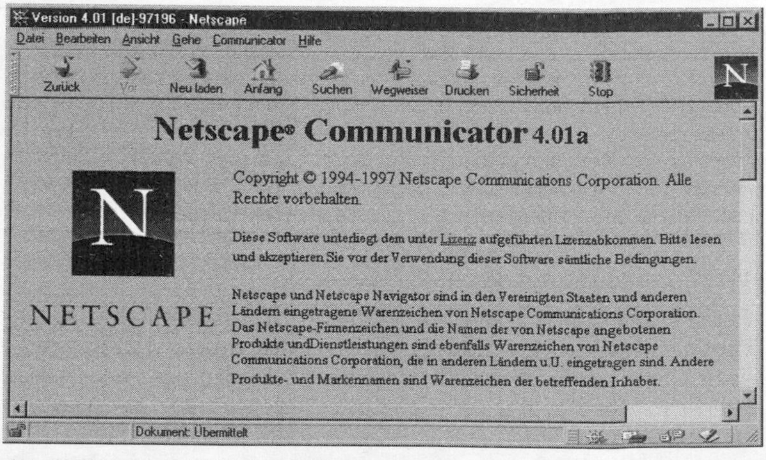

Abb. 1: Netscape meldet sich zum Dienst

Verweis: Wenn Sie genaueres darüber lesen wollen, schauen Sie bitte auf Seite 77 nach. Für den Moment will ich Sie jedoch nicht mit großen Vorreden langweilen, sondern Ihnen direkt die faszinierende Welt des WWW präsentieren.

1.3 Erste Erlebnisse im WWW

Wie wäre es zum „Aufwärmen" mit einem kleinen Abstecher nach Hamburg, um ein bißchen in der aktuellen Ausgabe der Zeitschrift „Der Spiegel" zu blättern? Von dort aus können Sie dann mit ein paar einfachen Mausklicks zu vielen anderen Plätzen im WWW weiterreisen.

Hinweis: Ein paar interessante Fakten zum WWW-Service des Spiegel: Er ging im Oktober 1994 ans Netz – und zwar als erstes Nachrichtenmagazin, nicht nur in Deutschland, sondern sogar weltweit (kurz vor dem bekannten „Time Magazine"). Bislang interessieren sich jeden Monat rund 140.000 Internet-Teilnehmer für das Spiegel-Angebot, und die zugehörigen WWW-Seiten werden dabei fast eine halbe Million mal abgerufen. Grund genug also, dieses Angebot im Rahmen unserer World-Wide-Web-Tour einmal selbst auszuprobieren.

Sie erreichen den Spiegel unter seiner WWW-Adresse *http://www.spiegel.de/*. Diese zunächst kryptisch anmutende Zeichenfolge gibt Ihrer WWW-Zugriffs-Software alle Informationen an die Hand, die sie zum Auffinden der Seite im weltweiten Netz benötigt.

Tip: Netscape erspart Ihnen Tipparbeit

Das Kürzel http:// am Anfang dieser Zeile besagt, daß es sich bei den aus dem Netz zu ladenden Daten um eine WWW-Seite handelt. Netscape nimmt dies aber sowieso standardmäßig an. Lassen Sie das http:// einfach weg, wird es von Netscape automatisch ergänzt. So ersparen Sie sich durchaus einige Tipparbeit beim Surfen, denn zuvor lange und kryptische Adressen schrumpfen zusammen – in unserem Falle auf *www.spiegel.de*.

Wie komme ich auf diese Adresse?

Solche Adressen erfahren Sie entweder von Freunden („Hey, schau Dir unbedingt mal diese oder jene Seite an!") oder aus den Internet-Rubriken verschiedener Computerzeitschriften (übrigens gehen auch einige allgemeine Magazine schon dazu über, Ihren Lesern interessante Plätze im WWW zu nennen). Am spannendsten ist es aber, einfach irgendwo zu starten, von dort aus mal hierhin und mal dorthin zu blättern und sich überraschen zu lassen, wo man dabei landen wird und was man unterwegs alles zu sehen bekommt.

Verweis: Wenn Sie Informationen zu bestimmten Themengebieten suchen, können Sie sich entsprechende Seiten auch von Ihrer Software aus dem riesigen, weltweiten Angebot heraussuchen lassen. Wie das geht, erfahren Sie ab Seite 169.

Los geht´s – Anklingeln beim Spiegel

Um nun der Software mitzuteilen, wohin Sie reisen möchten, klicken Sie in das Eingabefeld *Adresse* (unterhalb der Symbolleiste).

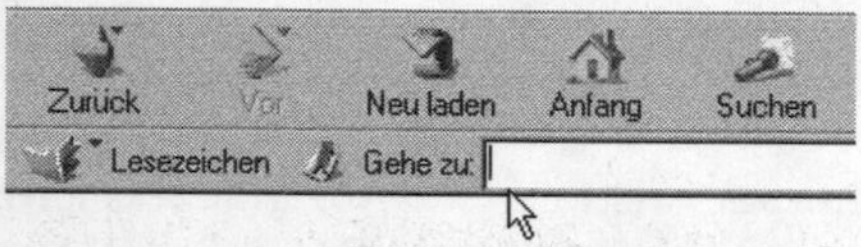

Abb. 2: Diese Zeile ist Ihr Tor zum Internet

Hinweis: Sind die Symbol-Schaltflächen und die Adreßzeile auf Ihrem Netscape-Bildschirm nicht vorhanden, wurde deren Anzeige wahrscheinlich im Menü *Ansicht* ausgeschaltet. Aktivieren Sie dort einfach wieder die Punkte *Navigations-Symbolleiste einblenden* und *Adressen-Symbolleiste einblenden*. Mehr über das individuelle Maßschneidern des Netscape-Bildschirms erfahren Sie auf Seite 183.

Die Beschriftung der Zeile ändert sich in *Gehe Zu*. Netscape wartet nun auf die Eingabe der Adresse, unter der die gewünschte Information in der großen Bibliothek des World Wide Web verzeichnet ist. Tragen Sie in das Eingabefeld also den folgenden Text ein:

www.spiegel.de

Verweis: Was es ganz genau mit dieser Zeile auf sich hat, erfahren Sie auf Seite 149. Für den Anfang reicht es ja zu wissen, daß dies so funktioniert.

Abb. 3: Wohin soll die Reise gehen?

Sobald Sie die Eingabe mit der [Enter]-Taste beenden, beginnt Netscape mit der Beschaffung der Seite. Es kontaktiert den Spiegel-Computer, bittet höflich um Weiterleitung des aktuellen Titelblatts und schaufelt die daraufhin von dort hereinkommenden Daten auf Ihr System herüber.

Hinweis: Übrigens: Ein solcher Rechner wie der des Spiegel, der Ihnen im Internet Daten „serviert“, wird von den Insidern „Server“ genannt.

Tip: Lesen Sie schon während der Übertragung

Solange Netscape mit dem Einladen der Seite beschäftigt ist, bewegt sich das Logo rechts oben neben der Leiste mit den Schaltflächen. In der untersten Zeile teilt Netscape Ihnen zudem mit, wie weit die Übertragung schon gediehen ist. Ist die Übertragung vollendet, steht dort *Dokument: Übermittelt.* Sie müssen während der Übertragung aber nicht Däumchen drehen, sondern können durchaus schon mit dem Lesen beginnen. Stück für Stück fügt Netscape dann die hinzukommenden Teile an die Seite an.

Wenige Sekunden später erscheint die Begrüßungsseite des *Spiegel Online* auf Ihrem Monitor.

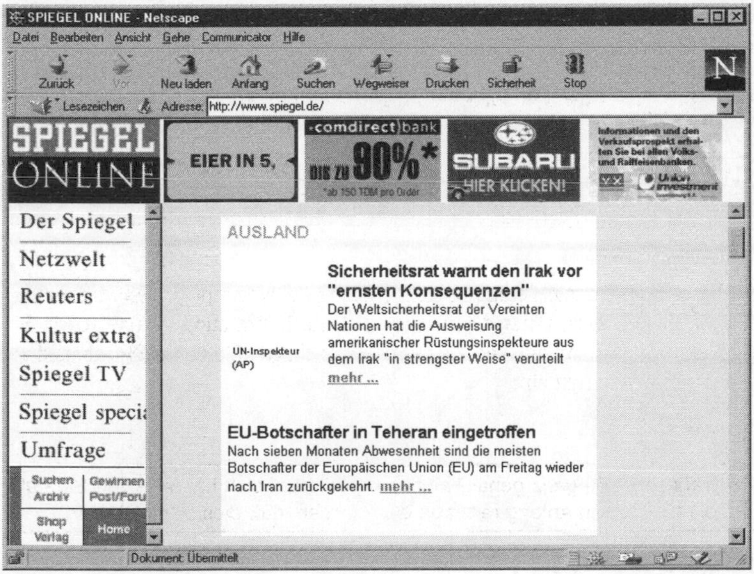

Abb. 4: Willkommen beim Spiegel!

So bewahren Sie den Überblick

Können Sie momentan nicht alle Informationen lesen, liegt dies daran, daß Ihr Netscape-Fenster Ihnen nur einen Ausschnitt der tatsächlichen Seite zeigt. Der Text wird immer auf die aktuelle Fensterbreite umgebrochen und läuft dann entsprechend nach unten weiter. Bilder können schon mal über den Rand eines schmalen Fensters hinausragen und sind dann nur teilweise zu sehen.

Tip: Alles optimal im Blick

Daher sollten Sie Netscape möglichst immer im sogenannten *Vollbild*-Modus betreiben – also auf die gesamte Bildschirmfläche vergrößert. Hierzu klicken Sie mit der Maus auf die entsprechende Schaltfläche in der Titelzeile. Netscape paßt den Text an die neue Fensterbreite an, und auch größere Bilder entgehen Ihnen nicht mehr.

Hinweis: Unabhängig vom *Vollbild*-Modus läßt sich die Größe des Netscape-Fensters auch individuell anpassen. Bewegen Sie dazu die Maus auf den das Fenster umfassenden Rahmen, so daß sich der Mauspfeil in einen kleinen Doppelpfeil verwandelt. Drücken Sie dann die linke Maustaste und halten Sie diese gedrückt. Sie können nun die Rahmengröße durch entsprechendes Bewegen der Maus wie ein Gummiband verändern. Sobald Sie die linke Maustaste wieder loslassen, wird das Fenster auf die neue Rahmengröße eingestellt.

Dennoch ist auch in der in großen Darstellung noch nicht der gesamte Text direkt lesbar. Teile laufen unten aus dem Bild. Über die Bildlaufleiste am rechten Fensterrand läßt sich der dargestellte Ausschnitt wie ein Sichtfenster über die gesamte Seite hinwegbewegen. Bewegen Sie hierzu den Mauszeiger auf den Kasten innerhalb der Leiste, drücken Sie die linke Maustaste und halten Sie diese gedrückt.

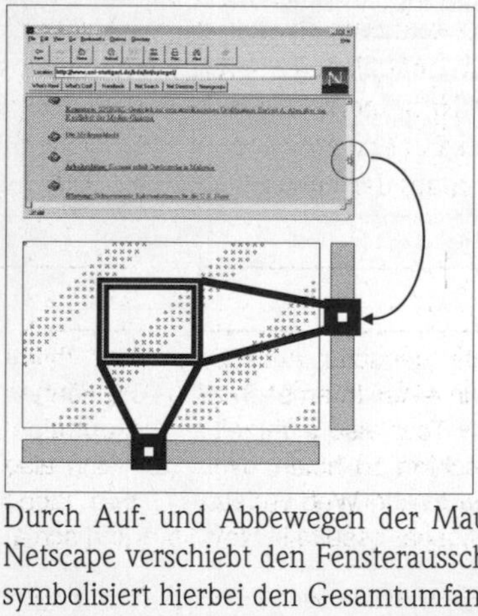

Abb. 5:
Bildlaufleisten sorgen für Durchblick

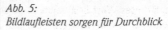

Durch Auf- und Abbewegen der Maus verschieben Sie nun den Balken, und Netscape verschiebt den Fensterausschnitt synchron dazu. Die Länge der Leiste symbolisiert hierbei den Gesamtumfang der aktuell angezeigten Seite. Wenn Sie die gewünschte Position erreicht haben, lassen Sie die Maustaste wieder los.

So blättern Sie in der elektronischen Zeitschrift

Auf der Eröffnungsseite des Spiegel-WWW-Services finden Sie am linken Fensterrand dessen verschiedene Unterbereiche aufgelistet: von „Online aktuell" und der aktuellen Ausgabe von „Der Spiegel" selbst über „Spiegel Extra" und „Spiegel Special" bis hin zu „Spiegel TV", „Spiegel TV News" und der „Online World". Außerdem finden Sie im mittleren Fensterbereich schon einige Schlagzeilen der aktuellen Ausgabe aufgeführt. Wenn Sie den Mauszeiger auf eine dieser Überschriften bewegen, verwandelt sich dieser in eine Hand . So kennzeichnet Netscape Verweise auf andere WWW-Seiten – in diesem Fall zum Beispiel Verweise auf die Seiten mit den einzelnen Online-Services des Spiegels.

Das ist nämlich das praktische am World Wide Web: Die gesuchten Informationen mögen zwar über diverse Seiten auf verschiedenen Rechnern verstreut liegen – für Sie sind sie jedoch nur einen Mausklick entfernt! Sie müssen nicht jedesmal wieder eine kryptische Adresse eintippen, um sich diese Seiten auf den Bildschirm zu holen. Der Spiegel-Rechner hat Netscape zugleich mit dem Text des Inhaltsverzeichnisses auch die passenden Informationen über damit zusammenhängende Seiten mitgeliefert – ähnlich, wie in diesem Buch mitunter der Hinweis „Schlagen Sie nähere Informationen zu diesem Thema bitte auf Seite soundso nach" vorkommt, hieß es für Netscape dann „Wenn der Benutzer nähere Informationen zu diesem Thema möchte, zeige ihm die Seite mit der Adresse soundso".

Bewegen Sie den Mauszeiger doch mal auf den Schriftzug „Mehr" unterhalb einer Artikeleinleitung, so daß sich der Pfeil in eine Hand verwandelt. Sie sehen, daß dieses Wort besonders eingefärbt und unterstrichen ist. So kennzeichnet Netscape WWW-Verweise, die sich in normalem Text verbergen. Drücken Sie kurz auf die linke Maustaste, springt Netscape zu der das jeweilige Thema behandelnden WWW-Seite weiter. Diese kann sich entweder – wie im Falle des Spiegel – in Hamburg befinden oder auch auf der entgegengesetzten Seite der Welt.

Tip: Verlaufen? – Macht nichts!

Die zum Aufruf der Spiegel-Hauptseite benutzte Adreßzeile steht Ihnen weiterhin zur Verfügung – auch mitten in einer Internet-Sitzung. Sie können diese während unserer folgenden WWW-Tour also jederzeit erneut aufrufen, um eine bestimmte Seite auf den Bildschirm zu holen. Wenn Sie sich also einmal in den virtuellen Weiten des World Wide Web verlaufen haben, laden Sie auf diese Weise einfach erneut die Ausgangsseite in Netscape und schlagen einen neuen Weg ein.

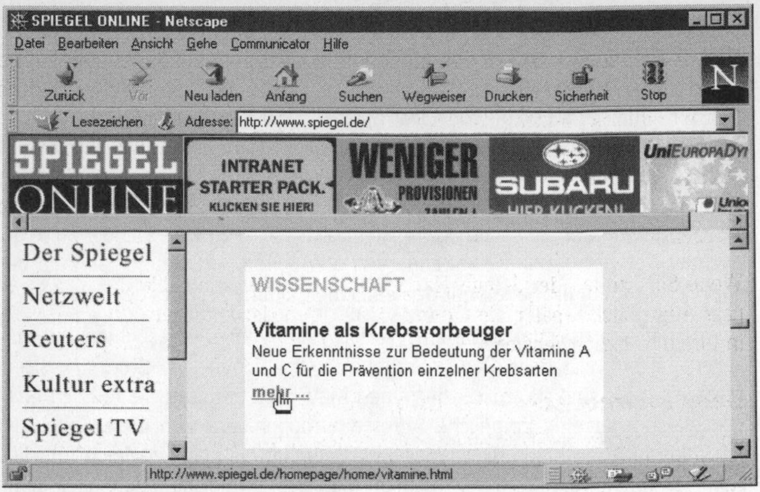

Abb. 6: Hier verbirgt sich ein Verweis!

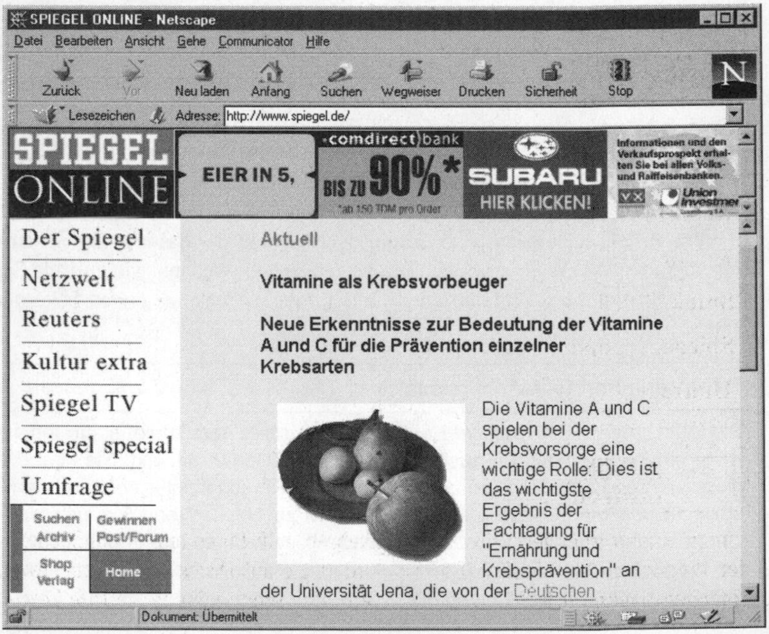

Abb. 7: Dem Verweis wurde nachgegangen

Der Titel von morgen schon heute

Und es kommt noch besser: Mit Ihrem Internet-Zugang sind Sie nämlich immer direkt am Puls der Zeit – und sogar noch ein paar Tage schneller informiert. Denn im Internet finden Sie schon am Samstag das Titelbild sowie ausgewählte Artikel der Spiegel-Ausgabe vom darauffolgenden Montag – ein Blick in die Zukunft also! (Falls das nicht immer klappt, haben Sie bitte Verständnis dafür. Aufgrund der Aktualität der Artikel können sich schon einmal Verzögerungen ergeben.)

Wenn Sie also auf der Spiegel-Hauptseite *Der Spiegel* anwählen, erscheint ein paar Augenblicke später die Online-Präsentation der aktuellen Spiegel-Ausgabe in Ihrem Netscape-Fenster.

Dank Internet schneller informiert

Zu vielen interessanten Themen sind entsprechende Berichte vorhanden. Über die Rubriken-Leiste am linken Rand des Netscape-Fensters lassen Sie sich die Überschriften der passenden Artikel anzeigen. Klicken Sie zum Beispiel auf *Kultur*, um den derzeitigen Kulturteil des Spiegels zu lesen.

Abb. 8:
Hier schlagen Sie die aktuelle Kultur-Rubrik auf

Um zu einer vorherigen Seite zurückzukehren, hilft Ihnen eine Schaltfläche aus der Werkzeugleiste: *Zurück*. Diese befördert Sie auf Druck zurück zur jeweils vorangegangenen Seite. Klicken Sie darauf, und schon können Sie Ihre Lektüre fortsetzen.

Tip: Vor und zurück im Eilzugtempo

Mit der *Zurück*-Funktion können Sie sich auf den Spuren Ihrer aktuellen WWW-Reise beliebig weit zurückbewegen. Mit der daneben liegenden *Vor*-Schaltfläche gehen Sie wieder entsprechend nach vorn. Das praktische daran ist, daß Netscape die zuletzt betrachteten Seiten nach Druck auf eine dieser Schaltflächen nicht erneut vom Ursprungsrechner einladen muß, sondern ohne Verzögerung sofort parat hat. Der Inhalt wurde im Speicher Ihres Rechners kurzfristig abgelegt.

Abb. 9: Mit dem Zurück-Schalter blättern Sie zu einer vorherigen Seite zurück

Nie wieder Abtippen – Einen Artikel in die Textverarbeitung kopieren

Der Clou: Sie können sich interessante Artikel in andere Programme Ihres Windows-Schreibtischs – zum Beispiel Ihre Textverarbeitung – kopieren, dort weiterverarbeiten und auf Ihrer Festplatte speichern.

Wenn Sie das gleich einmal ausprobieren möchten, nichts leichter als das:

① Öffnen Sie unter Windows ein zweites Fenster für Ihre Textverarbeitung und laden Sie dort das Dokument ein, in das Sie den WWW-Text übernehmen möchten.

② Wechseln Sie von dort zurück zu Netscape.

③ Bewegen Sie dann den Mauszeiger auf den Anfang der Passage, die Sie aus der aktuell angezeigten WWW-Seite in ein Dokument Ihrer Textverarbeitung übernehmen möchten, drücken Sie die linke Maustaste und halten Sie diese gedrückt.

④ Wenn Sie nun mit dem Mauszeiger über die Seite streichen, wird deren Inhalt – ausgehend von Ihrem Anfangspunkt – schwarz hinterlegt. Markieren Sie auf diese Weise die gesamte Passage, die Sie kopieren möchten.

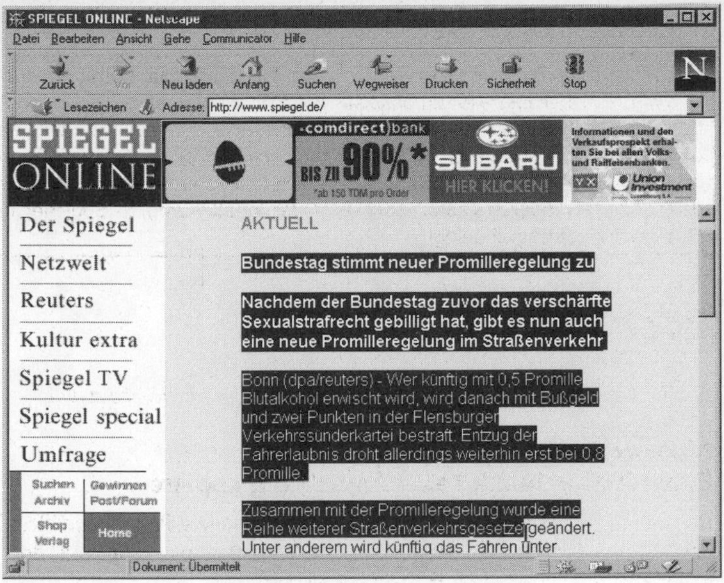

Abb. 10: Dieser Text soll aus dem WWW übernommen ...

⑤ Sobald der Ausschnitt nach Ihren Vorstellungen markiert ist, öffnen Sie das Menü *Bearbeiten* und aktivieren die Funktion *Kopieren*.

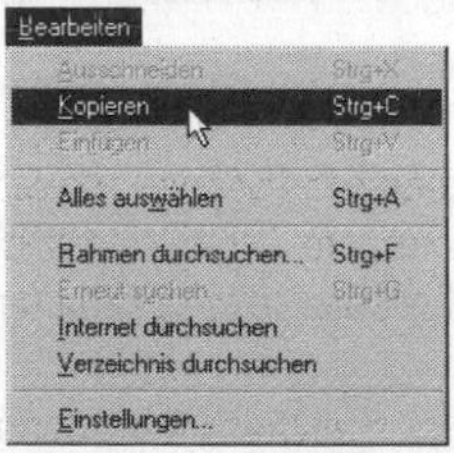

Abb. 11:
... und in Ihre Textverarbeitung kopiert werden

⑥ Nun wechseln Sie wieder zu Ihrer Textverarbeitung und bewegen die Einfügemarke auf die Position im aktuellen Dokument, hinter der Ihr WWW-Text erscheinen soll.

⑦ Aktivieren Sie dann die *Einfügen*-Funktion (in WordPad oder Word verbirgt sich diese beispielsweise im Menü *Bearbeiten*).

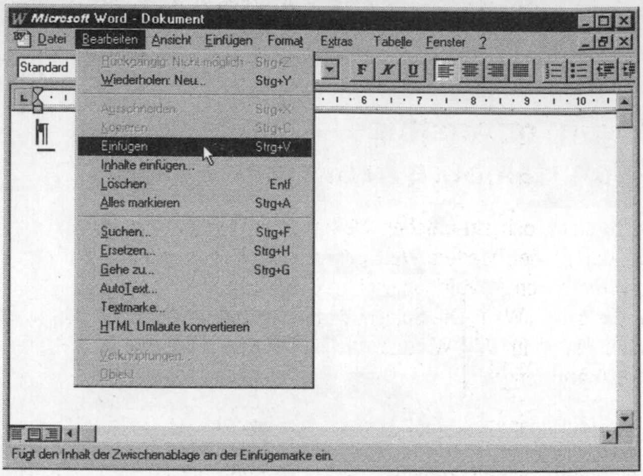
Microsoft Word - Dokument
Datei
Bearbeiten
Ansicht
Einfügen
Format
Extras
Tabelle
Fenster
?
Standard
Wiederholen: Neu... Strg+Y
Einfügen Strg+V
Inhalte einfügen...
Löschen Entf
Alles markieren Strg+A
Suchen... Strg+F
Ersetzen... Strg+H
Gehe zu... Strg+G
AutoText...
Textmarke...
HTML Umlaute konvertieren
Fügt den Inhalt der Zwischenablage an der Einfügemarke ein.

Abb. 12: Mit wenigen Mausklicks ist er dort eingefügt ...

⑧ Dort können Sie nun den WWW-Text beliebig weiterverarbeiten, zum Beispiel nach Ihren Wünschen umformatieren, und auf Ihrem System abspeichern.

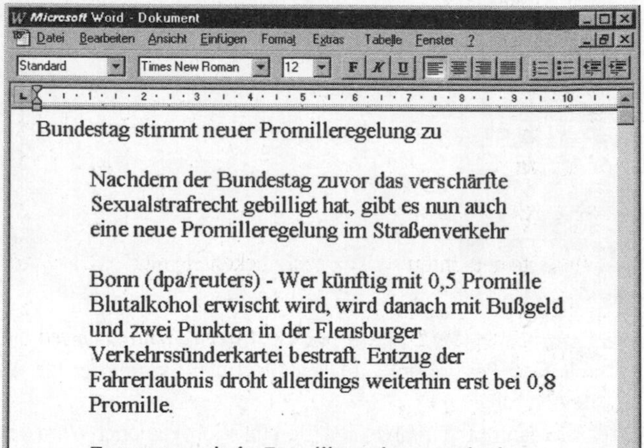
Microsoft Word - Dokument
Datei
Bearbeiten
Ansicht
Einfügen
Format
Extras
Tabelle
Fenster
?
Standard
Times New Roman
12
Bundestag stimmt neuer Promilleregelung zu
Nachdem der Bundestag zuvor das verschärfte Sexualstrafrecht gebilligt hat, gibt es nun auch eine neue Promilleregelung im Straßenverkehr
Bonn (dpa/reuters) - Wer künftig mit 0,5 Promille Blutalkohol erwischt wird, wird danach mit Bußgeld und zwei Punkten in der Flensburger Verkehrssünderkartei bestraft. Entzug der Fahrerlaubnis droht allerdings weiterhin erst bei 0,8 Promille.
Zusammen mit der Promilleregelung wurde eine Reihe weiterer Straßenverkehrsgesetze geändert. Unter anderem wird künftig das Fahren unter
S 1
Ab 1
1/2
Bei
Ze
Sp
MAK
ÄND
ERW
ÜB

Abb. 13: ... und läßt sich beliebig bearbeiten

So werden Zitate und dergleichen zum Kinderspiel! Bitte beachten Sie dabei aber die Regelungen des Urheberrechts.

1.4 Weitere Ausflüge – von Hamburg in die ganze Welt

Möchten Sie sich noch ein bißchen weiter im WWW umschauen? Noch mehr sehen von der großen weiten Welt des Internet? Dann klicken Sie sich doch einfach weiter durch – vom Spiegel in Hamburg ausgehend um, wenn Sie möchten, die ganze Welt. Die Spiegel-Redaktion hat eine ganze Reihe weiterer interessanter Plätze im WWW rund um die Medien zusammengetragen und in einer Liste zusammengestellt.

Schauen Sie doch mal nach, ob dort etwas für Sie dabei ist:

① Klicken Sie in der Rubrikenleiste am linken Bildschirmrand auf *Netzwelt.*

Abb. 14:
Auf geht's in die Netzwelt!

② Es klappt die Liste der Unterrubriken aus. Klicken Sie hier auf *Pfadfinder.*

Abb. 15:
Der Pfadfinder weist den Weg zu weiteren Seiten

③ Im mittleren Fensterbereich erscheint nun der WWW-Pfadfinder des Spiegels –ein guter Startpunkt für Ihre weiteren Erkundungen.

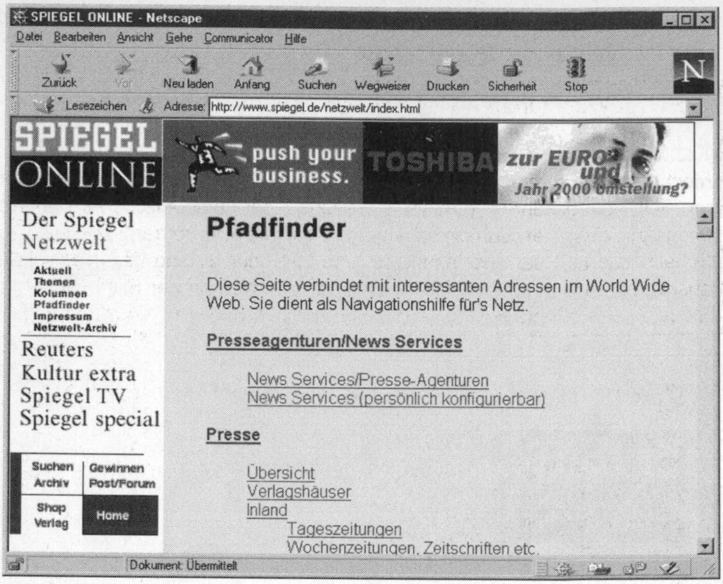

Abb. 16: Der Spiegel präsentiert interessante Seiten im Netz

Wer weiß, wohin die Reise geht?

Suchen Sie sich ein Thema aus, das Sie interessiert, klicken Sie darauf – und schon befinden Sie sich auf der zugehörigen Seite. Auf diese Weise können Sie sich – wie eingangs angeregt – um die ganze Welt klicken.

Hinweis: Im World Wide Web wird Aktualität besonders groß geschrieben. Wahrscheinlich ist es sogar das sich am schnellsten verändernde Medium überhaupt! Da kann es natürlich durchaus passieren, daß sich das Angebot in der Zeit von der Drucklegung dieses Buchs bis zu Ihrer jetzigen Lektüre desselben schon wieder grundlegend verändert hat. Wahrscheinlich sind eine Menge neuer Informationen hinzugekommen, vielleicht ist der eine oder andere Service aber auch verschwunden. Wenn Sie also einmal woanders auskommen, als hier beschrieben, stören Sie sich bitte nicht groß daran – nehmen Sie´s lieber als Aufforderung und forschen Sie doch auf eigene Faust weiter!

Noch mehr Neues sehen ...

Wenn Sie mit der aktuellen Wahl nicht zufrieden sind, springen Sie über die *Zurück*-Schaltfläche einfach wieder ein paar Seiten zurück und probieren dort die vielen weiteren Verweise aus. Es gibt viel zu entdecken!

Tip: Der Weg zurück – wenn ein einfaches „Zurück" einmal zu umständlich ist

Möchten Sie während einer längeren WWW-Reise einmal zu einer bestimmten Seite zurückkehren, brauchen Sie dies nicht umständliche über mehrfaches Anklicken der *Zurück*-Schaltfläche zu tun. Ein langer Klick auf diese Schaltfläche läßt darunter nämliche eine Liste der bislang besuchten Seiten ausklappen. Darin können Sie einfach auf den Namen der Seite klicken, die Sie nochmals sehen möchten – und sie wird postwendend eingeladen.

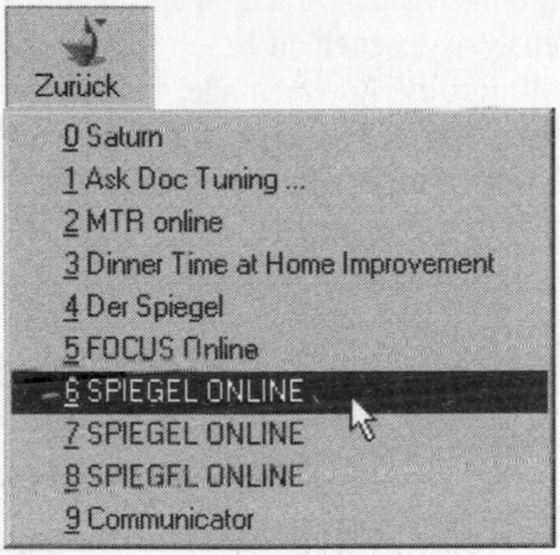

Abb. 17: Ein langer Klick auf Zurück zeigt Ihnen eine Liste bisher besuchter Seiten

Verweis: Einen Wegweiser durch die schönsten, interessantesten, spannendsten und außergewöhnlichsten Plätze des World Wide Web finden Sie ab Seite 199.

... und dabei die Übersicht behalten

Daß Sie auf manchen WWW-Seiten den Überblick verlieren, läßt sich einfach erklären: Man sieht einfach zu wenig!

Doch das muß nicht so bleiben, wenn Sie sich folgenden Kniff zunutze machen.

Tip: Mehr Übersicht im WWW

Wird nur ein Bruchteil der Gesamtseite auf Ihrem Monitor angezeigt, bleibt die Übersicht auf der Strecke. In diesem Fall sollten Sie das Menü *Ansicht* öffnen und dort den Punkt *Schrift verkleinern* aktivieren. Ab sofort verwendet Netscape zur Anzeige der WWW-Seiten eine kleinere Schriftart – entsprechend mehr Information paßt dann auf eine Bildschirmseite. Natürlich können Sie in umgekehrter Weise über den Punkt *Schrift vergrößern* die Schriftgröße auch erhöhen, falls Sie Ihnen zuvor zu klein zum angenehmen Lesen war. Weitere Erläuterungen zum optimalen Anpassen von Netscape finden Sie ab Seite 180 (Kap. 4.5).

Ihr persönliches WWW-Album

Sicherlich kommen Sie auf Ihren Reisen durch das World Wide Web an vielen schönen Plätzen vorbei, die zum Verweilen einladen oder auch einen erneuten Besuch zu einem späteren Zeitpunkt lohnenswert erscheinen lassen. Sie könnten sich nun eine kleine Kladde zulegen und dort die Adressen aller interessanten Seiten notieren. Hilfreich, aber umständlich – Netscape kann das auf Wunsch automatisch für Sie übernehmen! Gern führt es Ihnen eine Liste von Lesezeichen, die Sie zwischen die für Sie persönlich interessantesten Seiten des großen Buchs „World Wide Web" legen. Hinter dem gleichnamigen Menü verbirgt sich diese praktische Hilfe:

① Klicken Sie sich zunächst zu der Seite durch, auf die Sie ein Lesezeichen legen möchten.

② Öffnen Sie dann das Menü *Lesezeichen* (neben der Adreßzeile) und aktivieren Sie die Funktion *Lesezeichen hinzufügen*.

Abb. 18: Auf diese Seite kommt ein Lesezeichen

Als Beschriftung des Lesezeichens verwendet Netscape den Namen der WWW-Seite – und zwar nicht die kryptische Adresse, sondern den eigentlichen Namen im Klartext (der beim Anzeigen der Seite in der Titelzeile Ihres Netscape-Fensters steht).

Alle Lesezeichen, die Sie im Laufe Ihrer Reisen durch das World Wide Web anlegen, trägt Netscape als Liste in das *Lesezeichen*-Menü ein.

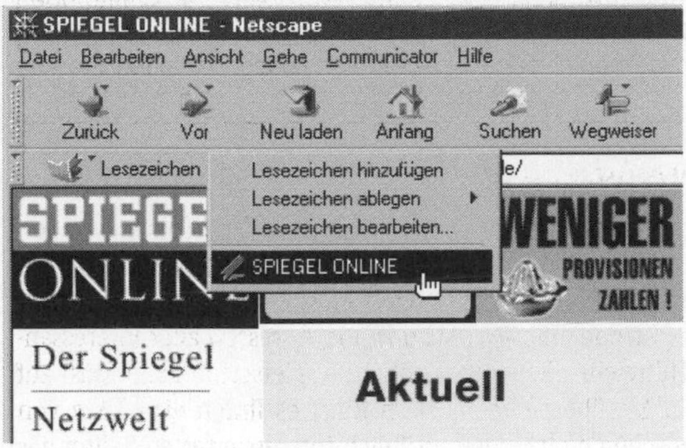

Abb. 19: Die Liste der Lesezeichen mit dem neuen Eintrag des Spiegel-Services

Um nun eine Seite anhand ihres Lesezeichens wieder aufzuschlagen, öffnen Sie das *Lesezeichen*-Menü und klicken auf den entsprechenden Listeneintrag. Sofort holt Netscape Ihnen die zugehörige WWW-Seite auf den Bildschirm.

> **Verweis:** Falls Ihre *Lesezeichen*-Liste zu lang und unübersichtlich geworden ist, schauen Sie doch einmal auf Seite 157. Dort erfahren Sie, wie Sie diese Funktion am besten nutzen und die Einträge Ihres WWW-Albums ganz nach Geschmack (oder Wichtigkeit) ordnen und sauber gliedern.

Viel Spaß beim Surfen!

Jetzt wissen Sie, wie Sie Ihren „WWW-Browser“ zum Zugriff auf das Internet (besser gesagt: das World Wide Web) benutzen, wie Sie fremde Rechner anklingeln, von dort Informationen abrufen und in eigene Programme übernehmen – kurz gesagt: wie Sie sich rund um die Welt klicken.

Am besten probieren Sie die vielfältigen Möglichkeiten noch weiter aus, um das richtige „Feeling“ zu bekommen – surfen macht schließlich Spaß – Internet-Surfen sowieso – und ist noch dazu interessant, aufschlußreich, informativ, unterhaltsam und spannend – gleich fünf Vorteile auf einmal (und mit ein bißchen Nachdenken lassen sich noch über ein Dutzend weitere finden)! Das gibt es eben nur im Internet ...

Verweis: Diese Tour konnte Ihnen nur einen kleinen Einblick in das Angebot des World Wide Web und dessen umfangreiche Möglichkeiten bieten. Ab Seite 143 erfahren Sie ausführlicher, wie das WWW hinter seinen glitzernden Kulissen funktioniert und wie Sie daraus das Optimum holen.

2. Die Datenautobahn – Viel zitiert, was steckt dahinter?

Nachdem Sie nun schon eine erste Reise in die faszinierenden Gefilde des Internet hinter sich haben, ist es sicherlich angebracht, einmal einen Blick hinter dessen Kulissen zu werfen.

In diesem Kapitel erfahren Sie, was das „Internet“ überhaupt ist, woher es stammt, wie es aufgebaut ist und wer dafür bezahlt. Außerdem erhalten Sie eine große Liste mit Adressen für Ihren eigenen Internet-Kontakt.

2.1 Eine kleine Geschichte über das Internet

Vorneweg: Ich will Sie keinesfalls mit der Entwicklung des Internet in allen Einzelheiten langweilen – schließlich brauchen Sie ja auch nicht alles über Karl Benz, Gottlieb Daimler und ihre Zeit zu wissen, um mit Erfolg Auto zu fahren. Eine gewisse Grundorientierung kann jedoch nie schaden, deshalb sollten Sie sich dieses Kapitel einmal in einem ruhigen Augenblick zu Gemüte führen. Sie finden hier die Geschichte des Internet – jedoch nicht in einer trockenen Auflistung historischer Fakten und Entwicklungen, sondern in einer daraus abgeleiteten Erzählung (manchmal auch einer augenzwinkernden Spekulation).

Die Evolution des Internet

Wir wissen natürlich nicht, was sich genau in den Köpfen und Stuben der Internet-Gründer abgespielt hat, aber so, wie im folgenden erzählt, könnte es gewesen sein. Bitte nehmen Sie mich nicht beim Wort! Wenn Sie eine hundertprozentig exakte Auflistung aller geschichtlichen Details wünschen, finden Sie in den riesigen Bibliotheken des Internet sicherlich den einen oder anderen verstaubten Folianten, der Ihnen dies bietet.

Wenn Sie nach den Ursprüngen des Internet fragen, bedeutet dies ein Reise zurück in die Pionierzeit der EDV – als die Computer noch riesige Kisten waren, die ganze Räume füllten, zum Betrieb fast ein gesamtes Elektrizitätswerk für sich allein brauchten und zu denen nur ein ausgewählter Zirkel Zugang hatte. Genauer gesagt: in das Jahr 1969.

Am Anfang stand das Militär

Schon damals hatte das amerikanische Verteidigungsministerium erkannt, daß diese mit blinkenden Leuchtdioden besetzten Elektronengehirne einen guten Beitrag zur optimalen Kriegsführung (Entschuldigung, ich meine natürlich „Verteidigung“) leisten würden. Ist man dort heute schon so weit, „moderne“ Kriege allein durch Computersabotage gewinnen zu wollen, ging es damals zunächst darum, eine Kommunikation zwischen diversen Rechnern verschiedener Bauart zu ermöglichen. Jeder Computer sollte sich mit jedem anderen, ganz gleich welchen Typs, unterhalten und auf dessen Daten zugreifen können – eine Art typenübergreifendes Netzwerk also. Zugleich sollte diese Datenkommunikation im Ernstfall aber auch dann noch funktionieren, wenn große Teile des Netzes weggebombt wären.

Die geheimen Daten über die „bösen“ Russen und die besten Whiskeys, welche die Generäle sich gegenseitig zuschickten, sollten sich einfach automatisch den besten Weg durch das suchen, was vom Netz noch übrig war.

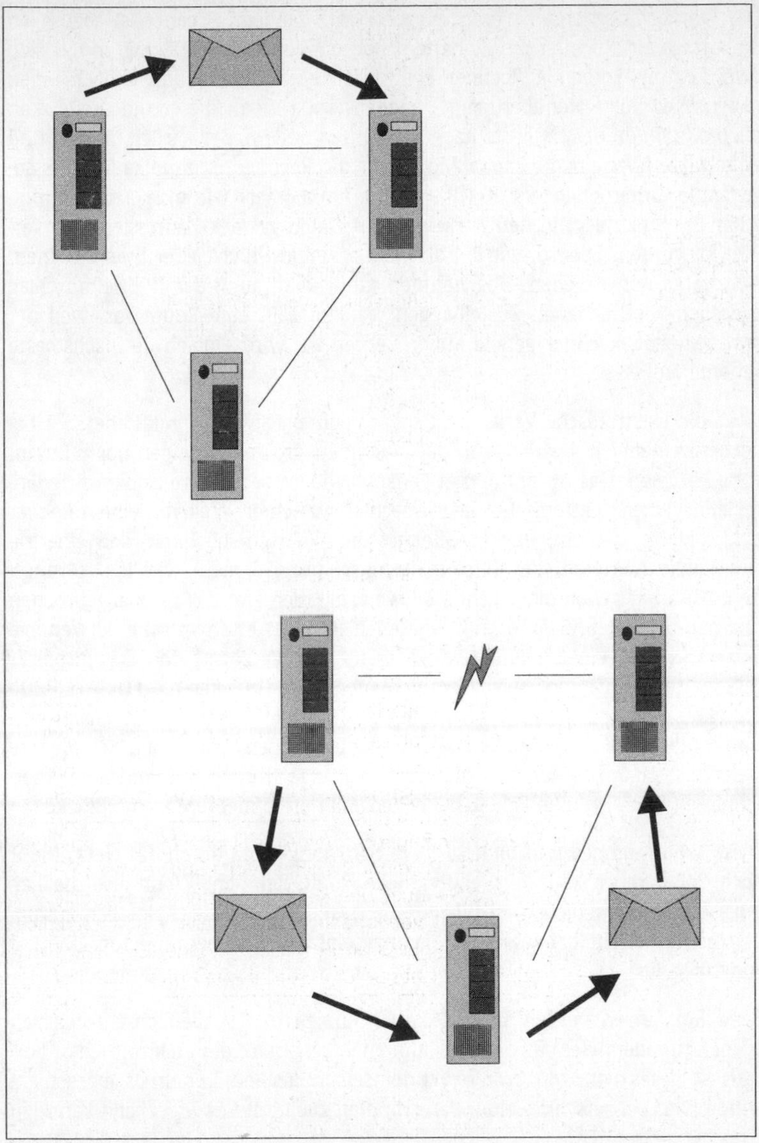

Abb. 20: Löcher im Postweg sind kein Problem – der Brief sucht sich selbst den besten Weg

Das hierzu eingerichtete Forschungsnetzwerk namens Arpanet ist sozusagen der Großvater des Internet: Es hatte schon die dezentrale Prägung, in der sich zwei kommunizierende Rechner bei Ausfall einer Verbindung einfach einen neuen Weg zur Datenübertragung suchen (auch wenn dieser um drei Ecken reichte und von der Ostküste nach Kalifornien und wieder zurück führte), und es verfügte über einen eigenen Modus für die Rechnerkommunikation: das sogenannte „Internet Protocol" (IP). Dieses funktioniert wie eine Art elektronischer Briefumschlag, in den die jeweiligen Daten gesteckt, adressiert und verschickt wurden. Ebenso, wie bei der Schneckenpost nicht jeder Brief zu einem Adressaten den gleichen Weg nehmen muß, kann auch der IP-Briefumschlag zwischen verschiedenen Zustellwegen wählen. Fällt eine Route aus, weil der dort stehende Rechner gerade außer Betrieb ist, wird einfach die nächstbeste genommen.

Doch die elektronische Variante ist sogar noch ein bißchen praktischer: Sie beückichtigt nämlich das Problem, daß besonders große Sendungen nur mühsam vorankommen. Das ist im Internet genauso wie im normalen Postdienst. Je länger ein solcher elektronischer Briefumschlag für seinen Weg von einem Recher zum anderen braucht, desto größer ist die Wahrscheinlichkeit, daß Übertragungsfehler auftreten (die Telefonleitung ist nunmal nicht wirklich störungsfrei). Mitunter gehen diese Fehler so weit, daß der Transfer ganz abgebrochen und neu begonnen werden muß, auf jeden Fall aber erschwert die notwendige Fehlerkorrektur einen reibungslosen Ablauf und verzögert den Datentransfer gerade bei umfangreichen Nachrichtenpaketen ungemein. Das TCP/IP-Protokoll des Arpanets (die Abkürzung „TCP" steht hierbei für „Transmission Control Protocol" – die Militärs hatten offenbar großen Spaß daran, sich für ihre Datenübertragungsverfahren möglichst seltsame Kürzel auszudenken) zerschnipselt solche großen Pakete beim Versand nun in mehrere kleine Blöcke.

Diese gleiten schnell und ohne größere Schwierigkeiten durch das Netz. Mehr noch: Jeder Block kann eine individuelle Route nehmen. Wenn also die Leitung, über welche die ersten Blöcke übertragen worden sind, plötzlich zusammenbricht, weicht der jeweilige Rechner einfach auf einen anderen Übertragungsweg aus.

Beim Empfänger werden alle Blöcke gesammelt und schließlich automatisch wieder zu einem Gesamtpaket zusammengefügt. Dank des elektronischen Formats ist dieses dann wieder in exakt demselben Zustand, in dem es abgeschickt wurde (was bei zerschnipselten Papierbriefen auch mit viel Klebeband kaum zu erreichen wäre).

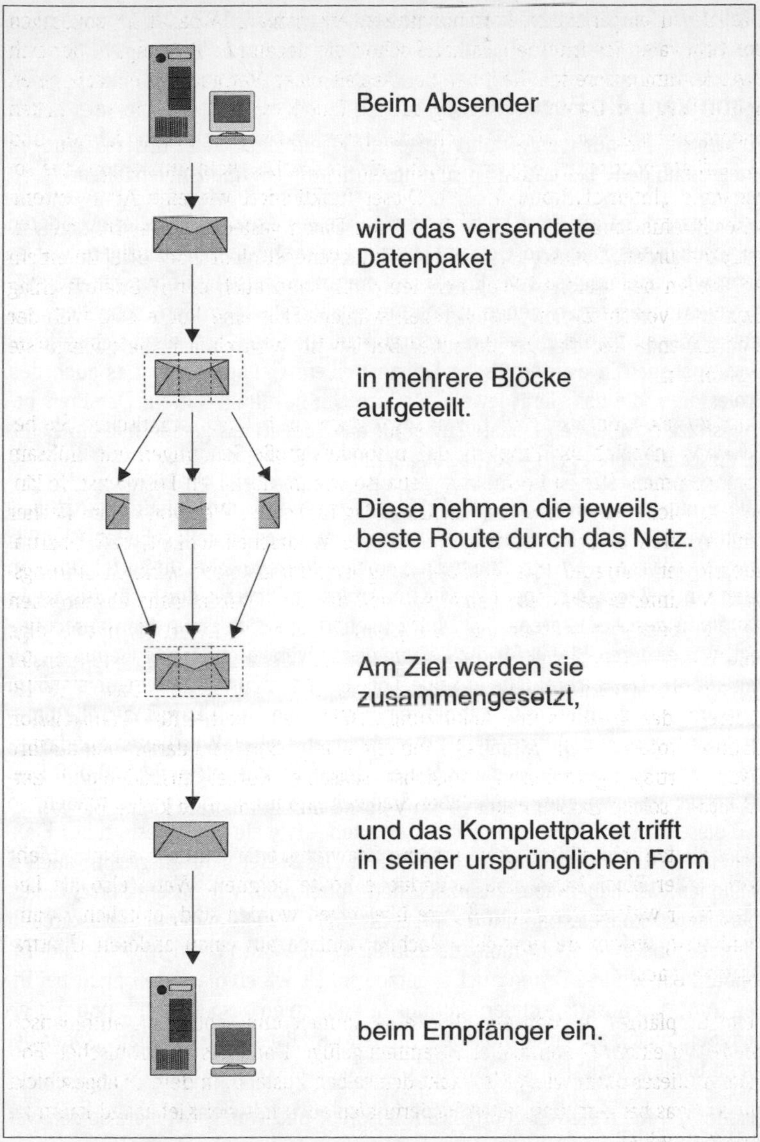
Beim Absender
wird das versendete Datenpaket
in mehrere Blöcke aufgeteilt.
Diese nehmen die jeweils beste Route durch das Netz.
Am Ziel werden sie zusammengesetzt,
und das Komplettpaket trifft in seiner ursprünglichen Form
beim Empfänger ein.

Abb. 21: Das verbirgt sich hinter dem Kürzel TCP/IP

„Toll!", freuten sich die Generäle, und stellten ihr Kind 1972 der Öffentlichkeit vor.

Dann kam die Forschung

So kam es, daß nur wenige Jahre später die eigentlichen Väter unseres heutigen Internet auf den Plan traten: Forschungseinrichtungen und Universitäten.

Schon damals hatten diese stets zu wenig Geld zur Anschaffung aller benötigten Forschungsutensilien und Gerätschaften. Irgendwann in den Siebzigern war es dann wieder einmal soweit: Einige größere amerikanische Universitäten benötigten dringend einen neuen Computer – aber einen großen, schnellen, leistungsfähigen! Natürlich waren das drei Attribute, die den Preis für ein solches System schnell in astronomische Höhen treiben. Genauso erging es auch den Professoren, die das Gerät jeweils für Ihre Uni beantragt hatten: Der Preis betrug stolze 5 Millionen Dollar! Zuviel für das Budget, das gerade mal ein Zehntel dieses Betrages ergab – Antrag abgelehnt.

Alle Professoren waren niedergeschlagen, mißmutig und verstimmt darüber, noch weitere Jahre mit der vorhandenen, veralteten Technik arbeiten zu müssen – wo das neue System ihnen doch so viele Vorteile gebracht hätte! Doch an einer Uni saß jemand – nennen wir ihn Professor Clever – der nicht aufgab. Er hatte von der Pionierarbeit der Militärs gehört und sich einen Plan zurechtgelegt, wie er deren Einfall für die Lösung des universitären Finanzdilemmas nutzen könnte. Dazu trommelte er seine Kollegen von neun anderen Universitäten zusammen und unterbreitete Ihnen einen genialen Vorschlag: „Wir alle brauchen ein neues Computersystem für 5 Millionen Dollar. Was halten Sie davon, wenn jeder von uns ein kleineres System anschafft, das nur etwa 500.000 Dollar kostet, und wir alle Geräte über Standleitungen miteinander verbinden, so daß diese Hand in Hand miteinander arbeiten – wie ein einzelnes, großes Elektronengehirn mit seinen vernetzten Zellen! Das kostet dann insgesamt auch 5 Millionen, wir haben aber zusätzlich den Vorteil, daß wir unsere Forschungen miteinander koppeln und auf die Ergebnisse der jeweils anderen zurückgreifen können. Und zwar nicht mehr über mühseligen Versand von Magnetbändern, sondern einfach auf Tastendruck – gerade so, als wären die Daten nicht bei Ihnen in Massachusetts, sondern bei uns in Kalifornien gespeichert!", und mit einem Seitenblick auf einen Kollegen von der Ostküste fügte er hinzu: „Oder bei Ihnen in New York".

„Famos", freuten sich die übrigen Professoren, und wenige Monate später war das erste wissenschaftliche Computernetzwerk in Betrieb. Übrigens ist es das auch heute noch: Das NSF-Net (benannt nach der „National Science Foundation", die damit fünf Supercomputer verband und den Universitäten zugänglich machte) bildet das „Backbone" (das Rückgrat) des heutigen Internet.

Nach und nach schlossen sich immer mehr Universitäten an, und schließlich war so gut wie jede Forschungseinrichtung mit ihren eigenen Rechnern im Internet vertreten. Ein riesiges, wissenschaftliches Kolloquium, das zum bundesweiten Austausch von Informationen und Forschungsergebnissen sowie zur Kooperation in neuen Projekten und der Verteilung rechenintensiver Arbeiten auf die Ressourcen des gesamten Netzes genutzt wurde (was eine beträchtliche Beschleunigung mit sich brachte).

Eine neue Idee

Insgesamt eine zwar sehr nützliche, aber auch ziemlich trockene Angelegenheit. Und das wäre sie sicherlich auch geblieben, hätte es nicht einen folgenschweren Unfall gegeben, der das NSF-Net einen Schritt näher zum heute bekannten (und auch im Privatbereich beliebten) Internet brachte.

Für ein Projekt mußten nämlich einige Daten in einem alten Buch nachgeschlagen werden, das im obersten Regal der hintersten Kammer der Universitätsbibliothek stand. Als ein Assistent des Professors Clever – nennen wir ihn Dr. Smart – auf der Leiter stand und diesen schweren Band aus einer Reihe von Büchern herauszog, die sicherlich seit zwei Dekaden nicht mehr gelesen worden waren, fand er sich plötzlich in einer Staubwolke eingehüllt und mußte so heftig niesen, daß er rücklings von der Leiter fiel. Eine Woche später konnte er das Krankenhaus wieder verlassen, doch aufgrund einiger komplizierter Knochenbrüche hatte ihm der Arzt im Rahmen der angestrebten Genesung die tägliche Fahrt von der etwas außerhalb gelegenen Wohnung zur Uni und zurück verboten. Lediglich den Weg vom Bett zum Schreibtisch konnte Dr. Smart einigermaßen gut zurücklegen. Professor Clevers aktuelles Projekt, bei dessen Durchführung er auf Dr. Smarts Hilfe angewiesen war, drohte zu scheitern.

Doch wieder kam Clever ein Geistesblitz zu Hilfe. Noch am gleichen Nachmittag besuchte er seinen Assistenten, im Gepäck eine Präsentschachtel Pralinen und einiges seltsam anmutendes elektronisches Gerät. „Hier haben Sie einen Computer und ein Modem!", erklärte er dem staunenden Smart, als die Gerätschaften in dessen Hause aufgebaut und installiert waren. „Damit können Sie sich von Ihrem Schreibtisch aus über Ihre normale Telefonleitung in unseren Universitätscomputer einwählen. Sie können damit arbeiten, als säßen Sie nicht an Ihrem Schreibtisch zu Hause, sondern in Ihrem Büro an der Uni – und mehr noch: Sie haben außerdem Zugriff auf alle anderen Rechner an den in unserem großen Netz verbundenen Universitäten."

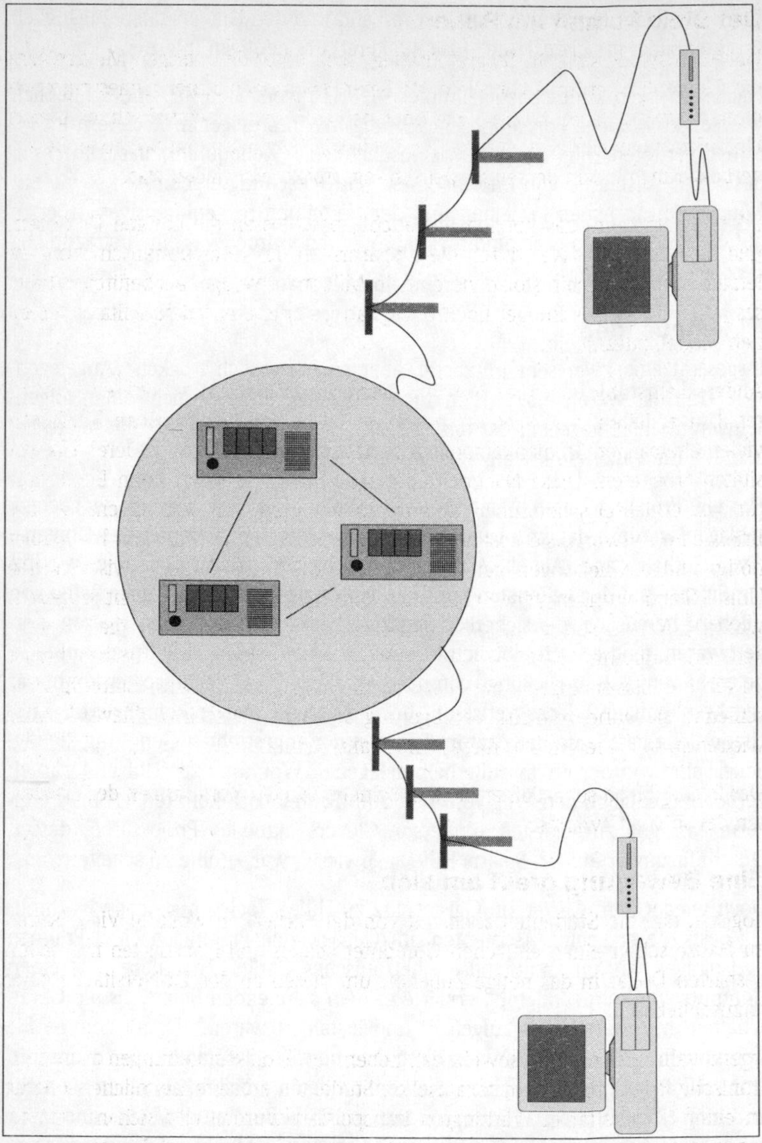

Abb. 22: Per Modem ins Netz

Der Stein kommt ins Rollen

Natürlich sprach sich Dr. Smarts Privileg rasch unter den übrigen Mitarbeitern des Lehrstuhls herum – vor allem, da Smart auch nach seiner Genesung noch oftmals von zu Hause aus arbeitete oder sich am Abend nochmal schnell in den Unirechner einwählte, weil ihm just in diesem Moment eine wichtige Detailverbesserung für sein derzeitiges Forschungsprojekt eingefallen war.

„Was Smart kann, das können wir auch", beschlossen die übrigen Doktoren, und da Professor Clever durch die Ersparnis bei der Computeranschaffung im letzten Jahr (immerhin stolze viereinhalb Millionen weniger als befürchtet) dieses Jahr sein ganzes Budget noch offen hatte, richtete er jedem Mitarbeiter einen Modemzugang ein.

Andere Lehrstühle schlossen sich an, gleiches geschah an den anderen vernetzten Universitäten, und schließlich konnte Dr. Smart elektronische Briefe mit vielen ehemaligen Studienkameraden austauschen, die jetzt an anderen Universitäten arbeiteten. Diese Nachrichten waren nicht nur sofort beim Empfänger (und oft erhielt er schon innerhalb von fünf Minuten nach dem Abschicken des Briefs eine Antwort), sie kosteten ihn auch gar nichts. Es war kein Briefpapier nötig, und die Leitungen zur Übertragung bestanden sowieso zwischen den Unis – Standleitungen stehen eben auch dann, wenn Sie gerade nicht gebraucht werden. Warum sollte man das nicht ausnutzen? Ganz neu war die Möglichkeit, einen direkten Plausch mit Kollegen von der anderen Seite des Kontinents zu führen: Clever tippte seine Worte in die Tastatur, und beim Empfänger erschienen sie ohne zeitliche Verzögerung auf dem Bildschirm. Clever konnte wiederum sofort lesen, was dieser darauf antwortete.

Das freute ihn so sehr, daß er in einer seiner nächsten Vorlesungen den Studenten davon vorschwärmte.

Eine Bewegung greift um sich

Logisch, daß die Studenten auch mit von der Partie sein wollten! Viele hatten zu Hause schon einen einfachen Computer stehen und investierten nun jeden gesparten Dollar in das nötige Zubehör, um diesen an den Universitätsrechner anzuschließen.

Irgendwann war es dann soweit, daß neben den Projektmitteilungen auch elektronische Briefe von einem texanischen Studenten an seine heimliche Geliebte an einer Universität in Washington transportiert wurden und sich neben Forschungsergebnissen auch der aktuelle Speiseplan der Mensa elektronisch abrufen ließ.

Das begeisterte auch Studenten und Beschäftigte an anderen Universitäten, die nicht vernetzt waren. Man sah die Vorteile solcher Netzwerke, wollte aber „etwas Eigenes" – und so entstanden neben dem NSF-Net noch weitere Netze (wie das Bitnet oder das Usenet).

Nach dem Vorbild der für papierne Studentenmitteilungen genutzten „Schwarzen Bretter" wurden elektronische Diskussionsforen eingerichtet: Jeder konnte Nachrichten hineinschreiben, auf die wiederum andere antworteten, indem Sie einen Teil der ursprünglichen Nachricht kopierten, ihre Meinung darunterschrieben und das Ganze als neue Nachricht wieder in das Forum schickten.

Ein Netz ums andere wuchs aus dem Boden, und das wäre sicherlich bis heute so weitergegangen, wenn Professor Clever nicht wieder eine seiner berüchtigten Ideen gehabt hätte.

Ein Netz für alle Fälle

Ihm schwebte vor, das Arpanet, das NSF-Net, das Bitnet, das Usenet und alle anderen Netze miteinander zu verschmelzen – zu einem großen Ganzen, das er in seinen Gedanken einfach mal „Internet" getauft hatte.

Die Administratoren der übrigen Netze, die er angerufen hatte, waren von dieser Idee begeistert – ebenso die Militärs (noch mehr Geheimnisse, die sich austauschen ließen, und noch mehr Rechner, um die Funktion eines weggebombten Netzteils zu übernehmen ...) –, und schon bald waren an wichtigen Knotenpunkten der verschiedenen Einzelnetze sogenannte „Gateways" eingerichtet – elektronische Brücken, die Nachrichten von einem Netz ins andere durchreichten und umgekehrt.

Es dauerte nicht lange, und eine ähnliche Entwicklung geschah an weiteren Universitäten in anderen Ländern, ja, nahezu auf der ganzen Welt.

Es wird kommerziell

Doch das war noch nicht genug: Das Geld der Universitäten war noch immer knapp, so ersann Professor Clever eine brillante Idee, wie man die schmalen Etats gehörig aufstocken könnte. „Unsere Standleitungen stehen immer", sagte er zu Dr. Smart, „auch dann, wenn wir sie selbst gar nicht brauchen." Dr. Smart nickte und lächelte insgeheim und freute sich wieder auf die allabendliche Plauderstunde mit seinen Kollegen aus den anderen Unis.

„Warum also", fuhr Professor Clever fort, „bieten wir nicht einer Computerfirma Zugriff auf unser Netz an? Gegen ein saftiges Entgelt, versteht sich!" Smart verstand nicht ganz: „Wo läge denn für diese der Nutzen?"

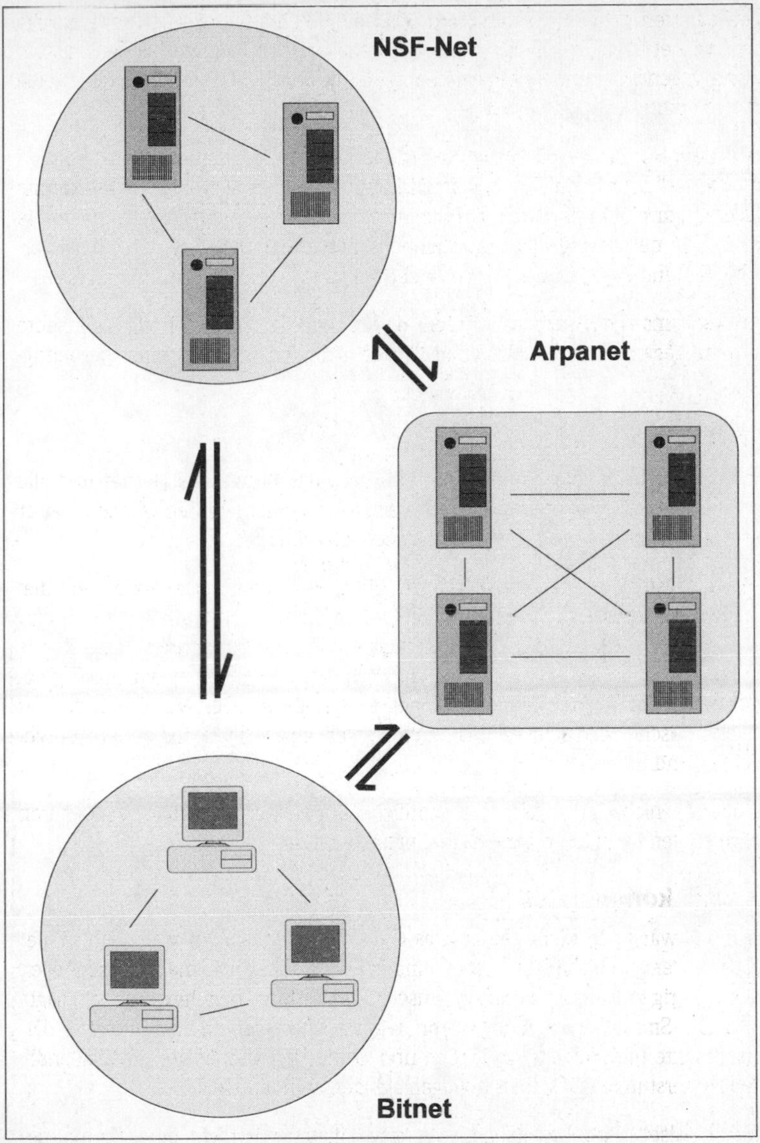

Abb. 23: Gateways – Brückenschlag zwischen verschiedenen Netzen

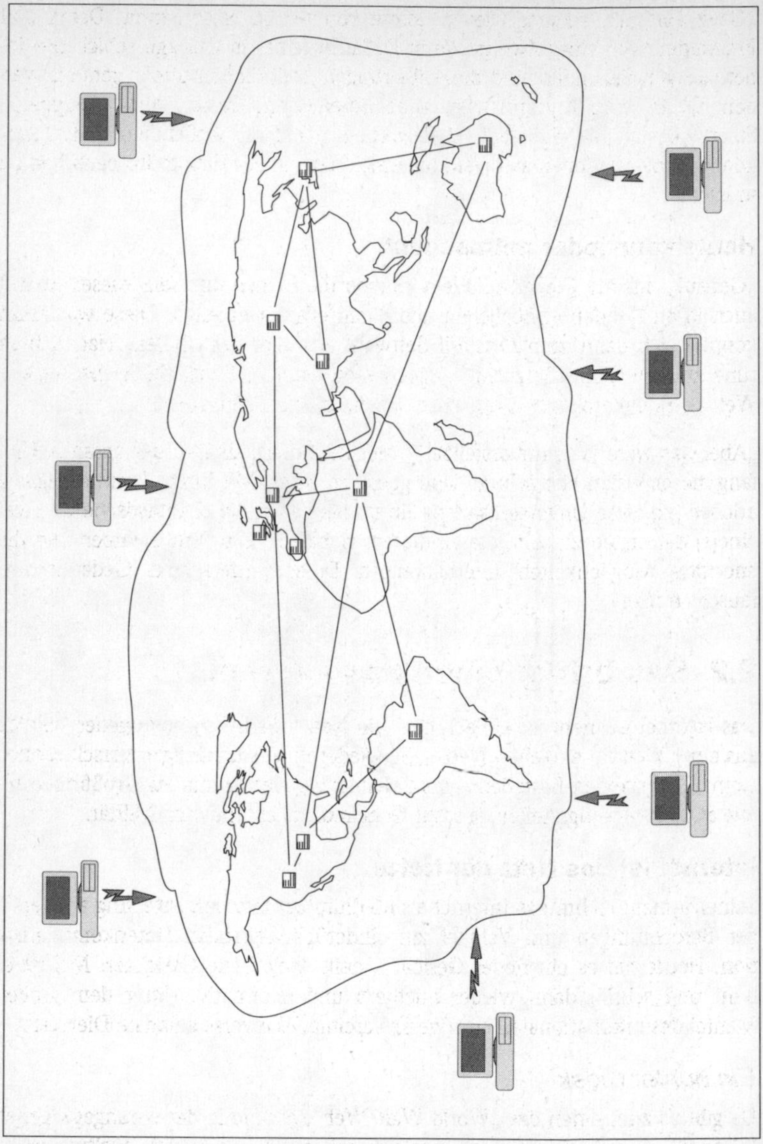

Abb. 24: Datentransfer und Gedankenaustausch weltweit – Internet macht´s möglich!

„Ganz einfach“, erklärte Clever, „diese könnten so Nachrichten, Daten und Programme von einer Zweigstelle in Dallas zu einer in Chicago schicken – innerhalb von Sekunden sind diese übertragen und können direkt genutzt werden. Ohne teure Kurierdienste, ohne Boten, ohne Papier, ohne Abtippen.“ Smart begann, die Genialität zu begreifen: „Und die Außendienstmitarbeiter könnten Informationen abfragen, ohne sich dazu in das Hauptbüro bemühen zu müssen.“

Heute kann jeder mitmachen!

„Genau!“, meinte Clever. „Zudem können die Firmen ihrerseits diesen Zugriff auch ihren Kunden ermöglichen und daran etwas verdienen. Diese wiederum können sich dann zum Ortstarif Software aus aller Welt holen, Nachrichten rund um den Globus schicken – irgendwann werden einmal alle Menschen der Welt an einem großen runden Tisch sitzen, unserem Netzwerk!“

„Aber das wäre ja ... unvorstellbar!“, rief Dr. Smart, als ihm der gesamte Umfang dieser Vision klar wurde. Und genau so ist es. Mit Ihrem Internet-Zugang erleben Sie diese Unvorstellbarkeit „live“. Sie haben die phantastische Chance, eine(r) der ersten zu sein, die an diesem globalen Tisch Platz nehmen und die enormen Möglichkeiten internationalen Datentransfers und Gedankenaustauschs nutzen.

2.2 Das bringt Ihnen das Internet!

Das Internet ist mehr als einfach nur „ein Netz“. Es ist ein homogenes Gebilde aus einer Vielzahl einzelner Netze, die wiederum aus unzähligen verschiedenen Computersystemen bestehen – vom Heimanwender bis hin zu Großfirmen sowie auch Regierungsstellen, ja sogar Geheimdiensten und dem Militär.

Internet ist das Netz der Netze

Seinen Anfang nahm das Internet als Medium zur Ressourcenteilung aufwendiger Berechnungen und Vehikel zur länderübergreifenden Datenkommunikation. Heute hat es ein neues Gesicht – nein, viele neue Gesichter: Mal ist es bunt und schrill, dann wieder nüchtern und informativ. Unter dem großen Mantel des internationalen Netzwerks vereinigt es diverse einzelne Dienste:

Ein bunter Kiosk

Da gibt es zum einen das „World Wide Web“, das Sie in der vorangegangenen Internet-Tour schon kurz kennengelernt haben. Es ist eine Art „weltweiter Kiosk“ und bietet Ihnen Reisemöglichkeiten ins Herz des Informationszeitalters, eine multimediale Welt aus Schrift, Sprache, Bild, Film und Musik.

Verweis: Alles zu den drei großen Ws erfahren Sie ab Seite 143.

Eine globale Diskussionsgruppe

Dort, wo viele Menschen zusammentreffen, findet immer auch ein reger Austausch von Gedanken und Meinungen statt. Das Internet macht da keine Ausnahme – es gleicht einer globalen Diskussionsgruppe, in der Sie aktuelle politische Entwicklungen ebenso besprechen können wie neue Techniken, die Gegenstände Ihres Hobbies oder auch um Rat fragen können, wenn Ihr Hund plötzlich mit Flöhen nach Hause kommt.

Verweis: Wie Sie Anschluß an diese Foren, „News" genannt, finden, erfahren Sie ab Seite 265.

Eine blitzschnelle Welt-Post

Was in der Öffentlichkeit gut funktioniert, klappt im Privaten erst recht: Das Internet stellt jede Post der Welt in den Schatten – eine Nachricht, die Sie vor wenigen Sekunden erst geschrieben haben, liegt schon jetzt im Briefkasten des Empfängers (obwohl der vielleicht an einem ganz anderen Fleck dieser Welt, etwa in Japan, zu Hause ist). Dieser kann seine Antwort genauso schnell zurückschicken oder Ihren Brief in seine Textverarbeitung einladen und dort weiter bearbeiten und ausdrucken (praktisch beim Versand von Mitteilungen an Firmen, die diese dann per Hauspost weiterreichen können). Übrigens: Mit ein paar Kniffen lassen sich zusammen mit der textlichen Briefpost auch multimediale Nachrichten wie Bilder, Sprache, Musik, Filme oder ganze Programme verschicken.

Verweis: Wenn Sie gleich Ihren ersten Internet-Brief (von Insidern „E-Mail" genannt) verschicken möchten – ab Seite 323 steht, wie´s geht.

Ein riesiger Softwarepool

Natürlich bekommen Sie im Internet auch ausreichend „Futter" für Ihren Computer. Egal, ob es sich dabei um ein neues Hilfsprogramm für die Windows-Oberfläche, eine raffinierte Anwendung oder ein besonders spannendes Spiel handelt – im Internet können Sie mit beiden Händen aus den Software-Reservoirs der ganzen Welt schöpfen!

Verweis: Das Geheimnis heißt „FTP". Was sich dahinter verbirgt und wie Sie dies nutzen, lesen Sie ab Seite 233.

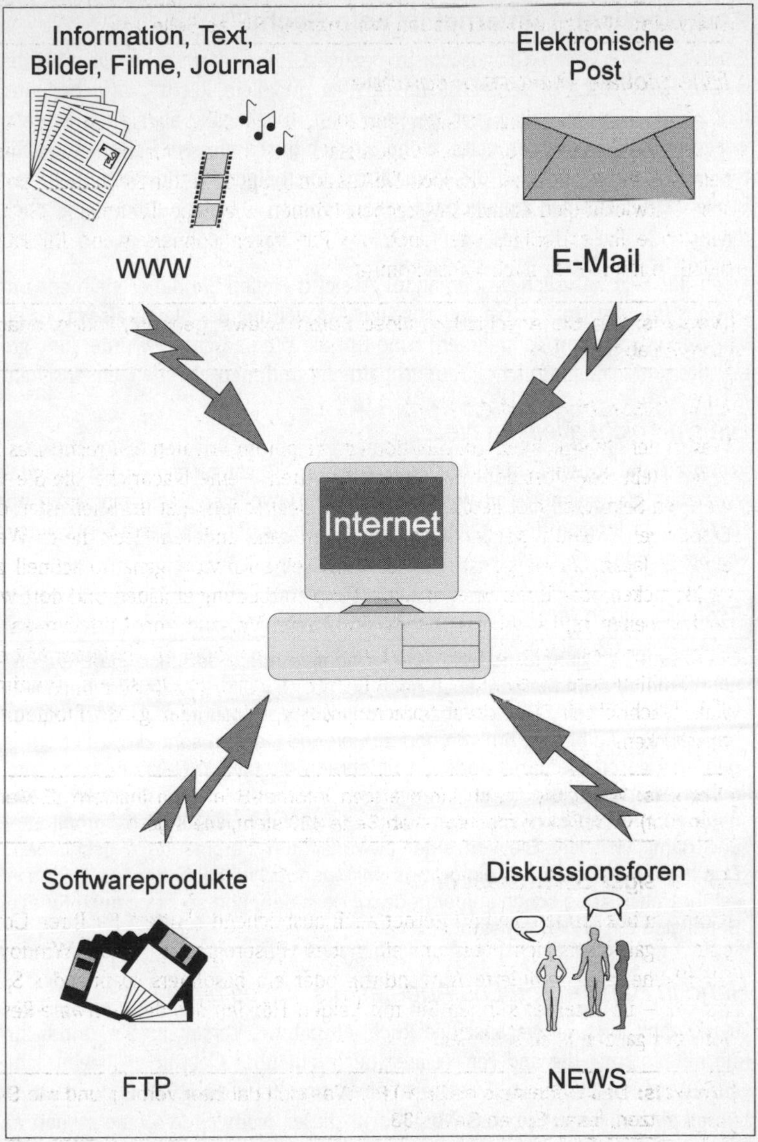

Abb. 25: Die vier Hauptdienste des Internet: E-Mail, News, FTP und WWW

Aber Vorsicht – „Internet ist kein Recht!“

Einer der wichtigsten Grundsätze in bezug auf das Internet ist die scheinbar simple Feststellung „Internet ist ein Privileg und kein Recht“. Dies bedeutet, daß Sie im Internet zwar gern gesehen sind, Ihr Zugang aber auch jederzeit wieder gestrichen werden kann, wenn Sie sich durch massive Belästigung anderer Zeitgenossen oder gar die Verbreitung anstößiger Nachrichten (wie etwa Briefe extremistischen Inhalts oder pornographische Bilder) unbeliebt gemacht haben.

Doch das liegt natürlich in niemandes Absicht! Helfen Sie daher vielmehr mit, daß das Internet trotz seiner gigantischen Ausweitung das bleibt, als was es bislang von engagierten Teilnehmern rund um die Welt geschätzt wurde: Eine große, internationale, hilfreiche, freundschaftliche und menschliche Gemeinschaft.

Sie sind nicht allein im Netz

Wenn Sie vor Ihrem Computer sitzen, merken Sie gar nicht, ob und wie viele Menschen zur gleichen Zeit weltweit an ihren jeweiligen Rechnern sitzen und ebenfalls am Internet teilnehmen – vielleicht sogar den gleichen Dienst nutzen wie Sie gerade.

Tip: „Miteinander“ ist für alle angenehmer

Sie sollten sich daher öfter mal ins Gedächtnis rufen, daß sich „da draußen“ im Internet jetzt im Moment auch noch unzählige weitere Anwender befinden. Wenn Sie beispielsweise gleichzeitig mehrere Verbindungen zu einem anderen Rechner aufbauen, um von dort zu holende Dateien schneller zu übertragen, blockieren Sie damit andere Teilnehmer, die diesen Rechner auch gern nutzen würden. Diese können dann zwar momentan nichts dagegen unternehmen, werden sich aber demnächst möglicherweise ähnlich verhalten – und damit vielleicht Sie von einer gewünschten Verbindung ausschließen. Das Internet kann nur als ein großes „Miteinander“ funktionieren – so ist es in seiner Entwicklung schon immer gedacht gewesen, und so ist es auch für alle Beteiligten am angenehmsten.

Hand in Hand – Von Los Angeles bis Novosibirsk

Hierzu zählt auch die gegenseitige Rücksichtnahme. Versuchen Sie, durch Ihre Internet-Nutzung die anderen Teilnehmer nicht über Gebühr zu beeinträchtigen. Begegnen Sie Ihren Mit-Usern offen und freundlich, dann werden Sie schnell als vollwertiges neues Mitglied in dieser weltweiten Gemeinschaft akzeptiert und herzlich aufgenommen.

Tip: Was Du nicht willst, das man Dir tu ...
In den folgenden Kapiteln finden Sie daher immer wieder Hinweise auf Konventionen und Verhaltensregeln im Internet. Oberster Grundsatz ist dabei stets: „Tu im Internet nichts, was Du nicht auch sonst in der Öffentlichkeit tun würdest". Schließlich ist der durch die Computerbildschirme und Textnachrichten scheinbar anonym gewordene Empfänger Ihrer Nachrichten auch ein Mensch, den Sie so behandeln sollten, wie Sie auch behandelt werden wollen. Wenn Sie dies beherzigen, kann eigentlich nichts schiefgehen.

2.3 Wer verwaltet das Internet? Und wer bezahlt dafür?

Gibt es einen „Betreiber" des Internet? Manche Politiker scheinen sich an einen solchen wenden zu wollen. Und wer bezahlt überhaupt für diese weltweite Kommunikation? Fragen, die häufig gestellt werden, für die „echte Internetter" aber nur ein Lächeln übrig haben – und wenn Sie die obige kleine Internet-Geschichte gelesen haben, dann wissen Sie auch warum.

„Einen Betreiber" gibt es nicht ...

Das Internet ist dezentral aufgebaut. Jeder ist sein eigener Betreiber, jeder kommuniziert mit jedem. Wenn ein Rechenzentrum einmal sagen sollte: „Wir haben genug, wir steigen aus", ist das noch lange kein Beinbruch. Nachrichten, die sonst über dessen Leitungen verschickt worden wären, nehmen ab sofort einen anderen Weg im Rahmen der Internet-Geschichte, und die Nutzer dieses Rechenzentrums, die weiterhin „im Netz" bleiben wollen, suchen sich einfach einen anderen Einwählpunkt.

... sondern viele verschiedene!

Das Internet ist kein straff durchstrukturiertes Netzwerk, sondern vielmehr ein großes, weltumspannendes Gespinst, das Hunderttausende von Computern (darunter sowohl eindrucksvolle und sündhaft teure Großrechner von Universitäten und Militär wie auch der Heim-PC von Otto Normalanwender) und eine unschätzbare Zahl von Teilnehmern miteinander verbindet. Dadurch ist es sowohl organisiert (schließlich arbeiten alle Rechner Hand in Hand, wenn es um den Datentransfer vom Absender zum Empfänger geht), aber auch wieder chaotisch – es gibt niemanden, der an der Spitze steht und allgemein geltende Anweisungen geben könnte.

Auf diese Weise funktioniert es schon seit Jahren – und das sehr gut. Die Hauptarbeit lastet auf den Schultern vieler unbekannter Einzelpersonen. Zumeist handelt es sich um Systemadministratoren an Universitäten, die dort einzelne Teilbereiche oder bestimmte Dienste des Netzes einrichten, verwalten und pflegen. Solche lokalen Netzbereiche haben zumeist einen eigenen Betreiber und sind in sich sauber strukturiert – zusammen mit den vielen Tausenden anderer lokaler Teilnetze halten sie den eigentlichen Netzbetrieb aufrecht.

Es ist viel Engagement notwendig

Oft geschieht dies unentgeltlich – auch helfen viele Internet-begeisterte Privatleute in ihrer Freizeit, neue Services dem Netz hinzuzufügen, vorhandene zu verbessern oder aufgetretene Fehler auszubügeln. Mit der Teilnahme am Internet nutzen Sie also nicht den Dienst einer großen Organisation, sondern viele verschiedene Leistungen vieler verschiedener Menschen und Institutionen. Diese bringen viel Engagement, Zeit und oftmals auch nicht unbeträchtliche Summen Finanzmittel in das Netz ein – und das sollten Sie bei Ihren Reisen durchs Netz nie vergessen. Hierin liegen auch die „Spielregeln" im Umgang mit anderen Netzteilnehmern begründet, die in den folgenden Kapiteln jeweils angesprochen werden.

Die größten Kosten sind schon bezahlt

Aufgrund seiner geschichtlichen Entwicklung wird der Löwenanteil der zur Aufrechterhaltung des Internet anfallenden Kosten von Universitäten und Regierungsstellen bezahlt. Oder besser gesagt – wurde bezahlt. Denn mit der fortschreitenden Kommerzialisierung dringen immer mehr Firmen in das Netz ein, erweitern es um immer neue Dienste und zusätzliche Kapazitäten. Auf diese Weise soll in den USA schon über die Hälfte dieses „neuen" Internet von kommerziellen Organisationen getragen werden.

Tip: Halten Sie Ihre Kosten niedrig

Was Ihre privaten Zugangsgebühren und Telefonkosten angeht, liegt es an Ihnen, das Beste daraus zu machen. Suchen Sie sich einen Zugang, der auf Ihre persönlichen Bedürfnisse zugeschnitten ist. Wollen Sie ihn nur privat (günstig) oder auch beruflich (teuer) nutzen? Reichen Ihnen fürs erste die elektronische Post und die Teilnahme an Diskussionsforen (günstig) oder wollen Sie auch durch das WWW surfen (teuer)? Können Sie Ihren Zugriff auf die Abendstunden beschränken (günstig) oder wollen Sie jederzeit Zugang haben (teuer)? Und so weiter. Es empfiehlt sich, einen Zugang in Ihrer Nähe zu suchen. Dann bezahlen Sie nämlich nur die Telefongebühren für ein Ortsgespräch, auch wenn Sie von dort aus weiter nach Australien surfen.

Von Recht und Gesetz

Das Internet umspannt die ganze Welt – das läßt die Frage offen, wer hier Gesetze geltend machen und Recht sprechen kann. Was für einen Teilnehmer aus den USA ganz alltäglich und legal sein mag, könnte für einen indischen Anwender einen groben Rechtsbruch darstellen. Gerade im Bereich des Persönlichkeits- und Urheberrechts ist daher noch einige Pionierarbeit zu leisten und sind noch viele Fragen zu klären.

Tip: Kein rechtsfreier Raum

Trotzdem gilt für Sie als Internet-Teilnehmer zumindest das Recht des Landes, von dem aus Sie das globale Datennetz bereisen. Wenn Sie sich also beispielsweise die Kopie eines kommerziellen Programms von einem Rechner laden, der in einem Land steht, welches das Kopieren geschützter Software nicht als Straftat ansieht, wird Ihre Kopie dennoch spätestens dann illegal, wenn sie sich auf Ihrem Rechner befindet. Gleiches gilt für geschützte Texte, Bilder oder Musikstücke. Sie sollten das Internet daher nicht als „rechtsfreien Raum“ betrachten, sondern mit den dortigen Medien so umgehen, wie Sie es zu Hause mit Büchern, Zeitungen, Bildern, Filmen oder CDs tun würden.

Internet-Zugangsadressen

2.4 Adressen für Ihren Internet-Kontakt

Im folgenden finden Sie eine Liste mit Ansprechpartnern für Ihren persönlichen Internet-Kontakt. Nahezu monatlich ändert sich das Angebot – neue Anbieter (im Fachchinesisch „Provider“ genannt) kommen hinzu, schon bestehende korrigieren ihre Preise oder erweitern das Leistungsspektrum. Die hier angegebenen Preise und Leistungen waren bei Drucklegung aktuell, dürften sich mittlerweile wieder (leicht) geändert haben. Sie können jedoch als Richtungshinweise bei Ihrer Orientierung in den Reihen der Internet-Anbieter dienen. Es lohnt sich auf jeden Fall, nochmals genauer nachzufragen, bevor Sie Ihren Anschluß irgendwo dingfest machen.

Verweis: Genauere Informationen zu den unterschiedlichen Zugangsmöglichkeiten zum Internet sowie eine Checkliste für die optimale Auswahl Ihres „Providers“ finden Sie ab Seite 66.

Zugang über private Vereine

Als Privatperson finden Sie oftmals sehr günstige Zugangsmöglichkeiten im Rahmen der Internet-Angebote privater Vereinigungen.

> **Tip:** Privatanschlüsse gehören nicht auf die Visitenkarte
>
> Bitte beachten Sie, daß diese Angebote auf private Nutzung beschränkt sind. Möchten Sie beispielsweise Ihre E-Mail-Adresse auch auf der geschäftlichen Visitenkarte abdrucken und mit Geschäftspartnern aus aller Welt per Internet korrespondieren, so müssen Sie sich einen kommerziellen Zugang suchen.

Individual Network e.V.

Die größte Anzahl privater Internet-Zugänge bietet momentan wohl der Individual Network e.V., eine große Dachorganisation privater deutscher Internet-Enthusiasten.

Individual Network e.V.
Scheideweg 65
26121 Oldenburg
Tel: 0441/9808556
Fax: 0441/9808557
E-Mail-Adresse: in-info@individual.net

Die Kosten für Privatnutzer schwanken je nach Region in Größenordnungen von 10 bis 20 DM pro Monat für elektronische Post über das Internet und für die Teilnahme an den Diskussionsforen bis hin zu etwa 50 DM pro Monat für den vollen Zugang ins Internet und World Wide Web.

Eine Liste der im Individual Network organisierten regionalen Internet-Anbieter wird von Thomas Neugebauer (E-Mail-Adresse *tn@darktow.gun.de*) verwaltet und regelmäßig in der Newsgroup *de.etc.lists* veröffentlicht.

Sie ist nach Regionen geordnet und gibt Ihnen Namen, Adresse und Kontaktmöglichkeiten des jeweiligen Ansprechpartners an die Hand. Zudem sind die monatlich anfallenden Zugangskosten sowie eventuelle weitere Besonderheiten aufgeführt.

SubNetz – Verein zur Förderung der privat betriebenen Datenkommunikation

Der zweite große Internet-Verein „SubNetz“ wurde vor etwa 6 Jahren als „Verein zur Förderung der privat betriebenen Datenkommunikation“ gegründet. Das SubNet ist vor allem dann für Sie interessant, wenn Sie privat kleine Mengen an Nachrichten verschicken und an einigen Diskussionsforen teilnehmen möchten.

Sub-Netz e. V.
Verein zur Förderung der privat betriebenen
Datenkommunikation
Postfach 6564
76045 Karlsruhe
Tel. 0721/699478
Fax: 0721/661937
E-Mail-Adresse: info@subnet.sub.net

Diese gemeinnützige Organisation entstand aus einem bereits einige Zeit zuvor bestehenden losen Zusammenschluß verschiedener privater Internet-Begeisterter im Raum München, die sich schon ein kleines Netz zum Austausch von Internet-Nachrichten und zum Zugriff auf die Internet-Diskussionsforen aufgebaut hatten.

Der Jahresbeitrag beträgt derzeit 120 DM (für Schüler und Studenten die Hälfte, für juristische Personen – etwa Firmen – das Doppelte). Hierin sind innerdeutsche Nachrichten und die Teilnahme an Diskussionsforen unbegrenzt enthalten. Internationaler Datentransfer schlägt ab 300 KByte mit 0,03 DM pro KByte (für juristische Personen wieder das Doppelte) zu Buche. Da der Verein als gemeinnützig anerkannt ist, können für die Mitgliedsbeiträge und eventuelle Spenden steuerlich ansetzbare Spendenbescheinigungen ausgestellt werden.

Um Internet-Zugang über das SubNetz zu erhalten, wenden Sie sich am besten direkt an die Karlsruher Geschäftsstelle. Von dort erhalten Sie die Adressen örtlicher Gruppen in Ihrer Nähe, bestenfalls sogar im Ortsnetz.

Welt am Draht e. V.

Ebenfalls sehr günstige Internet-Zugänge für Privatnutzer der „Welt am Draht e.V.", kurz „WaD" genannt. Die Einwahlpunkte befinden sich derzeit vorwiegend im Bergischen Land, ein weiterer Ausbau ist vorgesehen.

Welt am Draht e. V.
Tersteegenstraße 6
51545 Waldbröl
Tel.: 02291-911012
Fax: 02291-800786
E-Mail-Adresse: info@wad.org

Die Kosten betragen derzeit ab 10 DM im Monat für den Postzugang und ab 30 DM für den vollen Internet-Zugang. Genaueres wird auf Anfrage direkt von der Vereinszentrale mitgeteilt.

Zugang über kommerzielle Internet-Anbieter

Gleichermaßen zur privaten wie geschäftlichen Nutzung bieten verschiedene kommerzielle Dienstleister ihren Kunden die Teilnahme am Internet an.

UUnet Deutschland GmbH

Einer der größten kommerziellen Internet-Dienstleister in Deutschland ist die Firma UUNET Deutschland GmbH (zuvor EUnet).

UUnet Deutschland GmbH
Emil-Figge-Straße 80
44227 Dortmund
Tel.: 0231/972-00
Fax: 0231/972-1122
E-Mail-Adresse: info@Germany.EU.net

Geschäftskunden bezahlen bei Zugang per Modem 95 DM Grundgebühr im Monat plus 17,40 DM pro Nutzungsstunde, bei Zugang per ISDN 195 DM Grundgebühr im Monat plus 23,40 DM pro Nutzungsstunde. Kleinkunden bietet der „Personal"-Sondertarif Zugang per Modem für eine monatliche Grundgebühr von 19 DM plus 11,40 DM pro Nutzungsstunde, per ISDN ebenfalls 19 DM Grundgebühr im Monat plus 17,40 DM pro Nutzungsstunde. Standleitungen sind ab 3.695 DM pro Monat verfügbar.

XLink

Ein zweiter großer Internet-Dienstleister neben UUNET Deutschland ist XLink.

NTG/XLink GmbH
Vincenz-Priessnitz-Straße 3
76131 Karlsruhe
Tel.: 0721/96 52 0
Fax 0721/96 52 21 0
E-Mail info@xlink.net

Privatpersonen erhalten gegen eine Grundgebühr von 30 DM im Monat zuzüglich einer Volumengebühr von 7 DM pro MByte vollen Internet-Zugriff. Für kleine Firmen und Gewerbetreibende erhöht sich die Grundgebühr auf 60 DM im Monat, die Volumengebühr bleibt. Tarife für größere Geschäftskunden auf Anfrage.

Über obige Adresse erfahren Sie, welche Firmen Ihnen einen XLink-Zugang vor Ort anbieten.

Contrib.Net

Unter dem Namen Contrib.Net vertreibt eine bundesweite Vereinigung von Serviceleistern Internet-Dienste zu jeweils gleichen Konditionen und Preisen. Gegründet wurde Contrib.Net von der Firma TCP/IP GmbH:

TCP/IP GmbH
(ehem. Contributed Networks GmbH)
Knaackstraße 96
10435 Berlin
Tel.: 030/25 30 12 00
Fax: 030/251 56 03
E-Mail-Adresse: info@contrib.com

Privatleuten stehen die Zugänge von Montag bis Freitag in der Zeit von 16.00 bis 9.00 Uhr sowie an Wochenenden und Feiertagen rund um die Uhr zu einem monatlichen Preis von 57,50 DM (bei analogen Verbindungen via Modem) oder 115 DM (bei digitalen Verbindungen via ISDN) zur Verfügung. Für Geschäftskunden betragen die monatlichen Kosten eines „Rund um die Uhr"-Zugangs 287,50 DM (bei analogen Verbindungen via Modem) oder 862,50 DM (bei digitalen Verbindungen via ISDN). Diese können zudem eine Standleitung zum Preis von 4.025 DM im Monat ordern. Contrib.Net verfügt in vielen Städten Deutschlands über lokale Repräsentanten, **P**oints **o**f **P**resence (kurz PoP) genannt. Diese sind Ihre Vertrags- und Ansprechpartner der Kunden im jeweiligen Regionalbereich und betreiben jeweils eine eigene lokale Infrastruktur, über die Sie Ihre Verbindungen aufnehmen können. Kontaktadressen erhalten Sie über die obige Anschrift.

DPN – Deutsches Provider Network

Schon in den Gründerjahren des deutschen Internets hat sich ein Team von Spezialisten zusammengefunden, die nun unter dem Namen „Deutsches Provider Network" (kurz DPN) Internet-Zugänge in ganz Deutschland anbieten.

Deutsches Provider Network
Bismarckstr. 120
47057 Duisburg (Germany)
Tel.: 0130/123441
Fax: 0203/3093-112
E-Mail-Adresse: info@dpn.de

Das DPN ist zwar Verbund mehrerer Service-Provider, diese arbeiten jedoch eng zusammen und bieten ein gemeinsames Preisgefüge. Dieses teilt sich in drei Klassen: Die Zugänge der Economy-Class sind werktags nur zwischen 16.00

Uhr nachmittags und 9.00 Uhr morgens erreichbar, an Wochenenden und Feiertagen ganztägig. Der Preis: 49,10 DM im Monat für analogen Zugriff, 115,00 DM für ISDN. Einen reinen Postzugang gibt es ab rund 30 DM im Monat.

Die Business-Class bietet uneingeschränkten Zugang über analoge oder digitale Wählleitung. Je nach Ausstattung schwanken die Preise zwischen 115,00 DM und 414,00 DM im Monat. Für die Professional-Class wird uneingeschränkter Zugang über analoge oder digitale Standleitung (Festverbindung) aufgebaut. Die Preise variieren nach Ausstattung und beginnen bei etwa 1.000 DM im Monat.

Welcher der einzelnen Provider des Verbunds (**P**oints **o**f **P**resence, kurz PoP genannt) für Ihren Ortsnetzbereich zuständig ist, erfahren Sie über die kostenlose Rufnummer 0130/123441.

Metronet

Zu einem monatlichen Pauschalpreis von sage und schreibe 9,90 DM für Modem-Einwahl oder 19,90 DM für ISDN bietet die Firma Metronet Ihren Internet-Zugang an – ohne weitere Volumen- oder Zeit-abhängige Gebühren.

metronet Kommunikationsdienste GmbH & Co. KG
Zeithstraße 87
53721 Siegburg
E-Mail: admin@metronet.de

Tip: Telefonische Beratung zum Metronet
Bei Fragen oder Probleme rund um das Metronet erhalten Sie über die Hotline-Rufnummer 0190/774477 schnelle Hilfe.

Zusätzlicher Pluspunkt: Metronet liefert ein Paket mit vorkonfigurierter Zugangssoftware auf Basis des Microsoft Internet Explorers aus, so daß lange Basteleien an der Netzeinstellung des eigenen PC entfallen. Dieses Paket erhalten Sie auf CD-ROM gegen eine Schutzgebühr von 3 DM bei allen VOBIS-Filialen.

NetSurf

Unter dem Namen *NetSurf* bietet die Hamburger Internet Services GmbH (zuvor MAZ GmbH) in Zusammenarbeit mit lokalen Internet-Dienstleistern einen vollen Internet-Zugang für Privatleute zu einem Preis von pauschal 35 DM im Monat an.

Internet Services GmbH
(ehem. MAZ GmbH)
Harburger Schloßstraße 6-12
21079 Hamburg
Tel. 040/766291623
Fax: 040/76629199
E-Mail-Adresse: info@maz.net

Kontaktadressen der regionalen MAZ-Anbieter erhalten Sie über diese Anschrift.

Geschäftskunden wenden sich direkt an die MAZ GmbH und erhalten ihren Zugriff für 50 DM im Monat Grundgebühr zuzüglich 20 DM pro übertragenem MByte (die ersten 3 MByte sind frei).

Nacamar

Eine weitere Firma mit bundesweitem Zugangs-Netz ist die Nacamar GmbH in Dreieich:

Nacamar GmbH
Kirchweg 22
63303 Dreieich
Tel.: 06103/969-0
Fax 06103/969-127
E-Mail-Adresse: info@nacamar.de

Privatanwender zahlen monatlich 15 DM Grundgebühr sowie für jedes übertragene MByte zusätzlich 5 DM (die ersten 500 KByte pro Monat sind frei). Die Grundgebühr für Geschäftskunden beträgt 100 DM im Monat, hinzu kommt eine volumenabhängige Kontingentierung von 3,50 bis 5,00 DM pro übertragenem MByte. Nacamar nennt Ihnen auf Anfrage seine lokalen Ansprechpartner.

Germany.Net

„Internet kostenlos", so preist die Callisto Germany.Net GmbH aus Frankfurt Ihr Angebot an.

Callisto Germany.Net GmbH
Kennedyalle 89
60596 Frankfurt
Tel. 069-633989-0
Fax 069-632077

Bundesweit sind in mehreren großen Städten Einwahlknoten vorhanden, die ein freies Einklinken ins Internet ermöglichen. An Kosten fallen lediglich die Telefongebühren an, dafür müssen Sie sich jeweils beim Wechsel zwischen zwei Internet-Services eine Werbe-Einblendung gefallen lassen.

1&1 / Bank 24

Ein Komplettpaket aus Online-Bankgeschäften und Internet-Zugang bietet die Bank 24 in Verbindung mit der Firma 1&1 an.

Bank 24
Postfach 3043
53020 Bonn
Tel. 0 18 03 / 24 00 22
Fax 0 18 03 / 24 00 25

An Gebühren fallen 9,90 DM pro Monat (inklusive 5 Nutzungsstunden) an, über die 5 Freistunden hinausgehende Nutzung bezahlen Sie mit 5 Pfennigen pro Minute. Dieser Zugang steht Ihnen jedoch nur dann offen, wenn Sie auch ein Konto bei der Bank 24 besitzen bzw. eröffnen.

TopNet

Über 80 Einwahlpunkte in der gesamten Republik bietet TopNet, ein Zusammenschluß mehrerer regionaler Internet-Anbieter. Ins Leben gerufen wurde es von:

Roka GmbH
Elbestraße25
47800 Krefeld
Tel: 02151/4975-10
Fax: 02151/4975-32
E-Mail: info@roka.net

SpaceNet GmbH
Frankfurter Ring 193a
80807 München
Tel: 089/324683-0
Fax: 089/324683-51
E-Mail: info@Space.NET

Da jeder regionale TopNet-Anbieter seine Kostenstruktur eigenständig und unabhängig kalkuliert, sind keine generellen Preisaussagen möglich.

DFN WiNShuttle

Speziell für Journalisten, Mitglieder wissenschaftlicher und technischer Vereinigungen (z. B. Wissenschaftler, Studenten), öffentliche Bildungseinrichtungen des Bildungsbereiches (z. B. Schulen, Bibliotheken, Museen) sowie Einrichtungen des Technologietransfers, forschungsorientierte Unternehmen und Kammern bietet das Deutsche Forschungsnetzwerk einen sehr leistungsfähigen Internet-Zugang unter der Bezeichnung „WiNShuttle“.

Deutsches Forschungsnetzwerk
Pariser Straße 44
10707 Berlin
Tel: 030/884299-41
Fax: 030/884299-70
E-Mail: info@shuttle.de

Die Kosten hängen stark von der jeweiligen Nutzergruppe ab und reichen von 40 DM bis 200 DM im Monat Grundgebühr inklusive 20 bis 40 Stunden Verbindungszeit, jede weitere 20 bis 40 Stunden schlagen nochmals mit dem gleichen Betrag zu Buche. Volumengebühren werden nicht berechnet.

Weitere kommerzielle Internet-Anbieter

Neben diesen großen Firmenverbänden existieren verschiedene weitere Anbieter von Internet-Diensten. Die meisten verfügen über mehrere regionale Zugangspunkte, wovon Sie den Ihrem Wohnort am nächsten gelegenen durch Anfrage bei den nun folgenden Adressen erfahren:

CHOIN! GmbH	Weinheimer Straße 62 Bau 1/2. OG 68309 Mannheim Tel: 0621/7288-0 Fax: 0621/721999 E-Mail: info@choin.net	Kosten: Privatkunden 35 DM im Monat pauschal, Geschäftskunden ab 35 DM (netto).
CLS – Carsten Loroch Software	Franziska-Spiegel-Str. 12 32257 Bünde Tel.: 05223/18 27-0 Fax: 05223/18 27-33 E-Mail: info@cls-buende.de	Kosten: Privatkunden via Modem 45 DM im Monat pauschal, per ISDN 60 DM pauschal. Geschäftskunden auf Anfrage.
Easynet GmbH	Nägelsbachstraße 25, 91052 Erlangen Tel.: 09131/8 96 70 Fax 09131/8 96 78 E-Mail: info@easynet.de	Kosten: 10 DM im Monat für Wählverbindung oder 100 DM für Dauerverbindung zuzüglich 5 DM bis 7 DM Volumengebühren pro MByte.

ECRC GmbH	Arabellastrasse 17 81925 München Tel: 089/92699-0 Fax: 089/92699-170 E-Mail: internet@ecrc.de	Kosten: Nur ISDN-Zugriff möglich. Bis 50 MByte pro Monat 350 DM pauschal, bis 100 MByte 650 DM, bis 200 MByte 1.200 DM; darüber 7 DM pro zusätzliches MByte. Standleitungen auf Anfrage.
Electronic Service Center	06108 Halle Tel.: 0345/55 84 40 Fax: 0345/55 84 499	Kosten: auf Anfrage
IBM-Systeme und Netze	Abt. Software-Direkt-Vertrieb Senefelderstraße 2 63110 Rodgau Tel.: 0180/2 31 71 31 Fax: 07034/15 34 00 E-Mail: keine Angabe, weitere telefonische Auskünfte über IBM Internet Help Desk, 0130-821141	Kosten (nur für Privatkunden): 26 DM/Monat Grundgebühr inkl. 3 Std. oder 52 DM/Monat inkl. 30 Std., jede weitere Stunde 7 DM
IPF.NET GmbH	Mainzer Landstraße 46 60325 Frankfurt Tel: 069/170840 Fax: 069/8433 E-Mail: info@ipf.net	Kosten: Modem-Zugang von 16 bis 9 Uhr 57,50 DM pauschal pro Monat, ISDN-Zugang 115 DM. Zugänge ohne zeitliche Begrenzung gestaffelt zwischen 287,50 DM und 862,50 DM pauschal im Monat.
MCS – Muenzer Communication Service	Herder Str. 80 40237 Düsseldorf Tel.: 0211/9 62 65 64 Fax: 0211/9 62 65 99 E-Mail: info@mcs.de	Kosten: Privatkunden per Modem 45 DM pauschal, per ISDN 60 DM pauschal. Geschäftskunden per Modem 250 DM pauschal, per ISDN 650 DM pauschal. Reiner Zugang zu elektronischer Post und Diskussionsforen 30 DM pauschal. Standleitungen ab 2.500 DM (nur ISDN).

Mvnet	Datenverarbeitungszentrum Mecklenburg-Vorpommern GmbH Lübecker Straße 283 19018 Schwerin Tel: 0385/4800511 Fax: 0385/4800487 E-Mail: wwwad-min@mvnet.de	Kosten: Privatkunden 35 DM pauschal pro Monat, Geschäftskunden 75 DM.
NET Network Expert Team GmbH	Figarostraße 3 70597 Stuttgart Tel: 0711/97689-21 Fax: 0711/97689-25 E-Mail: info@N-E-T.de	Kosten: Postzugang ab 15 DM pro Monat, voller Zugang ab 30 DM pro Monat.
Neusser Druckerei und Verlag GmbH	Moselstraße 14 41464 Neuss Tel: 02131/404134 Fax: 02131/404283 E-Mail: info@ndv.de	Kosten: Analoger Modemzugang ab 50 DM im Monat, digitaler ISDN-Zugang ab 100 DM.
noris network GmbH	Schleiermacherstraße 12 90491 Nürnberg Tel: 0911/5 98 18-0 Fax: 0911/5 98 18-11 E-Mail: info@noris.net	Kosten: 25 DM im Monat Grundgebühr, pro übertragenem MByte zusätzlich 1,80 DM.
One-2-One-GmbH	Langgasse 1a 50389 Wesseling Tel.: 02236/9 43 27-0 Fax 02236/9 43 27-199 E-Mail: info@mbis.de	Kosten: Privatkunden per Modem 45 DM pauschal, per ISDN 60 DM pauschal. Geschäftskunden per Modem 250 DM pauschal, per ISDN 650 DM pauschal. Reiner Zugang zu elektronischer Post und Diskussionsforen 30 DM pauschal. Standleitungen ab 2.500 DM (nur ISDN).
Online-Center Bautzen	Online & Kommunikation GbR Einsteinstr. 24 02625 Bautzen Tel.: 03591/60 36 61 Fax: 03591/30 28 17 E-Mail: info@lusatia.de	Kosten: auf Anfrage

P-Net	UpToDate Service- und Vertriebsgesellschaft mbH Postfach 70 16 47 22016 Hamburg Tel: 0180/5323664 Fax: 0180/5323662 E-Mail: info@p-net.de	Kosten: Modem-Zugang 45 DM Grundgebühr pro Monat inklusive 10 Nutzungsstunden, jede weitere Stunde 7,90 DM. ISD-Zugang Grundgebühr 66,33 DM pro Monat inklusive 10 Nutzungsstunden, jede weitere Stunde 9,90 DM.
Roka	EDV & Datenkommunikationsberatung GmbH Elbestraße 25 47800 Krefeld Tel.: 02151/49 75-10 Fax 02151/49 75-32 E-Mail: info@roka.net	Kosten: Per Moden 35 DM Grundgebühr plus 13,80 DM/Stunde. Per ISDN 35 DM Grundgebühr plus 34,20 DM/Stunde. Alternativ Volumentarif: 69 DM/Monat Grundgebühr plus 7,90 DM/MByte
Seicom GmbH	Postfach 7165 72793 Pfullingen Telefon: 07121/97 70-0 Telefax: 07121/97 70-19 E-Mail: info@seicom.net	Kosten: Privatkunden 33,33 DM im Monat pauschal. Geschäftskunden bis 3 Mitarbeiter 99,99 DM im Monat. Sonstige Geschäftskunden ab 50 DM im Monat zuzüglich Volumengebühren pro MByte.
SpaceNet GmbH	Frankfurter Ring 193a, 80807 München Tel.: 089/32 46 83-0 Fax 089/32 46 83-51 E-Mail: info@Space.NET	Kosten: Ab 63,25 DM im Monat. Genaueres auf Anfrage.
topnet AG	Elbestraße 25 47800 Krefeld Tel. 02151/49750 Fax: 02151/497553 E-Mail: info@topnet.de	Kosten: auf Anfrage.

Zugang über Online-Dienste

Neben den reinen Internet-Dienstleistern bieten auch die meisten größeren Online-Dienste Ihren Kunden Zugriff auf das weltweite Datennetz an. Ob über T-

Online, CompuServe, America Online oder Microsoft Network– dieser Abschnitt zeigt Ihnen, an wen Sie sich wenden müssen und was es Sie kosten wird.

T-Online

Seit Ende 1995 gibt es den ersten flächendeckenden Internet-Zugang zum telefonischen Ortstarif: T-Online.

Ursprünglich aus dem Bildschirmtext-Dienst der Deutschen Telekom hervorgegangen, wird er mittlerweile von einer eingens dafür gegründeten Gesellschaft geführt:

Online Pro Dienste GmbH & Co. KG
Postfach 10 11 52
64211 Darmstadt
Tel.: 0130/0190
E-Mail-Adresse: hotline@T- Online.de

Tip: Telefonische Beratung zu T-Online

Die kostenlose Rufnummer 0130/0190 verbindet Sie mit der T-Online-Hotline, die Ihnen bei Fragen zum Zugang weiterhilft und Bestellungen der Zugangssoftware aufnimmt.

Die notwendige Software wird an alle Kunden kostenlos auf CD mit der Zeitschrift COM abgegeben und ist auch für 3,80 DM im Zeitschriftenhandel erhältlich. Eine Diskettenversion der Software kostet 10 DM.

Die Kosten setzen sich aus der monatlichen Grundgebühr von 8 DM und einem Nutzungsentgelt von 8 Pfg. pro Minute (werktags zwischen 8.00 und 18.00 Uhr) bzw. 5 Pfg. pro Minute (restliche Zeit und an bundeseinheitlichen Feiertagen). Es lassen sich mehrere Mitbenutzer einrichten, wobei pro Mitbenutzer ein Zusatzentgelt von 5 Pfg. pro Tag anfällt – Vorsicht: dies wird unabhängig von der tatsächlichen Nutzung berechnet!

Hinweis: Verwenden Sie noch eine ältere Fassung, der T-Online-Software (vor Version 2.0), so betragen neben der monatlichen Grundgebühr und dem T-Online-Entgelt von 3,60 DM pro Nutzungsstunde (im Abendtarif sowie an Wochenenden und Feiertagen 1,20 DM pro Stunde) zusätzlich 3 DM pro Nutzungsstunde für den Internet-Zugang.

Die Rufnummer lautet bundesweit einheitlich 01910 und wird zum City-Tarif abgerechnet.

Tip: Schnelle T-Online-Zugänge
In den Vorwahlgebieten 0228, 0211, 030, 040, 0511, 069, 0711 und 0911 sind außerdem Zugänge mit einer Maximalgeschwindigkeit von 28.800 Bit/s verfügbar. Diese erreichen Sie unter der Rufnummer 19304.

CompuServe

Auch der Online-Dienstleister CompuServe bietet seinen Kunden Zugriff auf das Internet.

CompuServe Deutschland GmbH
Postfach 1169
82001 Unterhaching
Tel.: 0130/37 32
Fax 089/66 53 52 41

Tip: Telefonische Beratung zu CompuServe
Sollten Sie bei Ihrer CompuServe-Anmeldung Probleme haben, bietet Ihnen die Telefonnummer 01805/258147 schnelle Hilfe. Sind Sie schon CompuServe-Mitglied und benötigen technische Unterstützung, rufen Sie die Support-Telefonnummer 01805/258146 an.

CompuServe rechnet die Dienstgebühren in US-Dollar ab. An Kosten fällt eine monatliche Grundgebühr von 9,95 $ an – inklusive 5 Stunden Dienstnutzung, jede weitere Stunde kostet zusätzlich 2,95 $. Die Abrechnung soll nach Angabe des Dienstes sekündlich genau erfolgen. Alternativ ist auch eine höhere Grundgebühr von 24,95 $ im Monat inklusive monatlich 20 Stunden freier Dienstnutzung möglich, jede weitere Stunde kostet dann nur noch 1,95 $ zusätzlich. Bei Neuanmeldung erhalten Sie im ersten Monat weitere 5 Nutzungsstunden frei.

AOL (America Online)

Ähnlich wie CompuServe ist auch der US-Online-Dienstleister America Online mittlerweile über den großen Teich gewandert und bietet Zugang zu seinem Netzwerk – und darüber auch auf das Internet – in Deutschland an.

AOL Bertelsmann Online GmbH & Co. KG
20720 Hamburg
Tel.: 01805/52 20
Fax 01805/31 31 68

Tip: Telefonische Beratung zu AOL
Rund um die Uhr an sieben Tage der Woche steht Ihnen das AOL-Beraterteam bei Probleme mit Ihrer AOL-Anmeldung zur Verfügung – unter der Rufnummer 01805/313164.

Die monatliche Grundgebühr beträgt 9,90 DM, darin sind zwei freie Online-Stunden enthalten. Die zusätzliche Online-Nutzung schlägt mit 10 Pfennig pro Minute zu Buche. Alle Einwahlknoten in Deutschland ermöglichen eine Übertragungsgeschwindigkeit von bis zu 28.800 bit/s.

Microsoft Network (MSN)

Windows-Hersteller Microsoft bietet einen eigenen Online-Dienst an, der über Einwahlknoten in mehreren Städten Deutschlands verfügt.

Microsoft Network GmbH
Edisonstraße 1
85716 Unterschleißheim
Tel: 089/3176-0
Fax: 089/3176-1000

Tip: Telefonische Beratung zum Microsoft Network
Bei Problemen mit der MSN-Einwahl und -Anmeldung erhalten Sie unter der gebührenfreien Telefonnummer 0130/814479 Unterstützung.

Die monatliche Grundgebühr beträgt 12 DM inklusive zwei Nutzungsstunden. Jede weitere Online-Stunde kostet 6 DM zusätzlich. Alternativ ist ein Pauschaltarif mit unbegrenzter Nutzungszeit für 49 DM im Monat zu haben.

Zugang über eine Schule, Fachhochschule oder Universität

Darüber hinaus bieten die meisten Universitäten und zunehmend auch viele Schulen ihren Beschäftigten sowie den Schülern und Studenten Zugang zum Internet – zumeist kostenlos oder gegen geringe Beiträge. Wenn Sie Kontakt zu einer solchen Einrichtung haben, können Sie (oft auch als Außenstehender) hier eine gute Anschlußmöglichkeit erlangen.

Für Schulen selbst, die Zugang zum Internet erlangen möchten, lohnt sich der Anschluß an das „**O**ffene **D**eutsche **S**chulnetz" (ODS). Informationen erteilt:

ODS – Offenes Deutsches Schulnetz
c/o Landesbildstelle Berlin
10506 Berlin

Möchten Sie dagegen als Privatperson Internet-Zugang über eine Schule oder Universität erhalten, ist ein Gespräch „direkt vor Ort" auf jeden Fall zu empfehlen, da die Einzelheiten hierzu regional sehr unterschiedlich gehandhabt werden.

Tip: Kein Ärger an der Uni
Denken Sie bei der Internet-Nutzung über Universitäts- oder Schulzugänge immer daran, daß Sie hier auf ein staatlich finanziertes Wissenschaftsnetz zugreifen. Entsprechend solidarisch sollten Sie sich dann auch den Mitbenutzern gegenüber verhalten und die Leitungen nicht von früh bis spät mit Ihren privaten Ausflügen ins World Wide Web blockieren. Gänzlich tabu ist das Verwenden eines solchen Zugangs für kommerzielle Zwecke (beispielsweise zum Bewerben eines von Ihnen entwickelten Projekts in den netzweiten Diskussionsforen oder zur Betreuung Ihrer Kunden via E-Mail). Hierfür müssen Sie sich auf jeden Fall einen eigenen, von staatlichen Einrichtungen weitestgehend unabhängigen Zugang verschaffen.

Zugang über eine Internet-Mailbox

Es gibt weltweit sicherlich mehrere tausend Mailboxen, die ihren Nutzern Internet-Zugang anbieten.

Ein Verzeichnis verläßlicher Internet-Mailboxen in Deutschland wird von Thomas Neugebauer (E-Mail-Adresse *tn@darktow.gun.de*) verwaltet und regelmäßig in der Newsgroup *de.etc.lists* veröffentlicht. Interessante Mailbox-Adressen in Ihrem unmittelbaren Umkreis finden sich oft in den Kleinanzeigenteilen der lokalen Tagespresse.

Tip: Ohne SLIP oder PPP kein World Wide Web
Wenn Sie Zugang über eine solche Mailbox erlangen möchten, fragen Sie direkt nach einer sogenannten SLIP- oder PPP-Verbindung. Nur dann können Sie auch den Netscape Communicator oder den Explorer zum Surfen im Internet verwenden – andernfalls besteht nämlich die Gefahr, daß der Netzzugriff nur über die Mailbox-eigene Benutzerschnittstelle möglich ist (und dann vielleicht nur für elektronische Post und Diskussionsforen).

3. Anschluß an die ganze Welt – so kommen Sie ins Internet

Wie heißt es so schön: „Alle Wege führen nach Rom" – und fast genauso viele ins Internet. In diesem Kapitel erfahren Sie daher, wie Sie selbst „ans Internet" gelangen – angefangen beim Aufspüren der für Sie optimalen Zugangsmöglichkeit bis hin zum ersten Surfen im World Wide Web.

3.1 Diese Zugangsmöglichkeiten gibt es

Dieser Abschnitt zeigt Ihnen, wie die verschiedenen ins Internet führenden Wege aussehen. Ab Seite 49 finden Sie entsprechende Kontaktadressen für Ihren Internet-Start.

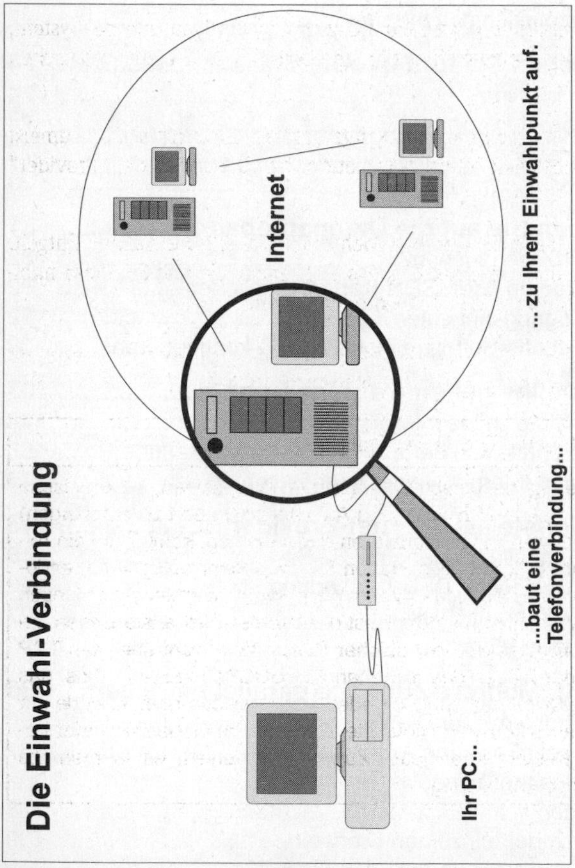

Abb. 26: So funktioniert eine Einwahlverbindung ins Internet

Eigener Anschluß über Einwahlverbindung

Wie Sie aus unserer kleinen Internet-Geschichte (ab Seite 31) wissen, sind die Rechner des Internet untereinander mit Standleitungen verbunden.

So hat jeder Teilnehmer unmittelbaren Zugriff auf die Daten der anderen Systeme, und abgeschickte Nachrichten laufen in Sekundenschnelle durch das Netz.

Einen so hohen Aufwand müssen Sie natürlich nicht betreiben, um selbst Zugriff auf die Internet-Dienste zu erhalten. Es reicht, wenn Sie über eine Telefonleitung eine Verbindung zwischen Ihrem Computer und einem Rechner im Internet herstellen.

Für die Dauer der Verbindung wird Ihr PC zum vollwertigen Internet-System, das mit dem Rest der Netzwelt nahezu uneingeschränkt Daten austauschen kann.

Es gibt im weltweiten Datennetz unzählige solcher Einwahlpunkte. Zumeist werden diese von speziellen Internet-Anbietern, im Fachchinesisch „Provider" genannt, betrieben.

Diese verlangen für Ihren Service natürlich auch ein entsprechendes Entgelt. Wie sich die Kosten Ihres Internet-Zugangs errechnen und wie Sie diese minimieren können, erfahren Sie auf den folgenden Seiten.

Zudem sind die Preise von Provider zu Provider unterschiedlich – Anhaltspunkte finden Sie bei den jeweiligen Kontaktadressen ab Seite 49.

Tip: Ein reiner Postzugang ist am billigsten

Wenn Sie das Internet hauptsächlich dazu nutzen möchten, elektronische Briefe rund um die Welt zu schicken (und Antworten von dort zu empfangen) sowie an den öffentlichen Diskussionsforen teilzunehmen, kommt Sie ein reiner „Postzugang" am billigsten. Hier haben Sie zwar keinen Zugriff auf andere Internet-Dienste (wie etwa das World Wide Web), können jedoch nach Herzenslust Textnachrichten mit dem Rest der Internet-Welt austauschen. Im Gegensatz zum Vollzugriff wird ein solcher Postzugang nicht über das TCP /IP-Verfahren, sondern über das sogenannte „UUCP" realisiert. Was das technisch genau heißt, ist gar nicht so bedeutsam – wichtig ist im Grunde nur die Beschränkung auf Internet-Postdienste sowie die im Gegenzug dafür besonders niedrigen Kosten. Wie dieser Zugang funktioniert, entnehmen Sie bitte der nachfolgenden Abbildung.

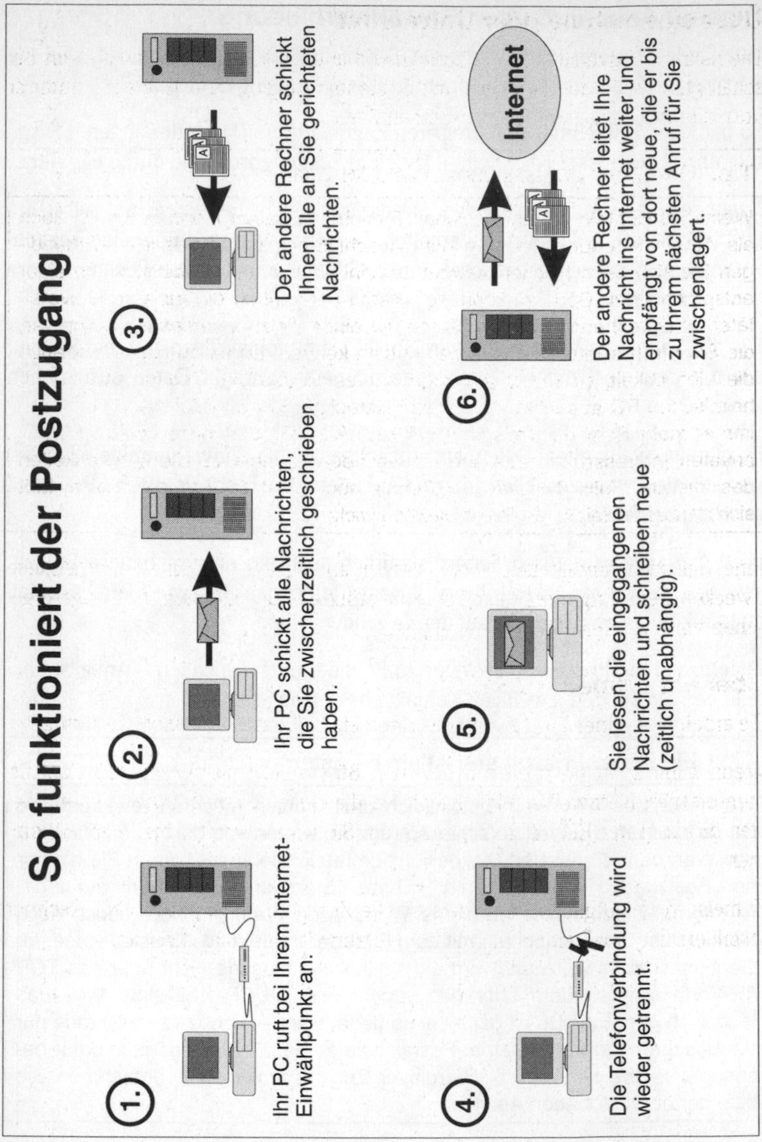

So funktioniert der Postzugang
1.
Ihr PC ruft bei Ihrem Internet-Einwählpunkt an.
2.
Ihr PC schickt alle Nachrichten, die Sie zwischenzeitlich geschrieben haben.
3.
A
Der andere Rechner schickt Ihnen alle an Sie gerichteten Nachrichten.
4.
Die Telefonverbindung wird wieder getrennt.
5.
Sie lesen die eingegangenen Nachrichten und schreiben neue (zeitlich unabhängig).
6.
Internet
A
Der andere Rechner leitet Ihre Nachricht ins Internet weiter und empfängt von dort neue, die er bis zu Ihrem nächsten Anruf für Sie zwischenlagert.

Abb. 27: So funktioniert der reine Postzugang

Über eine Schule oder Universität

Die meisten Universitäten und zunehmend auch viele Schulen bieten ihren Beschäftigten sowie den Schülern und Studenten Zugang zum Internet - zumeist kostenlos oder gegen geringe Kostenbeiträge.

Tip: Günstiger Zugang über Unis oder Schulen

Wenn Sie Kontakt zu einer solchen Einrichtung haben, können Sie oft auch als Außenstehender hier eine gute Anschlußmöglichkeit erlangen. Erkundigen Sie sich beim Rechenzentrum der Uni oder an Ihrem Institut nach einer entsprechenden Benutzerkennung. Hierzu unterhalten die meisten Universitäten entsprechende Rechnerräume mit einer Vielzahl vernetzter Computer, die Sie für Ihre Internet-Sitzungen nutzen können. Daneben gibt es oft auch die Möglichkeit, sich über ein sogenanntes Modem per Telefonleitung vom heimischen PC aus in einen Universitätsrechner einzuwählen. Auch eröffnen immer mehr Schulen ihren Schülern und Angestellten sowie eventuell auch privaten Interessenten aus den umliegenden Gemeinden die Möglichkeiten des Internet. Falls dies an Ihrer Schule noch nicht der Fall sein sollte, läßt sich daraus vielleicht ein Pilotprojekt entwickeln.

Eine Selbstverständlichkeit sollte hierbei aber sein, daß eine kommerzielle Zweckentfremdung dieser staatlich unterstützten Zugänge nicht nur ungern gesehen wird, sondern strikt untersagt ist.

Über ein Firmennetzwerk

Sie arbeiten in einer Firma, die über einen eigenen Internet-Anschluß verfügt?

Wenn dann auch noch ein PC in Ihrem Büro steht und der vielleicht am firmeninternen Netzwerk hängt, haben Sie die besten Karten: Fragen Sie am besten direkt in der EDV-Abteilung nach, ob Sie mit diesem PC ins Internet kommen.

Zumeist muß lediglich noch eine spezielle Zugriffs-Software auf Ihrem Rechner installiert und Ihr Zugang für Internet-Nutzung freigeschaltet werden.

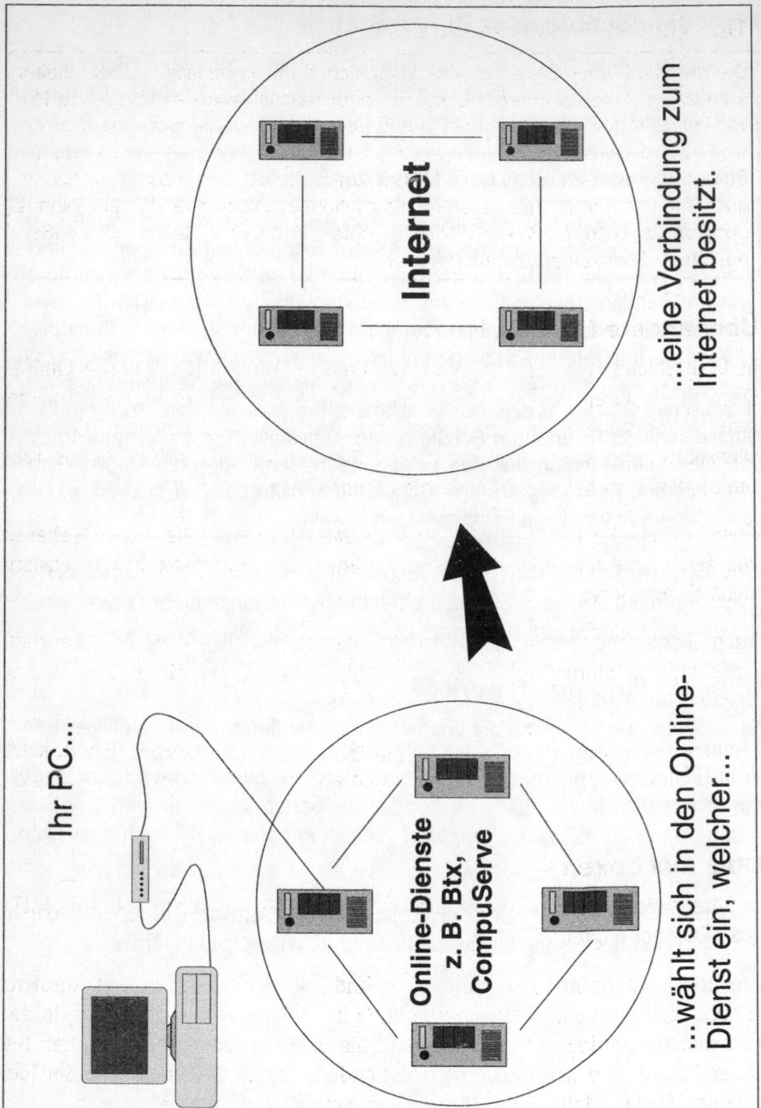

Abb. 28: Viele Online-Dienste haben sich schon an das Internet angehängt

Tip: Was die Firma mitmacht

Die meisten Firmen sehen es allerdings nicht gern, wenn sich ihre Mitarbeiter arbeitszeitfüllend im Internet aufhalten oder massenweise elektronische Privatpost über den Firmenanschluß laufen lassen. Um in die große weite Netzwelt hineinzuschnuppern, reicht ein solcher Zugang jedoch allemal – und außerdem finden sich in den vielfältigen Datenquellen des Internet sicherlich auch für ihre Firma interessante Informationen. Wenn Sie darüber hinaus noch privat durch das WWW surfen möchten, läßt sich vielleicht auch außerhalb der Arbeitszeit ein Zugriff realisieren.

Über andere Online-Dienste

In Deutschland (wie auch im Rest der Welt) existieren verschiedene Online-Dienste, die ihren Kunden elektronische Services wie Nachrichtenaustausch zwischen verschiedenen Teilnehmern, das Beschaffen von Software oder auch Dienstleistungen wie Fahrplanauskünfte der Bundesbahn, elektronisches Tätigen der Bankgeschäfte und dergleichen mehr bieten.

Hierzu zählen der Btx-Dienst (neuerdings Datex-J genannt) der Telekom ebenso wie deren neuester Service „Telekom Online“ oder auch der private Dienstanbieter CompuServe.

Auch über solche Online-Dienste ist ein Internet-Zugriff möglich: Der Dienstanbieter betreibt hierbei einen eigenen Internet-Zugang, der die Rechner seines eigenen Netzwerks mit denen des Internet koppelt.

Wenn sich der Kunde nun in das Netzwerk des Online-Dienstes einwählt, kann er über diese Verbindung weitergehen und auf die Rechner des Internet zugreifen.

Über Mailboxen

Auf das Internet können Sie auch über das Einwählen in einen örtlichen „Mailbox“-Rechner zugreifen.

Dies ist ein Computer, der zumeist Tag und Nacht in Betrieb ist und Anrufern erlaubt, sich über eine Telefonverbindung in das System einzuklinken – in der Fachsprache „einloggen“ genannt. Sind Sie dann „eingeloggt“, so können Sie Daten hinauf- und herabladen, sich mit anderen Nutzern unterhalten oder (bei Internet-fähigen Mailboxen) eine Auswahl von Internet-Diensten nutzen.

Tip: Pro und Contra Mailbox-Zugang

Leider haben viele Mailbox-Systeme die Lebenserwartung einer Zimmerpflanze in der Sahara. Nur selten pflegt ein kommerzieller Anbieter eine solche Mailbox, und die unzähligen privaten Betreiber gehen mitunter recht „launisch" mit ihrem System um. Da wird es mal einfach abgeschaltet, weil der laute Lüfter gerade nervt, und sollte der Betreiber mal in Urlaub fahren, ist zumeist keine Vertretung vorhanden. Demgegenüber ermöglichen gut gewartete Mailboxen einen kurzfristig verfügbaren und oft auch preiswerten Internet-Zugang und bieten zumeist auch noch weitere interessante Online-Angebote.

Der Name rührt daher, daß solche Systeme von Ihren Teilnehmern zumeist für den Austausch elektronischer Nachrichten genutzt werden – als eine Art „elektronischer Briefkasten" (engl. „mailbox").

Oft werden Mailboxen auch „Bulletin Board Systems" (kurz „BBS") genannt – weil dort Nachrichten öffentlich bekannt gemacht werden können, als würde man sie an ein „schwarzes Brett" (engl. „bulletin board") pinnen.

Es gibt weltweit sicherlich mehrere tausend solcher Mailboxen, die ihren Nutzern Internet-Zugang anbieten.

Wieviel kostet mich das Internet?

Wieviel Sie Ihr Internet-Zugang im Endeffekt kostet, hängt ganz von der Art des Zugangs und Ihrer Nutzung ab. Sitzen Sie im Rechnerkeller einer Universität, können Sie zumeist kostenlos durch das Netz surfen. Ähnliches gilt für den Internet-Zugriff aus einem firmeneigenen Netzwerk heraus.

Gebühren für den Zugang

Teurer wird es dagegen schon, wenn Sie sich Ihren Zugang von einem spezialisierten Internet-Dienstleister (Provider) bereitstellen lassen: Dieser verlangt monatliche Grundgebühren schon für die Schaffung der Zugriffsmöglichkeit, oftmals kommen noch sogenannte „Volumengebühren" hinzu, also Extrakosten in Abhängigkeit von den übertragenen Datenmengen.

Gleiches gilt auch für die Internet-Teilnahme über Online-Dienste wie CompuServe oder Btx: Hier fallen die normalen Nutzungsgebühren des jeweiligen Dienstes an, mitunter kommen für den darauf aufsetzenden Internet-Zugriff noch weitere (zumeist von der Nutzungszeit abhängige) Kosten hinzu.

Tip: Vorsicht bei Volumengebühren
Mancher Provider bietet Ihnen einen Zugang mit zwar niedriger Grundgebühr, jedoch sogenannten „Volumengebühren“. Dabei fallen für jedes Datenpaket zusätzliche Kosten an – je nach Größe des Pakets mal mehr, mal weniger. Hier heißt es, genau zu überlegen, ob sich die Ersparnis bei der Grundgebühr dann immer noch rechnet, denn gerade bei Nutzung des World Wide Web klettern Volumengebühren schnell in ungeahnte Regionen: Jede einzelne Seite verschlingt schon mehrere KByte Volumen; sind Grafiken enthalten, geht der Bedarf schnell auf mehrere Hundert KByte. Da eine schöne WWW-Reise Sie durch viele solcher Seiten führt, kommen da schnell mehrere MByte zusammen – und das nur für eine einzelne Sitzung. Rechnen Sie das auf mehrere Tage oder einen ganzen Monat hoch, wird ein solcher Zugang meist unrentabel. Damit es bei der Abrechnung Ihres Providers kein böses Erwachen gibt, sollten Sie lieber auf Pauschalpreise oder Angebote mit hohem Volumen-Freikontingent zurückgreifen.

Nicht zu vernachlässigen – die Telefonkosten

Zu alledem gesellen sich natürlich immer noch die entsprechenden Verbindungsgebühren an die Telekom, sofern Sie sich über eine Telefonleitung an den Internet-Zugangsrechner koppeln.

Tip: Zugangskosten senken
Egal, wohin Sie Ihre Reise durch die Weiten des Internet führt – Sie bezahlen immer nur die Telefonkosten für die Verbindung bis zu Ihrem Einwahlpunkt. Befindet sich dieser im Nahbereich, zahlen Sie also stets den günstigen Nahtarif an die Telekom, auch wenn Sie sich im Netz selbst schon längst nicht mehr in Deutschland, sondern auf einem Rechner am anderen Ende der Welt befinden. Daher heißt es, bei der Auswahl Ihres Internet-Zugangs einmal einen typischen Monat der geplanten Internet-Nutzung durchzurechnen – und zwar mit den Grundgebühren des Zugangs wie auch den anfallenden Telefonkosten. Manchmal kommt Sie nämlich ein in seinen Serviceleistungen etwas teurerer Zugang im Ortsnetz günstiger als ein besonders billiger Zugang, bei dem Ferntarifgebühren anfallen.

3.2 Das brauchen Sie fürs Internet

Nachdem Sie nun die verschiedenen Zugangswege zum globalen Datennetz kennen, geht es darum, wie Ihr Computersystem zur Nutzung derselben ausgestattet sein muß.

Mit System ins Netz

Von Grund auf betrachtet, müssen fünf Punkte erfüllt sein, damit Sie problemlosen Internet-Zugriff erhalten:

① Sie benötigen einen Computer, ...
② ... auf dem die passende Software für den Internet-Zugriff läuft.
③ Um sich damit ins Internet einwählen zu können, muß ein Telefonanschluß vorhanden sein, ...
④ ... an den der Computer über ein sogenanntes „Modem“ oder eine „ISDN-Karte“ angeschlossen ist.
⑤ Zu guter Letzt brauchen Sie einen Einwahlpunkt, den Ihnen ein direkt ans Internet gekoppelter Dienstanbieter, der sogenannte „Provider“, zur Verfügung stellt.

Die Hardware

Ohne Computer läuft natürlich gar nichts. Und obwohl ich mich im Rahmen dieser Erklärungen auf PCs unter dem Betriebssystem Windows 95 beziehe, können Sie genausogut auch mit anderen Rechnern – beispielsweise einem PC unter OS/2, einem Apple MacIntosh, einem Amiga, einer Workstation oder anderen – ins Netz gehen.

Um sich über eine Telefonleitung in einen Internet-Rechner einzuwählen, muß natürlich auch eine solche vorhanden sein. Ich drücke Ihnen die Daumen, daß Sie über eine stabile Leitung verfügen, die auch schnellere Übertragungen ohne allzuhohe Fehlerquote ermöglicht.

Am besten ist natürlich ein moderner ISDN-Anschluß – damit erzielen Sie Geschwindigkeiten, die noch vor wenigen Jahren ein absoluter Traum der meisten Internet-Teilnehmer waren.

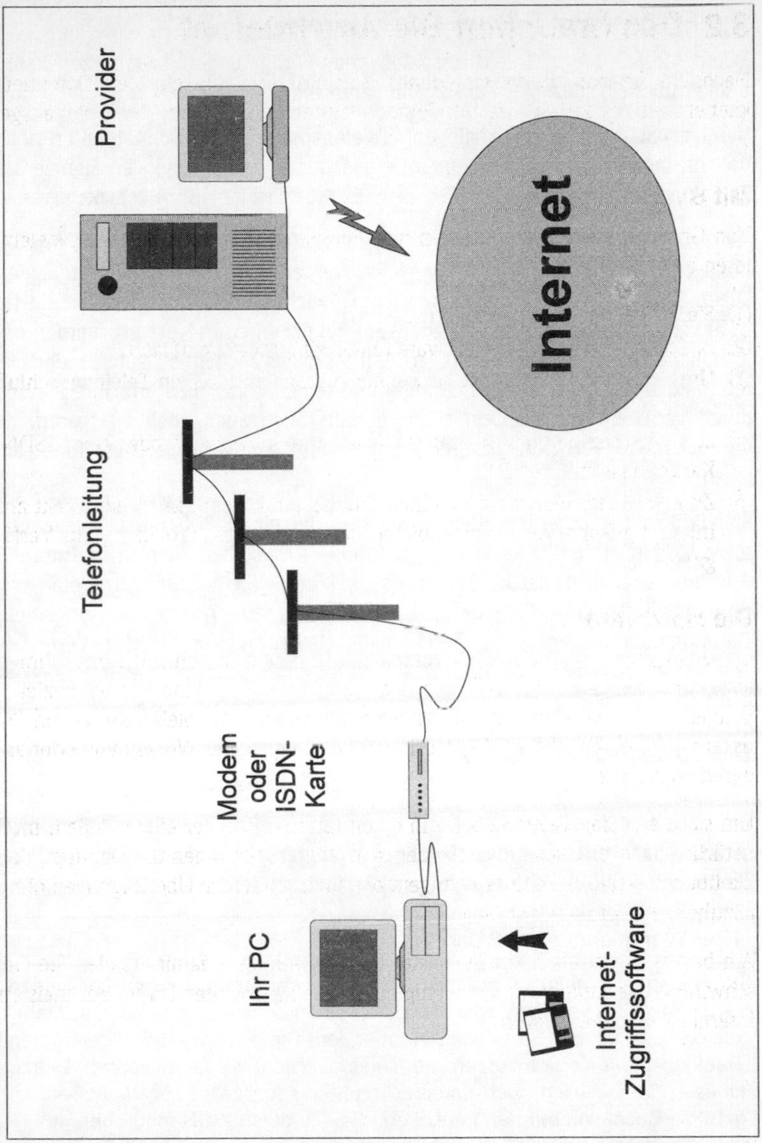

Abb. 29: So gelangen Sie direkt ins Internet

Der PC geht ans Telefon – das Modem

Damit Ihr PC diesen Telefonanschluß zum Verbindungsaufbau nutzen kann, muß er über ein spezielles Zusatzgerät daran gekoppelt sein.

Verfügen Sie über einen „analogen" Telefonanschluß (das ist momentan noch üblich), benötigen Sie ein sogenanntes „Modem", das die digitalen Signale des PCs akustisch umsetzt und als Tonfolge über die Telefonleitung schickt.

Hier gibt es verschiedene Geschwindigkeitsstufen, die in „Bit/s" (Bit pro Sekunde, auch „bps" abgekürzt) angegeben werden. Was diese Einheit im eigentlichen Sinne bedeutet, ist dabei gar nicht so wichtig, vielmehr sollten Sie für Ihre Kaufentscheidung folgendes bedenken: Bei der Internet-Nutzung werden unglaubliche Datenmengen übertragen. Ein schnelles Modem schaufelt mehr Daten in kürzerer Zeit über die Leitung – und schont daher nicht nur Ihre Nerven durch geringere Wartezeiten, sondern hilft Ihnen auch noch zu sparen, da durch kürzere Verbindungszeiten entsprechend weniger Telefongebühren anfallen.

Standard in der Datenfernübertragung sind derzeit 28.800 Bit/s. Auf langsamere Modems (14.400 Bit/s oder gar 9.600 Bit/s) sollten Sie für Ihre Internet-Ausflüge lieber nicht zurückgreifen – sonst können Sie gut und gerne eine ausgedehnte Kaffeepause für jeden Zugriff auf eine neue WWW-Seite einplanen. Die momentan bestmögliche Geschwindigkeit beträgt 33.600 Bit/s. Wenn Sie sich also ein neues Modem kaufen, sollten Sie eines mit dieser Geschwindigkeit nehmen.

Die Luxuslösung – ISDN

Wenn Sie über einen digitalen Telefonanschluß per ISDN verfügen, sollten Sie sich auch eine passende ISDN-Karte leisten, die in den PC eingebaut wird. Dieser kann dann direkt auf das digitale Netz zugreifen – und Sie können mit sagenhaften 64.000 Bit/s durchs Internet brausen.

Tip: Wann lohnt sich ISDN?

ISDN lohnt sich natürlich nur, wenn Sie entweder sowieso schon über einen ISDN-Anschluß verfügen oder die durch einen solchen entstehenden Mehrkosten (z. B. höhere Grundgebühr) an andere Stelle (nämlich den geringeren Telefongebühren durch kürzere Verbindungszeiten) wieder einsparen. Hierzu müssen Sie natürlich auch entsprechend lang „online" arbeiten. Außerdem geht die Rechnung nur dann auf, wenn Sie die durch ISDN möglichen, höherene Übertragungsraten auch wirklich nutzen können - und nicht etwa durch eine langsame Anbindung an den Einwahlpunkt, langsame Service-Rechner im Online-Bereich oder ähnliche Flaschenhälse wieder ausgebremst werden.

Die Software

Sind nun die rein technischen Notwendigkeiten (Computer und Telefonanschluß sowie Modem oder ISDN-Karte) vorhanden, geht es an die Software: Damit Ihr Rechner nämlich mit dem Internet-System am anderen Ende der Telefonleitung kommunizieren kann, müssen beide die gleiche Sprache sprechen. Zum Glück ist hierzu kein langer Sprachkurs notwendig, es reicht die Installation einer einfachen Software.

TCP/IP – Die Grundlage allen Internet-Treibens

In unserer kleinen Internet-Geschichte haben Sie schon vom „Monsterkürzel" TCP/IP gehört, dem „Transmission Control Protocol/Internet Protocol". Hinter diesem Mega-Wort verbirgt sich eine im Grunde harmlose Angelegenheit: Die „Sprache", in der die Internet-Maschinen untereinander kommunizieren. Dabei funktioniert die TCP/IP-Software wie eine Art „Sockel", auf der die restliche Internet-Software (die Sie dann später auf dem Bildschirm sehen) aufsetzt.

TCP/IP kümmert sich also „auf unterer Ebene" um die Ansteuerung der Telekommunikations-Hardware sowie um die Übertragung der Daten von und zu dem jeweils anderen Internet-Computer. Die eigentliche Anwendungs-Software, mit der Sie arbeiten (zum Beispiel das aus der Anfangstour bekannte Netscape), greift dann auf die vom TCP/IP-Sockel bereitgestellten Verbindungen zurück und braucht sich gar nicht mehr selbst um die Modalitäten der eigentlichen Kommunikation zu kümmern, sondern widmet sich ausschließlich ihren jeweiligen Aufgaben. TCP/IP wird bei vielen Systemen (zum Beispiel Windows 95) von Haus aus mitgeliefert, bei anderen (darunter das Vorgänger-System Windows 3.1) muß eine separate TCP/IP-Software zugekauft und installiert werden. Wie das vor sich geht, erfahren Sie weiter unten.

Die Internet-Anwendungs-Software

Auf diesen TCP/IP-Sockel setzt dann die eigentliche Anwendungs-Software auf. Im Rahmen der Beispiele dieses Buchs ist dies der Netscape Communicator – ein Paket aus mehreren Modulen mit dem bekannten Netscape Navigator als „Browser" für World Wide Web, Datei-Transfer, dem Netscape Messenger als elektronischem Post-Büro und Netscape Collabra zur Teilnahme an Diskussionsgruppen. Sie können natürlich auch beliebige andere Internet-Anwendungen verwenden, beispielsweise NCSA Mosaic, IBM Web Explorer, Microsoft Internet-Explorer oder andere. Ich habe mich für Netscape entschieden, weil es ein sehr bekanntes und auch beliebtes Programm ist, das für nahezu alle gängigen Betriebssysteme vorliegt.

> **Verweis:** Möchten Sie statt dessen den Microsoft Internet Explorer einsetzen, so erhalten Sie ab Seite 371 passende Tips und Hinweise.

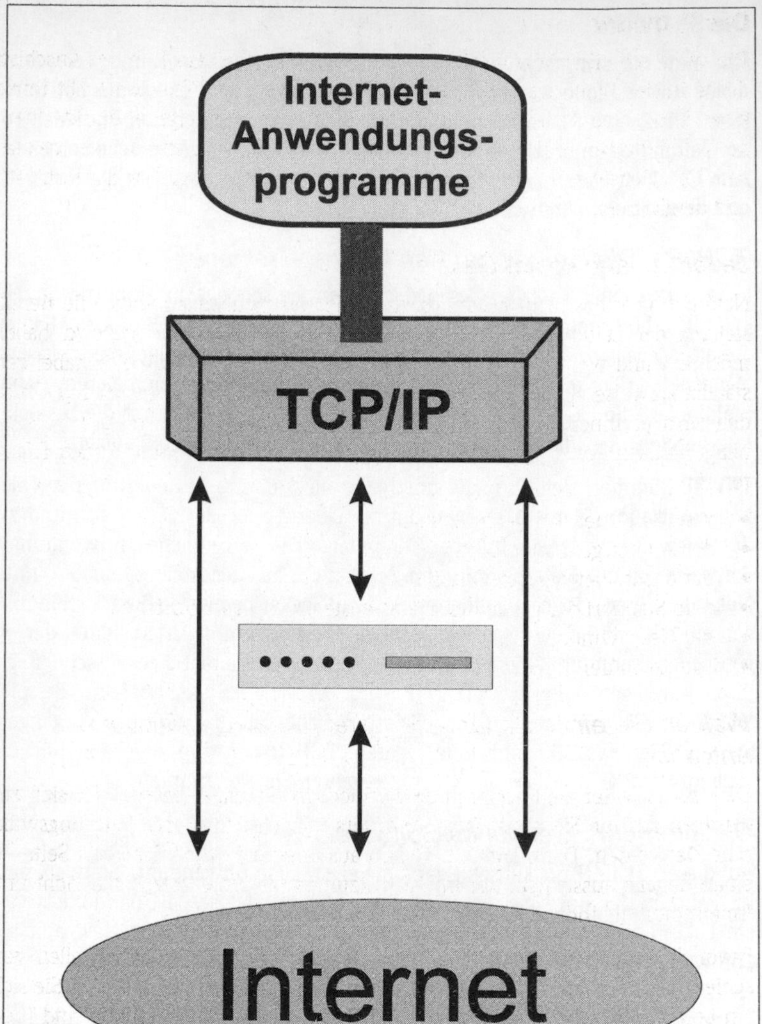

Abb. 30: TCP/IP dient als Sockel für Internet-Anwendungs-Software

Der Provider

Die wohl schwierigste Aufgabe bei der Suche nach einem Internet-Anschluß dürfte in der Wahl des „richtigen" Providers liegen. Der Provider stellt Ihnen einen Einwahlpunkt ins Internet zur Verfügung. Er pflegt eigene, direkte Internet-Verbindungen und ermöglicht Ihnen darüber die Nutzung der verschiedenen Netzdienste wie World Wide Web, Dateiübertragung, Nachrichtenforen und dergleichen.

Jeder Zugang kostet Geld

Natürlich geht das nicht kostenlos. Ihrem Provider entstehen durch die Bereitstellung der Leitungen zum Internet ja selbst Kosten, die er gedeckt haben möchte – und wenn es ein gewerbsmäßiger Provider ist, möchte er dabei verständlicherweise auch noch einen gewissen Profit einfahren. Aus diesen Gründen wird er Ihnen für Ihre Netznutzung Gebühren berechnen. Deren Höhe hängt, je nach Tarifstruktur des jeweiligen Providers, von verschiedenen Faktoren ab:

- von der Dauer der Netznutzung,
- der Art der genutzten Dienste,
- der dabei übertragenen Datenmenge,
- dem Standort der gewählten Netzdienste (Inland oder Ausland),
- der Geschwindigkeit der Übertragung
- oder auch der Tageszeit zum Einwahlzeitpunkt.

Wählen Sie einen Zugang, der Ihren Nutzungswünschen entspricht

Da jeder Provider die Gebühren unterschiedlich berechnet, müssen Sie sich zur Auswahl des für Sie günstigsten Anbieters zunächst über Ihre Nutzungswünsche klarwerden. Dann können Sie sich aus unserer Provider-Liste auf Seite 49 einen Zugang aussuchen, der Ihrem Nutzungsprofil am ehesten entspricht und Ihnen somit die individuell günstigsten Konditionen bietet.

Bevor Sie jedoch Gefahr laufen, den Überblick in den diversen Tabellen verschiedenster Tarifstrukturen der einzelnen Provider zu verlieren, stellen Sie sich am besten eine Checkliste auf, mit den Punkten, die für Sie wichtig sind (und worauf Sie verzichten können). Im folgenden habe ich Ihnen hierzu eine Liste der wichtigsten Fragen zusammengestellt.

Tip: Rechnet sich ein Internet-Zugang über einen Online-Dienst?

Auch die bekannten Online-Dienste wie T-Online, CompuServe und America Online haben sich mittlerweile dem Internet geöffnet und ermöglichen Ihren Nutzern aus der Oberfläche des Online-Dienstes heraus den Zugriff auf das weltweite Datennetz. Diese Verquickung von Dienst-internen Services mit dem Zugriff auf das Internet bringt Ihnen natürlich einen nicht zu vernachlässigenden Vorteil: Neben den facettenreichen Angeboten des Internets stehen Ihnen auch weiterhin noch die speziellen Services des jeweiligen Online-Dienstes (beispielsweise Homebanking in T-Online) zur Verfügung. Allerdings zahlen Sie für diesen Doppelnutzen nicht selten auch einen höheren Preis: Die meisten Online-Dienste verlangen für den über Sie abgewickelten Zugriff auf das Internet höhere Gebühren, als für die reine Nutzung der vorhandenen, internen Angebote anfällt. Das rechnet sich nur, wenn diese Gebühren entweder immer noch günstiger sind als die anderer Anbieter, oder Sie aus individuellen Gründen nicht auf die internen Services des Online-Dienstes verzichten können bzw. wollen.

Rein private oder auch kommerzielle Nutzung?

Viele Provider bieten sehr günstige Sondertarife für Privatkunden an. Wenn Sie also sicher sind, daß Sie die Internet-Dienste rein privat nutzen werden, sollten Sie Ausschau nach solchen Vergünstigungen halten.

Lieber lange Zeit im Netz oder eher große Datenmengen holen?

Die nach der Trennung privat/beruflich wichtigste Unterscheidung hinsichtlich der Abrechnungsmodalitäten ist die Gebührenermittlung nach der im Netz verbrachten Zeit oder der Menge der übertragenen Daten. Überlegen Sie daher, was für Sie günstiger ist: Möchten Sie lieber lange Zeit durch das Netz surfen und sich mal hierhin, mal dorthin wenden? Oder haben Sie eher vor, besonders umfangreiche Datenmengen, zum Beispiel Programme, aus den Weiten des Netzes auf Ihren PC zu holen?

Das Netz den ganzen Tag nutzen oder nur in den Abendstunden?

Eine weitere Unterscheidung ist, ob Sie den ganzen Tag über auf das Netz zugreifen möchten oder Ihren Nutzungszeitraum auf die Abendstunden beschränken können. Für letztgenanntes räumen viele Provider nämlich einen günstigeren Tarif ein.

Nur deutsche oder auch internationale Netzdienste?

Zudem trennen manche Provider ihren Tarif nach dem Zugriff auf einheimische Netzdienste, was recht günstig ist, und entsprechend teureren Auslandsverbindungen.

Welche Übertragungsgeschwindigkeiten sind möglich?

Des weiteren ist auf die passende Übertragungsgeschwindigkeit zu achten. Verfügen Sie über ein modernes Hochgeschwindigkeitsmodem oder eine superschnelle ISDN-Karte, darf die hierdurch mögliche Geschwindigkeit nicht aufgrund eines quälend langsamen Provider-Zugangs ausgebremst werden. Andererseits sollten Sie auch prüfen, ob Ihr Provider Ihnen nicht gerade für solche hohen Geschwindigkeiten zusätzliche Sondergebühren in Rechnung stellt.

Brauchen Sie telefonische Hilfestellung?

Manche Provider bietet Ihnen auch ein „Rundum Sorglos"-Paket. Sie erhalten von Ihrem Internet-Anbieter nicht nur die reine Zugangsmöglichkeit, sondern auch gleich sämtliche benötigte Software auf Diskette sowie eine individuelle Betreuung und telefonische Unterstützung bei Problemen. Klar, daß dieser Service extra kostet, aber wenn Sie Wert darauf legen, sollten Sie Ihren Provider dementsprechend auswählen.

Wo unterhält der Provider passende Einwahlpunkte?

Nicht für die Gebührenberechnung durch den Provider, aber für die Höhe Ihrer monatlichen Telefonkosten ist wichtig, ob der Provider Ihrer Wahl überhaupt passende Einwahlpunkte in Ihrer Nähe unterhält. Der günstigste Zugangstarif verblaßt nämlich schnell gegen eine gigantische Telefonrechnung für lange Fernverbindungen.

3.3 So kommen Sie auf die Datenautobahn

Jetzt geht's los – Sie schließen sich an das weltumspannende Internet an! Hierzu leitet Sie dieses Kapitel ausgiebig an: Am Beispiel von Windows 95 werden die notwendigen Schritte einmal exemplarisch durchgeführt. Bei den meisten anderen Systemen funktioniert die Anbindung ähnlich, so daß Sie zumindest die Grundzüge des folgend Gezeigten darauf übertragen können.

Weiter unten finden Sie zudem Hinweise, wie Sie Systeme ohne integrierten TCP/IP-Sockel Internet-tauglich machen (am Beispiel der älteren Windows-Version 3.1). Natürlich gibt es, wie immer, auch einige Tips & Tricks, damit Sie „mit links" das Optimum aus Ihrem System und dem neuen Netzzugang herausholen können.

Schritt 1: Provider suchen

Haben Sie sich eine Checkliste zur Provider-Auswahl auf Basis der im vorigen Kapitel genannten Fragen erstellt? Dann sollten Sie sich jetzt einen passenden Provider für Ihren Internet-Zugang aussuchen. Entsprechende Kontaktadressen finden Sie ab Seite 49.

Schritt 2: Modem oder ISDN-Karte anschließen

Um sich in den Internet-Rechner Ihres Providers via Telefonleitung einzuklinken, muß Ihr Computer auf die Telefonleitung zugreifen können. Dies geschieht über ein sogenanntes „Modem" (bei analogen Leitungen) oder eine ISDN-Karte (bei modernen Digitalverbindungen über ISDN). Falls Sie noch nicht über ein solches Gerät verfügen, wird dessen Anschaffung und Anschluß höchste Eisenbahn.

Tip: Ein schnelles Modem ist Gold wert

Beim Surfen im weltweiten Datenmeer leisten die Modems Schwerstarbeit: Gewaltige Datenmengen müssen ständig zwischen dem Internet und Ihrem Rechner hin und her geschaufelt werden. Daher sollten Sie bei der Anschaffung lieber etwas mehr Geld in ein sehr schnelles Modem (mindestens 28.800 bps, besser noch 33.600 bps) oder eine ISDN-Karte investieren. Das macht sich spätestens nach einem Monat bezahlt – Ihre Nerven bleiben geschont (quälend langsame Übertragungen könnten ganz schön an Ihrer Geduld zerren) und die Telefonrechnung niedrig (je länger die Übertragung der Daten dauert, desto höher werden die Telefongebühren).

Schritt 3: Zugang einrichten

Nun, da Sie sowohl über einen Provider als auch über entsprechende Geräte zum Einklinken in dessen Rechner verfügen, kann es eigentlich losgehen.

Besorgen Sie sich von Ihrem Provider eine Liste mit den entsprechenden Zugangsdaten – angefangen bei der Telefonnummer, unter der Sie den Einwahlpunkt erreichen, über spezielle Kennungen und Paßwörter, mit denen Sie Zugang zum Internet-Rechner erhalten, bis zu den systemspezifischen Einstellungen für Ihren Computer, damit dieser die gleiche Sprache spricht wie der Internet-Rechner (im Internet-Slang gesagt: das gleiche Protokoll verwendet).

Besonders wichtig ist auch, daß Sie Ihren Provider nach der für Ihr System gültigen sogenannten „IP-Adresse" fragen. Unter dieser Adresse (in Form von vier durch Punkte getrennten Ziffernblöcken) ist Ihr Rechner im Internet weltweit eindeutig identifizierbar und wird somit zu einem vollwertigen Mitglied des Netzwesens.

Tip: IP-Adresse 0.0.0.0
Wenn Ihr Provider Ihnen keine feste Adresse zuteilt, erhalten Sie bei jedem Verbindungsaufbau eine neue Nummer, deren Verwendung auf die dann jeweils laufende Sitzung beschränkt ist. Fragt Sie Ihre Software in einem solchen Fall bei der Zugangseinrichtung nach der IP-Adresse, geben Sie einfach 0.0.0.0 an.

Die so erhaltenen Daten müssen Sie im Laufe der folgenden Schritte (der Einrichtung der Internet-Software) in Ihr System eingeben. Es geht jetzt also darum, Ihren Computer mit Hilfe entsprechender Software „Internet-fähig" zu machen. Die Hauptsache ist hierfür der eingangs erwähnte TCP/IP-Sockel: Diese spezielle Software übernimmt die grundlegende Kommunikation mit dem Internet-Rechner und bildet sozusagen die Brücke zwischen dem Internet und Ihrer darauf zugreifenden Anwendungs-Software.

Internet-Anschluß mit Windows 95

Windows 95 bringt von Haus aus schon eine eigene Unterstützung für den Internet-Zugriff mit.

Installieren des TCP/IP-Sockels

① Öffnen Sie das *Start*-Menü, aktivieren Sie den Punkt *Einstellungen* und im dortigen Untermenü die *Systemsteuerung*.

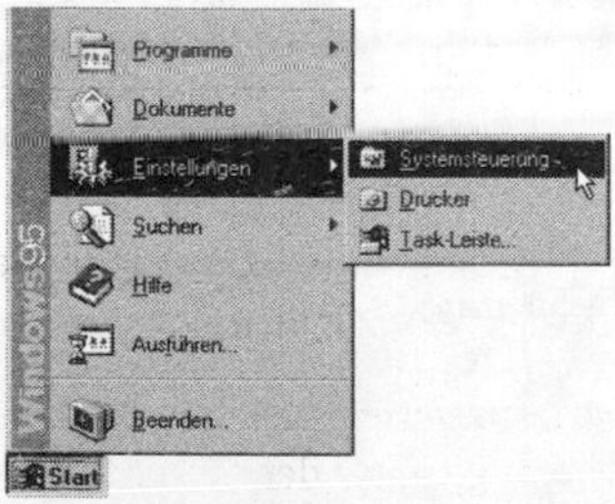

Abb. 31:
Als erstes muß die Systemsteuerung auf den Bildschirm

② Im Fenster *Systemsteuerung* aktivieren Sie die *Netzwerk*-Einstellungen.

Abb. 32:
Der Internet-Zugriff verbirgt sich bei den Netzwerk-Einstellungen

③ Wählen Sie im zugehörigen Dialogfenster die Funktion *Hinzufügen.*

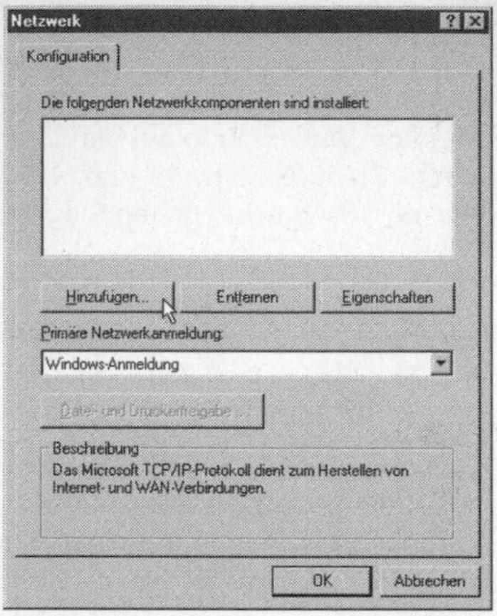

Abb. 33:
Sie wollen eine Netzwerk-Einstellung hinzufügen

④ Windows fragt Sie nun nach dem Komponententyp. Wählen Sie hier *Netzwerkkarte* – selbst wenn Sie gar keine Netzwerkkarte haben, denn Windows sieht auch Modems als solche an.

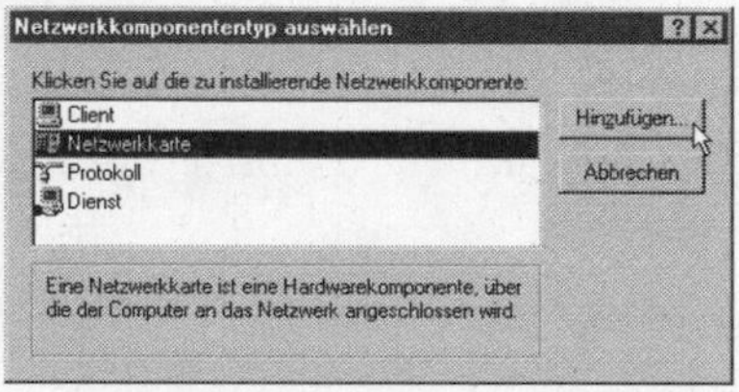

Abb. 34:
Es soll eine Netzwerkkarte sein

⑤ Wählen Sie in der Herstellerliste *Microsoft* und daraus die Netzwerkkarte *DFÜ-Adapter* (für Datenfernübertragung).

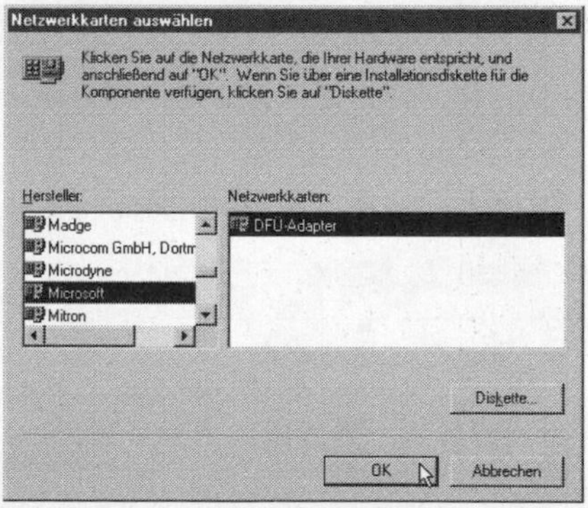

Abb. 35:
Genauer gesagt: ein DFÜ-Adapter

⑥ Fügen Sie als nächste Komponente ein *Protokoll* hinzu.

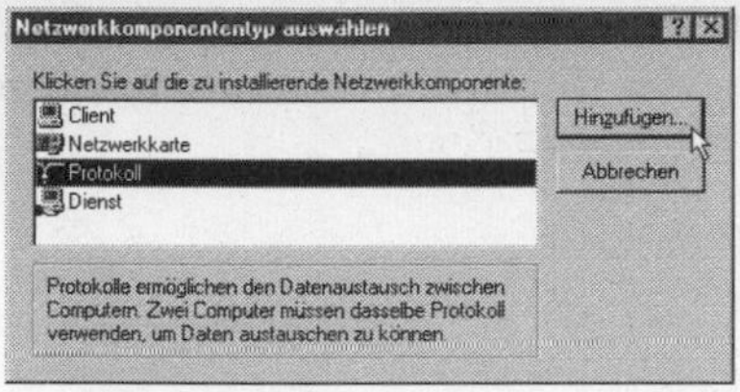

Abb. 36:
Auch das passende Protokoll fehlte bislang

⑦ Hier wählen Sie wieder den Hersteller *Microsoft*, danach das Protokoll *TCP/IP*.

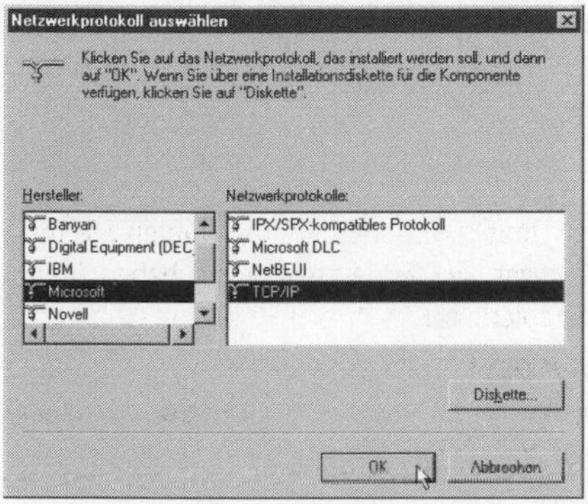

Abb. 37:
TCP/IP ist das Internet-Protokoll

⑧ Zur korrekten Einstellung beider Komponenten für Ihren speziellen Internet-Zugang setzen Sie sich am besten mit Ihrem Provider in Verbindung.

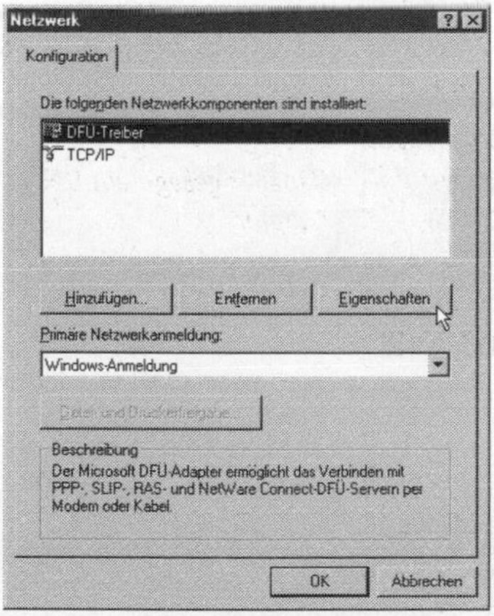

Abb. 38:
Die Einstellungen sind abhängig vom jeweiligen Provider

Das war es schon! Sie können nun alle Fenster mit *OK* wieder schließen und Windows 95 daraufhin neu starten. Ihr System ist nun mit einem TCP/IP-Sockel in voller 32-Bit-Power ausgestattet!

Das DFÜ-Netzwerk installieren

Die grundlegenden Voraussetzungen sind also geschaffen: Der TCP/IP-Sockel ist da! Um diesen auch nutzen zu können, benötigt Windows 95 noch die Funktionen des sogenannten DFÜ-Netzwerks, mit dessen Hilfe Sie sich über die Telefonleitung in andere Rechner einwählen können.

① Holen Sie sich hierzu über den Punkt *Einstellungen* im *Start*-Menü wieder die *Systemsteuerung* auf den Bildschirm.

② Öffnen Sie dort die Einstellungen für *Software*.

③ Wechseln Sie dort zu den Einstellungen des *Windows-Setup* und markieren Sie den Punkt *Verbindungen*. Durch einen Klick auf die Schaltfläche *Details* schalten Sie zur Darstellung der einzelnen Unterkomponenten um.

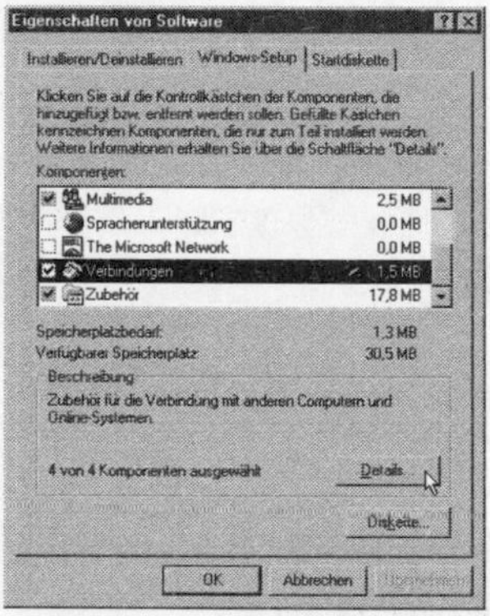

Abb. 39:
Die Verbindungen müssen vorhanden sein

④ Aktivieren Sie dort das *DFÜ-Netzwerk* mit einem Häkchen.

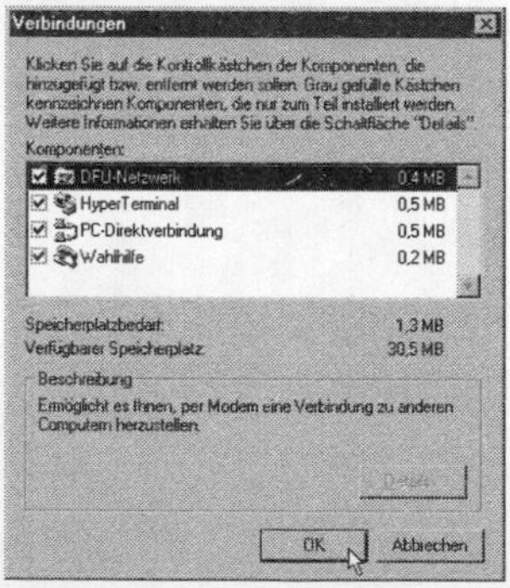

Abb. 40:
Das DFÜ-Netzwerk wird aktiviert

⑤ Abschließend übernehmen Sie die gewählten Einstellungen, indem Sie die Fenster über die jeweiligen *OK*-Schaltflächen wieder schließen.

Damit es den Kontakt zu Ihrem Internet-Einwahlpunkt aufnehmen kann, muß Windows natürlich wissen, wohin die Verbindung aufgebaut werden soll.Einrichten der Verbindung

① Um ihm dies mitzuteilen, öffnen Sie das *Arbeitsplatz*-Fenster und aktivieren dort die Funktion *DFÜ-Netzwerk*.

Abb. 41:
Das DFÜ-Netzwerk verwaltet Ihre Verbindungen

② Im dortigen Fenster starten Sie die Funktion *Neue Verbindung erstellen.*

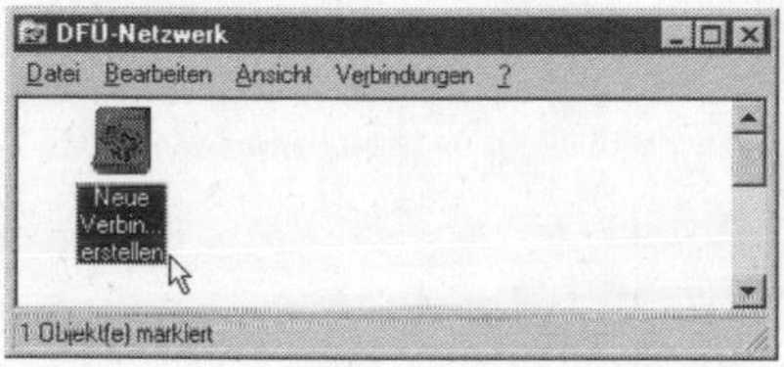

Abb. 42:
Eine ganz neue Verbindung wird erstellt

③ Geben Sie der Verbindung einen passenden Namen und wählen Sie aus der Liste Ihr Modem (oder Ihre ISDN-Karte) aus. Drücken Sie dann auf *Weiter.*

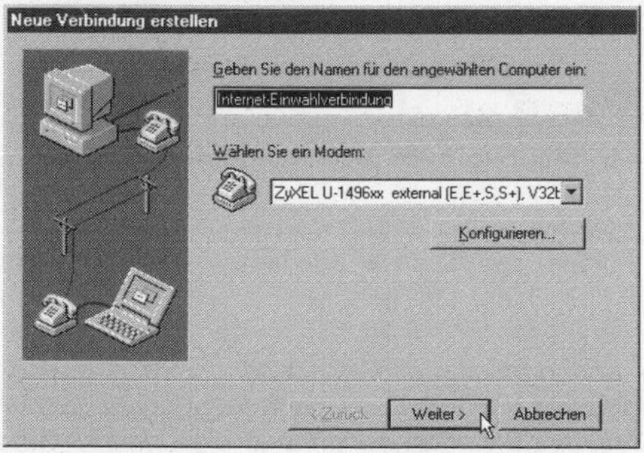

Abb. 43:
Die Taufe der Verbindung

④ Tragen Sie in den Einstellungen dann die entsprechende Telefonnummer Ihres Einwahlpunktes ein. Achten Sie darauf, daß die korrekte Landeskennung ausgewählt ist – sonst wird Windows 95 später zuerst die internationale Auslandsvorwahl mitwählen – und drücken Sie *Weiter.*

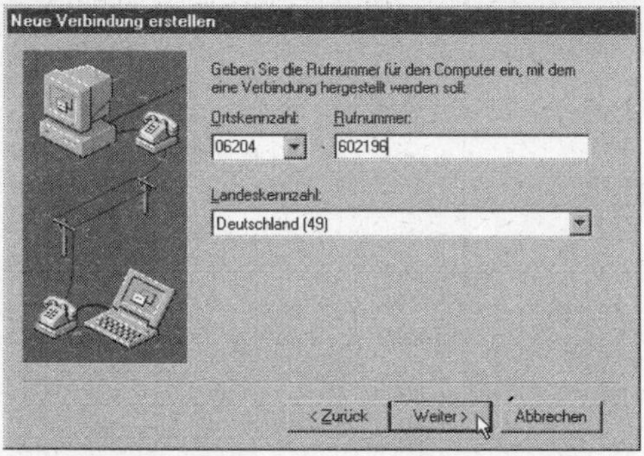

Abb. 44: Wohin soll die Reise gehen?

⑤ Windows 95 meldet Ihnen, daß die Einstellung abgeschlossen und eine neue Verbindung eingerichtet wurde. Bestätigen Sie wieder mit *Weiter.*

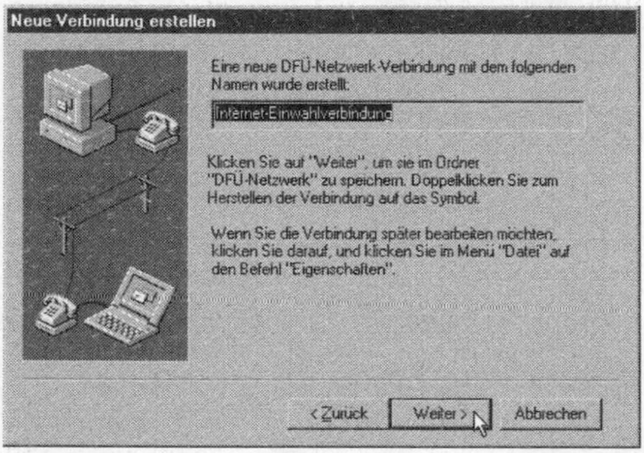

Abb. 45: Die neue Verbindung wurde eingerichtet

Tip: Geschwindigkeit optimieren und Verbindungsprobleme vermeiden

Wenn Sie ein schnelles Modem haben, wollen Sie diesen Geschwindigkeitsvorteil natürlich auch voll auskosten. Das geht jedoch nur, wenn Sie in den Modemeinstellungen von Windows 95 den korrekten Höchstwert eingetragen haben. Hierzu markieren Sie im Fenster *DFÜ-Netzwerk* die von Ihnen eingerichtete Internet-Verbindung und rufen im *Datei*-Menü den Punkt *Eigenschaften* auf. Im dann erscheinenden Dialogfenster drücken Sie unten im Bereich *Verbinden über* auf die Schaltfläche *Konfigurieren.* Nun bietet Ihnen Windows 95 ein neues Dialogfenster mit Einstellmöglichkeiten für Ihr Modem. Wichtig ist nun, daß Sie im Feld *Maximale Geschwindigkeit* den für Ihr System passenden Höchstwert einstellen. Außerdem muß auch die Option *Nur mit dieser Geschwindigkeit verbinden* unbedingt ausgeschaltet sein! Andernfalls würde Windows 95 automatisch alle Anwählversuche abbrechen, wenn diese (zum Beispiel aufgrund von Leitungsstörungen oder eines langsameren Modems beim Provider) zu einer niedrigeren Übertragungsrate führen würden.

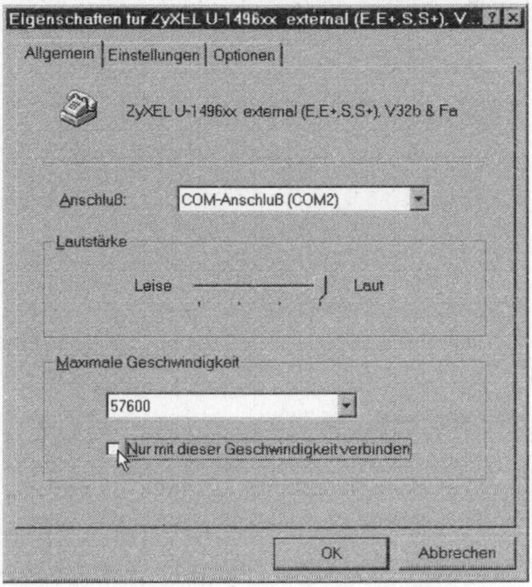

Abb. 46:
Modemverbindungen sollen schnell und problemlos sein

Einstellen der Verbindungsdaten

Jetzt müssen noch die technischen Daten der Verbindung richtig eingestellt werden.

① Hierzu klicken Sie im Fenster des *DFÜ-Netzwerks* mit der rechten(!) Maustaste auf das Symbol der neu eingerichteten Verbindung. In dem sich daraufhin öffnenden Kontextmenü aktivieren Sie den Punkt *Eigenschaften.*

Hinweis: Alternativ können Sie auch das Symbol durch einfaches Anklicken mit der linken Maustaste markieren und dann im Menü *Datei* den Punkt *Eigenschaften* anwählen.

② Im Fenster der Verbindungseigenschaften klicken Sie auf die Schaltfläche für den *Servertyp.*

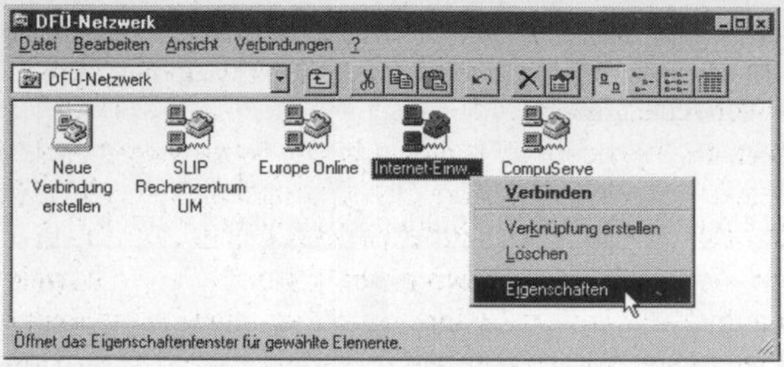

Abb. 47: Die Eigenschaften müssen berichtigt werden

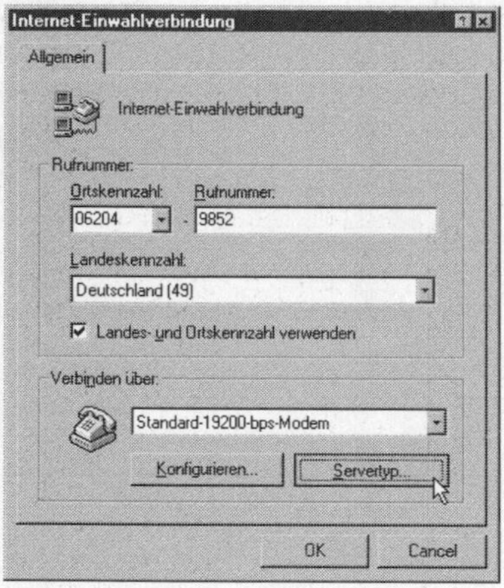

Abb. 48: Der Servertyp ist die wichtigste Einstellung

③ Hier stellen Sie folgende Daten ein:

- Als *Typ des DFÜ-Servers* das Verfahren, welches für die Datenübertragung zwischen Ihrem Rechner und dem Einwahlpunkt Ihres Providers genutzt wird (das ist quasi „die Sprache, in der sich die beiden Rechner unterhalten"). Wählen Sie den Servertyp, den Ihr Provider Ihnen als für seinen Zugang gültigen genannt hat. Gängig sind die Auswahlen *SLIP: UNIX-Verbindung* und *PPP: Windows 95, Windows NT 3.5, Internet.*
- Die Option *Am Netzwerk anmelden* muß in den allermeisten Fällen deaktiviert werden. Ansonsten würde Windows versuchen, Sie mit dem gleichen Namen und Paßwort bei Ihrem Internet-Einwahlpunkt anzumelden, den Sie auch für den Windows-Netzwerkstart benutzt haben.
- *Softwarekomprimierung aktivieren* veranlaßt Windows, Datenpakete vor der Übertragung zu kompakteren Bündeln zu schnüren. Das beschleunigt den eigentlichen Übertragungsprozeß, funktioniert aber nur, wenn auch der Rechner Ihres Providers dies unterstützt (was aber bei den meisten heutigen Systemen der Fall sein sollte).

- *Verschlüsseltes Kennwort fordern* bietet eine zusätzliche Sicherheitsstufe, da Ihr Kennwort nicht im Klartext über die Leitung geschickt, sondern zuvor verschlüsselt wird.
- Der Rechner des Providers muß dieses jedoch auch wieder entschlüsseln können, daher sollten Sie diese Option standardmäßig deaktivieren und nur in Absprache mit Ihrem Provider einschalten.
- Im Bereich *Zulässige Netzwerkprotokolle* geben Sie an, mit welchen Protokollen Ihr Rechner und der Ihres Providers miteinander kommunizieren dürfen (diese Protokolle regeln sozusagen die „Umgangsformen" der beiden Systeme und müssen übereinstimmen, um Probleme zu vermeiden). Für Internet-Verbindungen sollten Sie die beiden erstgenannten – *NetBEUI* und *IPX/SPX-kompatibles Protokoll* – ausschließen und als einziges Kästchen das für das Internet-Protokoll *TCP/IP* zuständige aktivieren (also mit einem Häkchen versehen).

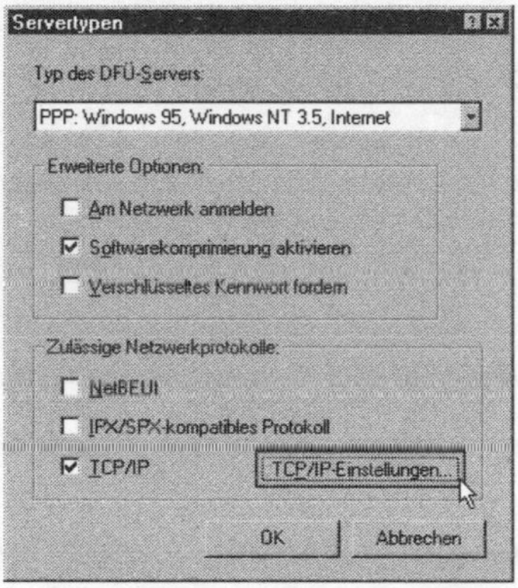

Abb. 49:
Die korrekten Server-Einstellungen erfahren Sie von Ihrem Provider

④ Um die Einstellungen dieses Protokolls zu überprüfen, klicken Sie anschließend auf die daneben liegende Schaltfläche *TCP/IP-Einstellungen.*

⑤ Hier ist es nun besonders wichtig, daß Sie wie folgt die von Ihrem Provider genannten Daten eintragen:

- Die sogenannte „IP-Adresse" stellt den Zahlencode dar, unter dem Ihr Rechner im Internet weltweit eindeutig identifizierbar ist, die ihn somit zu einem vollwertigen Mitglied des Netzwesens macht.
- Wählen Sie die Option *IP-Adresse festlegen* an und tragen Sie die für Sie bestimmte Adresse in genauer Schreibweise in das darunterliegende Feld ein.
- Falls Ihr Provider Ihnen keine feste Adresse zugeteilt hat, erhalten Sie bei jedem Verbindungsaufbau eine neue, rein auf die dann jeweils lau-

fende Sitzung beschränkte Nummer. In diesem Fall aktivieren Sie lediglich die Option *Vom Server zugewiesene IP-Adresse.*

- Der Nameserver – kurz DNS für „Domain Name Service“ genannt – dient zur Verwaltung und Abfrage von Internet-Adressen über deren Namen. Er ist erforderlich, damit Ihre Internetsoftware Sie bei Eingabe einer Adresse wie *http://www.data-becker.de/* auch mit dem richtigen System verbinden kann: Vom DNS erfährt sie nämlich die zu diesem Namen passende numerische Adresse, unter der sie dann den gewünschten Internet-Service anklingelt. Hier gibt es – wie zuvor bei der Einstellung Ihrer eigenen IP-Adresse – zwei Möglichkeiten: Wenn Ihr Provider Ihnen die Adresse (oder auch mehrere Adressen) für den (oder die) DNS genannt hat, aktivieren Sie die Option *Namensserveradressen festlegen* und tragen die genannten Zahlenfolgen in die darunterliegenden Felder ein. Falls der Internet-Zugangsrechner Ihres Providers Ihrem System bei jeder Einwahl einen speziellen DNS zuweist, brauchen Sie keine solchen Adressen einzugeben, sondern es reicht dann, die Option *Vom Server zugewiesene Nameserver-Adressen* zu aktivieren.
- Die *IP-Header-Komprimierung* sorgt dafür, daß die vor der Übertragung jedes Datenpakets geschickte Beschreibung desselben besonders kompakt ausfällt. Das beschleunigt den eigentlichen Übertragungsprozeß, funktioniert aber nur, wenn auch der Rechner Ihres Providers dies unterstützt (was heutzutage jedoch Standard sein dürfte).
- Die Option *Standard-Gateway im Remote-Netzwerk verwenden* veranlaßt Windows, die IP-Adresse auf die Netzwerkverbindung umzulegen. Auch dies sollte standardmäßig aktiviert sein.

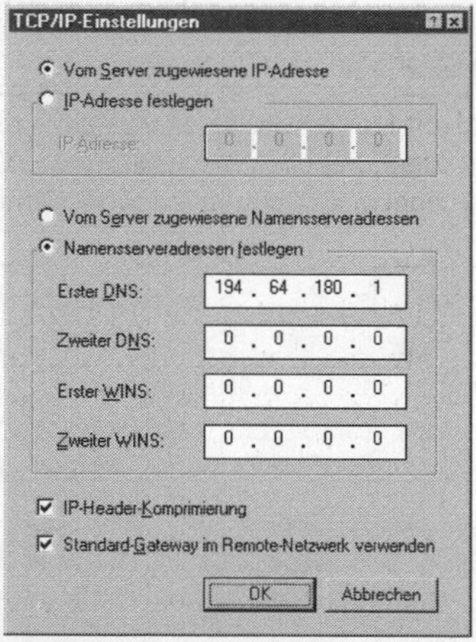

Abb. 50:
Auch die TCP/IP-Einstellungen sind von Provider zu Provider verschieden

⑥ Bestätigen Sie diese Änderungen sowie die der vorherigen Dialogfenster jeweils durch Druck auf *OK*.

Es ist geschafft! Die nötigen Protokolle sind vorhanden, eine Verbindung wurde eingerichtet und mit den passenden Daten ausstaffiert. Windows 95 ist nun so konfiguriert, daß Sie den Sprung ins Internet wagen können.

Allerdings macht der Verbindungsaufbau jetzt noch keinen Sinn: Windows würde zwar eine Telefonverbindung zum Provider herstellen, Sie könnten diese aber noch gar nicht richtig nutzen – denn hierzu benötigen Sie noch die entsprechende Zugriffs-Software. Wie Sie diese auf Ihrem System einrichten, erfahren Sie ab Seite 100.

Mit anderen Systemen ans Netz

Verfügt Ihr System über keinen eigenen TCP/IP-Sockel (das ist zum Beispiel der Fall bei Computern mit MS-DOS und Windows 3.1), benötigen Sie ein spezielles Hilfsprogramm, das die Funktion dieses Sockels für Ihr System übernimmt.

Hierzu gibt es diverse Produkte verschiedenster Firmen – im Falle von Windows 3.1 ist beispielsweise *Trumpet Winsock* ein sehr beliebtes und verläßliches Programm. Es wird als sogenannte „Shareware" vertrieben, das heißt, Sie dürfen es kostenlos ausprobieren und bezahlen den Kaufpreis erst, wenn Sie wirklich sicher sind, daß es Ihre Bedürfnisse erfüllt. Aus diesen Gründen ist Trumpet Winsock sehr weit verbreitet und zu einem Quasi-Standard in der Windows-3.1-Welt geworden. Ich will mich daran halten und Ihnen die folgenden Installations- und Konfigurationsprozeduren an seinem Beispiel aufzeigen.

Tip: Internet Explorer als TCP/IP-Sockel unter Windows 3.1

Alternativ können Sie auch den Microsoft Internet Explorer (ab Version 3) für Windows 3.1 verwenden. Er bringt ein eigenes Einwahlprogramm mit TCP/IP-Sockel mit sich. Ein separates Programm wie Trumpet Winsock benötigen Sie dann nicht mehr.

Sie erhalten einen solchen TCP/IP-Sockel für Ihr System am ehesten bei Ihrem Internet-Provider. Er ist aber auch bei Software-Händlern sowie auf Shareware-Disketten und CD-ROMs in Kaufhäusern oder als Zeitschriftenbeigabe zu finden.

Tip: Trumpet Winsock aus dem Internet laden
Haben Sie schon Freunde im Internet, können diese Ihnen die Software auch von dort herunterladen: Trumpet Winsock ist dort z. B. unter der Internet-Adresse *ftp://ftp.tu-chemnitz.de/pub/simtelnet/win3/winsock/twsk30d.zip* oder *ftp://ftp.uni-paderborn.de/pub/simtelnet/win3/winsock/twsk30d.zip* zu finden. Mittlerweile kann auch wieder eine neue Version erschienen sein, so daß sich der Dateiname *twsk30d.zip* geändert hat.

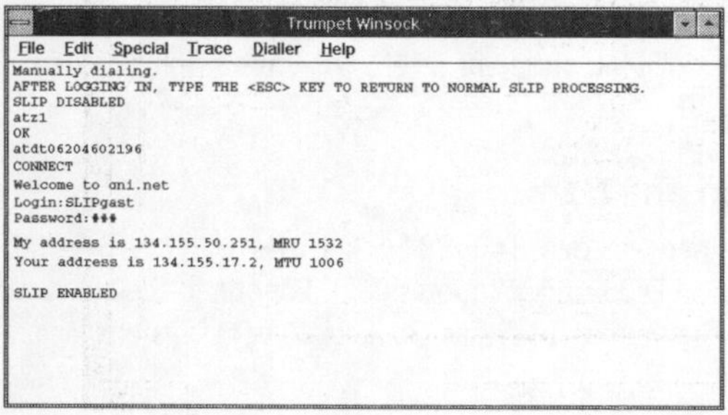
Trumpet Winsock
File Edit Special Trace Dialler Help
Manually dialing.
AFTER LOGGING IN, TYPE THE <ESC> KEY TO RETURN TO NORMAL SLIP PROCESSING.
SLIP DISABLED
atz1
OK
atdt06204602196
CONNECT
Welcome to oni.net
Login:SLIPgast
Password:###
My address is 134.155.50.251, MRU 1532
Your address is 134.155.17.2, MTU 1006
SLIP ENABLED

Abb. 51: Trumpet Winsock, ein TCP/IP-Sockel für Windows 3.1

Winsock installieren

① Zumeist wird Trumpet Winsock als gepackte Datei geliefert: Sie erhalten eine einzelne Datei, zum Beispiel namens *winsock.zip*, in der sämtliche für den Betrieb des Programms notwendigen Daten enthalten sind.

② Legen Sie ein Verzeichnis für Trumpet Winsock an – am besten innerhalb eines Internet-Oberverzeichnisses –, z. B. unter dem Namen *c:\internet\winsock*, kopieren Sie die gepackte Datei dort hinein und packen Sie deren Inhalt aus. Danach können Sie die gepackte Datei wieder von der Festplatte löschen (am besten vorher zur Sicherheit noch auf eine Diskette kopieren).

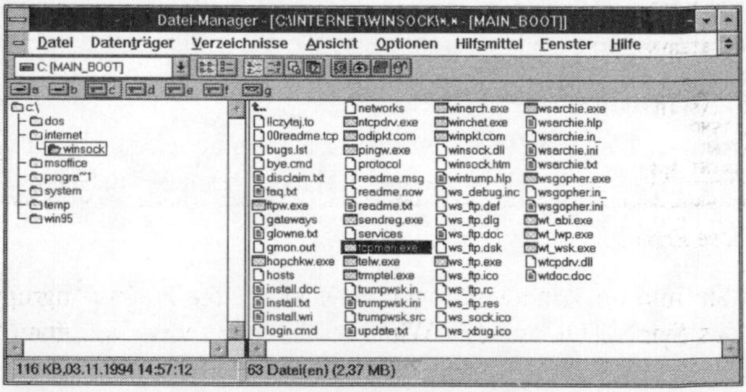
Datei-Manager - [C:\INTERNET\WINSOCK*.* - [MAIN_BOOT]]
Datei Datenträger Verzeichnisse Ansicht Optionen Hilfsmittel Fenster Hilfe
116 KB,03.11.1994 14:57:12
63 Datei(en) (2,37 MB)

Abb. 52: Das Winsock-Verzeichnis und sein Inhalt

③ Damit Windows die zum TCP/IP-Sockel gehörenden Treiber problemlos findet, muß die Systemstartdatei *Autoexec.bat* noch entsprechend angepaßt werden; dazu starten Sie den Windows-Editor und öffnen *C:\Autoexec.bat*.

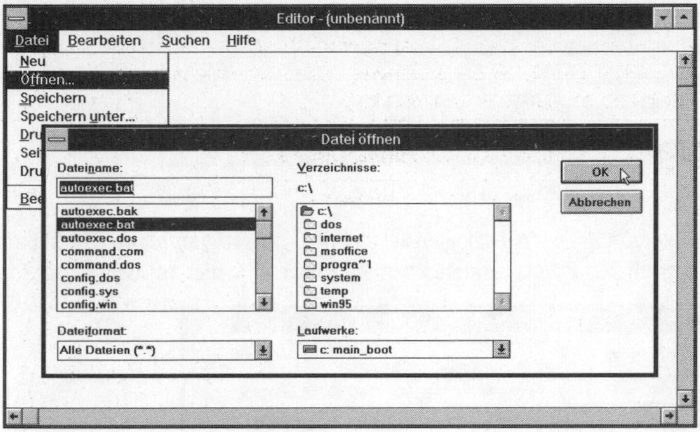

Abb. 53: Die Autoexec.bat muß angepaßt werden

④ Suchen Sie darin die Zeile mit dem PATH-Eintrag. Hier ist eine Reihe von Verzeichnissen aufgelistet. Bewegen Sie die Einfügemarke an das Ende dieser Zeile, setzen Sie ein Semikolon hinter den letzten Eintrag und schreiben Sie dahinter den Namen Ihres in Schritt 2 angelegten Winsock-Verzeichnisses. Danach sollten Sie die neue Fassung der Datei speichern und den Editor wieder schließen.

```
Editor - AUTOEXEC.BAT
Datei   Bearbeiten   Suchen   Hilfe
C:\SYSTEM\MSINPUT\KEYBOARD\KBDCPL.EXE /S
SET SOUND=C:\SYSTEM\SBLASTER
SET BLASTER=A220 I5 D1 H5 P300 T6
SET MIDI:SYNTH:1 MAP:E
C:\SYSTEM\SBLASTER\DIAGNOSE /S
C:\SYSTEM\SBLASTER\SB16SET /P /Q
PROMPT $p$g
PATH C:\DOS;C:\WINDOWS;C:\INTERNET\WINSOCK
SET MSINPUT=C:\SYSTEM\MSINPUT
SET TEMP=C:\TEMP
SET TMP=C:\TEMP
SET WINPMT=[WIN] $p$g
```

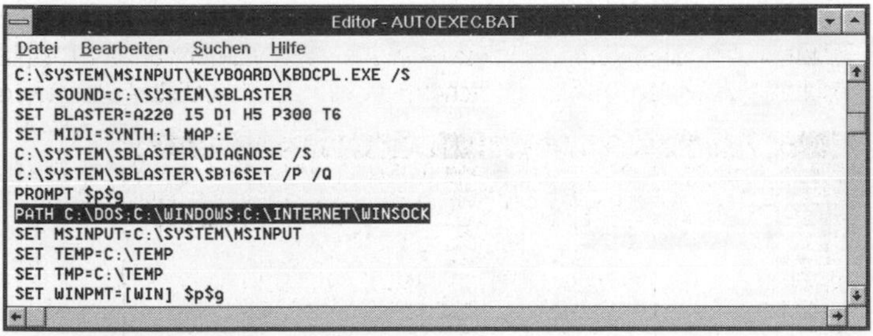

Abb. 54: Diese Ergänzung ist wichtig!

⑤ Aktivieren Sie nun im Windows-Programm-Manager die Programmgruppe, in die Sie das Symbol für Trumpet Winsock einfügen möchten, öffnen Sie das Menü *Datei* und wählen Sie den Punkt *Neu*.

Abb. 55: Hier wird das Symbol für Trumpet Winsock eingefügt

⑥ Im darauffolgenden Dialogfenster wählen Sie *Programm*, so daß Windows Sie nach den Programmdaten befragt. Klicken Sie hier auf *Durchsuchen.*

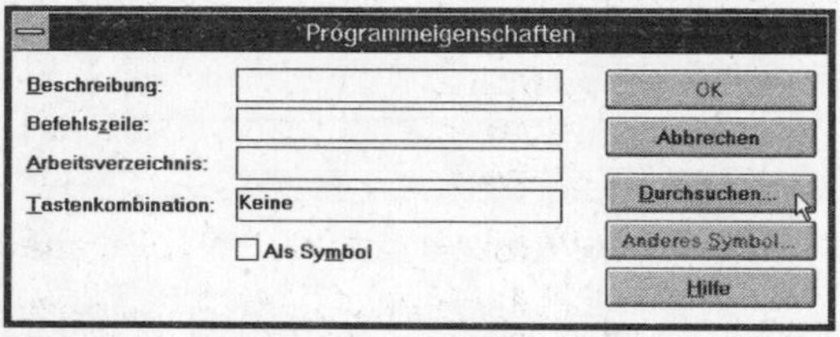

Abb. 56: Lassen Sie Windows einfach nach Trumpet Winsock suchen

⑦ Wählen Sie in der Verzeichnisliste Ihr Winsock-Verzeichnis aus und klicken Sie danach in der daneben liegenden Dateiliste das Programm *tcpman.exe* an. Dies ist die Benutzerschnittstelle des TCP/IP-Sockels. Bestätigen Sie diese Wahl mit *OK.*

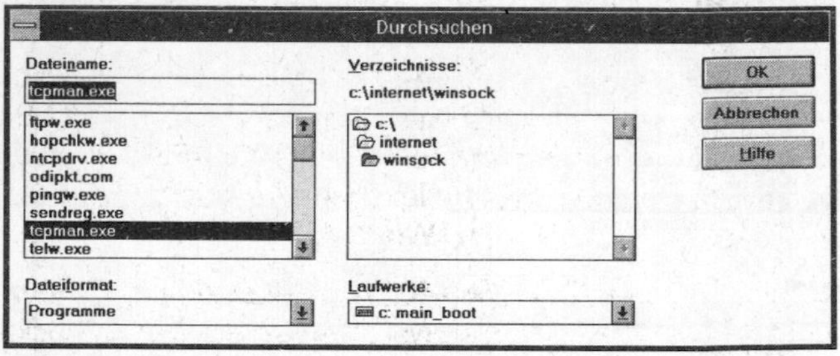

Abb. 57: Über tcpman.exe nutzen Sie den TCP/IP-Sockel

⑧ Überprüfen Sie dann nochmals alle von Windows eingetragenen Daten (vielleicht vergeben Sie für *tcpman* auch noch einen anderen Namen, zum Beispiel „Winsock" oder „Internet-Sockel") und verlassen Sie auch dieses Dialogfenster über *OK.*

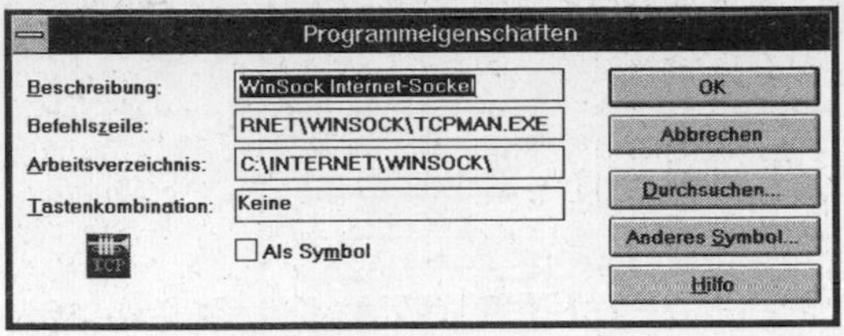

Abb. 58: So sollten Ihre Eintragungen aussehen

Nach dieser Prozedur müssen Sie Windows kurz verlassen und Ihren Rechner neu starten, damit die Einstellung in der Startdatei wirksam wird.

Danach geht es an das wichtigste: die Einstellung des TCP/IP-Sockels auf Ihre Internet-Zugangsdaten.

Konfigurieren des TCP/IP-Sockels

① Starten Sie *tcpman.exe* über das zuvor neu eingebundene Programmsymbol. Trumpet Winsock meldet sich zu Diensten.

② Öffnen Sie das Menü *File* und aktivieren Sie den Punkt *Setup*.

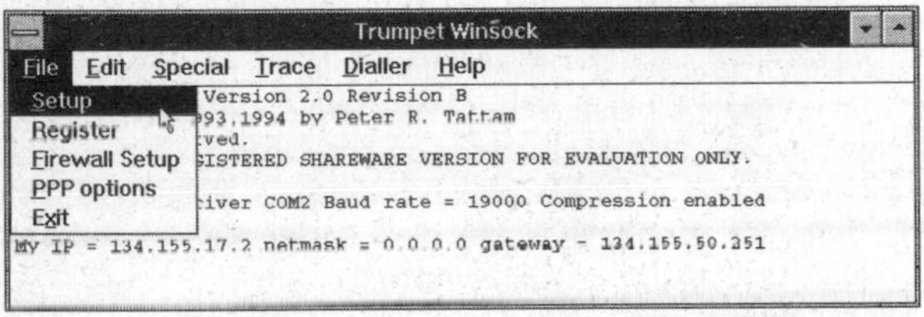

Abb. 59: Trumpet Winsock soll für Ihren Zugang eingerichtet werden

③ Sodann erscheint ein Dialogfenster namens *Network Configuration* auf dem Bildschirm. Am besten setzen Sie sich zur korrekten Einstellung aller Daten mit Ihrem Provider in Verbindung. Teilen Sie ihm mit, daß Sie Trumpet Winsock benutzen; viele Provider senden Ihnen dann ein Datenblatt, auf dem alle notwendigen Eintragungen aufgeführt sind.

Network Configuration	

IP address	0.0.0.0		
Netmask	255.255.255.192	Default Gateway	148.81.31.141
Name server	148.81.31.1	Time server	148.81.31.1
Domain Suffix	ia.pw.edu.pl		
Packet vector	63 MTU 1500	TCP RWIN 8192 TCP MSS 1460	
Demand Load Timeout (secs) 10		TCP RTO MAX 60	

☒ Internal SLIP ☐ Internal PPP

SLIP Port 1
Baud Rate 38400
☒ Hardware Handshake
☐ Van Jacobson CSLIP compression

Online Status Detection
◉ None
○ DCD (RLSD) check
○ DSR check

Ok **Cancel**

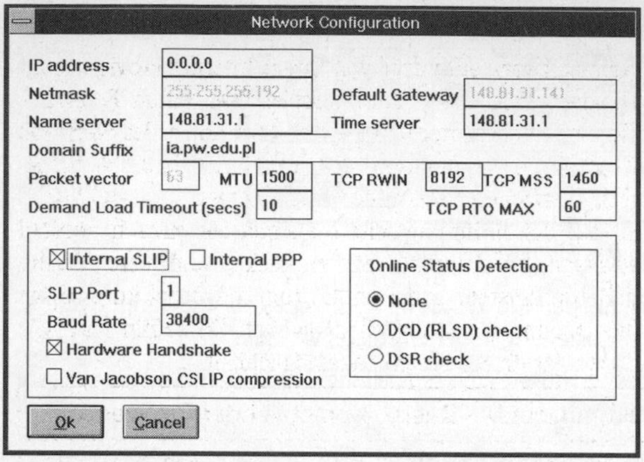

Abb. 60: Hier werden Ihre Zugangsdaten eingetragen

Tip: Online Status Detection

Falls Ihnen bei der Arbeit mit Trumpet Winsock zuweilen die Verbindung aus ungeklärten Ursachen abbricht, könnte dies folgenden Grund haben: Im Rahmen seines Einstellfensters bietet Trumpet Winsock Ihnen nämlich die Möglichkeit zur Aktivierung einer sogenannten „Online Status Detection". Hier legen Sie fest, woran Trumpet Winsock erkennen soll, ob die Telefonverbindung zu Ihrem Einwahlpunkt noch besteht. Am besten schalten Sie diese Prüfung aus (aktivieren Sie den Punkt *None*), da Trumpet Winsock sonst mitunter schon bei einfachen, kurzfristigen Störungen der Telefonleitung die Verbindung komplett kappt.

Nun ist Ihr System mit einem funktionsfähigen TCP/IP-Sockel ausgestattet – und eigentlich können Sie schon direkt ins Internet starten! Aber Halt: Winsock funktioniert wie eine „Telefonzentrale". Es kümmert sich um Aufbau und Instandhaltung der Verbindungen, jedoch nicht darum, wie diese genutzt werden. Hierzu benötigen Sie noch die eigentliche Zugriffs-Software, deren Einrichtung im folgenden besprochen wird.

Schritt 4: Zugriffs-Software installieren & konfigurieren

Nachdem Ihr System nun über einen komplett eingerichteten TCP/IP-Sockel verfügt, kann die eigentliche Internet-Zugriffs-Software, die darauf aufsetzt, zum Einsatz kommen. Wie schon auf Seite 77 dargelegt, verwende ich im Rahmen dieses Buchs die Software *Netscape*. Sie können aber selbstverständlich auch einen anderen Vertreter dieser Browser-Programme verwenden, z. B. NCSA Mosaic oder den Microsoft Internet-Explorer.

Hier erhalten Sie Netscape

Sie erhalten die Netscape-Software entweder von Ihrem Internet-Provider oder bei einem Software-Händler. Falls Sie – zum Beispiel über einen Freund – schon Zugriff auf das Internet haben, können Sie sich Ihre Kopie des Netscape Communicators auch direkt vom Rechner der amerikanischen Netscape-Zentrale holen. Diesen erreichen Sie unter der Adresse *http://home.netscape.com/*. Direkt auf der Eröffnungsseite brauchen Sie einfach nur auf den Eintrag *Download Netscape Communicator* zu klicken und werden dann im Dialog nach Ihrem Betriebssystem und Standort (um möglichst kurzwegige und somit schnelle Übertragung zu ermöglichen) gefragt. Daraufhin führt Sie der Service automatisch zu der für Sie besten Lademöglichkeit.

Tip: Netscape Communicator – Basis-, Komplett-oder Profiversion?

Das Communicator-Paket kommt gleich in drei verschiedenen Fassungen daher: einer Basis-, einer Komplett- und einer Profiversion.

Die Basisversion (auf der englischen Download-Seite Typical install bzw. Minimum install genannt) besteht aus den Einzelprogrammen Navigator für das Surfen im World Wide Web (WWW), Messenger als komfortables E-Mail-System für die elektronische Post, Collabra zum Zugriff auf die Newsgroups, die elektronischen Diskussionsforen im Netz, sowie Composer zum komfortablen Erstellen eigener WWW-Seiten (und dem Ins-Netz-hängen derselben).

Die Komplettversion enthält zusätzlich Conference, ein System zur Online-Kommunikation und Telefonie über das Netz, Netcaster, eine Erweiterung des Windows-Schreibtischs, die das automatisierte Einblenden aktueller Internet-Dienste (beispielsweise Börsennotierungen oder Nachrichtenticker) ermöglicht, Media Player, ein Modul zum Abspielen von Multimedia-Dateien sowie diverse Zusatzmodule (Plug-Ins), die sonst separat erworben werden müßten - beispielsweise Cosmo zur Darstellung virtueller Welten im sogenannten VRML-Format.

Die Profiversion zielt hauptsächlich auf berufliche Nutzer ab und bietet zusätzlich Calendar, ein einfaches Zeitmanagementsystem zur Organisation und Abstimmung von Terminen innerhalb von Arbeitsgruppen, AutoAdmin, ein Werkzeug zur zentralen Verwaltung einer individualisierten Mehrfachinstallation des Communicator (z. B. in einem Firmennetzwerk) und IBM 3270 Host-On-Demand, eine Brücke zur Großrechnerwelt. Holen Sie sich zunächst nur die Basisversion auf Ihren Rechner und möchten später weitere Extras der größeren Versionen nutzen, lassen sich diese über den Punkt *Software-Updates* im *Hilfe*-Menü des Communicator separat aus dem Netz nachladen und hinzuinstallieren.

Als CompuServe-Mitglied hilft Ihnen der PC-FileFinder weiter, den Sie über das Kommando *GO PCFF* erreichen. Lassen Sie ihn nach dem Schlüsselwort *Netscape* suchen, um sich alle vorhandenen Dateien, die irgendetwas mit Netscape zu tun haben, anzeigen zu lassen.

Tip: Der Netscape-Deutschlandvertrieb

Sie können sich auch direkt an einen der Netscape-Distributoren in Deutschland wenden – dies sind die Firmen Softline (Tel. 07802/924117 *http://www.softline.de/*), Danet GmbH (Tel. 06151/868340, *http://www.pi. danet.de/*), iXOS (Tel. 089/46005208, *http://www.ixos.de/*), Computer Links 089/93009317, *http://www.computerlinks.de/*) und Computer2000 GmbH (Tel. 089/74941465, *http://www.computer.2000.de/*).

Die Gretchenfrage: 16 Bit oder 32 Bit?

Der Netscape Communicator für Windows ist sowohl in einer 16-Bit-Fassung als auch in einer 32-Bit-Fassung erhältlich:

- Die 16-Bit-Fassung ist sowohl unter dem neuen Betriebssystem Windows 95 wie auch auf alten Windows-Plattformen lauffähig. Wenn Sie Windows 3.1 oder Windows for Workgroups nutzen, müssen Sie diese Fassung verwenden, da hier keine 32-Bit-Programme unterstützt werden. Dies gilt auch dann, wenn Sie die Windows-Erweiterung Win32s installiert haben. Sie erkennen die 16-Bit-Fassung an einer *16* im Namen der gepackten Datei (z. B. *C16de403.exe*).
- Die 32-Bit-Fassung benötigen Sie genau dann, wenn Sie stolzer Besitzer des neuen Windows 95 oder Nutzer von Windows NT sind und Ihren Internet-Zugang über einen 32-Bit-TCP/IP-Sockel betreiben (was das genau bedeutet, ist auf Seite 77 beschrieben). Sowohl Windows 95 als auch Windows NT bringen eigene 32-Bit-Sockel für TCP/IP mit, die Sie wie auf Seite 83 beschrieben einrichten können. Sie erkennen die 32-Bit-Fassung an einer *32* im Namen der gepackten Datei (z. B. *C32de403.exe*).

Netscape installieren

Wie die meisten Programme wird auch Netscape als gepackte Datei geliefert – das ist eine Datei, die eine ganze Reihe anderer Dateien in komprimierter Fassung enthält und diese beim Aufruf auf die Festplatte schreibt.

Haben Sie sich die neue Netscape-Version als gepackte exe-Datei für Windows 95 aus dem Internet geholt, reicht es, wenn Sie diese doppelt anklicken. Die Installation beginnt sofort.

Hinweis: Unter Windows 3.1 startet dieser Doppelklick lediglich den Entpackvorgang. Danach finden Sie im gleichen Verzeichnis die Datei *Setup.exe*, welche die eigentliche Installation startet.

Besitzen Sie die neueste Netscape-Fassung auf Disketten, so finden Sie auf der ersten Diskette das Programm *Setup.exe*. Ein Doppelklick hierauf startet die Installation.

Tip: Win32s kann zu Installationsproblemen führen

Will sich Netscape auf Ihrem System unter Windows 3.1 oder Windows for Workgroups nicht richtig installieren lassen, könnte das an einer falschen Win32s-Version liegen (dem 32-Bit-Zusatz für Windows). Dieser darf zur Arbeit mit Netscape entweder gar nicht installiert sein oder muß in einer späteren Fassung als Version 1.15 vorliegen. Sie müssen in diesem Fall zunächst die ältere Version von Win32s entfernen, um Netscape überhaupt installieren zu können. Danach können Sie sich bei Bedarf die aktuelle Version 1.20 aus dem Internet holen; sie ist über das ab Seite 233 beschriebene FTP-Verfahren unter dieser Adresse verfügbar: *ftp:\\ftp.microsoft.com\ SOFTLIB\ MSLFILES\PW1118.exe*

Für den Installationsprozeß selbst besitzt Netscape einen eigenen Assistenten, der die lästige Routinetätigkeit automatisch für Sie abwickelt. Anschließend kann die gepackte Datei getrost wieder von der Festplatte gelöscht werden (nachdem Sie eine Sicherheitskopie auf Diskette gespeichert haben).

Tip: Online-Konfiguration des Navigators

Kurz vor Beendigung der Installation fragt Sie Ihr Setup-Assistent, ob Sie Ihre Netscape-Version direkt „online" konfigurieren möchten. Dazu müßten Sie sich mit dem Netscape-Rechner im Internet verbinden. Ich empfehle Ihnen, die Installation an dieser Stelle erst einmal mit *Nein* zu beenden. Diese sogenannte „Online-Konfiguration" macht nämlich in Wahrheit nichts anderes, als Sie beim Netscape-Hersteller als Nutzer zu registrieren. Sie können die Registrierung jederzeit zu einem späteren Zeitpunkt vornehmen. Die WWW-Adresse hierzu lautet: *http://home.netscape.com/home/setup.html*.

Netscape konfigurieren

Somit ist nun auch die Zugriffs-Software auf Ihrem System vorhanden. Diese muß jetzt lediglich noch passend eingestellt werden, dann können Sie ins Netz der Netze starten!

Ein Nutzerprofil einrichten

① Starten Sie Netscape über das neu installierte Programmsymbol. Bei seinem ersten Start fragt Sie der Communicator automatisch nach den individuellen Gegebenheiten Ihres Internet-Zugangs.

② Die Einstellungen werden im Rahmen eines sogenannten Benutzerprofils verwaltet. Sie können mehrere Profile anlegen, beispielsweise, wenn Sie den Browser für mehrere Zugänge einrichten möchten oder wenn mehrere Personen über den Communicator surfen wollen.

③ Als erstes fragt der Netscape-Profilassistent Sie nach Ihrem Namen und Ihrer E-Mail-Adresse. Schreiben Sie also Ihren Namen (zur Identifikation im Communicator) in das Feld *Vollständiger Name*. Setzen Sie dann Ihre E-Mail-Adresse (die Ihnen von Ihrem Provider mitgeteilt wurde) in das Feld *E-Mail-Adresse* – und zwar inklusive dem Anhängsel hinter dem Klammeraffen (@-Zeichen). Klicken Sie dann wieder auf *Weiter*.

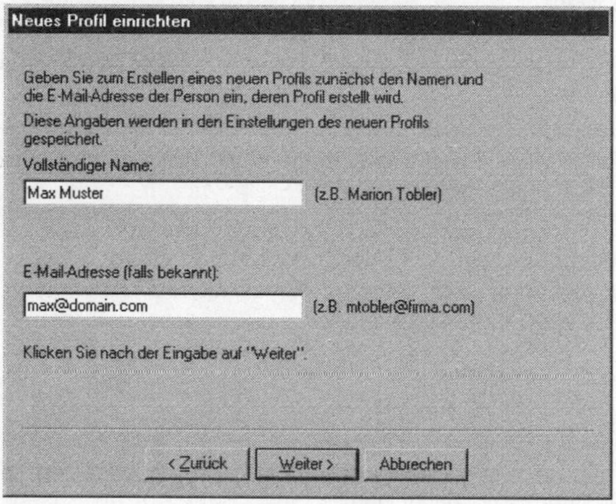
Neues Profil einrichten
Geben Sie zum Erstellen eines neuen Profils zunächst den Namen und die E-Mail-Adresse der Person ein, deren Profil erstellt wird.
Diese Angaben werden in den Einstellungen des neuen Profils gespeichert.
Vollständiger Name:
Max Muster
(z.B. Marion Tobler)
E-Mail-Adresse (falls bekannt):
max@domain.com
(z.B. mtobler@firma.com)
Klicken Sie nach der Eingabe auf "Weiter".
< Zurück
Weiter >
Abbrechen

Abb. 61: Das „Who is Who" Ihrer Communicator-Installation

④ Ihrem Profil müssen Sie nun einen Namen geben, anhand dessen Sie es beim Start des Communicator aktivieren können. Tragen Sie diesen in das Feld *Profilname* ein (der Assistent macht hier schon einen Vorschlag auf der Basis Ihres zuvor eingegebenen Namens). Achten Sie darauf, den Namen aussagekräftig genug zu gestalten – bei mehreren Profilen für verschiedene Anwender z. B. durch den jeweiligen Anwendernamen. Sind Sie der einzige Nutzer und legen mehrere Profile für unterschiedliche Online-Zugänge an, verwenden Sie am besten den Namen des jeweiligen Zugangsanbieters.

⑤ Im darunter liegenden Feld trägt der Assistent den Namen des Verzeichnisses ein, in dem die für das jeweilige Profil gültigen Einstellungen auf Ihrer Festplatte gespeichert werden sollen. Klicken Sie anschließend auf *Weiter*.

⑥ Als nächstes geht es an das *Einrichten der Mail- und Foren-Funktion* (so die Überschrift der neuen Fenster). Die Einstellungen des Fensters gelten Ihrem Zugang für elektronische Post (E-Mail, siehe Seite 323). Geben Sie hier Ihren Namen in der Form, wie er für andere Netznutzer (insbesondere die Empfänger der von Ihnen geschriebenen elektronischen Nachrichten) zu sehen sein soll, in das Feld *Name* ein.

⑦ In das darunter liegende Feld *E-Mail-Adresse* setzen Sie die Anschrift ein, unter der Sie im Netz für elektronische Post erreichbar sind. Sie besteht in der Regel aus Ihrer Benutzerkennung, einem Klammeraffen (@-Zeichen) und dem Namen des Zugangsanbieters. Falls Sie über einen Firmenanschluß Zugang zum Netz haben, können Sie im Feld *Firma* noch den Firmennamen eintragen.

⑧ In das Feld *Server für abgehende Mail (SMTP)* tragen Sie den Namen des Internet-Rechners ein, der bei Ihrem Zugang für den Versand von Ihnen geschriebener E-Mails ins Netz zuständig ist. Dieser muß mit dem sogenannten *SMTP*-Verfahren arbeiten. (Das Kürzel steht für **S**imple **M**ail **T**ransport **P**rotocol, also „einfaches Post-Übertragungsverfahren".) Bestätigen Sie diese Einstellungen durch Klick auf *Weiter*.

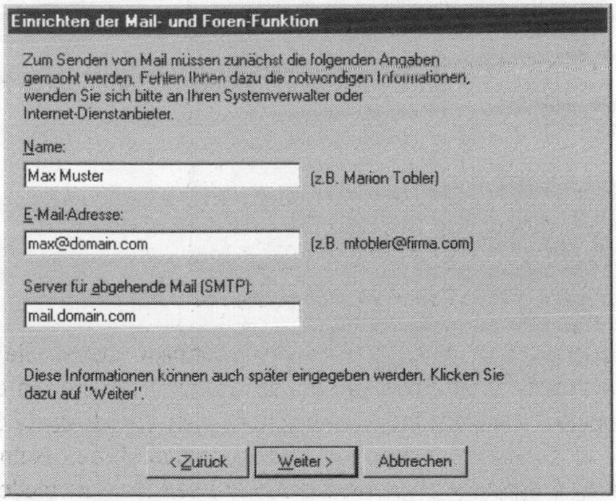

Abb. 62: Die Einstellungen für den Versand Ihrer elektronischen Post

⑨ Die nächste Frage dreht sich um die Behandlung der aus dem Netz für Sie eintreffenden Post. Hierfür ist wieder ein eigener Internet-Rechner zuständig. Tragen Sie dessen Adresse in das Feld *Server für eingehende Mail* ein. Das Verfahren, mit dem dieser Rechner arbeitet – es nennt sich entweder *POP3* (für **P**ost **O**ffice **P**rotocol, also „Postamts-Verfahren“) oder *IMAP* (für **I**nternet **M**ail **A**ccess **P**rotocol, also „Internet Post-Zugriffsverfahren“). Damit der Communicator bei diesem Rechner die für Sie bestimmte Post anfordern kann, müssen Sie Ihre dortige Benutzerkennung in das Feld *Benutzername des Mail-Servers* eintragen.

Hinweis: Dieser Name entspricht in aller Regel dem Namensteil Ihrer E-Mail-Adresse – all das, was vor dem Klammeraffen steht (z. B. nur *fritz* statt *fritz@cat.com*).

⑩ Sehr wichtig ist die Einstellung des korrekten Verfahrens, mit dem die Daten von diesem Rechner übertragen werden. Dies kann – wie oben erwähnt – entweder *POP3* oder *IMAP4* sein. Aktivieren Sie die von Ihrem Zugangsanbieter als zutreffend genannte Option. Bestätigen Sie dann die Einstellungen durch Klick auf *Weiter.*

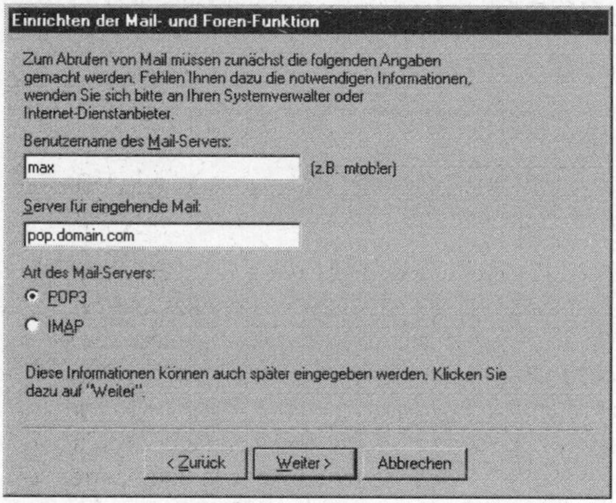

Abb. 63: Über welche Rechner sollen ankommende Briefe empfangen werden?

⑪ Zur Teilnahme an den öffentlichen Diskussionsforen (den sogenannten Newsgroups, siehe Seite 265) ist wiederum die Angabe des dafür zuständigen Netzrechners notwendig. Er arbeitet mit dem *NNTP*-Verfahren (für **N**etwork **N**ews **T**ransport **P**rotocol, also „Übertragungsverfahren für Newsgroups“). Tragen Sie dessen Adresse in das Feld *Foren-Server (NNTP)* ein.

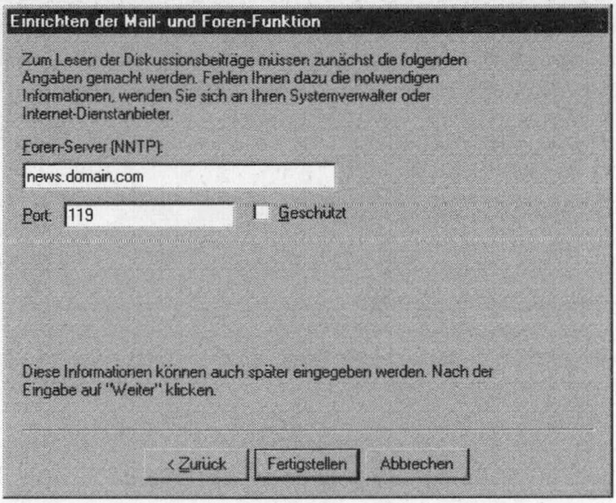

Abb. 64: Über den NNTP-Server nehmen Sie an den Diskussionsforen teil

⑫ Damit sind endlich alle nötigen Angaben gemacht. Die Schaltfläche *Weiter* heißt jetzt *Fertigstellen* – und ein Klick darauf schließt die Profileinrichtung ab und startet den Communicator mit den neuen Einstellungen.

Die Einstellungen zur Netzwerk-Anbindung

Trotz der vielen Fragen zur Profileinrichtung wurde ein wichtiger Punkt bei der Netscape-Einrichtung noch nicht berücksichtigt: die Einstellung der sogenannten Proxy-Server. Je nach Provider können Sie ohne eine korrekte Einstellung der zugehörigen Adressen nicht oder nur schlecht auf das Netz zugreifen.

Hinweis: Ein sogenannter „Proxy" ist ein Rechner, der verschiedene Seiten aus dem World Wide Web lokal bei seinem Betreiber (also Ihrem Provider) zwischenspeichert. Werden diese dann später erneut angefordert, können sie direkt von dort eingeladen und müssen nicht erst zeitaufwendig aus dem Internet geholt werden. Der Zugriff auf häufig benötigte WWW-Seiten wird dadurch oft beträchtlich beschleunigt. Zudem regeln viele Provider den Netz-Zugriff ausschließlich über ihre Proxies. Sind diese in Netscape dann nicht korrekt eingetragen, können Sie keine Internet-Services erreichen.

① Sie erreichen die zugehörige Einstellmöglichkeit, indem Sie im Menü *Bearbeiten* den Punkt *Einstellungen* aufrufen.

② Aktivieren Sie dort in der Liste *Kategorie* den Bereich *Fortgeschritten.* Klicken Sie auf das kleine Pluszeichen neben diesem Eintrag, um die zugehörigen Unterpunkte auszuklappen, und klicken Sie dann auf den zweiten Unterpunkt mit Namen *Proxies.* Im rechten Bereich des Fensters erscheinen die entsprechenden Einstellmöglichkeiten.

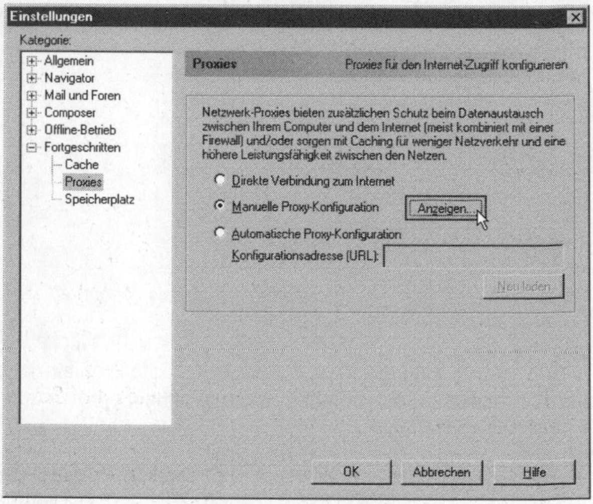

Abb. 65: Proxies beschleunigen den Netzzugriff

Hinweis: Falls Ihr Provider über keinerlei Proxies verfügt, aktivieren Sie die Option *Direkte Verbindung zum Internet* und beenden Sie die Einstellung mit *OK.*

③ Um die für Ihren Zugang möglichen Proxy-Server einzustellen, aktivieren Sie die *Manuelle Proxy-Konfiguration.* In dem daraufhin erscheinenden Dialogfenster lassen sich für jeden Internet-Dienst der Name (oder numerische Adressen) und die Kanalnummer des passenden Proxy angeben.

④ Tragen Sie in die einzelnen Felder die Daten der verschiedenen Proxies ein. Die genau einzutragenden Bezeichnungen sowie die Nummern der zugehörigen Ports wird Ihnen Ihr Provider dazu gern nennen.

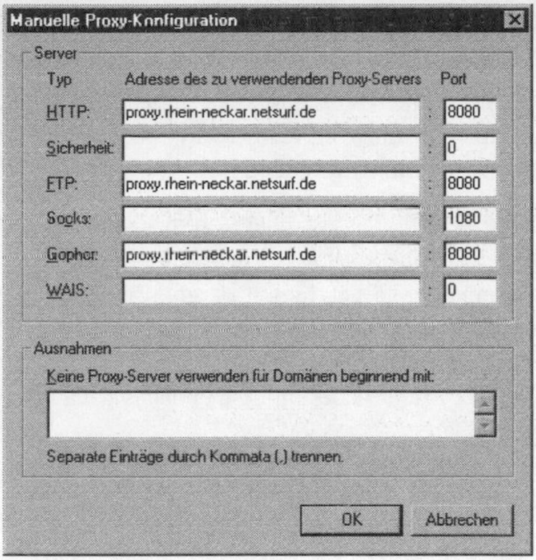

Abb. 66: Typische Proxy-Adressen

⑤ Bestätigen Sie Ihre Eingaben mit *OK* und beenden Sie auch das *Einstellungen*-Fenster über diese Schaltfläche.

Netscape ist nun auf Ihrem System eingerichtet, und Sie können Ihre Reisen durch das weltweite Datennetz beginnen. Noch mehr Tips zur individuellen Anpassung der Software an Ihre Bedürfnisse (die sich vielleicht erst nach einiger Zeit der Nutzung des Netzes herauskristallisieren werden) bekommen Sie ab Seite 180 (Kap. 4.5).

Tip: Mehrere Netscape-Fenster? Aber nicht doppelt starten!

Ein kleiner Tip zum Netscape-Start schon vorab: Möchten Sie mehrere Netscape-Fenster auf Ihrem Bildschirm haben, so sollten Sie Netscape hierzu nicht mehrfach starten! Dies kann zu Probleme mit Dateien führen, auf die alle Netscape-Varianten gleichermaßen zugreifen, beispielsweise die Systemeinstellungen oder die Liste der Lesezeichen. Aus diesem Grund sollten Sie Netscape nur einmal starten und neue Fenster über die Funktion *Navigator-Fenster* im Bereich *Neu* des *Datei*-Menüs öffnen.

3.4 Endlich Online gehen – auf ins Netz!

Ihr Rechner verfügt nun über eine voll funktionsfähige Internet-Anbindung samt komfortabler Zugriffs-Software – es kann also losgehen!

So klinken Sie sich ins Internet ein

Um auf den großen Wogen des Internet surfen zu können, müssen Sie sich in den Rechner Ihres Providers „einklinken". Von dort aus geht es dann wohin Sie wollen – durchaus auch mal rund um die Welt. Dieses Einklinken ist im Grunde ein Kinderspiel – es funktioniert nämlich wie folgt:

① Sie bauen eine telefonische Verbindung zwischen Ihrem Rechner und dem Internet-Einwahlpunkt Ihres Providers auf.

② An diesem Einwahlpunkt müssen Sie sich identifizieren – ähnlich wie Mitglieder eines Geheimbundes an der Tür zum Konferenzzimmer nach ihrem Namen und dem geheimen Paßwort gefragt werden, und nur dann Einlaß erhalten, wenn der Name als Mitglied bekannt ist und das genannte Paßwort mit dem vereinbarten übereinstimmt.

③ Wenn Sie Einlaß bekommen, aktivieren Sie den im Rahmen der in den vorherigen Abschnitten beschriebenen Prozeduren eingerichteten TCP/IP-Sockel Ihres Systems. Dieser übernimmt dann die weitere Kommunikation mit dem Internet-Rechner – und Sie sind „drin".

④ Dann können Sie die eigentliche Anwendungs-Software für Ihre Internet-Abenteuer starten (in unserem Fall also Netscape).

Hinweis: Damit Sie im obigen Schritt 2 auch wirklich Zugang zum Internet-Rechner Ihres Providers bekommen, müssen Sie von diesem unbedingt die passende Benutzerkennung samt zugehörigem Paßwort erhalten haben!

Sind Sie sich dieser nicht ganz sicher, fragen Sie am besten noch einmal nach – denn selbst bei kleinsten Schreibfehlern funktioniert die Einwahl sonst nicht.

Tip: Paßwort schützen!

Bewahren Sie diese Daten (vor allem das Paßwort) sicher und vor den Augen anderer geschützt auf. Wer Ihre Kennung und Ihr Paßwort kennt, kann sich im Internet für Sie ausgeben, ohne daß irgendjemand den Unterschied feststellen kann! Daher sollten Sie für das Paßwort dieselben Sicherheitsvorkehrungen ergreifen, wie Sie dies zum Beispiel für die Geheimnummer Ihrer Scheckkarte tun.

Schritt für Schritt: Von der Einwahl bis zum Netzsurfen

Im folgenden wird gezeigt, wie Sie die vier Schritte auf Ihrem Rechner durchführen – und zwar sowohl auf Systemen mit integriertem TCP/IP-Sockel (am Beispiel von Windows 95) als auch auf Systemen, die erst durch spezielle Treiber Internet-fähig werden (am Beispiel von Windows 3.1 mit Trumpet Winsock).

Mit Windows 95

Unter Windows 95 beschränkt sich die Einwahlprozedur in Ihren Internet-Zugang größtenteils auf einige Mausklicks.

① Klicken Sie doppelt auf das *Arbeitsplatz*-Symbol Ihres Windows-Schreibtischs und in dessen Fenster dann auf das Symbol *DFÜ-Netzwerk*.

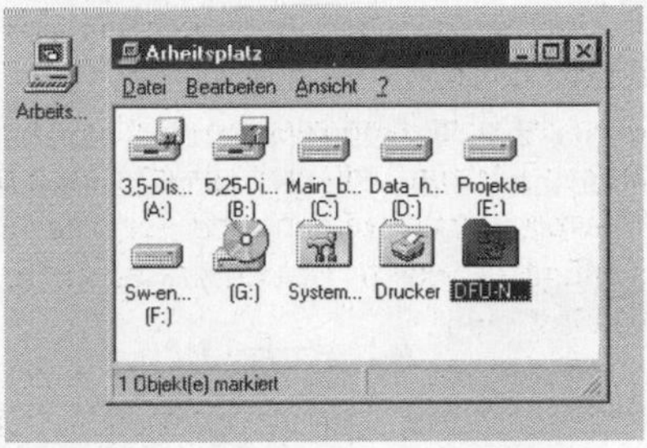

Abb. 67:
Hier verbirgt sich die Internet-Anwahl

② Im Fenster des DFÜ-Netzwerks sehen Sie nun die von Ihnen erstellte Verbindung zu Ihrem Internet-Einwahlpunkt. Aktivieren Sie diese durch einen Doppelklick.

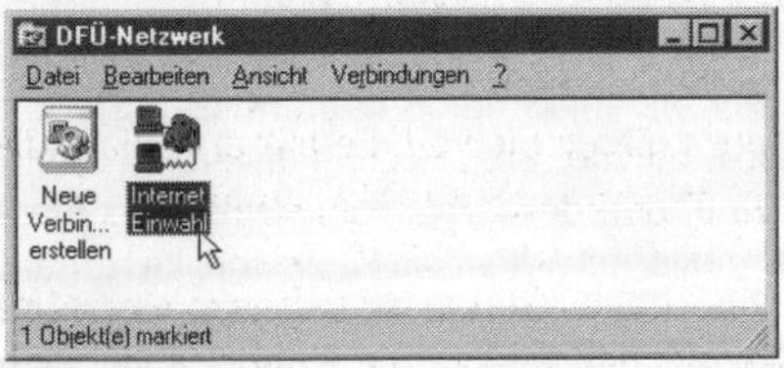

Abb. 68:
Aktivieren Sie Ihre DFÜ-Verbindung

③ Sobald Sie nun auf die Schaltfläche *Verbinden* klicken, startet Windows 95 automatisch den Anwählvorgang zu Ihrem Provider.

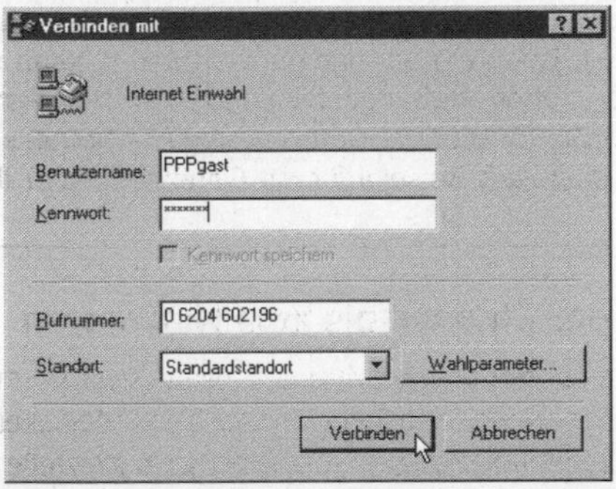

Abb. 69:
Diese Verbindung soll hergestellt werden

Hinweis: Mitunter kommt es vor, daß bei der Anwahl ein Fehler passiert – etwa, weil Ihr Modem nicht angeschaltet oder die Leitung zum Einwahlpunkt besetzt ist. Windows 95 meldet Ihnen dann, wo der Fehler liegt und was zu tun ist.

Abb. 70:
Windows 95 meldet einen Verbindungsfehler

Windows 95 hat nun den Rechner Ihres Providers angerufen, und dieser hat (hoffentlich) abgenommen. Sodann werden Sie bei Ihrem Zugangspunkt angemeldet.

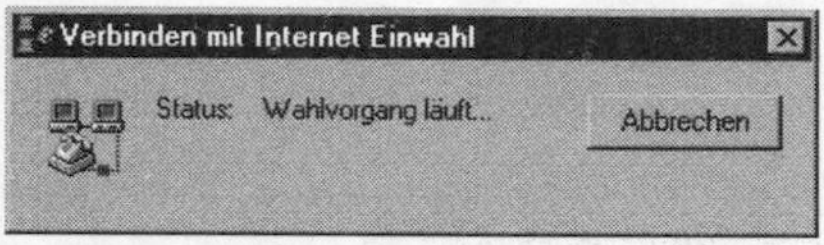

Abb. 71:
Jetzt wird gewählt!

Tip: Windows speichert Ihr Kennwort

Möchten Sie nicht bei jeder Anwahl erneut das für den Zugriff benötigte Paßwort in das *Verbinden mit*-Fenster eintragen, aktivieren Sie dort die Option *Kennwort speichern.* Falls diese sich nicht aktivieren läßt, müssen Sie in der *Systemsteuerung* die Kennwörter-Funktion erst noch aktivieren (dies geschieht über den gleichnamigen Eintrag in der *Systemsteuerung* und Einstellung eines individuellen Benutzerprofils mit Windows-Kennwort im zugehörigen Fenster). Beim Starten von Windows erfolgt dann ebenfalls die Abfrage eines Benutzernamens und Paßwortes, das jedoch nichts mit den zur Verbindung gehörenden zu tun hat und beliebig gewählt werden kann. Ihr Name und Kennwort werden dann nach dem nächsten Zustandekommen einer aktiven Verbindung gespeichert und bleiben für zukünftige Verbindungen eingetragen (sollte keine Verbindung zustande kommen, müssen Sie nach einem Neustart des DFÜ-Netzwerks den Benutzernamen und das Kennwort neu eintragen). Diese Speicherung ist natürlich nur dann sinnvoll, wenn kein Unbefugter Zugriff auf Ihren Rechner hat (dieser könnte ja sonst mit dem gespeicherten Kennwort Ihre Internet-Verbindung nutzen).

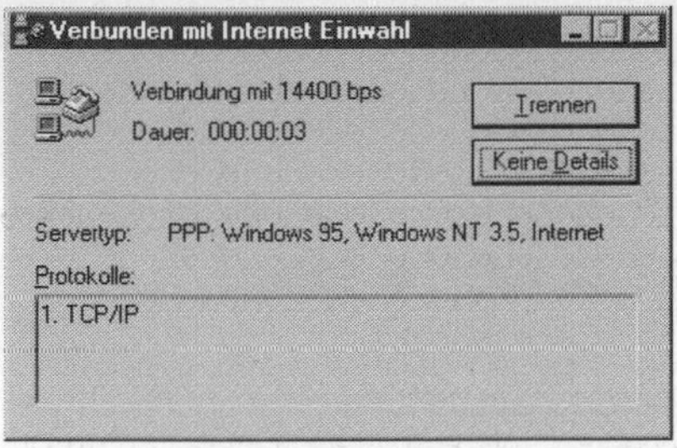

Abb. 72:
Die Verbindung besteht

④ Mit Windows 3.1Da Windows 3.1 über keinen integrierten TCP/IP-Sockel verfügt, muß zunächst Trumpet Winsock gestartet werden, um eine Internet-Anbindung zu ermöglichen.

① Klicken Sie im Programm-Manager auf das installierte Symbol für Trumpet Winsock.

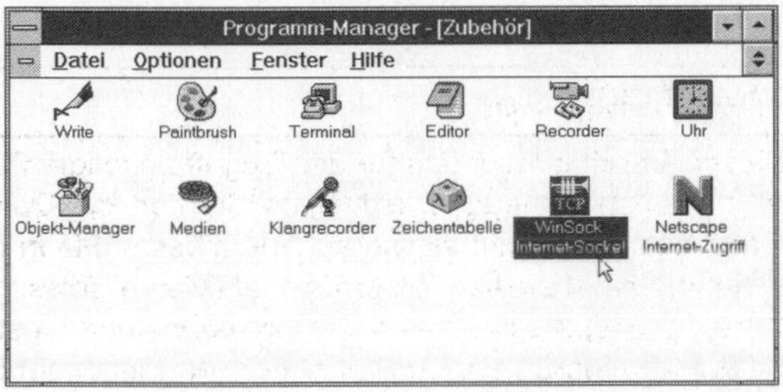

Abb. 73:
Trumpet Winsock ist grundlegend für alle Internet-Anbindungen

② Im neu erschienenen Winsock-Fenster öffnen Sie das Menü *Dialler* und wählen die Funktion *Manual Login* aus.

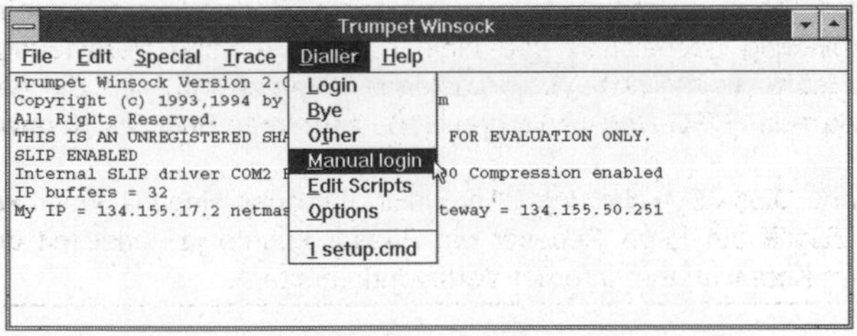

Abb. 74: Trumpet Winsock ist bereit

③ Nun müsssen Sie die entsprechenden Anwahlbefehle an Ihr Modem schikken. Am besten setzen Sie dieses erst einmal auf den Ausgangszustand zurück, indem Sie den Befehl

atz1

eingeben und die [Enter]-Taste drücken. Das Modem wird dies mit der Ausgabe von

OK

bestätigen.

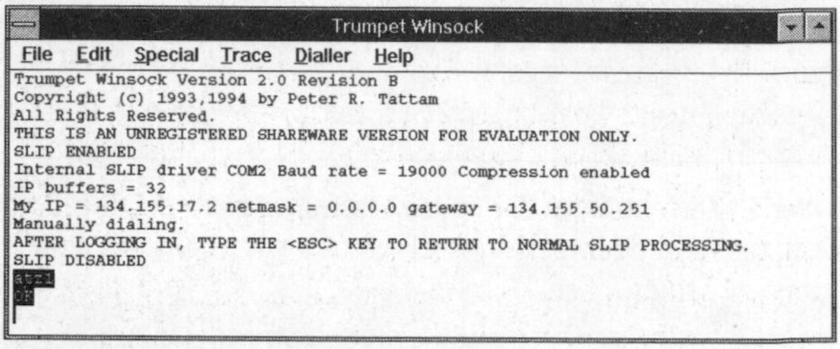
Trumpet Winsock
File Edit Special Trace Dialler Help
Trumpet Winsock Version 2.0 Revision B
Copyright (c) 1993,1994 by Peter R. Tattam
All Rights Reserved.
THIS IS AN UNREGISTERED SHAREWARE VERSION FOR EVALUATION ONLY.
SLIP ENABLED
Internal SLIP driver COM2 Baud rate = 19000 Compression enabled
IP buffers = 32
My IP = 134.155.17.2 netmask = 0.0.0.0 gateway = 134.155.50.251
Manually dialing.
AFTER LOGGING IN, TYPE THE <ESC> KEY TO RETURN TO NORMAL SLIP PROCESSING.
SLIP DISABLED
atz1
OK

Abb. 75: Die Modem-Befehle müssen Sie selbst eintippen

④ Jetzt geht es an die Anwahl selbst. Sie müssen also Ihrem Modem den Befehl geben, die Telefonnummer des Internet-Rechners anzurufen. Dies geschieht über den Befehl *atdp*, wenn Ihr Telefonsystem mit dem alten Pulswahlverfahren arbeitet (beim Wählen ertönen klackernde Geräusche), oder mit *atdt*, wenn Ihr System über das Tonwahlverfahren verfügt (beim Wählen ertönt Piepsen). Um also die Rufnummer 01234/567890 mit Tonwahl anzurufen, geben Sie den Befehl

atdt01234567890

ein und drücken auf die [Enter]-Taste.

⑤ Ihr Modem wählt nun den Rechner an und baut (wenn dieser abnimmt) eine Verbindung auf. Ist diese dann vorhanden, meldet das Modem:
CONNECT

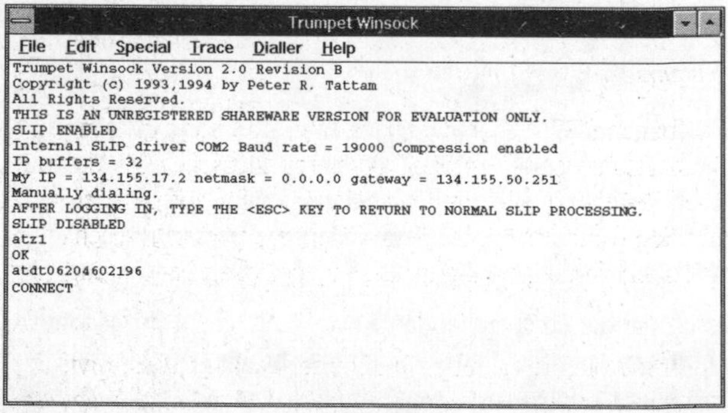
Trumpet Winsock
File Edit Special Trace Dialler Help
Trumpet Winsock Version 2.0 Revision B
Copyright (c) 1993,1994 by Peter R. Tattam
All Rights Reserved.
THIS IS AN UNREGISTERED SHAREWARE VERSION FOR EVALUATION ONLY.
SLIP ENABLED
Internal SLIP driver COM2 Baud rate = 19000 Compression enabled
IP buffers = 32
My IP = 134.155.17.2 netmask = 0.0.0.0 gateway = 134.155.50.251
Manually dialing.
AFTER LOGGING IN, TYPE THE <ESC> KEY TO RETURN TO NORMAL SLIP PROCESSING.
SLIP DISABLED
atz1
OK
atdt06204602196
CONNECT

Abb. 76: Die Verbindung zum Internet-Rechner besteht

⑥ Nachdem nun die grundlegende Telefonverbindung zum Internet-Rechner besteht, müssen Sie sich bei diesem anmelden und den in Trumpet Winsock integrierten TCP/IP-Sockel aktivieren. Im Fenster von Trumpet Winsock sehen Sie dazu alle Ausgaben und Meldungen des angerufenen Rechners. Er wird Sie nach einem „Login“ fragen. Das bedeutet, daß er Sie um die Eingabe Ihrer Benutzerkennung bittet, um Sie als rechtmäßigen Internet-Teilnehmer Ihres Providers identifizieren zu können. Tippen Sie Ihre Kennung, die Sie vom Provider zugeteilt bekamen, also hier ein und bestätigen Sie diese durch Druck auf die Enter-Taste.

⑦ Nun fragt Sie der Rechner nach Ihrem Paßwort. Geben Sie auch dieses ein und bestätigen Sie es mit der Enter-Taste.

⑧ Der Internet-Rechner prüft nun Ihre Identifizierung. Ist er mit Ihren Eingaben zufrieden, heißt er Sie im Internet willkommen und schaltet auf den TCP/IP-Modus um. Sie sehen dann nur noch Zeichenwirrwarr und sollten schleunigst auf die Esc-Taste drücken, damit sich Trumpet Winsock selbst um die weitere Kommunikation mit dem Internet-Rechner kümmern kann.

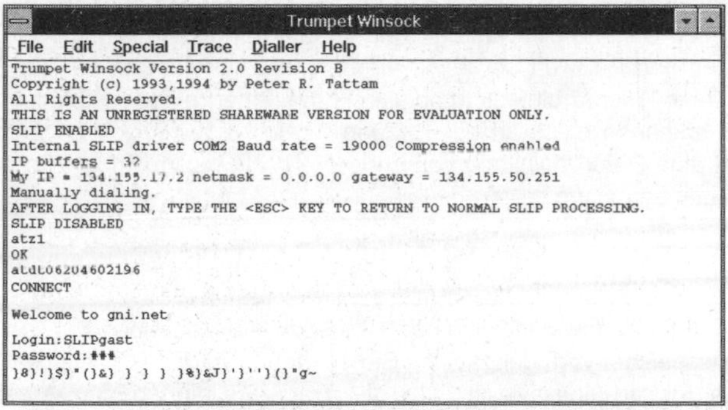
Trumpet Winsock
File Edit Special Trace Dialler Help
Trumpet Winsock Version 2.0 Revision B
Copyright (c) 1993,1994 by Peter R. Tattam
All Rights Reserved.
THIS IS AN UNREGISTERED SHAREWARE VERSION FOR EVALUATION ONLY.
SLIP ENABLED
Internal SLIP driver COM2 Baud rate = 19000 Compression enabled
IP buffers = 32
My IP = 134.155.17.2 netmask = 0.0.0.0 gateway = 134.155.50.251
Manually dialing.
AFTER LOGGING IN, TYPE THE <ESC> KEY TO RETURN TO NORMAL SLIP PROCESSING.
SLIP DISABLED
atz1
OK
atdL06204602196
CONNECT
Welcome to gni.net
Login:SLIPgast
Password:###

Abb. 77: Die Anmeldung ist korrekt, Trumpet Winsock kann die weitere Kommunikation übernehmen

Hinweis: Bei manchen Providern kann es sein, daß Sie auf dem Internet-Rechner erst noch das passende Protokoll aktivieren müssen. Das erkennen Sie daran, daß dieser Rechner nach Ihrer Anmeldung nicht automatisch auf den TCP/IP-Kommunikationsmodus (mit dem Zeichenwirrwarr) umschaltet. Ihr Provider erklärt Ihnen gerne, wie Sie in diesem speziellen Fall vorzugehen haben.

⑨ Winsock unterhält sich nun mit dem Internet-Rechner des Providers und baut eine entsprechende Internet-Verbindung auf. Sobald diese geregelt ist, erhalten Sie die Meldung:

SLIP ENABLED

```
─                          Trumpet Winsock                        ▼ ▲
 File  Edit  Special  Trace  Dialler  Help
Manually dialing.
AFTER LOGGING IN, TYPE THE <ESC> KEY TO RETURN TO NORMAL SLIP PROCESSING.
SLIP DISABLED
atz1
OK
atdt06204602196
CONNECT
Welcome to oni.net
Login:SLIPgast
Password:♦♦♦

My address is 134.155.50.251, MRU 1532
Your address is 134.155.17.2, MTU 1006

SLIP ENABLED
```

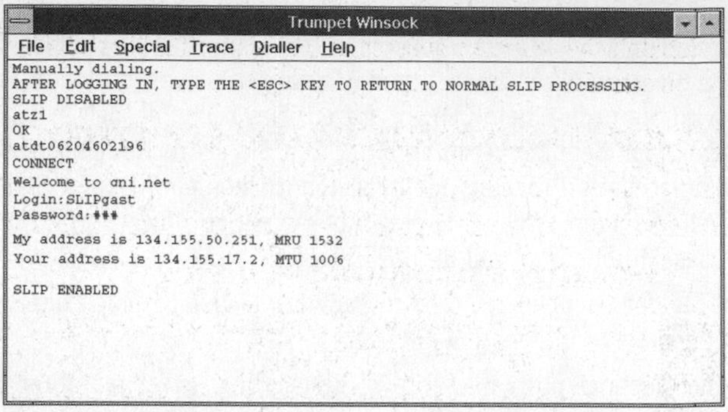

Abb. 78: Trumpet Winsock hat eine Verbindung aufgebaut

Tip: Trumpet Winsock vollautomatisieren

Diese Einwahlprozedur bleibt immer die gleiche, so daß auch Ihr PC selbst die notwendigen Schritte (Anwahl der Telefonnummer, Übermittlung von Benutzerkennung und Paßwort sowie Aktivierung des TCP/IP-Sockels) für Sie vornehmen kann. Hierzu bietet Trumpet Winsock Ihnen eigene Kommandodateien. Sie erkennen diese an der Endung *.cmd* im *Winsock*-Verzeichnis. Es ist schon eine Datei *login.cmd* vorhanden, die Sie nur noch an Ihre persönlichen Daten anpassen sollten.

Tip: Höhere Geschwindigkeit ohne *Trace*

Wenn Sie unter Windows mit *Trumpet Winsock* arbeiten und nur über 4 MByte Arbeitsspeicher verfügen, sollten Sie im Menü *Trace* des Winsock-Programms alle Punkte deaktivieren. Da die Trace-Funktionen den Arbeitsspeicher schnell mit nicht essentiell notwendigem Inhalt anfüllen, laufen die meisten Internet-Anwendungen (vor allem das Surfen im World Wide Web) ohne diese Funktionen weitaus schneller ab.

Starten der Internet-Anwendungen

Nun besteht die Internet-Anbindung, und der TCP/IP-Sockel ist aktiviert, so daß die eigentliche Internet-Anwendungssoftware darauf aufsetzen kann.

Starten Sie Netscape dazu über seinen Eintrag im *Start*-Menü (unter Windows 3.1 im *Programm-Manager*). Das Programm merkt automatisch, daß schon ein TCP/IP-Sockel vorhanden ist, und führt sämtliche Internet-Kommunikation über diesen aus

Sie befinden sich nun im Internet! Netscape lädt danach automatisch die Internet-Infos seiner Herstellerfirma auf Ihren Rechner. Dieser Vorgang läßt sich über die *Stop*-Schaltfläche jederzeit abbrechen, um Raum für Ihre eigenen Internet-Ausflüge zu schaffen.

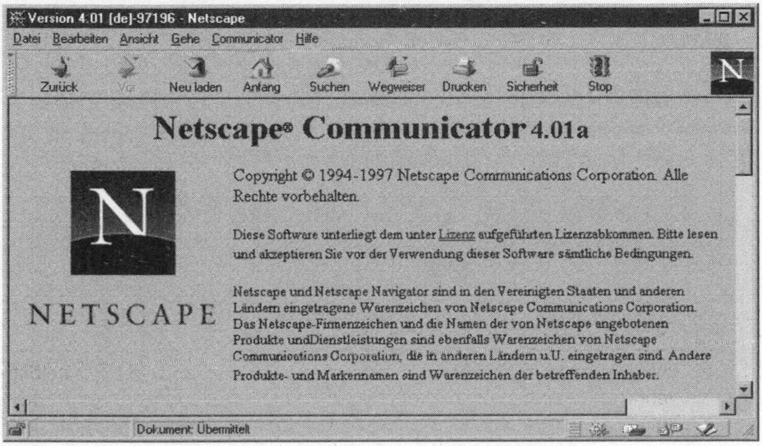

Abb. 79: Netscape meldet sich zum Dienst

Wenn Sie das Internet wieder verlassen möchten

Alles hat ein Ende – und auch die schönste Internet-Sitzung ist einmal vorüber. Wenn Sie das globale Datennetz wieder verlassen möchten, müssen Sie neben dem Beenden der vordergründigen Anwendungs-Software auch den dahinterliegenden TCP/IP-Sockel wieder deaktivieren und die Telefonverbindung trennen (Ihr Geldbeutel wird es Ihnen danken).

Hinweis: Vergessen Sie nie, daß Sie bis zum Verlassen des Internet über die unten beschriebenen Schritte während des gesamten Nutzungszeitraums „online“ sind, das heißt, daß eine Telefonverbindung zu Ihrem Einwahlpunkt besteht. Diese müssen Sie natürlich auch bezahlen – es könnte also eine teure Pause werden, wenn Sie vergessen, vorher die Verbindung zu beenden.

Mit Windows 95

① Wechseln Sie zum Fenster der laufenden DFÜ-Verbindung, zum Beispiel durch Anklicken des entsprechenden Feldes in der Startleiste.

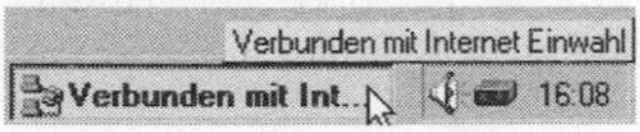

Abb. 80: Zunächst wechseln Sie zur DFÜ-Verbindung

② Durch Druck auf die *Trennen*-Schaltfläche unterbrechen Sie die bestehende Verbindung und deaktivieren zugleich den TCP/IP-Sockel.

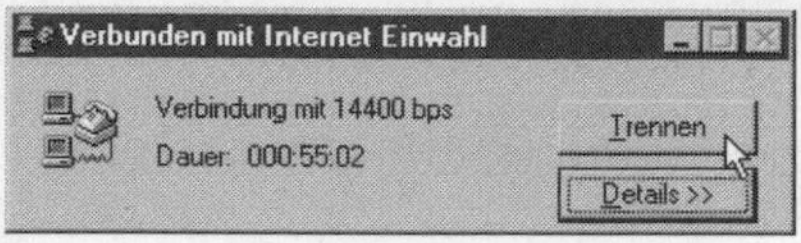

Abb. 81: Dann beenden Sie die Verbindung samt TCP/IP-Sockel

Mit Windows 3.1

① Holen Sie sich das Fenster von Trumpet Winsock auf den Bildschirm und aktivieren Sie im Menü *Dialler* den Punkt *Bye.*

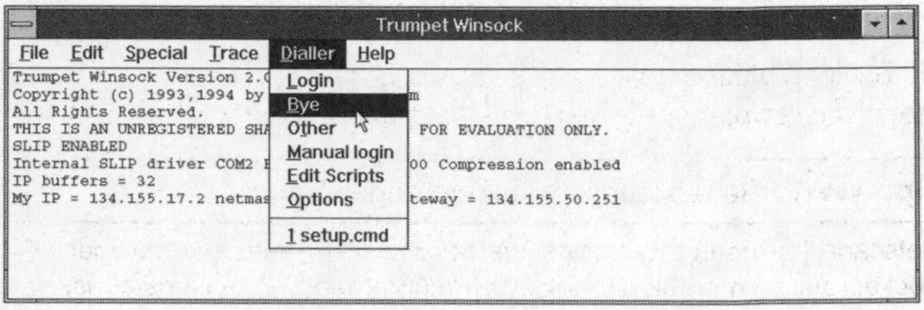

Abb. 82: Good bye! Winsock soll sich verabschieden

Hinweis: Der Menüpunkt *Bye* ruft übrigens keine fest in Winsock integrierte Funktion auf, sondern startet eine Winsock-Kommandodatei namens *bye.cmd*, die sämtliche zum Ausklinken aus dem Internet benötigten Befehle in der richtigen Reihenfolge enthält. Falls diese Datei in Ihrem *Winsock*-Verzeichnis nicht vorhanden ist und Winsock daher beim Aufruf des Menüpunktes meckert, erstellen Sie über den Windows-Editor einfach eine neue Datei unter dem Namen *bye.cmd* (unbedingt im *Winsock*-Verzeichnis abspeichern!) mit folgendem Inhalt:

```
sleep 3
output +++
input 5 OK\n
output ath0\r
input 5 OK\n
```

② Trumpet Winsock klinkt sich daraufhin aus dem Internet-Rechner aus. Anschließend können Sie auch Winsock selbst beenden (über den Punkt *Exit* im *File*-Menü).

```
─                          Trumpet Winsock                    ▼ ▲
 File  Edit  Special  Trace  Dialler  Help
  Setup           93,1994 by Peter R. Tattam                        ↑
  Register        ved.
  Firewall Setup  GISTERED SHAREWARE VERSION FOR EVALUATION ONLY.
  PPP options     iver COM2 Baud rate = 19000 Compression enabled
  Exit
             17.2 netmask = 0.0.0.0 gateway = 134.155.50.251
 Executing script d:\communic\internet\slip\bye.cmd.  Type <esc> to abort
 SLIP DISABLED
 +++                                                                ↓
```

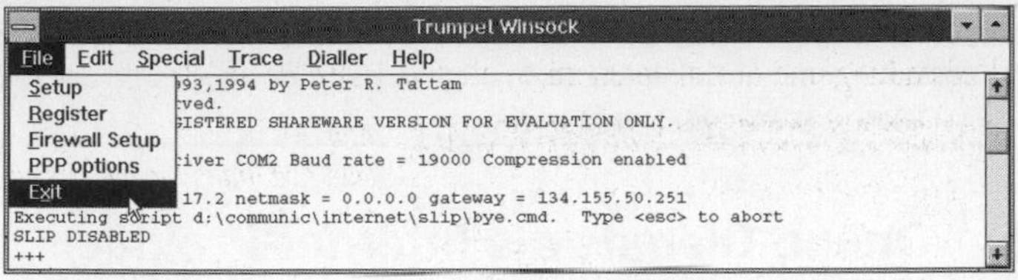

Abb. 83: Die Sitzung ist beendet, und Sie verlassen Winsock

„Offline" arbeiten

Sie sind nun „offline", das heißt ohne aktuell bestehende Telefonverbindung zu
Ihrem Einwahlpunkt, haben also das Internet verlassen.

Der Telefongebührenzähler hat aufgehört zu ticken, und Sie können mit Ihrem
System wie gewohnt weiterarbeiten – auch mit Netscape, falls es noch läuft.

Tip: WWW-Seiten lesen ohne Telefongebühren

Netscape hat dann zwar keine Verbindung mehr zum Internet (der TCP/IP-
Sockel, auf dem es hierzu aufsetzen müßte, fehlt ja), ansonsten ist es aber
noch voll funktionsfähig. Da es die von Ihnen im Rahmen der vorangegangenen Internet-Sitzung aufgerufenen WWW-Seiten noch in seinem internen Gedächtnis gespeichert hat, können Sie also diese Sitzung, und vor allem ohne
laufende Telefongebühren, noch einmal Revue passieren lassen und sich die
interessanten Inhalte der entsprechenden Seiten nochmals in Ruhe zu Gemüte führen.

Netscape beenden

Um anschließend auch Netscape selbst zu beenden, rufen Sie den Punkt *Exit* im
Menü *File* auf. Über den darüberliegenden Befehl *Close* würden Sie nur das aktuelle Netscape-Fenster schließen – ist dies zugleich das einzige, kommt das
dem Beenden gleich.

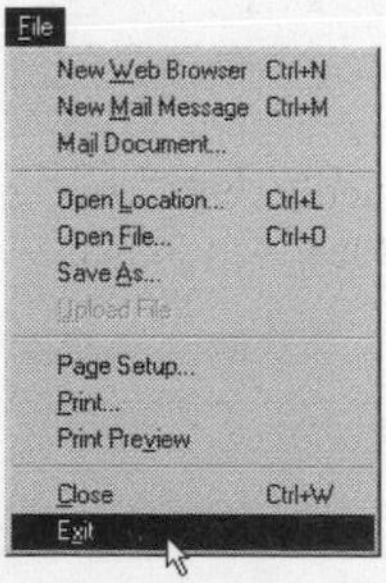

Abb. 84:
Netscape wird beendet

Verweis: Nun, da Sie endlich einen Anschluß an das „Netz der Netze" haben, sollten Sie mit auf eine kleine Einführungstour durch das „World Wide Web" kommen – ganz vorne ab Seite 13.

3.5 Online-Dienste als Internet-Provider

Wie schon auf Seite 71 beschrieben, bieten auch die großen Online-Dienste Zugang zum Internet an. Die Einwahl geht zumeist recht problemlos, da die diensteigene Software den größten Konfigurationsaufwand übernimmt. Was Sie dennoch beachten sollten, damit Sie über Ihren Online-Zugang problemlos ins Internet surfen können, erfahren Sie in diesem Abschnitt.

T-Online: Schneller Zugang mit 32 Bit

T-Online wurde für seinen umständlichen und langsamen Internet-Zugang stets gescholten. Doch diese Zeiten sind vorbei! Seit Mitte 1997 bietet der größte deutsche Online-Dienst einen echten Internet-Zugang im sogenannten PPP-Verfahren (**P**oint to **P**oint **P**rotocol, also „Punkt-zu Punkt-Übertragungsverfahren") an. Dieser Zugang läßt sich bequem über das DFÜ-Netzwerk von Windows 95 nutzen, so daß Sie den T-Online-eigenen Decoder gar nicht erst zu installieren brauchen.

Die T-Online-Verbindung über das DFÜ-Netzwerk einrichten

Um die Verbindung zu T-Online einzurichten, müssen Sie Windows 95 zunächst (wie ab Seite 83 beschrieben) Internet-tauglich gemacht haben. Gehen Sie dann wie folgt vor:

① Rufen Sie über das *Arbeitsplatz*-Fenster das *DFÜ-Netzwerk* auf.

② Klicken Sie dort doppelt auf *Neue Verbindung.*

Abb. 85:
Legen Sie eine neue Verbindung an

③ Im Fenster *Neue Verbindung erstellen* tragen Sie als erstes einen Namen für die Verbindung ein, beispielsweise „T-Online PPP". Wählen Sie dann das für die Einwahl zu verwendende Modem aus.

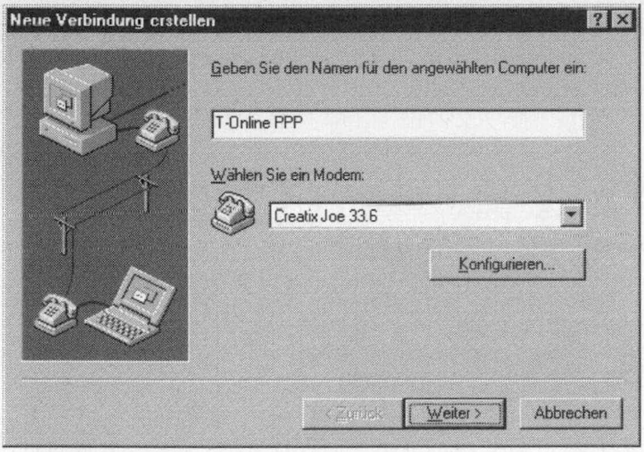

Abb. 86: Geben Sie der Verbindung einen Namen und wählen Sie ein Modem aus

④ Klicken Sie dann auf *Weiter*, geht es an die Eintragung der Rufnummer. Lassen Sie das Feld *Ortskennzahl* frei und tragen Sie bei *Rufnummer* die neue Einwahlnummer *0191011* ein. Wählen Sie dann im Feld *Landeskennzahl* den Eintrag *Deutschland (49)* aus.

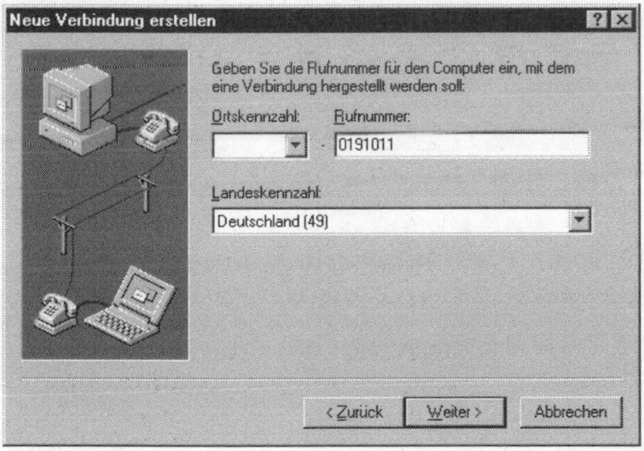

Abb. 87: Die Einwahlnummer für den PPP-Zugang

⑤ Ein neuerlicher Klick auf *Weiter*, und die Einrichtung ist abgeschlossen.

⑥ Klicken Sie dann auf *Fertigstellen*, damit ein neues Symbol für die Verbindung im DFÜ-Netzwerk angelegt wird.

⑦ Im Fenster des DFÜ-Netzwerks finden Sie ein neues Symbol für Ihre Verbindung. Klicken Sie dies mit der rechten(!) Maustaste an und wählen Sie im daraufhin erscheinenden Kontextmenü den Punkt *Eigenschaften*.

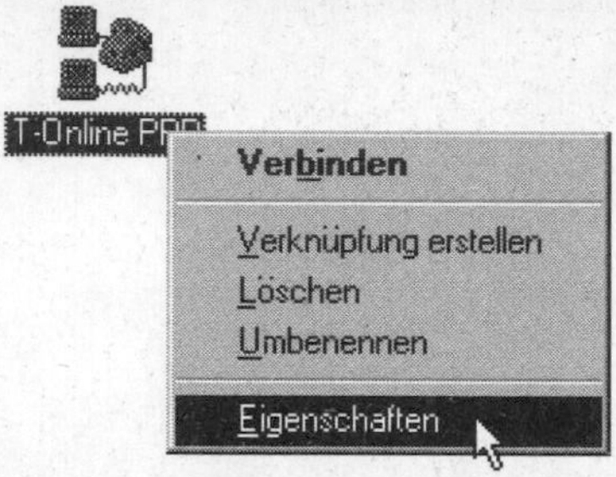

Abb. 88:
Die Verbindungseigenschaften müssen noch eingestellt werden

⑧ Im zugehörigen Fenster finden Sie im Register *Allgemein* die in den vorherigen Schritten vorgenommenen Eintragungen für die Einwahl wieder.

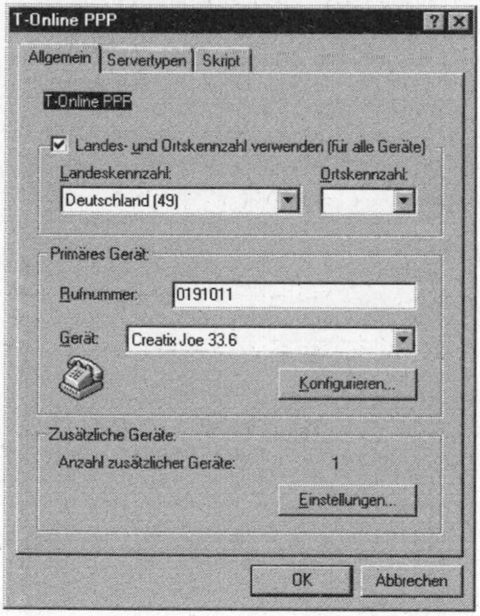

Abb. 89:
Alles klar mit den Einwahldaten?

⑨ Viel wichtiger ist das Register *Servertypen*: Hier muß auf dem Register *Servertypen* im Feld *Typ des DFÜ-Servers* die Auswahl *PPP: Windows 95, Windows NT 3.5, Internet* eingestellt sein. Außerdem darf von den darunter liegenden Optionen nur *TCP/IP* mit einem Häkchen versehen sein.

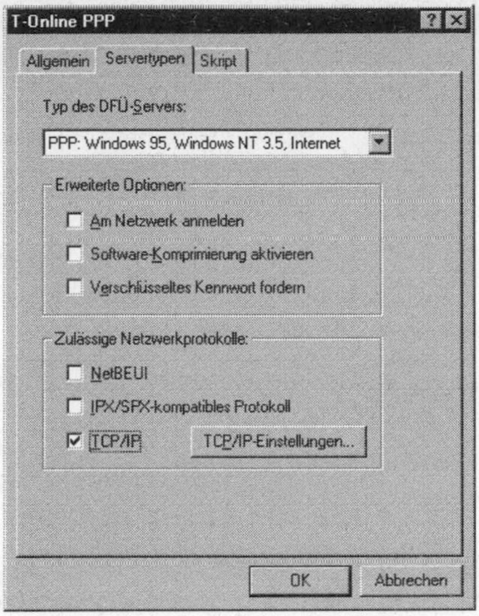

Abb. 90:
Die richtigen Servertypen-Einstellungen sind besonders wichtig

⑩ Klicken Sie dann auf die daneben liegende Schaltfläche *TCP/IP-Einstellungen.* Hier muß eingestellt sein, daß IP-Adresse und Namensserveradresse automatisch zugewiesen werden. Diese Einstellungen sind Standard und sollten so belassen werden.

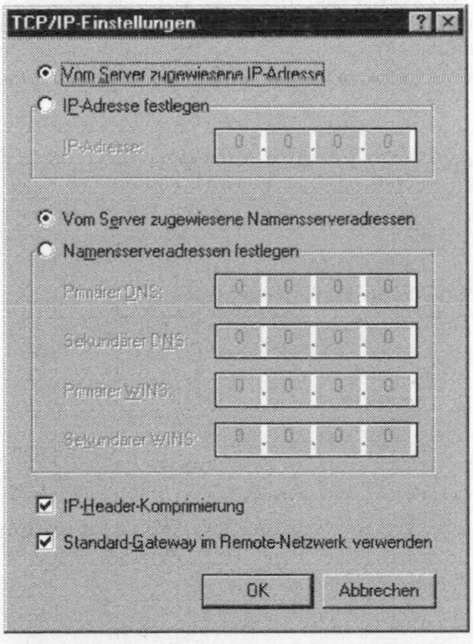

Abb. 91:
Die standardmäßigen TCP/IP-Einstellungen

⑪ Bestätigen Sie Ihre Einstellungen dann mit *OK.*

Die Internet-Einwahl in T-Online

Wenn Sie die neue Verbindung zum ersten Mal nutzen, müssen Sie einen Benutzernamen und ein Kennwort angeben. Diese werden aus Ihren Zugangsdaten zu T-Online (Anschlußkennung, T-Online-Nummer und Kennwort) erstellt. Bitte entnehmen Sie diese Daten dem Einschreiben mit der T-Online-Anmeldebestätigung.

In das Feld *Benutzername* tragen Sie ein: Ihre T-Online-Anschlußkennung plus T-Online-Nummer (üblicherweise Telefonnummer) plus Mitbenutzerkennung, und zwar alles direkt zusammengeschrieben zu einer langen Ziffernkolonne.

Ein Beispiel: Haben Sie die Anschlußkennung *000000000000*, die T-Online-Nummer *123456789012* und die Mitbenutzer-Nummer *0001*, dann lautet die Benutzerkennung für die DFÜ-Netzwerk-Verbindung:

0000000000001234567890120001.

Ist die T-Online-Nummer kürzer als 12 Zeichen, fügen Sie vor die Mitbenutzernummer eine Raute (#) ein, also im obigen Beispiel

00000000000012345678901#0001.

Wichtig: Fügen Sie nur eine Raute ein, auch wenn Ihre T-Online-Nummer viel weniger Ziffern (z. B. nur 10) enthält.

Als Kennwort geben Sie Ihr T-Online-Kennwort an.

Abb. 92:
Der Benutzername ist eine lange Zahlenkolonne aus Anschlußkennung, T-Online-Nummer und Mitbenutzernummer

Daraufhin kann Windows 95 die neue Verbindung herstellen – und Ihre Internet-Zugangssoftware kann darauf aufsetzen.

E-Mail und Diskussionsforen über T-Online

Über Ihren T-Online-Zugang können Sie auch die elektronische Post (E-Mail, siehe Seite 323) und die Diskussionsforen (Newsgroups, siehe Seite 265) nutzen.

Tragen Sie dazu die folgenden Daten in Ihre Zugriffssoftware ein:

E-Mail-Adresse	Ihre T-Online-Kennung (mit dem Anhängsel @t-online.de, z. B. „01234567890@t-online.de").
Posteingangsserver (POP3 Server)	pop.btx.dtag.de
Postausgangsserver (SMTP Server)	mailto.btx.dtag.de
POP-Benutzername	Ihre T-Online-Nummer (diesmal ohne die Endung @t-online.de)
POP-Kennwort	Ihr T-Online-Kennwort
News-Servers (NNTP Server)	news.btx.dtag.de

Tip: Besorgen Sie sich einen Alias-Namen in T-Online

Die standardmäßige Ziffernschreibweise der E-Mail-Adresse in T-Online ist nicht gerade ansehnlich. Viel angenehmer ist es doch, unter *Max.Muster@t-online.de* erreichbar zu sein. Einen derartigen Klartextnamen nennt T-Online „Alias". Sie erhalten ihn über die Seite **1901468001#* im Decoder. Alles weitere erfolgt dort im Dialog, und schon bald können Sie sich Ihre neue, ansehnliche E-Mail-Adresse auf die Visitenkarte drucken.

CompuServe: Eigene DFÜ-Verbindung

Endlich ist auch die CompuServe-eigene Software voll kompatibel zu Windows 95 geworden: Seit der Version 3 der Zugangssoftware wird automatisch eine eigene Verbindung im DFÜ-Netzwerk eingerichtet.

Dies hat für Sie einen Doppelnutzen:

- Auf die über das DFÜ-Netzwerk hergestellte Verbindung kann jede Windows 95-komaptible Internet-Software problemlos aufsetzen.

- Auch die CompuServe-Zugriffssoftware selbst vermag über diese Verbindung Kontakt zum Dienst aufzunehmen. Sie können dann über Ihren CompuServe-Zugang gleichzeitig mit der CompuServe-eigenen Software die Dienst-internen Angebote nutzen und mit einer separaten Internet-Software im Datennetz surfen.

Selbstverständlich können Sie zum Surfen im Internet auch einfach die schon in CompuServe integrierte Internet-Software verwenden. Es handelt sich hierbei um eine an den Dienst angepaßte Version des Microsoft Internet Explorers (siehe auch Seite 371).

Hinweis: Leider bietet CompuServe noch keine allgemeine Möglichkeit zum Zugriff auf E-Mail und Newsgroups nach Internet-Standards. Dieses Verfahren befindet sich derzeit im Teststadium und soll bald für alle Nutzer verfügbar werden. Bis dahin müssen Sie Ihre Post weiterhin mit der CompuServe-eigenen Software abwickeln.

Die CompuServe-Software installieren

CompuServe läßt sich in wenigen Schritten von CD-ROM installieren:

① In der Willkommens-Meldung der CompuServe-Installation können Sie zwischen den Installationsmethoden *Standard* und *Benutzerdefiniert* wählen. *Standard* ist das einfachere Verfahren, bei dem Sie sehr schnell zu einer funktionsfähigen Version kommen. Dagegen lassen sich unter *Benutzerdefiniert* alle Einstellungen frei festlegen. Wenn Sie über ISDN in CompuServe gehen möchten, müssen Sie *Benutzerdefiniert* wählen.

Hinweis: Die Beschreibungen der nächsten Schritte beziehen sich auf den Installationsmodus *Benutzerdefiniert*.

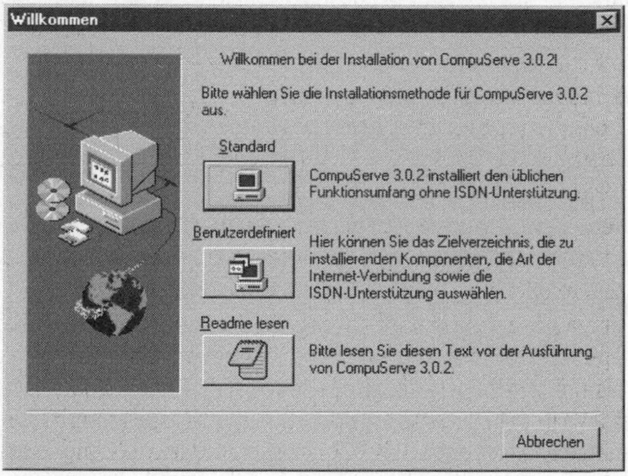

Abb. 93: Unter Benutzerdefiniert lassen sich viele Einstellungen selbst vornehmen, während Standard alles automatisch erledigt

② Die erste Frage zielt darauf ab, wie Sie über das DFÜ-Netzwerk von Windows 95 Ihre Verbindung zu CompuServe aufbauen möchten: Klicken Sie auf *DFÜ-Netzwerk installieren*, damit CompuServe seine eigene Verbindung im DFÜ-Netzwerk von Windows 95 anlegt.

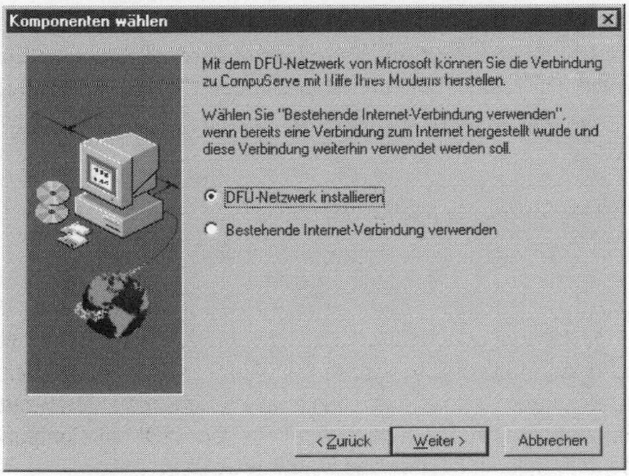

Abb. 94: CompuServe kann auch über eine andere Verbindung ins Internet betrieben werden

③ Geben Sie dann das Verzeichnis an, in dem die CompuServe-Software auf Ihrer Festplatte installiert werden soll. Durch Klick auf *Durchsuchen* läßt sich eines per Maus auswählen.

④ Anschließend müssen Sie festlegen, in welche Programmgruppe im *Start*-Menü Ihre CompuServe-Software installiert werden soll. Ändern Sie den Namen oder belassen Sie ihn bei der Voreinstellung *CompuServe* und klikken Sie auf *Weiter*.

⑤ Außerdem werden auf Wunsch CompuServe-Symbole auf dem Windows-Schreibtisch und im Hauptmenü des *Start*-Menüs angelegt. Wenn Sie dies möchten, aktivieren Sie die Optionen und klicken dann auf *Weiter*.

⑥ Die nächste Frage gilt der ISDN-Einrichtung: Bei Nutzung einer ISDN-Karte benötigt CompuServe den sogenannten cFos-Treiber oder ein gleichwertiges Programm, das unter Windows ein virtuelles Modem durch die ISDN-Karte simuliert (bei AVM beispielsweise CAPI-Port, bei Teles der VCom-Treiber). Wenn Sie eine solche Karte für Ihren Zugang verwenden und noch keine derartige Software für Ihre Karte installiert haben, aktivieren Sie die Option *cFos für CompuServe jetzt installieren*.

Komponenten wählen ☒

Wenn Sie eine interne ISDN-Karte benutzen, muß ein
Fossil-Treiber installiert sein. Die Firma cFos hat für CompuServe
einen Treiber entwickelt, der auf CompuServe 3.0.2 abgestimmt
wurde. Als CompuServe Mitglied erhalten Sie eine kostenlose,
zeitlich unbefristete Lizenz für diesen Treiber.
Wollen Sie cFos für CompuServe jetzt installieren?

☐ cFos für CompuServe jetzt installieren

< Zurück Weiter > Abbrechen

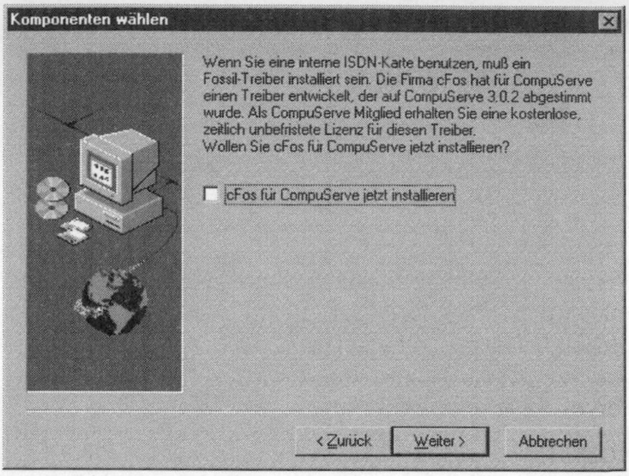

*Abb. 95: cFos wird zum Zugang per ISDN-Karte benötigt, sofern Ihre ISDN-Karte
keine eigene Software mitbringt*

⑦ Sodann kopiert das Installationsprogramm die benötigten Dateien auf Ihre
Festplatte. Ein durchlaufender Balken hält Sie über den Fortgang auf dem
laufenden.

⑧ CompuServe bringt eine eigene Version des Internet Explorer mit – allerdings noch eine alte. Lehnen Sie daher die Lizenzfrage durch Klick auf *Keine Zustimmung* ab, damit dieser Uralt-Explorer nicht installiert wird.

⑨ Anschließend ist die Installation beendet. Um die neuen Einstellungen
wirksam werden zu lassen, muß der PC neu gestartet werden. Aktivieren
Sie hierzu die Option *Ja, Computer jetzt neu starten* und klicken Sie auf
Beenden.

⑩ Wenn Sie die CompuServe-Software zum ersten Mal starten, werden Ihre
Zugangsdaten automatisch eingerichtet. Dazu fragt Sie die Software nach
Ihrer Anmeldung und Ihrem Standort.

Der CompuServe-Zugang über die DFÜ-Verbindung

Die CompuServe-Software hat im DFÜ-Netzwerk von Windows 95 (erreichbar
über das Arbeitsplatz-Fenster) schon eine eigene Verbindung angelegt, die zur
Einwahl in den Dienst genutzt wird: die *CS3 Connection.*

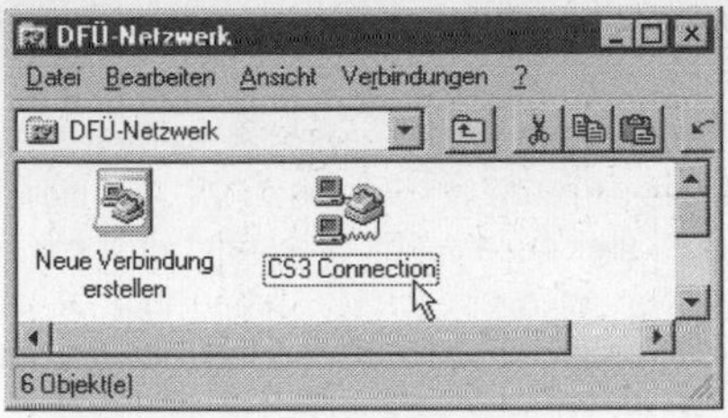

Abb. 96: Ihre 32-Bit-Verbindung zu CompuServe

Bauen Sie Ihre Verbindung zum Dienst durch Doppelklick auf dieses Symbol auf, kann der Explorer problemlos darauf aufsetzen. Parallel dazu vermag auch die CompuServe-eigene Software darüber auf den Dienst zuzugreifen.

Tip: CompuServe-Klartextnamen holen

Die numerische CompuServe-Adresse ist schwer zu merken und bringt auch Probleme beim Internet-Nachrichtenverkehr mit sich (siehe Seite 355). Daher sollten Sie sich einen Klartextnamen besorgen – also eine Adresse in der Form *name@compuserve.com*. Hierzu rufen Sie dazu im Dienst die Namenregistrierung mit *Go Register* auf. Im Dialog mit der CompuServe-Software wird dann Ihr neuer Name angelegt. Die numerische Benutzer-ID bleibt dabei weiterhin funktionsfähig und verwendbar.

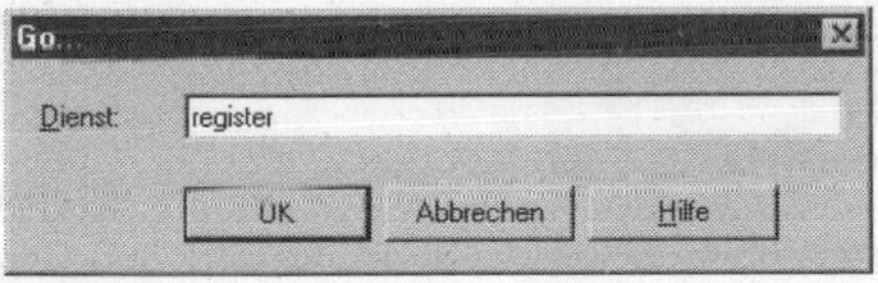

Abb. 97: Unter dem Stichwort Register holen Sie sich den Klartextnamen

AOL: Neuer Internet-Sockel

Um über AOL ins Internet zu kommen, benötigen Sie einen Netzwerk-Sockel (den auf Seite 77 beschriebenen TCP/IP-Sockel), auf den die Internet-Zugangssoftware aufsetzen kann.

Hier gibt es zwei Wege:

- Die neue AOL-Version für Windows 95 greift auf den Windows-eigenen Sockel zurück. Sie brauchen diese lediglich – wie im folgenden beschrieben – zu installieren und sich damit ins Netz einzuwählen, danach kann Ihre Internet-Software problemlos auf das Datennetz zugreifen.

- Die bisherige AOL-Fassung (für Windows 3.1 und Windows 95) benötigt einen speziellen TCP/IP-Sockel. Dessen Installation ist weiter unten beschrieben.

Für Windows 95 empfehle ich Ihnen ausdrücklich die erste Variante, nämlich die spezielle Windows 95-Fassung der AOL-Software. Leider ist diese vom Namen her nicht von der Windows-3.1-Version zu unterscheiden, achten Sie daher bei der Installation auf den Hinweis „AOL für Windows 95 installieren". Für das Surfen im Internet müsen Sie aber auch nicht unbedingt eine externe Zugriffssoftware verwenden. Sie können auch einfach die schon in AOL integrierte Internet-Software nutzen – eine speziell angepaßte Version des Microsoft Internet Explorers (siehe auch Seite 371).

Hinweis: Leider bietet AOL keine Mail- oder News-Server zur Nutzung durch externe Software an. Somit bleibt Ihr AOL-Internet-Zugang außerhalb der AOL-eigenen Software auf reines WWW-Surfen und Dateiladen beschränkt. Für E-Mail und Newsgroups müssen Sie weiterhin die AOL-Software nutzen.

Die AOL-Software installieren

Die AOL-Einrichtung läßt sich bequem von der CD-ROM ausführen.

Hinweis: Wenn Sie AOL unter Windows 95 installieren, ist es hierbei ganz elementar, daß Sie wirklich die spezielle Version für Windows 95 erwischen. Diese finden Sie entweder im Verzeichnis *\AOL\Win95* auf der CD-ROM oder indem Sie im ersten Auswahlbildschirm auf *AOL Win95 installieren* klicken.

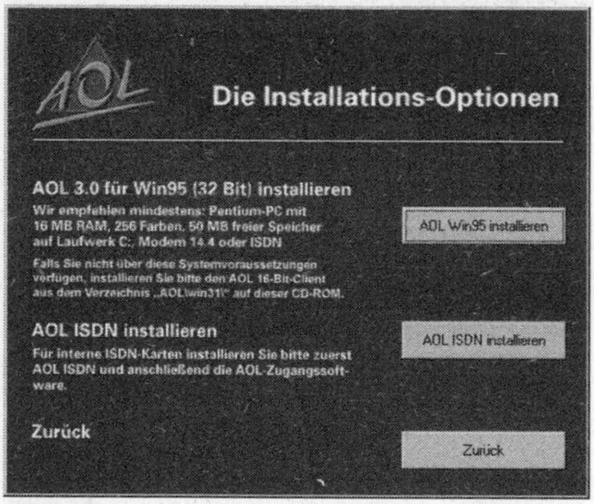

Abb. 98: Installieren Sie die Windows 95-kompatible Version

① Sogleich aktiviert sich die AOL-Installationsroutine, die zunächst Ihre Festplatte, nach einer eventuellen alten AOL-Version durchsucht.

② Falls noch nicht geschehen, schalten Sie jetzt Ihr Modem ein. AOL überprüft automatisch, um welches Gerät es sich handelt, und richtet den Zugang entsprechend ein.

③ Sind diese Grundeinstellungen abgeschlossen, werden Sie willkommen geheißen. Möchten Sie das Verzeichnis, in dem die Software auf Ihrer Festplatte installiert wird, selbst festlegen, klicken Sie zuvor auf *Prüfen*. Ansonsten belassen Sie es bei den Standardwerten und starten durch Klick auf *Installieren* den eigentlichen Einrichtungsvorgang.

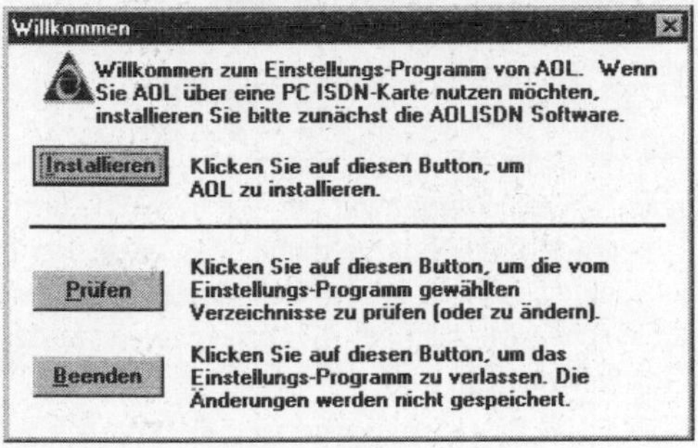

Abb. 99: Lassen Sie die Software direkt installieren oder legen Sie über die Schaltfläche Prüfen das Verzeichnis und andere Einstellungen selbst fest

④ Die für den Programmablauf benötigten Dateien werden dann auf die Festplatte übertragen, wobei Sie ein durchlaufender Balken über den Fortschritt informiert.

⑤ Anschließend ist die Installation beendet. Bestätigen Sie die zugehörige Meldung mit *OK*.

⑥ Die AOL-Software läßt sich dann über ihr Symbol im *Start*-Menü aufrufen.

⑦ Beim ersten Start geht es zunächst um die Auswahl des Einwahlknotens. Wählen Sie den zu Ihrem Ortsnetz am nächsten gelegenen aus der Liste aus und klicken Sie auf *OK*.

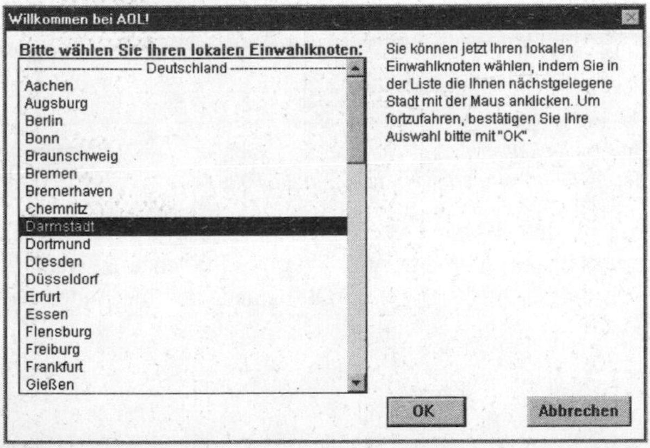

Abb. 100: Wählen Sie den Ihrem Wohnort nächstgelegenen Einwahlknoten aus

⑧ Daraufhin startet die Software eine Einwahl zu diesem Knoten.

Abb. 101: AOL wählt sich dort ein

⑨ Ist die Einwahl erfolgreich abgeschlossen, werden Sie bei AOL begrüßt. Tragen Sie dann die Registrierungs-Nummer und das Registrierungs-Paßwort in die Eingabefelder ein. (Diese haben Sie mit der Software zusammen erhalten.) Sind Sie schon Mitglied bei AOL, geben Sie statt dessen Ihren AOL-Namen und Ihr Paßwort ein.

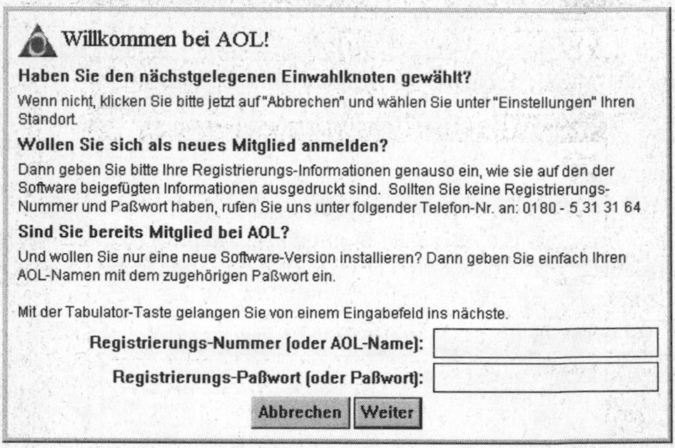

Willkommen bei AOL!
Haben Sie den nächstgelegenen Einwahlknoten gewählt?
Wenn nicht, klicken Sie bitte jetzt auf "Abbrechen" und wählen Sie unter "Einstellungen" Ihren Standort.
Wollen Sie sich als neues Mitglied anmelden?
Dann geben Sie bitte Ihre Registrierungs-Informationen genauso ein, wie sie auf den der Software beigefügten Informationen ausgedruckt sind. Sollten Sie keine Registrierungs-Nummer und Paßwort haben, rufen Sie uns unter folgender Telefon-Nr. an: 0180 - 5 31 31 64
Sind Sie bereits Mitglied bei AOL?
Und wollen Sie nur eine neue Software-Version installieren? Dann geben Sie einfach Ihren AOL-Namen mit dem zugehörigen Paßwort ein.
Mit der Tabulator-Taste gelangen Sie von einem Eingabefeld ins nächste.
Registrierungs-Nummer (oder AOL-Name):
Registrierungs-Paßwort (oder Paßwort):
Abbrechen
Weiter

Abb. 102: Tragen Sie Registrierungs-Nummer und -Paßwort, die Sie zusammen mit der AOL-Software erhalten haben, in die Felder ein

⑩ Klicken Sie dann auf *Weiter* – und Sie befinden sich (sofern Name und Paßwort korrekt waren) mitten in AOL. War dies Ihre erste Einwahl, bittet Sie AOL noch um die Auswahl eines AOL-Namens und die Änderung des Paßwortes.

Sobald die Verbindung besteht, kann Ihre Internet-Software diese auch schon nutzen. Da die Windows 95-Version von AOL das Windows-eigene Netzwerksystem unterstützt, brauchen Sie sich um nichts mehr zu kümmern. Lediglich bei Nutzung der älteren Windows-3.1-Version sind noch ein paar Schritte notwendig.

AOL-Internet-Zugang unter Windows 3.1 vorbereiten

Nutzen Sie die ältere AOL-Fassung für Windows 3.1, benötigen Sie einen speziellen TCP/IP-Sockel, der sich in der Datei *Winsock.dll* verbirgt.

① Um die AOL-Winsock zu erhalten, öffnen Sie bei bestehender Verbindung in der AOL-Software das Menü *Finden* und wählen den Punkt *Kennwort.*

② Im *Kenntwort*-Fenster geben Sie das Suchwort „winsock" ein und starten den Suchvorgang durch Klick auf *Suchen.*

Abb. 103: „Winsock" wird gesucht

③ Innerhalb weniger Augenblicke wurde die Winsock-Zentrale ausfindig gemacht und auf Ihren Bildschirm gebracht. Hier können Sie durch einen Mausklick auf das Feld *Winsock-Download* die AOL-Winsock-Datei auf Ihr System übertragen.

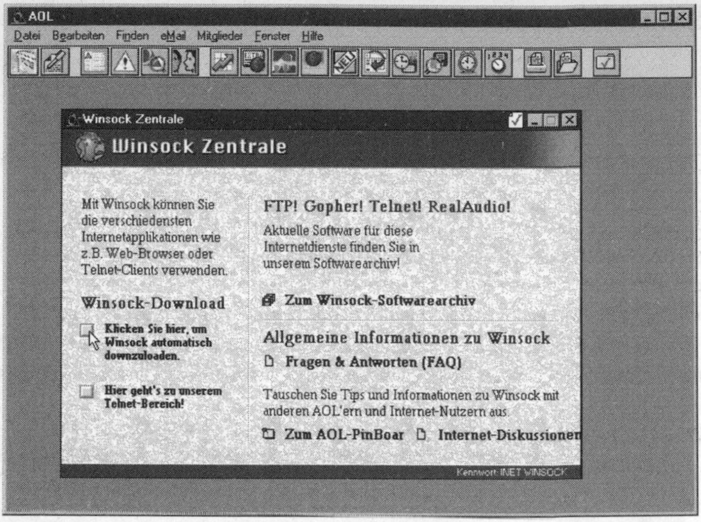

Abb. 104: Laden Sie sich die Winsock-Datei auf Ihr System

④ Danach beenden Sie die AOL-Verbindung mit Hilfe des gleichnamigen Befehls im *Datei*-Menü.

⑤ AOL fragt nochmals nach, ob Sie sich wirklich abmelden möchten, was Sie bejahen sollten. Nun liegt die neue *Winsock.dll* auf Ihrem System vor und muß nur noch richtig installiert werden.

⑥ Dazu kopieren Sie die zuvor aus AOL geladene, neue Fassung der *Winsock.dll* in Ihr \WINDOWS-Verzeichnis sowie in das Verzeichnis, in dem Sie die AOL-Software installiert haben.

⑦ Verlassen Sie daraufhin Windows und starten es neu, indem Sie im *Start*-Menü die Option *Beenden* öffnen und dort *Windows neu starten* anwählen.

Danach ist die neue *Winsock.dll* auf Ihrem System aktiv und kann für den Internet-Zugriff über America Online genutzt werden.

Hinweis: Die AOL-eigene *Winsock.dll* arbeitet mit 16 Bit. Das bedeutet, daß auch nur 16-Bit-Anwendungen darauf zugreifen können. Sie müssen sich also in jedem Fall die 16-Bit-Fassung Ihrer Internet-Software besorgen (siehe auch Seite 100).

MSN: Windows 95 only

Das Microsoft Network ist der Online-Dienst des Windows-Machers – und dementsprechen haben Sie es als Anwender von Windows 95 besonders leicht, den Dienst zu nutzen: Windows 95 enthält von Hause aus eine eingebaute Zugriffssoftware für das Microsoft Network, über das auch ein Internet-Zugriff möglich ist.

Hinweis: Leider bietet MSN derzeit noch keinen Zugriff auf elektronische Post und Diskussionsforen nach Internet-Standard. Deshalb müssen Sie sich noch mit den MSN-eigenen Hilfsmitteln (z. B. MS-Exchange) abfinden. Microsoft arbeitet aber daran und wird mit Markteinführung der neuen Version 2.5 auch E-Mail und Newsgroups über MSN zum Zugriff mittels Internet-Standardsoftware verfügbar machen.

Den MSN-Zugang einrichten

Um Zugriff auf MSN zu bekommen, brauchen Sie nichts außer Ihrer Windows 95-CD-ROM, einer Kreditkarte und ein bißchen Zeit.

① Zumeist liegt das Symbol zu Microsoft Network bereits auf Ihrem Windows-Schreibtisch. Klicken Sie doppelt darauf, um die Installation zu starten.

Abb. 105:
Mit diesem Symbol starten Sie ins MSN

Hinweis: Ist das Symbol bei Ihnen nicht vorhanden, können Sie es mit Hilfe der Systemsteuerung nachinstallieren: Klicken Sie dort doppelt auf das Symbol *Software*. Im zugehörigen Fenster schalten Sie auf das Register *Windows-Setup* und kreuzen die Option *Microsoft Network* an.

② Wurde Ihr Modem noch nicht installiert, holt MSN dies nun für Sie nach.

③ Sodann erscheint das Begrüßungsfenster Ihrer MSN-Installation. Sind Sie schon Mitglied im MSN, können Sie über das Optionskästchen unten links Ihre Zugangsdaten direkt eingeben.

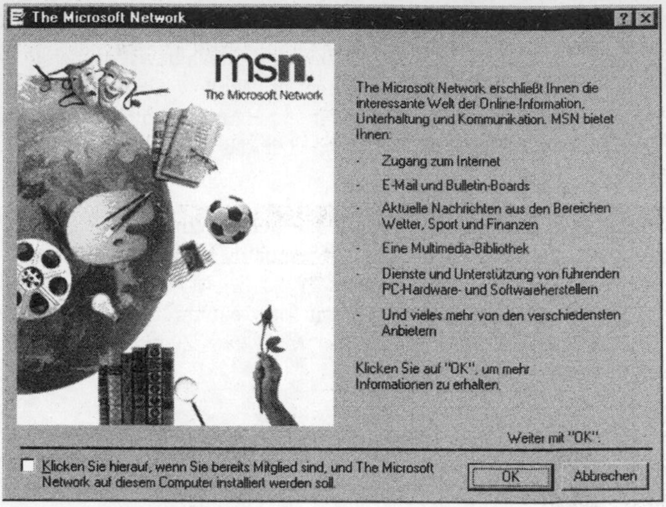

Abb. 106: Jetzt kann's losgehen

④ Andernfalls muß für Sie als neuer Kunde zunächst die beste Einwahlnummer für Ihren Ort ermittelt werden. MSN fragt Sie hierfür nach Ihrer Vorwahl, falls es diese nicht aus älteren Angaben übernehmen kann.

⑤ Über die Schaltfläche *Einstellungen* lassen sich noch weitere Voreinstellungen prüfen und gegebenenfalls korrigieren – beispielsweise, ob das Modem mit Puls- oder Tonwahl ins Netz geht, ob es auf den Amtston warten soll und dergleichen mehr.

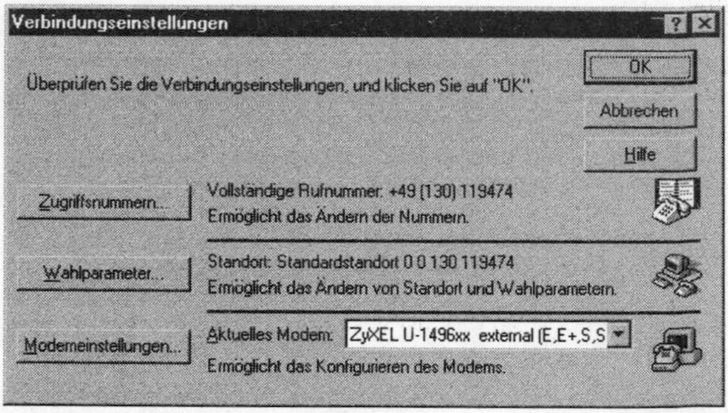

Abb. 107: Die Verbindungseinstellungen

⑥ Im nächsten Schritt aktualisiert MSN die Rufnummernliste der Zugänge, um Ihnen den für Sie optimalen Einwahlpunkt bieten zu können – hier hat sich seit Auslieferung nämlich einiges getan.

⑦ Da die Teilnahme am MSN nicht gratis zu haben ist, werden Sie direkt darauf nach Ihren persönlichen Daten nebst Angaben zu Ihrer Kreditkarte gefragt.

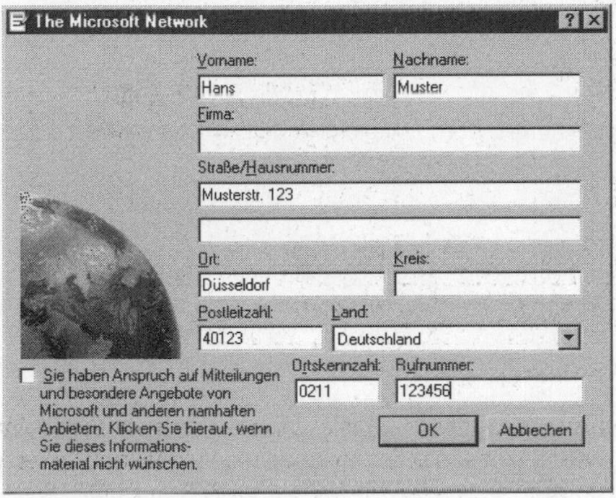

Abb. 108: Geben Sie Ihre Daten für den Zugang ein

⑧ Besteht dann endlich die Verbindung ins Microsoft Network, werden Sie wahrscheinlich erst mal darüber informiert, daß Ihre MSN-Software veraltet sei. Seit Erscheinen der Windows 95-CD-ROM sind nämlich neue Fassungen erschienen. Macht ja nichts, MSN schickt Ihnen das Update direkt über den Datenhighway!

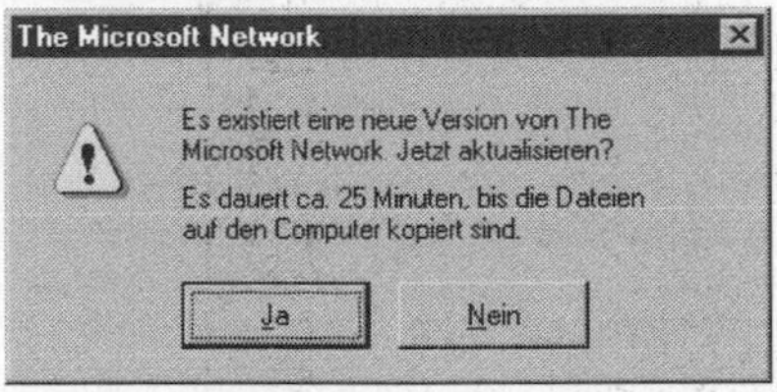

Abb. 109: Ihr MSN wird direkt auf die neuste Version aktualisiert

⑨ Haben Sie die Neuinstallation vollzogen, starten Sie MSN erneut über sein Symbol auf dem Desktop.

⑩ Nun will es Ihnen noch mehr Verbesserungen spendieren. Bestätigen Sie dies mit *OK*. Hierzu gehört wahrscheinlich auch eine neue Zugangsnummer, weshalb Sie noch mal nach Ihrer Vorwahl gefragt werden.

⑪ Auch nach dieser Neuinstallation wird Ihr Rechner erneut gestartet, und Sie müssen sich wieder über das MSN-Symbol des Desktops neu mit MSN verbinden – und dann sind Sie endlich drin!

⑫ Rufen Sie anschließend im *Arbeitsplatz*-Fenster das *DFÜ-Netzwerk* auf. Darin finden Sie zwei neue Verbindungen, die Sie ins MSN führen.

Abb. 110: Eine MSN-Verbindung im DFÜ-Netzwerk

Stellen Sie die Verbindung durch Doppelklick her, so kann Ihre Internet-Zugriffssoftware sogleich darauf aufsetzen.

3.6 Multi-Kulti: Mehrere Zugänge parallel betreiben

Haben Sie Online-Zugänge bei mehreren Diensten? Dann kann es zu Problemen kommen, wenn Sie versuchen, diese parallel auf einem System zu betreiben. Dieser Abschnitt gibt Ihnen Ratschläge, mit denen die Vision einer multikulturellen Online-Welt (zumindest auf die Dienst-Vielfalt bezogen) dennoch wahr werden kann.

Windows-Problemkind: Die Winsock.dll

Wie bereits oben auf Seite 83 erklärt, muß Ihr System über einen sogenannten TCP/IP-Sockel verfügen, damit die Internet-Zugriffssoftware darüber ins Netz gehen kann.

Dieser liegt unter Windows in Form einer Datei namens *Winsock.dll* vor – und daraus kann sich ein Problem entwickeln: Es darf nämlich nur eine einzige Installation dieser Datei auf Ihrem System geben. Arbeiten Sie also mit mehreren Zugängen, muß der Zugriff über eine einzige *Winsock.dll* abgewickelt werden.

Windows 95 bringt schon seine eigene *Winsock.dll* mit – nämlich die des DFÜ-Netzwerks. Installiert nun die Zugriffssoftware eines Online-Diensts eine neue *Winsock.dll* speziell für diesen Dienst, läuft die Internet-Anbindung des DFÜ-Netzwerks nicht mehr. Noch komplizierter wird es, wenn gleich mehrere Dienste mit verschiedenen *Winsock.dll*-Dateien daherkommen.

Vorbildlich löst die T-Online-Zugriffssoftware dieses Problem: Starten Sie den darin enthaltenen Internet-Zugang, wird eine eventuell schon installierte *Winsock.dll* kurzfristig durch die T-Online-eigene *Funsock* ersetzt. Nach Beendigung der T-Online-Nutzung wird dann die Originaldatei zurückgeschrieben, und alles ist beim alten.

Bei AOL benötigen Sie eine eigene *Winsock.dll* nur noch bei der älteren, für Windows 3.1 entwickelten Version (siehe Seite 131). Bei der modernen Fassung für Windows 95 ist keine eigene Winsock mehr notwendig. Das Programm greift dann auf die Windows-eigene *Winsock.dll* zurück.

Tip: Winsock-Dateien per Mausklick austauschen

Bei Programmen, die nicht ohne eine eigene Winsock auskommen, aber keinen Austauschmechanismus bieten, müssen Sie sich selbst darum kümmern, daß stets die richtige Winsock in Verwendung ist. Und wie? Setzen Sie ein Programm ein, daß diese verschiedenen *Winsock.dll*-Dateien verwaltet und – je nach gewünschtem Dienst – passend austauscht. Komfortabel löst dies der Winsock-Swapper von Ron Parker, den Sie aus dem Internet laden können. Per Mausklick wählen Sie den zu nutzenden Dienst, und der Swapper aktiviert automatisch die passende Winsock. Sie finden das Programm auf der Homepage des Programmierers unter folgender Adresse:
http://members.aol.com/ron2222/swapper.htm

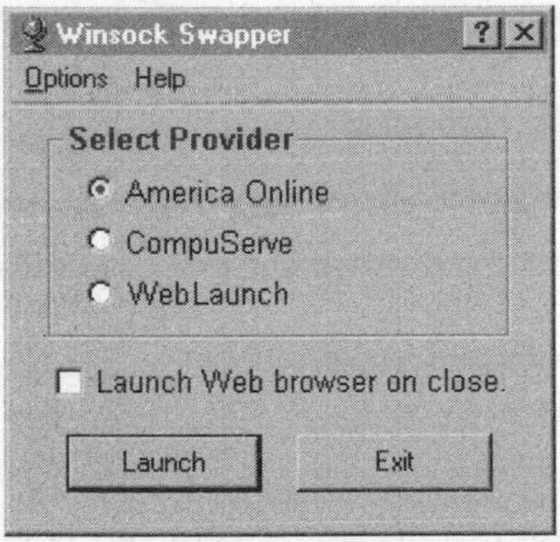

Abb. 111: Der Winsock Swapper tauscht Winsock-Dateien per Mausklick aus

ISDN-Krücke: cFos kann Ärger machen

Einen weiteren Knackpunkt neben der *Winsock.dll* stellt der Fossil-Treiber cFos dar. Er wird von manchen Online-Diensten (z. B. CompuServe oder AOL) zur Unterstützung von ISDN-Anbindungen installiert und sorgt dafür, daß die ISDN-Karte unter Windows genauso angesprochen werden kann wie ein normales Modem.

Dazu wird er beim Systemstart von Windows automatisch mit den für den jeweiligen Dienst gültigen Einstellungen geladen. Haben Sie mehrere cFos-Varianten installierten, „beißen" diese sich untereinander – und es läuft womöglich gar nichts mehr.

Um dies zu verhindern, sollten Sie am besten gar nicht mehr auf den cFos zugreifen. Nutzen Sie lieber eine allgemeine Installation des passenden Treibers Ihrer ISDN-Karte (z. B. CAPI-Port bei AVM oder der VCom-Treiber bei Teles). Dieser braucht nur einmal geladen zu werden und stellt mittels simulierter Modems dann jedem Programm eine passende ISDN-Unterstützung zur Verfügung.

Die Musterlösung: Windows verwaltet die Verbindungen selbst

Die ganze Online-Angelegenheit läuft am sichersten und saubersten, wenn Sie alle Verbindungen von Windows selbst verwalten lassen.

Das bedeutet: Sie legen für jeden Zugang eine Verbindung im DFÜ-Netzwerk an. Dort können Sie nämlich so viele voneinander unabhängige Verbindungen einrichten, wie Sie brauchen. Und da alle auf die gleichen Dateien – nämlich das DFÜ-Netzwerk – zurückgreifen, lassen sie sich jederzeit ohne langwierige Umstellprozesse einzeln starten und wieder beenden.

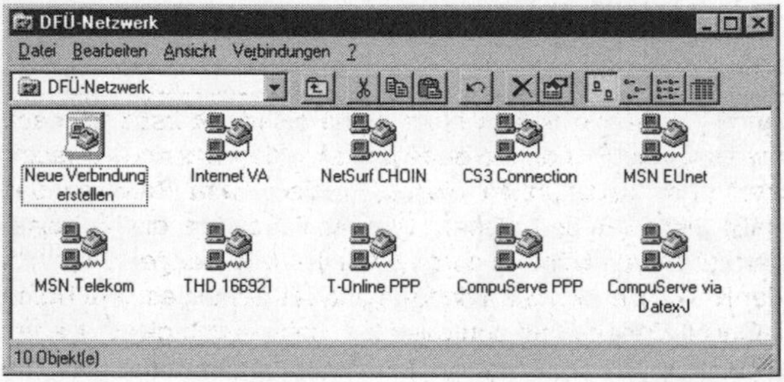

Abb. 112: Im Windows-DFÜ-Netzwerk lassen sich mehrere Verbindungen für verschiedene Dienste gleichzeitig einrichten und verwalten

CompuServe und MSN legen solche Verbindungen automatisch an. Für T-Online können Sie das selbst vornehmen, wie oben auf Seite 118 beschrieben. AOL ermöglicht leider keinen Zugriff über das DFÜ-Netzwerk, setzt aber in der 32-Bit-Version für Windows 95 auf die dortige Winsock auf und benötigt somit keine eigene mehr.

So geht's mit den einzelnen Diensten

Damit wissen Sie grundlegend Bescheid, worauf Sie bei Ihrer Zugangseinrichtung achten müssen. Im folgenden habe ich Ihnen noch zu jedem der verschiedenen Dienste einige spezielle Hinweise zusammengestellt, damit dessen Installation auf Ihrem Rechner in friedlicher Koexistenz mit den anderen Online-Programmen läuft.

T-Online: Am besten über das DFÜ-Netzwerk

Für den Internet-Zugriff über Ihren T-Online-Zugang sollten Sie sich eine passende Verbindung im DFÜ-Netzwerk anlegen. Wie das geht, habe ich ab Seite 118 beschrieben. Auf diese Weise benötigen Sie keine eigene *Winsock.dll,* und es gibt keinerlei Reibungspunkte mit anderen Verbindungen.

Wählen Sie sich dagegen mit dem Decoder in T-Online ein und wollen dann ins Internet wechseln, muß T-Online eine eigene *Winsock.dll* installieren. Hierzu tauscht es die Windows-eigene Installation durch die T-Online-spezifische aus. Nach Beendigung von T-Online wird dieser Tausch wieder rückgängig gemacht. Während die T-Online-eigene *Winsock.dll* installiert ist, können Sie mit keinem anderen Dienst im Internet surfen – auch nicht über das DFÜ-Netzwerk.

Tip: Was tun, wenn T-Online seine Winsock.dll nicht entfernen kann?

Manchmal schafft T-Online es einfach nicht, seine eigene *Winsock.dll* nach dem Gebrauch wieder vom System zu entfernen und die vorherige *Winsock.dll* zu restaurieren. Es meldet Ihnen dieses Problem beim Beenden des Decoders und läßt Sie im Regen stehen. Was tun? Solange die T-Online-Winsock installiert ist, laufen keine anderen Internet-Verbindungen! Hier hilft zumeist folgender Kniff: Beenden Sie Windows und starten Sie es neu. Rufen Sie dann den T-Online-Decoder auf und beenden Sie ihn auch gleich wieder. Jetzt sollte die T-Online-eigene *Winsock.dll* entfernt worden sein, und Ihre anderen Internet-Verbindungen funktionieren wieder.

CompuServe: Alles klar – bis auf den ISDN-Treiber

Wie oben auf Seite 123 beschrieben, vermag sich die aktuelle Version der CompuServe-Zugangssoftware mit Hilfe des DFÜ-Netzwerks von Windows 95 in den Dienst einzuwählen. Nutzen Sie diese Möglichkeit, denn Sie bringt Ihnen einen großen Vorteil: Da hier auf die Systemhilfsmittler von Windows 95 zurückgegriffen wird, sind keine zusätzlichen Programme mehr nötig, und auch der Internet-Zugriff funktioniert automatisch über die Windows-eigene *Winsock.dll.* Daher treten keinerlei Kontaktpunkte zu anderen installierten Verbindungen auf. Haben Sie noch eine alte Version in Betrieb, die eine eigene Einwahl verwendet, sollten Sie daher schleunigst auf die aktuelle Version umsteigen.

Problematischer wird es, wenn Sie den CompuServe-Dienst mit ISDN nutzen wollen. Normalerweise installiert CompuServe hierbei eine eigene Fassung des Fossil-Treibers cFos. Dies ist für sich selbst erst einmal kein Problem, wird aber zur Falle, wenn auch ein anderer Online-Dienst (wie AOL) eine eigene cFos-Variante installieren will. Dann „beißen" sich beide Installationen, und das System läuft instabil oder sogar überhaupt nicht mehr. **Die Lösung**: Lassen Sie die CompuServe-Verbindung über das DFÜ-Netzwerk herstellen und installieren Sie anstelle des cFos einen speziell angepaßten Treiber für Ihre ISDN-Karte (z. B. bei AVM Fritz! den CAPI-Port oder bei Teles den VCom-Treiber). Die DFÜ-Verbindung kann dann problemlos auch ohne cFos über die ISDN-Karte hergestellt werden.

Tip: So werden Sie den cFos von CompuServe wieder los

Wurde der CompuServe-eigene cFos schon installiert, entfernen Sie ihn wieder von Ihrem System: In seinem Verzeichnis finden Sie dazu die Datei *Deinst.exe*, die Ihr System von der kompletten cFos-Einrichtung befreit.

AOL: Für Windows 95 endlich ohne Probleme

Die ältere, zu Windows 3.1 kompatible Version der AOL-Zugangssoftware kann mit Recht als das Problemkind unter den Internet-Zugangsvarianten bezeichnet werden: Sie vermag keine Verbindung über das DFÜ-Netzwerk herzustellen, sondern braucht eine eigene *Winsock.dll*, um andere Internet-Programme über die AOL-Einwahl laufen zu lassen. Gerade der letztgenannte Punkt ist eine typische Fußangel: Wird nämlich die Windows 95-interne *Winsock.dll* durch die AOL-Version ersetzt, laufen die Internet-Programme nur noch über die AOL-Einwahl und über keine andere Verbindung (z.B: das DFÜ-Netzwerk).

Daher sollten Sie für Windows 95 darauf achten, die neuen AOL-Version zu erhalten, die speziell für Windows 95 angepaßt wurde. Damit hat sich nämlich diese Problematik in Wohlgefallen aufgelöst, und AOL setzt auf die Windows-eigene 32-Bit-Winsock auf.

Tip: Achten Sie darauf, daß Sie die 32-Bit-Version von AOL haben!

Dummerweise hat AOL seiner neuen Fassung keine neue Versionsnummer gegeben. Sie heißt weiterhin AOL 3.0i. Sie merken es aber bei der Installation: Das AOL-Setup fragt Sie, ob Sie die an Windows 95 angepaßte Variante installieren möchten. Nur diese benötigt keine eigene Winsock! Installieren Sie die 16-Bit-Version (eigentlich für Windows 3.1 gedacht), läuft diese zwar auch unter Windows 95, ermöglicht aber den Betrieb externer Internet-Programme nur über eine zusätzliche *Winsock.dll*. Und dann gibt es die gleichen Probleme wie vorher. Also: Unter Windows 95 unbedingt auch die 32-Bit-Version der AOL-Software installieren!

Die AOL-Software führt die Einwahl in den Dienst selbst durch. Leider kann das Programm dabei nur mit Modems umgehen und braucht zur Einwahl per ISDN daher Hilfe von einem sogenannten Fossil-Treiber: Dieser ermöglicht die Ansteuerung der ISDN-Karte als ein „simuliertes Modem“. Auf der AOL-CD ist er unter dem Namen AOLISDN zu finden, dahinter verbirgt sich jedoch eine an AOL angepaßte Version des bekannten cFos.

Und das ist ein Problem: Gibt es auf Ihrem Rechner nämlich schon eine andere Installation des cFos (z. B. von CompuServe), bekommen sich diese beiden in die Haare – und die berühmte Laufstabilität Ihres Systems können Sie vergessen. Leider läuft AOL nicht ohne diesen Zusatz. Die einzige Lösung: Deinstallieren Sie den anderen cFos und installieren Sie nur AOLISDN. Für CompuServe und andere DFÜ-Netzwerk-Verbindungen können Sie einen dafür angepaßten Treiber Ihrer ISDN-Karte verwenden (dies ist bei AVM der CAPI-Port bzw. bei Teles der VCom-Treiber).

MSN: Alles in Ordnung unter Windows 95

Überhaupt kein Problem stellt der Zugang über das Microsoft Network dar. Er wird komplett über die Bordmittel von Windows 95 abgewickelt.

Es ist keinerlei Zusatzinstallation nötig – das DFÜ-Netzwerk reicht. Deshalb wird davon auch keine andere Verbindungseinrichtung beeinträchtigt.

4. Per Mausklick um die ganze Welt – Willkommen im World Wide Web!

Das „World Wide Web" – einer der schillerndsten, aktuellsten und spannendsten Bereiche des Internet – ist ein weltumspannender, multimedialer Kiosk.

Nichts, was es da nicht in irgendeiner Weise zu finden gäbe:

- Neueste Informationen aus aller Welt
- Unterstützung zu den Produkten verschiedener Computerfirmen
- Aktuelle Artikel aus Zeitungen und Zeitschriften
- Diverse Einkaufsangebote
- Internationale Spielcasinos
- Patente Hilfen zu Windows 95
- Die Dusch-Szene aus Psycho
- Videos mit Al Bundy
- Alles für, um, mit und von Star-Trek-Fans
- Das Fernsehprogramm der kommenden Woche
- und und und ...

Wenn Sie unsere Tour am Anfang dieses Buchs mitgemacht haben (was ich Ihnen nur wärmstens empfehlen kann), dann haben Sie diesen faszinierenden Internet-Service schon kennengelernt.

Verweis: Falls nicht, sollten Sie das Aufschlagen der Seite 13 vor der Lektüre dieses Kapitels doch noch in Betracht ziehen, da Sie dort „by the way" einen wichtigen Grundkurs in Nutzung und Begrifflichkeiten des World Wide Web erhalten.

4.1 Was steckt wirklich hinter WWW?

Beim „World Wide Web" (sprich „Wörld Weid Web") ist der Name Programm: Es handelt sich tatsächlich um ein weltweites Geflecht aus unzählbar vielen einzelnen Informationen, die sich zu einem großen, weltumspannenden Ganzen vereinen. Das WWW (oder noch kürzer W3 genannt) ist ein sogenanntes „Hypermedia"-System. Das bedeutet, daß es aus einzelnen multimedialen Dokumenten (also mit Bild und Ton angereicherten Textseiten) besteht, die untereinander mit „Hypertext" verknüpft sind.

Hypermedia – Die Zukunft des Informationszeitalters

Hinter diesem neuerlichen Computerfachbegriff „Hypertext" verbirgt sich etwas ebenso Einfaches wie Geniales – und wenn Sie schon einmal mit der *Hilfe*-Funktion Ihres Windows-Schreibtischs gearbeitet haben, dann kennen Sie es sogar schon. Ein „Hypertext" ist zunächst einmal ein ganz normales Textdokument wie jedes andere auch. Es widmet sich einem bestimmten Sachverhalt, und während Sie es lesen, begegnen Sie hier und da auch Verweisen auf andere Dokumente – schließlich kann ein Dokument nicht alle interessanten Fakten zugleich abhandeln; genauso wie Sie auch in diesem Buch hin und wieder auf den Verweis „Genaueres dazu lesen Sie bitte auf Seite soundso nach" stoßen.

Abb. 113: Ein typischer WWW-Schnappschuß

Das allein wäre noch nichts weltbewegendes, würde dieser Verweis nur in Textform vorliegen. Im „Hypertext" ist dies dagegen ein intelligenter Verweis, der das aktuelle Dokument direkt mit dem anderen, auf das verwiesen wird, verknüpft.

Wenn Sie den Verweis aktivieren, landen Sie sofort in dem entsprechenden anderen Dokument. Von dort können Sie wieder andere Dokumente anspringen und immer weiter von einem Thema zu einem interessanten anderen weitergehen und mal eben so durch das Wissen dieser Welt schlendern.

Überall die Finger drin haben

Sie können sich das so vorstellen, als hätten Sie bei der Lektüre eines Buchs jeweils einen Finger an die Stelle gelegt, auf die der Autor verweist. Wenn Sie dann dort weiterlesen möchten, blättern Sie einfach zu Ihrem Finger um. Während Ihnen auf diese Weise allerdings recht bald die Finger ausgehen, ist die Anzahl solcher Verknüpfungen in einem Hypertext-Dokument nicht auf zehn beschränkt.

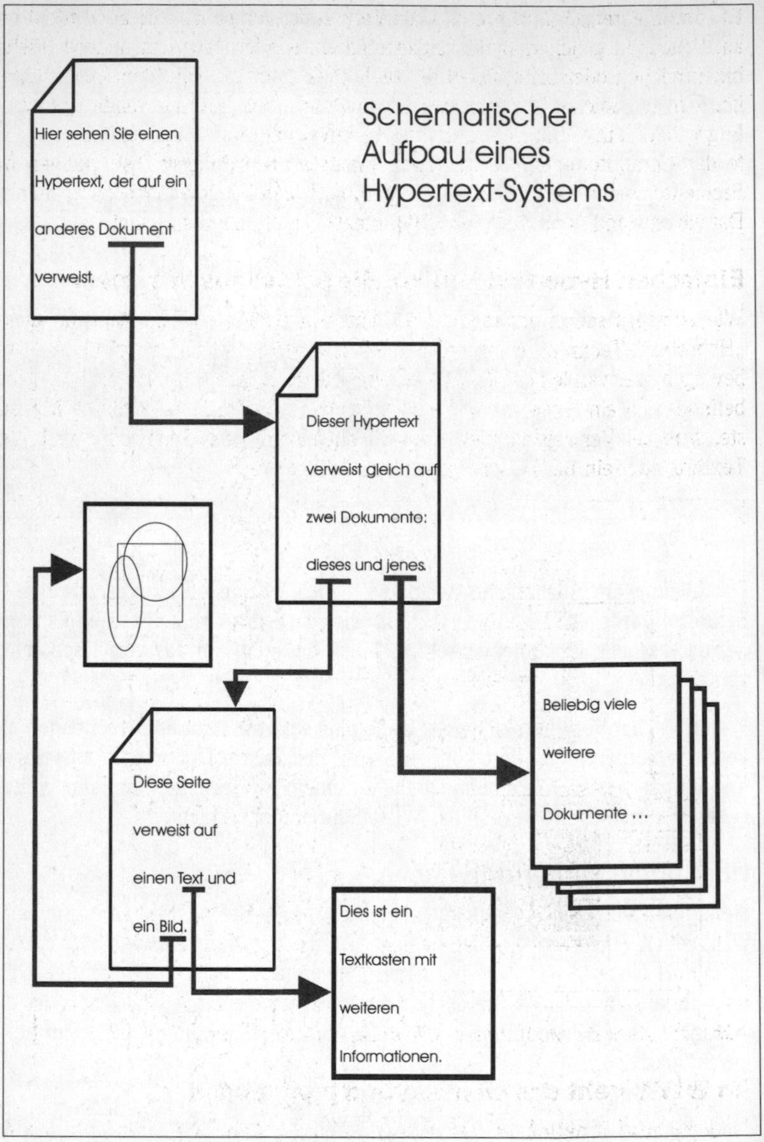

Abb. 114: Hypertext – verschiedene Informationen sind miteinander verwoben

Es kann theoretisch unbegrenzt viele Verknüpfungen geben, die auch nicht nur auf Seiten im gleichen Buch zeigen müssen, sondern auch in andere Bücher hineinreichen oder Sie sogar in die Bibliothek einer ganz anderen Stadt führen können. Ein solcher Verweis, der Dokumente miteinander verbindet, heißt im Englischen „Link“ (für „Verknüpfung“) – und weil diese „Querlektüre“ mit Hilfe der Computertechnik etwas ganz Famoses und Modernes ist, nennen die Fachleute solche Verbindungen „Hyperlinks“ (das klingt einfach nach mehr!). Daraus entstand dann das Wort „Hypertext“ – mehr ist nicht dabei.

Einfachen Hypertext kennen Sie schon aus Windows

Wie eingangs schon angedeutet, bedient sich auch die Windows-Hilfe dieser „Hypertext“-Technik: Wenn Sie den Mauszeiger auf ein unterstrichenes Wort bewegen, verwandelt dieser sich in eine Hand. Damit wird signalisiert: „Hier befindet sich ein Hypertext-Verweis!“. Drücken Sie dann auf die linke Maustaste, wird der Verweis aktiviert, und die zugehörige neue Seite (oder auch eine Textbox oder ein Bild) erscheint auf dem Bildschirm.

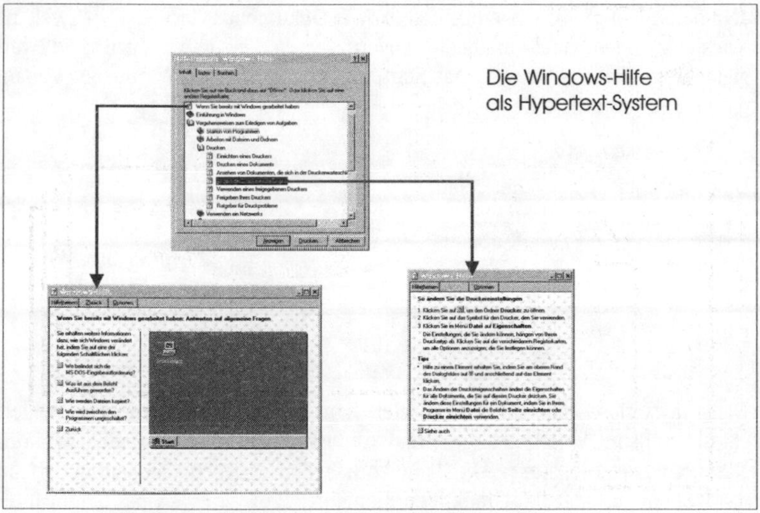

Abb. 115: Auch die MS-Windows-Hilfe ist ein Hypertext-System

Im WWW geht das weltweit und multimedial

Und genauso funktioniert das auch im World Wide Web, nur daß sich die scheinbar benachbarten Dokumente durchaus auf der anderen Seite der Welt befinden können! Dabei müssen es nicht immer nur einfache Seiten sein, auf die verwiesen wird. Genausogut können Sie sich per Knopfdruck auch Bilder,

Musikstücke, Filme und sogar ganze Software-Pakete auf Ihren Rechner laden – Multimedia, wie man es sich wünscht. Aus der Mischung dieses Hypertext-Verfahrens mit den Multimedia-Elementen ergibt sich das Kunstwort „Hypermedia" – und ebenso das World Wide Web.

4.2 So surfen Sie im WWW

Nachdem Sie in unserer kleinen Einführungstour ab Seite 13 schon erstmals die Luft des großen, weiten WWW geschnuppert haben, geht es nun darum, wie Sie sich systematisch in diesem gigantischen Informationspool bewegen und das Optimum aus Ihrer Browser-Software herausholen.

Jede WWW-Seite läßt sich direkt erreichen

Damit dieser Browser Ihnen beim „Brausen" durch das World Wide Web genau die Seiten aus dem kreuz- und quer-verknüpften Informationsdickicht herausangeln kann, die Sie momentan sehen möchten, bedient er sich einer speziellen „Namensgebung" für die einzelnen WWW-Dokumente. Diese ist weltweit für jedes Dokument und unabhängig von der verwendeten Zugriffs-Software gleichartig. Die zur Auswahl des Startpunktes unserer WWW-Tour am Anfang dieses Buchs genutzte Zeichenfolge

http://www.spiegel.de/

ist zum Beispiel ein solcher „Name".

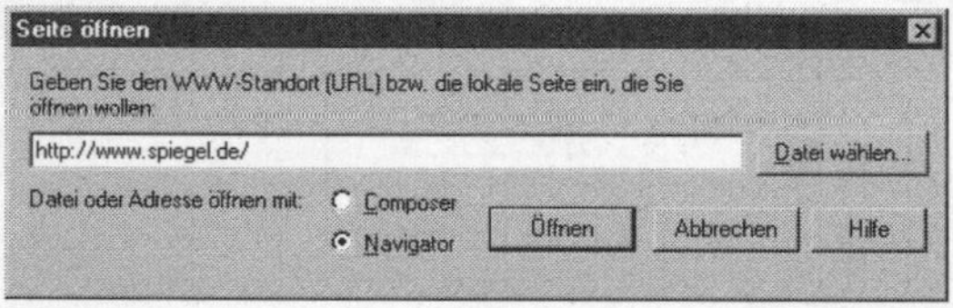

Abb. 116: Zugriff auf eine WWW-Seite über ihren „Namen"

Diese mysteriöse Zeile mit ihren vielen Punkten, Schrägstrichen (von Insidern „Slash" genannt, sprich „Släsch") und kryptischen Wortkürzeln heißt „**U**niform **R**esource **L**ocator", kurz „URL". Er enthält den genauen Quellenhinweis auf das Dokument (oder die Grafik, den Klang, das Programm ...), das Sie im Internet nutzen möchten.

Auf der Suche nach der gewünschten Seite

Wenn Sie beispielsweise einem Freund mitteilen wollen, „Schau Dir mal die Filmseiten an der Uni Mannheim an, da findest Du nicht nur diverse Hintergrundinfos, sondern kannst sogar Ausschnitte aus bekannten Kinohits und Fernsehserien in Deinen Rechner laden!", dann ist das zwar ein guter Tip, aber noch nicht aussagekräftig genug. So betreibt die Mannheimer Universität mehrere WWW-Services und diese haben wieder viele verschiedene Einzelseiten. Wo genau liegt diese famose Filmseite denn nun?

Das WWW funktioniert wie eine Bibliothek

Ein typisches Rechercheproblem. Hier tritt nun der URL auf den Plan: Genauso, wie jedem Buch eine eindeutige Nummer (die ISBN-Nummer) zugeordnet wird, damit dies ohne langes Suchen oder eventuelle Verwechslungen sofort verfügbar ist, sind die WWW-Seiten anhand Ihres URL eindeutig benannt.

Natürlich kann der Buchhändler auch nach Verlag, Autor oder Titel suchen und genauso können Sie auch das WWW nach Anbieter- und Verfassernamen, Dokumententitel und sogar Teilen des Inhalts durchstöbern, aber das dauert eben seine Zeit, ist zudem nicht immer erfolgreich und bringt oft einen riesigen Wust an Resultaten zutage, die dann ausgewertet werden müßten.

Da ist es doch weitaus praktischer, die ISBN (bzw. den URL) zu kennen und dadurch das eine, ganz spezielle gewünschte Buch (oder WWW-Dokument) direkt und allein (ohne Riesenliste ähnlicher Werke) zu erhalten.

Verweis: Übrigens, falls Sie doch mal im WWW nach gewünschten Dokumenten fahnden müssen, erfahren Sie ab Seite 169 ganz genau, wie so eine Recherche vor sich geht.

Damit nun jeder Buchhändler auf diesem Planeten bei Nennung einer speziellen ISBN auch wirklich das gewünschte Buch besorgen kann, muß jede ISBN-Nummer weltweit genau einem einzigen Buch zugeordnet sein. Genauso muß jede Internet-Software bei Eingabe eines speziellen URL unabhängig von Zeit und Ort auf diesem Globus immer dasselbe Dokument zurückliefern.

Das sagt der URL

Um hierfür nicht auf jedem Rechner eine Liste aller irgendwo verfügbaren WWW-Seiten führen zu müssen (die schnell enorme Ausmaße annehmen würde), haben die Erfinder des Verfahrens den URL als eine Art „Wegbeschreibung" („Locator") zu den jeweils gewünschten Daten (der „Ressource") angelegt – und zwar so, daß dieser überall auf der Welt gleich aussieht (eben „uniform") und derart von jeder WWW-Zugriffs-Software verstanden und genutzt werden kann.

Hierzu ist diese viergeteilt:

Abb. 117: Der Aufbau des URL

Anhand dieser Zeile läßt sich der Aufenthaltsort Ihrer Wunschdaten also weltweit eindeutig beschreiben. Und mehr noch: Ihre Internet-Software bekommt damit zugleich noch mitgeteilt, auf welche Weise Sie auf diese Daten zugreifen möchten.

Was soll denn http:// bedeuten?

http:// steht für „Hypertext Transfer Protokoll", welches für die Übertragung von Hypertext-Dokumenten (also das WWW, das Sie schon direkt zu Beginn dieses Buchs bereist haben) zuständig ist. Es gibt auch noch andere Zugriffsmöglichkeiten, so steht zum Beispiel *ftp://* für „File Transfer Protokoll" (also die Übertragung von Dateien, wie ab Seite 233 beschrieben). Mit *news:* gelangen Sie in die sogenannten „Newsgroups", eine Reihe öffentlicher Diskussionsforen (wie Sie dort mitdiskutieren können, erfahren Sie ab Seite 265), und *file://* zeigt schlicht und ergreifend eine Datei auf Ihrem lokalen System an.

Tip: Http:// muß nicht sein

Der Communicator denkt mit – und macht Ihnen die Eingabe von WWW-Adressen leicht. Schließlich wurde der Navigator für den Zugriff auf das WWW entwickelt – also erwartet er grundsätzlich auch die Eingabe von WWW-Adressen. Tippen Sie also eine beliebige Adresse ohne Angabe des Protokolls ein, so geht der Navigator einfach davon aus, daß es sich um eine Web-Seite handelt – und „denkt" sich das *http://* davor. Die Eingabe von *www.databecker.de* ist also genauso gut wie *http://www.databecker.de/* – nur läßt es sich viel schneller eintippen.

In 7 Schritten zum Ziel – der WWW-Zugriff

Wenn Sie den URL *http://cipserv.ikm.uni-mannheim.de/mmm/filme.html* in Netscape eingeben, geht dieses wie folgt vor:

① Als Verfahren kommt HTTP zum Einsatz; die gewünschten Daten liegen also in Form eines WWW-Dokuments vor.

② Um dieses Dokument zu erhalten, müssen Sie nach Deutschland (falls Sie noch nicht dort sind).
③ Und zwar an die Universität Mannheim.
④ Dort geht es weiter an das IKM, das ist das „Institut für Kommunikations- und Medienforschung".
⑤ In diesem Institut steht ein Rechner namens „Cipserv", der das Dokument bereitstellt.
⑥ Auf diesem Rechner liegt es im Verzeichnis *mmm* (für „Multi-Media-Mix").
⑦ Und es heißt *filme.html*.

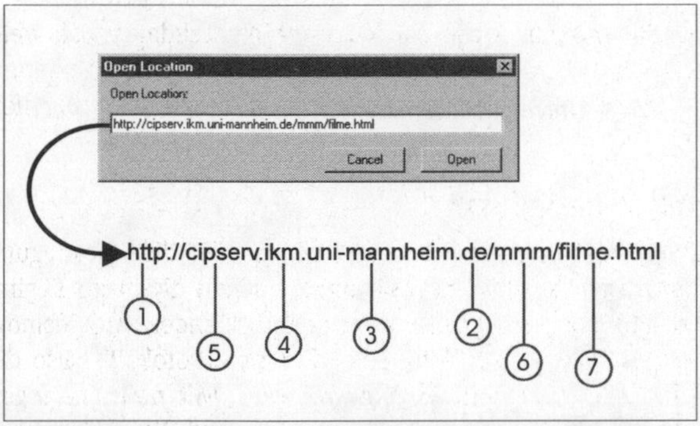

Abb. 118: In dieser Reihenfolge analysiert Netscape Ihren URL

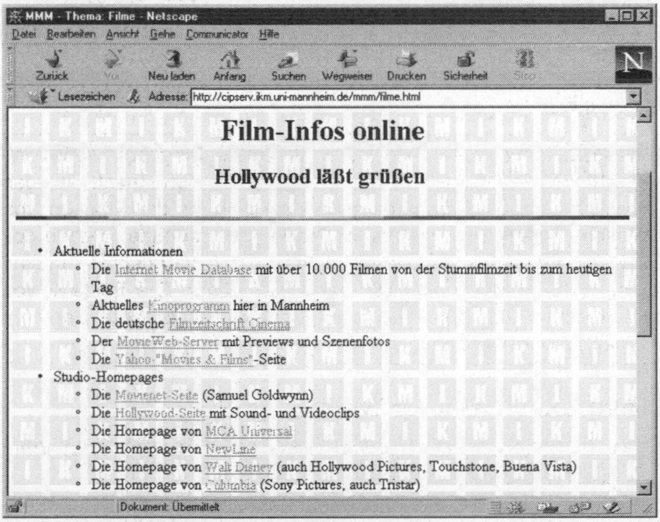

Abb. 119: Endlich! Das Dokument ist da

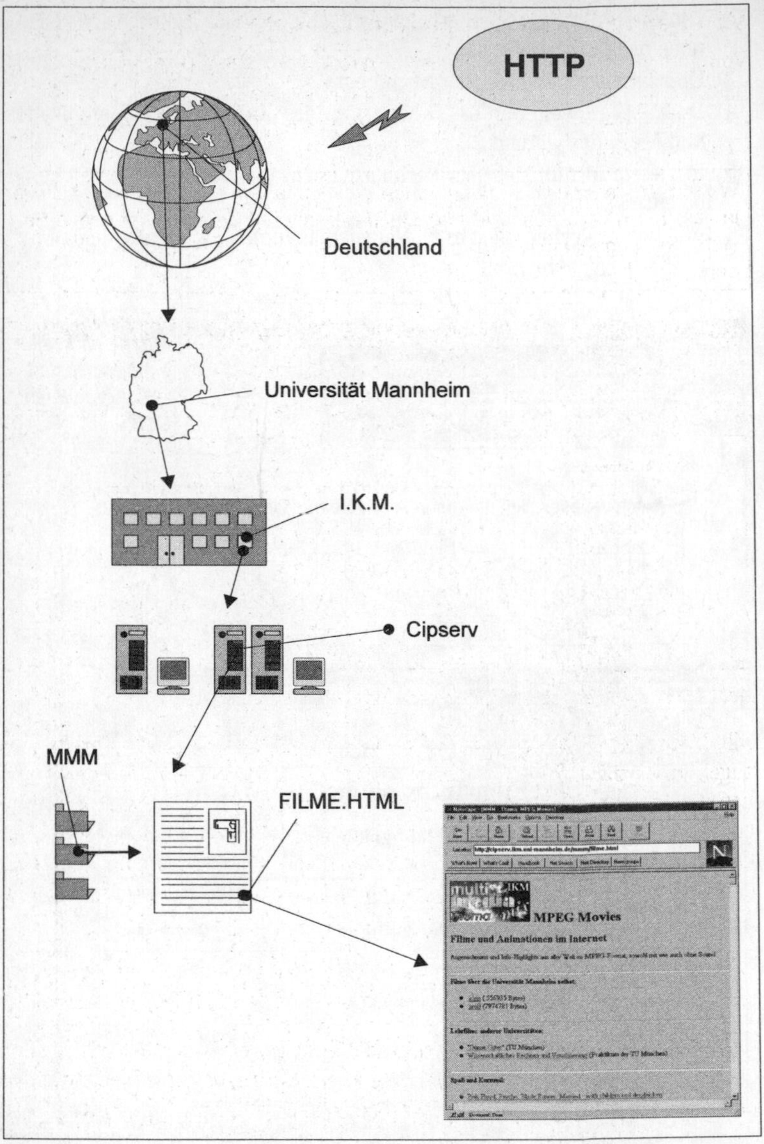

Abb. 120: So gelangt die WWW-Seite auf Ihren Bildschirm

Von Seite zu Seite durchs Netz hangeln

Von dort gehen nun wieder diverse Verweise ab. Jeder dieser Verweise enthält einen weiteren URL, die seinen Zielort eindeutig angibt.

> **Tip:** Wissen, wohin die Reise geht
>
> Wenn Sie den Mauszeiger über einen Verweis fahren (so daß sich der Zeiger in eine Hand verwandelt), sehen Sie in der unteren Zeile des Netscape-Fensters den zugehörigen URL. So wissen Sie schon vorher, wohin die Reise geht.

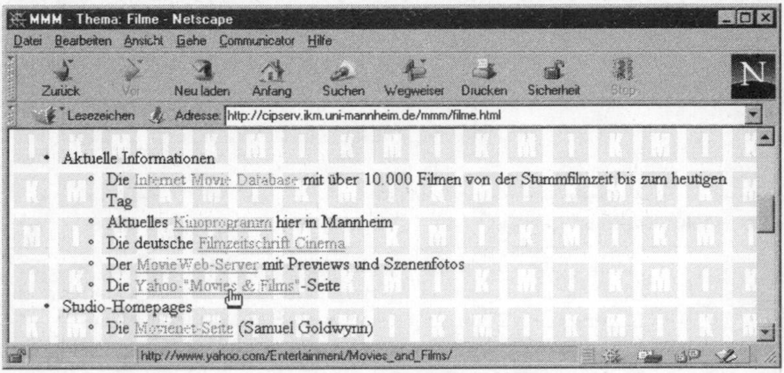

Abb. 121: Jeder Verweis enthält den genauen URL der Zielseite

Mit Mausklick auf einen solchen Verweis veranlassen Sie Ihren Browser, die zugehörige Seite auf Ihren Rechner zu laden und anzuzeigen. Von dieser können wieder weitere Verweise auf andere Seiten abgehen, von diesen wiederum auf weitere und immer so fort – das World Wide Web ist ein dicht verwobenes Geflecht der verschiedensten Seiten, weltumspannend (denn ein Verweis aus den USA kann durchaus auch auf Seiten in Australien zeigen, dortige Verweise nach Afrika und dergleichen mehr).

Die Einzeldokumente, aus denen die WWW-Dienste bestehen, sind durch dieses Verweissystem miteinander zu „dem“ großen World Wide Web verknüpft.

Hinweis: Aus diesem Grund heißen die Verweise im Internet-Fachchinesisch auch „Links“. Damit ist nicht etwa eine Richtungsangabe gemeint, sondern das englische Wort „to link“, auf deutsch „verknüpfen“.

Wenn es Ihnen mal zu lange dauert – die Stop-Schaltfläche

Auf Ihren Reisen durch das World Wide Web kommt es sicherlich das eine oder andere Mal vor, daß eine Verbindung „hängt" oder „in die Knie" geht.

Sei es durch Leitungsstörungen hervorgerufen oder durch plötzlichen Anstieg der Zugriffe auf diesen speziellen WWW-Dienst; die Verbindung wird quälend langsam oder bleibt sogar stecken.

Netscape versucht trotzdem immer weiter, Ihren Auftrag auszuführen und die gewünschte WWW-Seite auf Ihren Rechner zu laden. Selbst wenn nur noch minimale Datenblöcke übertragen werden können, schaufelt es beständig Stück für Stück die zur Seite gehörenden Informationen über die Leitung.

In einem solchen Fall lohnt es sich nicht, „ewig" auf das Eintreffen der Seite zu warten. Drücken Sie auf die *Stop*-Schaltfläche, damit Netscape die aussichtlosen Versuche zum Einladen der Seite abbricht.

Tip: Auch halbfertige WWW-Übertragungen lassen sich nutzen

Nach Druck auf die *Stop*-Schaltfläche bricht Netscape zwar die Übertragungsversuche ab, zeigt Ihnen aber dennoch die bislang übertragenen Teile der Seite an, so daß Sie das Dokument zumindest bereichsweise schon lesen können. Zu einem späteren Zeitpunkt können Sie Netscape die Übertragung durch Druck auf die *Neu laden*-Schaltfläche jederzeit nocheinmal versuchen lassen.

Hinweis: Während der Übertragung von Daten gerät das Netscape-Logo in Bewegung. Zudem informiert die Software Sie in der unteren Fensterzeile über den aktuellen Stand der Dinge und ein kleiner Balken, der von links nach rechts durchläuft, stellt Ihnen den derzeitigen Fortschritt der Übertragung dar – während eine Seite geladen wird, den des Aufbaus dieser Seite auf Ihrem System, beim Einladen von Dateien (zum Beispiel externe Grafiken eines WWW-Dokuments, aber auch separat angeforderte Programmdateien und dergleichen mehr) die Anzahl der schon übertragenen KBytes im Verhältnis zur Gesamtgröße dieser Datei.

Vor und zurück im WWW – blättern und weitere Funktionen der Symbolleiste

Während Sie sich durch Aktivieren der einzelnen Verweise kreuz und quer durch das Informationsdickicht des World Wide Web klicken, können Sie jederzeit durch Druck auf die *Zurück*-Schaltfläche (oben links unter der Menüzeile) zurück zur jeweils vorangegangenen Seite springen. Ein

neuerlicher Druck darauf bringt Sie um noch eine Seite zurück, ein weiterer Druck wieder um eine Seite und so fort – bis Sie wieder am Beginn Ihrer Reise angekommen sind. Dann wird die Schaltfläche hellgrau und läßt sich nicht mehr aktivieren – es geht eben nicht noch weiter zurück.

Tip: Lassen Sie sich eine Liste der bereits besuchten Seiten zeigen

Klicken Sie auf die *Zurück*-Schaltfläche und halten die Maustaste längere Zeit gedrückt, klappt darunter eine Liste aller bislang besuchten Seiten aus. Hier können Sie bequem diejenige auswählen, die Sie erneut aufsuchen möchten – ohne dazu mehrfach auf *Zurück* klicken zu müssen.

Abb. 122: Wohin soll die Reise zurückgehen?

Den umgekehrten Weg schlagen Sie mit der daneben liegenden *Vor*-Schaltfläche ein. Diese bringt Sie jeweils eine Seite weiter, also auf die jeweils nach dem aktuell gezeigten Dokument geladene Seite. Erscheint diese Schaltfläche einmal hellgrau und reagiert nicht mehr auf Versuche, sie anzuklicken, gibt es nach der aktuellen Seite keine weitere mehr. Sie befinden sich also wieder an Ihrer letzten Rast im WWW und können von dort aus über die Verweise oder durch Öffnen eines neuen Dokuments anhand seines URL weitermachen.

Hinweis: Wie Sie sicherlich bemerken, geschieht dieses „Springen" durch die einzelnen schon betrachteten Seiten weitaus schneller als das Einladen neuer Seiten. Dies hängt damit zusammen, daß Netscape die Seiten, die es in der aktuellen Sitzung schon gesehen hat, in seinem elektronischen Gedächtnis ablegt. Somit können Sie auch nach Beendigung der eigentlichen Netzverbindung weiter über die *Zurück*- und *Vor*-Schaltflächen durch die schon vorhandenen Seiten spazieren.

Verweis: Mehr über das Netscape-Gedächtnis und dessen optimale Nutzung erfahren Sie auf Seite 188.

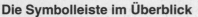

Die Symbolleiste im Überblick

Zwischen diesen Navigationsschaltflächen und der rechts außen liegenden *Stop*-Schaltfläche gibt es noch eine Reihe weiterer Symbolschalter.

Abb. 123: Die Symbolleiste auf einen Blick

Diese bieten Ihnen folgende Funktionen:

Neu laden lädt eine neue, frische Kopie der aktuell angezeigten WWW-Seite auf Ihren Rechner. Diese Funktion ist dann hilfreich, wenn Sie einen Transfer mitten in der Übertragung abgebrochen haben oder aus bestimmten Gründen annehmen, daß Inhalte dieser Seite seit dem letzten Einladen geändert wurden.

Anfang bringt Sie zur Anfangsseite jeder Netscape-Tour – nämlich dorthin, wo Netscape sich zu Hause fühlt (daher das symbolisierte Haus auf der Schaltfläche). Voreingestellt ist hier die Seite der Netscape-Herstellerfirma.

> **Verweis:** Wie Sie dieser Schaltfläche beibringen können, jeweils eine von Ihnen selbst ausgewählte Seite im WWW anzuspringen, ist auf Seite 181 beschrieben.

Suchen ermöglicht es Ihnen, das gesamte WWW nach frei zu definierenden Zeichenfolgen, Worten oder Sätzen durchsuchen zu lassen. Mehr dazu erfahren Sie auf Seite 169.

Wegweiser klappt eine Liste mit Rubriken aus, über die Sie die zugehörigen, von Netscape vorausgewählten WWW-Themenseiten anspringen können.

Drucken bringt die aktuell angezeigte WWW-Seite über einen Drukker zu Papier. Zuvor fragt Netscape Sie in einem separaten Dialogfenster nach den gewünschten Druck-Einstellungen.

Sicherheit zeigt Ihnen Informationen über die Sicherheit der aktuell dargestellten WWW-Inhalte (z. B. durch eventuelle Verschlüsselung) an.

4.3 Wegweiser durch den Informationsdschungel – So orientieren Sie sich im Cyberspace

Das World Wide Web ist riesig. Es umspannt die gesamte Welt und bietet Ihnen so eine Informationsfülle unschätzbarer Ausmaße. Sich hier zurechtzufinden und sicheren Trittes durch den verschlungenen Dschungel der unzähligen Seiten und Dokumente zu den jeweils gewünschten Informationen und Dienstleistungen zu gelangen, erscheint auf den ersten Blick mehr als schwierig. Aber keine Bange, so schwer ist das nicht! Dieses Kapitel bietet Ihnen eine reihe patenter Kniffe, Hinweise und Tricks, mit denen Sie sich auch als Neuling schon so versiert durch das Netz bewegen, als wären Sie ein ausgefuchster Insider, der alle Plätze im Datennetz wie seine Westentasche kennt. Zudem erfahren Sie, wie Sie noch schneller vorankommen und somit Zeit und Telefongebühren sparen.

Lesezeichen im World Wide Web

Eingangs habe ich das World Wide Web mit einem riesigen Buch verglichen. Zugegeben: Ein Buch, das täglich größer wird, das sich um die verschiedensten Themen kümmert, und dessen Seiten rund um die Welt verstreut liegen und nicht in einer Reihe durchnumeriert, sondern kreuz und quer miteinander verknüpft sind. Aber eines geht beim WWW genauso wie bei jedem guten alten Buch: Sie können sich das Aufschlagen Ihrer Lieblingsseiten durch Einlegen von Lesezeichen erleichtern. Beim WWW geht das sogar noch ein bißchen leichter, denn Netscape verwaltet eine Liste aller vorhandenen Lesezeichen für Sie – samt Beschriftung – in seinem gleichnamigen Menü (neben der Adreßzeile).

Lesezeichen für eine Seite hinzufügen

① Laden Sie die WWW-Seite, auf die Sie ein neues Lesezeichen legen möchten, in Netscape ein.

② Öffnen Sie das Menü *Lesezeichen* und wählen Sie die Funktion *Lesezeichen hinzufügen*.

Netscape hängt nun ein Lesezeichen für die aktuelle Seite an das *Lesezeichen*-Menü an und beschriftet den zugehörigen Eintrag mit dem Titel dieser Seite. Um bestimmte Seiten anhand ihrer Lesezeichen wieder aufzuschlagen, brauchen Sie dann lediglich noch das *Lesezeichen*-Menü zu öffnen und das entsprechende Lesezeichen anzuklicken.

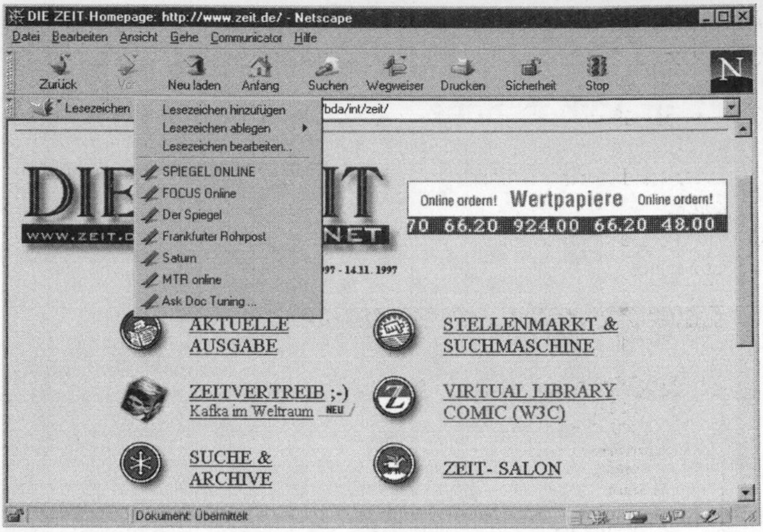

Abb. 124: Das Bookmarks-Menü mit einer Reihe von Lesezeichen

Tip: Lesezeichenliste als WWW-Dokument einladen

Sie können die Liste Ihrer Lesezeichen auch als WWW-Dokument in Netscape einladen. Die einzelnen mit einem Lesezeichen versehenen Seiten erscheinen dann in Form der altbekannten Verweise. Sie finden diese Datei unter dem Namen *bookmark.htm* im *Netscape*-Unterverzeichnis *User\Name*. Wie Sie diese einladen, erfahren Sie etwas weiter unten auf Seite 191. Zudem können Sie Netscape veranlassen, dieses Lesezeichen-Dokument immer bei Programmstart auf den Bildschirm zu bringen. Sie müssen es dazu als *Anfangsseite* definieren. Wie das geht, steht auf Seite 181.

Verwalten aller Lesezeichen

Netscape hängt alle Lesezeichen in der Reihenfolge ihrer Anlage untereinander in das *Lesezeichen*-Menü. Dadurch ergibt sich eine Reihe von Problemen:

- Die Lesezeichen sind nicht nach thematischen Gesichtspunkten geordnet.
- Wenn ein Lesezeichen nicht mehr gebraucht wird, steht es immer noch in der Liste.
- Bei einer größeren Anzahl von Lesezeichen kann das aufgeklappte Menü nicht mehr alle anzeigen.

Zum Glück gibt es eine Lösung für diese Probleme: Sie verbirgt sich hinter dem dritten Punkt des *Lesezeichen*-Menüs, *Lesezeichen bearbeiten.*

Nicht im Menü angezeigte Lesezeichen nutzen

① Öffnen Sie das *Lesezeichen*-Menü und aktivieren Sie die Funktion *Lesezeichen bearbeiten.*

② Netscape öffnet Ihnen nun ein neues Dialogfenster, in dem eine Liste aller vorhandenen Lesezeichen angezeigt wird. Blättern Sie so lange durch diese Liste, bis das zur gewünschten Seite gehörende Lesezeichen ins Blickfeld kommt.

③ Klicken Sie doppelt auf das Lesezeichen, um die zugehörige WWW-Seite einzuladen.

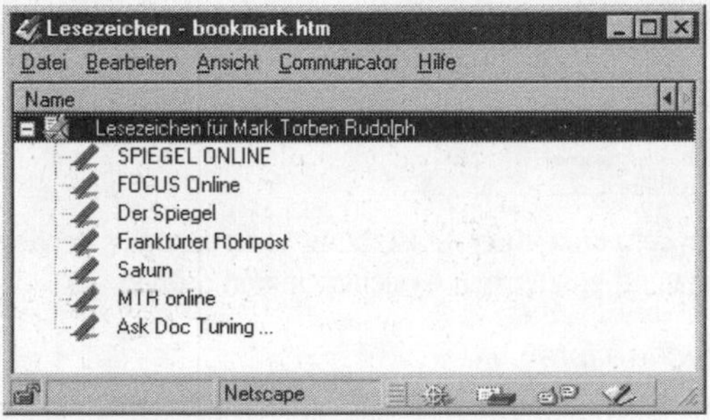

Abb. 125: Das Lesezeichen-Fenster bietet Ihnen eine komfortable Auflistung aller Lesezeichen

Natürlich lassen sich auch die im Menü und im *Lesezeichen*-Fenster angezeigten Lesezeichentitel beliebig nach Ihren Wünschen ändern.

Lesezeichen nachbearbeiten

① Rufen Sie im *Lesezeichen*-Menü wieder die Funktion *Lesezeichen bearbeiten* auf.

② Aktivieren Sie mit der Maus das Lesezeichen in der Liste, dessen Eintrag Sie ändern möchten.

③ Wählen Sie im Menü *Bearbeiten* den Punkt *Lesezeicheneigenschaften* an.

④ Tragen Sie die gewünschten Daten in das neue Dialogfenster ein.

Hinweis: Am unteren Rand des Fensters zeigt Netscape Ihnen an, wann Sie die betreffende Seite zuletzt besucht haben und wann das Lesezeichen in die Bookmarks-Liste aufgenommen wurde.

⑤ Bestätigen Sie die Änderung durch Anklicken von *OK.*

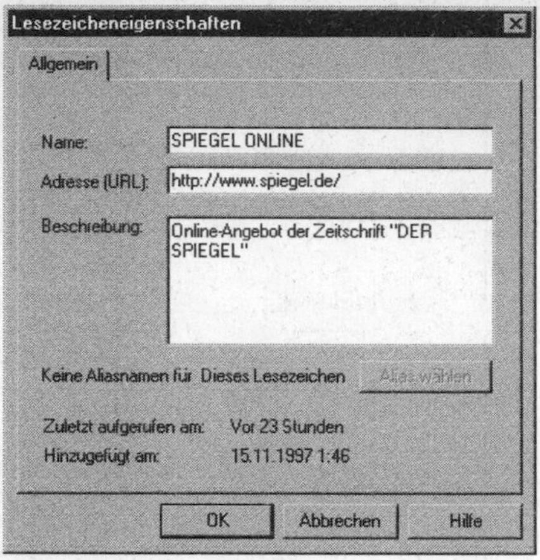

Abb. 126: Die Lesezeichen können beliebig beschriftet werden

Die Liste der nach dem Zeitpunkt ihrer Entstehung untereinander gehängten Lesezeichen sollten Sie nach thematischen Gesichtspunkten ordnen.

Ordnen der Lesezeichenliste

① Holen Sie sich wieder das *Lesezeichen*-Fenster auf den Bildschirm.

② Markieren Sie das Lesezeichen, das Sie an eine andere Position in der Liste verschieben möchten, und halten Sie die linke Maustaste weiter gedrückt.

③ Bewegen Sie die Maus zu der Stelle, an die das Lesezeichen verschoben werden soll. Neben dem Mauszeiger sehen Sie nun ein kleines Kästchen, welches das zu verschiebende Lesezeichen symbolisiert.

④ Lassen Sie die Maustaste wieder los, um das Lesezeichen an der aktuellen Position abzusetzen.

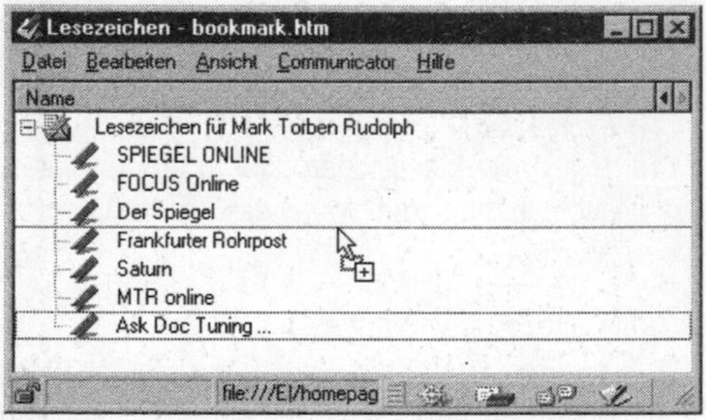

Abb. 127: Verschieben eines Lesezeichens mit der Maus

Daneben verfügt das *Lesezeichen*-Fenster noch über eine Reihe von Möglichkeiten, Ihre Lesezeichenliste übersichtlicher zu gestalten – zum Beispiel durch die thematische Gruppierung mehrerer Lesezeichen in einem Ordner oder das Einfügen von Trennzeichen.

Lesezeichen in Ordnern gruppieren

① Holen Sie sich erneut das *Lesezeichen*-Fenster auf den Bildschirm.
② Wählen Sie im dortigen Menü *Datei* dann den Befehl *Neuer Ordner*.
③ Netscape fragt Sie nun nach dem Namen, den Sie dem neuen Ordner geben möchten, sowie einer kurzen Beschreibung desselben (letztere können Sie auch weglassen).
④ Sobald Sie dort auf *OK* geklickt haben, wird der neue Ordner in die Lesezeichenliste eingetragen.
⑤ In diesen Ordner können Sie dann vorhandene Lesezeichen verschieben oder auch neue darin anlegen.

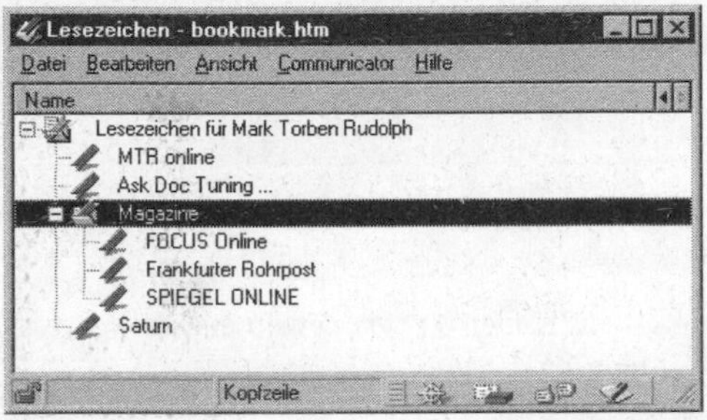

Abb. 128: Der neue Ordner

Im Bookmarks-Menü wird ein solcher Ordner als ausklappbares Untermenü dargestellt.

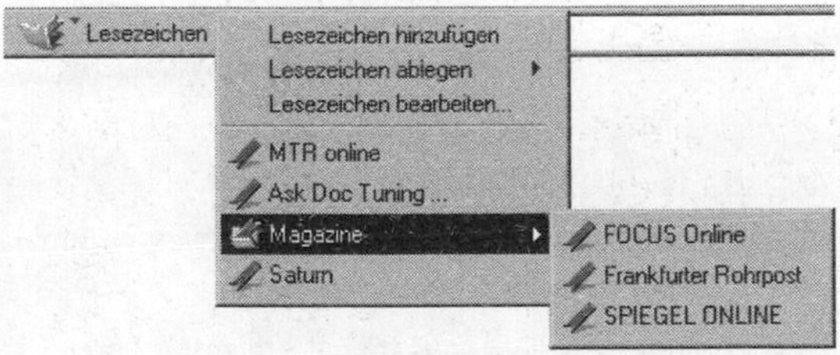

Abb. 129: So erscheint der Ordner im Bookmarks-Menü

Funktionen wie Kopieren, Ausschneiden, Einfügen oder Löschen lassen sich jeweils auf den Ordner ingesamt – mit seinen sämtlichen Einträgen – beziehen, wenn Sie diesen vor dem Aufruf der jeweiligen Funktion markiert haben.

Einfügen einer Trennlinie

① Öffnen Sie wieder das *Lesezeichen*-Fenster.
② Klicken Sie mit der Maus auf das Lesezeichen, nach dem die neue Trennlinie erscheinen soll.
③ Öffnen Sie das Menü *Datei* und wählen Sie die Funktion *Neues Trennzeichen.*

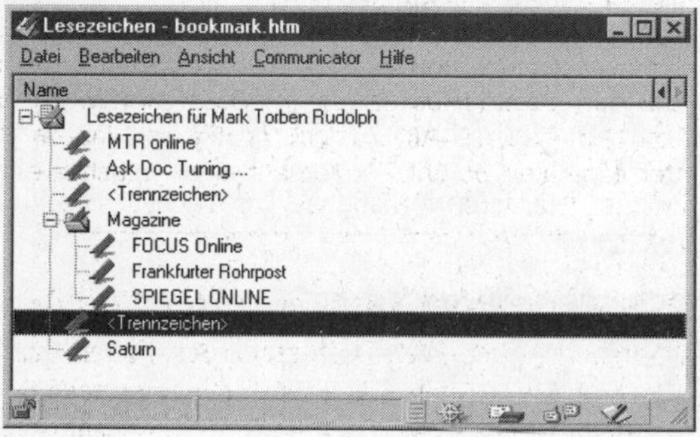

Abb. 130: Die neu eingefügten Trennzeichen

Im Lesezeichen-Fenster werden diese Trenner als Lesezeichen mit der Aufschrift *<Trennzeichen>* dargestellt.

Im *Lesezeichen*-Menü dagegen erscheinen sie wie gewünscht als waagerechte Trennzeilen zur optischen Gliederung.

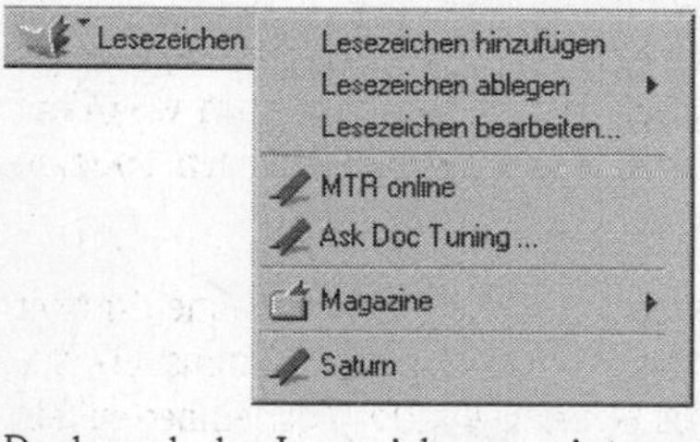

Abb. 131: Durch Trennstriche läßt sich die Lesenzeichenliste sauber strukturieren

Doch auch das Lesezeichen zur interessantesten Seite kann irgendwann einmal überflüssig werden.

Dann sollten Sie es, der Übersichtlichkeit zuliebe, aus Ihrer Liste entfernen.

Entfernen eines Lesezeichens

① Hierzu holen Sie sich nochmals das *Lesezeichen*-Fenster auf den Bildschirm.
② Markieren Sie dann das Lesezeichen, das entfernt werden soll.

③ Öffnen Sie das Menü *Bearbeiten* und aktivieren Sie die Funktion *Löschen*, um es aus der Liste zu entfernen.

Außerdem können Sie Lesezeichen über das *Bearbeiten*-Menü aus der Liste in die Zwischenablage kopieren bzw. dorthin ausschneiden und daraus wieder einfügen.

Tip: Lesezeichen-Aktionen rückgängig machen

Jede im *Lesezeichen*-Fenster durchgeführte Aktion läßt sich wieder rückgängig machen, indem Sie den Befehl *Rückgängig* im *Bearbeiten*-Menü anklicken. Fällt Ihnen dann ein, daß die Aktion doch richtig war, lassen Sie diese über den darunter liegenden Befehl *Wiederherstellen* einfach wiederholen.

„Bahn frei" für noch schnelleres Vorankommen im Netz

Sicherlich ist Ihnen bei Ihren virtuellen Weltreisen schon des öfteren passiert, daß Ihre Verbindungen ins Stolpern gerieten. Die Daten kamen nur noch Bit für Bit über das Netz, der Bildschirmaufbau verlief schleppend – insgesamt fühlten Sie sich in Zeiten zurückversetzt, als Sie noch mit dem Tretroller anstelle des Autos unterwegs waren.

Das kommt immer dann vor, wenn gerade eine größere Anzahl von Personen die gleichen Kommunikationswege benutzt wie Sie. Dieses Problem kann auf Ihrer Seite liegen, wenn Sie beispielsweise von einer Uni aus netsurfen, und gerade jetzt alle Kommilitonen auf die Idee kommen, ebenfalls ans Netz zu gehen. Es kann aber auch auf der anderen Seite zu suchen sein, etwa wenn der von Ihnen angewählte Rechner im Moment von besonders vielen anderen Netsurfern besucht wird.

Genauso wie erhöhtes Verkehrsaufkommen auf normalen Autobahnen immer wieder Störungen im Verkehrsfluß, Verzögerungen und im schlimmsten Falle einen nervtötenden Stau bewirkt, führt das Gedrängel vieler Teilnehmer auf ein und derselben Leitung der weltweiten Datenautobahn zu spürbaren Verlangsamungen und vielleicht sogar zu einem plötzlichen Abriß der Verbindung.

Das muß Ihnen nicht passieren!

Sie können sich sogar diese Drängelei zunutze machen, indem Sie abwarten, bis der große Ansturm vorüber ist und Sie die Datenautobahn wieder fast für sich alleine haben.

Tip: Nicht gerade dann surfen, wenn es schon alle anderen tun!

Es ist nämlich ganz natürlich, daß zu den üblichen Bürostunden sowie am frühen Abend im Internet am meisten los ist, nachts und früh morgens dagegen nur sehr wenig. Wenn Sie sich also die Zeit Ihrer Datenreise frei einteilen können, sollten Sie diese dann unternehmen, wenn eben nicht auch alle anderen die Telefonleitung heiß werden lassen.

Dummerweise spielt uns der Lauf der Sonne da einen Streich: Wenn es hier tief in der Nacht ist, herrscht auf der anderen Seite der Welt regste Geschäftstätigkeit. Rufen Sie dort an, stoßen sie wieder auf das gleiche Problem.

Sie müßten also wissen, wo sich der Rechner befindet, den Sie anwählen möchten. Dann könnten Sie sich den günstigsten Zeitpunkt für Ihren Anruf aussuchen und hätten gute Karten für eine optimale Verbindung.

Und das ist gar nicht schwer: In den meisten Fällen sehen Sie nämlich schon der Internet-Adresse eines Services an, wo der zugehörige Rechner steht – die Endung verrät es.

Die Kennungen der Internet-Rechner

Die gebräuchlichsten Kennungen stammen (wie könnte es anders sein?) aus den USA, der Wiege des Internet.

Da das Netz zunächst gar nicht international geplant war, hat man dort anstelle einer einheitlichen Länderkennung mehrere Kürzel für unterschiedliche Einrichtungen eingeführt:

Kennung	Bedeutung	Sie finden dort
gov	government (Regierung)	Ämter, Behörden und andere staatliche Stellen
edu	education (Bildung)	Schulen, Universitäten und ähnliche Organisationen im Bildungssektor
mil	military (Militär)	Die Systeme des US-Verteidigungsministeriums
com	commerce (Handel)	Firmen und andere kommerzielle Organisationen
net	networks (Netzwerke)	Organisationen für Netzwerke
org	organisations (Organisationen)	Diverse andere Organisationen aller Art

Als das Internet sich dann doch über die Grenzen der Vereinigten Staaten hinweg auszubreiten begann, mußten neue Kennungen her, durch die sich die einzelnen angeschlossenen Systeme gemäß Ihrer Standorte zumindest landesweise einordnen lassen.

Die Länderkennungen wurden eingeführt:

Kennung	Land
at	Österreich
au	Australien
ca	Kanada
ch	Schweiz
de	Deutschland
fr	Frankreich
ie	Irland
it	Italien
jp	Japan
se	Schweden
uk	England

Diese Tabelle gibt natürlich nur eine kleine Auswahl der am häufigsten gesehenen Kennungen wieder. Insgesamt existieren rund 300 verschiedene Landeskennungen, von denen gut die Hälfte schon aktiv im Internet verwendet werden.

Hinweis: Solche Kennungen werden im Internet-Fachenglisch „Domains" genannt.

Verweis: Eine Gesamtliste aller Internet-Länderkennungen finden Sie im Anhang ab Selte 376.

Um nun herauszufinden, wann der optimale Anwählzeitpunkt einer bestimmten Kennung ist, müssen Sie einfach die Zeitzone des zugehörigen Landes berücksichtigen.

Abb. 132: Welche Server sind wann am besten zu erreichen?

Wo ist wann am meisten los?

Für die in den USA und Kanada befindlichen Rechner (mit den Kennungen ca, com, edu, gov, mil, net, org) gilt die Regel: Mitteleuropäische Zeit minus 6 Stunden (Ostküste) bis minus 9 Stunden (Westküste).

Ausnahmen bestätigen die Regel: So gehört beispielsweise Hawaii zwar auch zu den USA, hinkt jedoch um satte 12 Stunden unserer Zeit hinterher, des weiteren gibt es auch hierzulande einige Rechner mit net-, com- oder org-Kennung (beispielsweise den des „Individual Network e. V.", der unter individual.net erreichbar ist).

Australien (Kennung au) und Japan (Kennung jp) sind uns dagegen um gute 8 Stunden voraus, hier heißt es dann MEZ plus 8 Stunden.

Wenn Sie also in Frankfurt beim Frühstück sitzen, schlafen die Kollegen in den USA noch tief und fest – gute Chancen, eine flotte Verbindung dorthin zu erhalten. Oder Sie schauen mal in Japan oder Australien vorbei, wenn Sie sich am Feierabend gemütlich vor den PC setzen – denn dann liegen die meisten dortigen User längst schon auf ihren Matratzen.

Für den schnellen Überblick finden Sie in der Abbildung 132 eine grafische Darstellung der optimalen Zeitpunkte für die oben genannten Kennungen.

Suchen und Finden im World Wide Web

Zu nahezu jedem interessanten Thema hält der riesige Fundus des World Wide Web passende Informationen bereit. Doch wo liegen diese? Hier bieten patente Suchdienste entsprechende Hilfe: Diese durchsuchen für Sie das Geflecht des WWW nach Seiten mit den gewünschten Inhalten und liefern die Adressen Ihrer Funde sauber zusammengestellt auf einer Seite.

Durch einfaches Anklicken der Fundmeldungen erreichen Sie dann die entsprechenden Seiten. Zudem kann Netscape selbst größere WWW-Dokumente für Sie nach bestimmten Inhalten durchforsten.

Ein WWW-Dokument nach Inhalten durchsuchen

Das Durchsuchen der aktuell angezeigten WWW-Seite nach bestimmten Inhalten geht sehr leicht über die Funktion *Seite durchsuchen* im Menü *Bearbeiten*.

Die aktuelle Seite durchsuchen

① Wählen Sie im Menü *Bearbeiten* den Punkt *Seite* durchsuchen, damit Netscape Ihnen ein kleines Dialogfenster auf den Bildschirm bringt, über das Sie ihm Ihren Suchwunsch mitteilen.

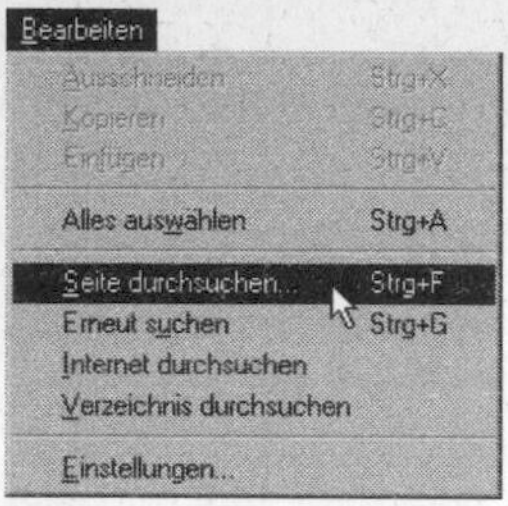

Abb. 133:
Die aktuelle Seite soll durchsucht werden

② Geben Sie in das Feld *Suchen nach* das Wort, den Satz oder die Zeichenfolge ein, nach der die Seite durchforstet werden soll.

③ Soll Netscape die Groß-/Kleinschreibung des Suchbegriffs beachten, aktivieren Sie die gleichnamige Option.

④ Zudem ist die Richtung der Suche im gleichnamigen Auswahlfeld zwischen *Aufwärts* und *Abwärts* festzulegen.

Abb. 134:
Netscape durchsucht eine WWW-Seite ...

⑤ Zuletzt starten Sie den Suchvorgang durch Druck auf die *Suchen*-Schaltfläche.

Netscape durchkämmt das Dokument nun auf der Suche nach der eingegebenen Zeichenfolge. Wird es fündig, hält es inne und markiert die Fundstelle. Sie können anschließend auf gleiche Weise nach weiteren Vorkommnissen suchen, indem Sie die Suche einfach von der Fundstelle aus erneut starten.

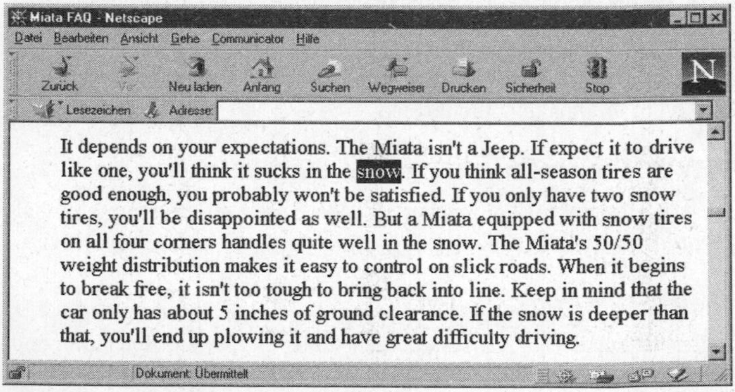

Abb. 135: ... und markiert die Fundstellen

Gewünschte Themen netzweit suchen

Wie oft kommt es vor, daß Sie nach Informationen zu einem bestimmten Thema suchen und die Adressen (URLs) der passenden WWW-Dokumente direkt zur Hand haben? Wahrscheinlich eher selten, denn der weitaus häufigere Fall ist doch, daß man auch im Netz zuerst suchen muß, um zu den das gewünschte Themengebiet behandelnden Seiten zu gelangen. Aber Halt! Auch hier haben sich findige Internet-Spezialisten etwas einfallen lassen: Spezielle WWW-Dienste nämlich, die das gesamte Netz für Sie nach Vorkommnissen von Ihnen frei einzugebender Stichworte durchkämmen. Ähnlich wie Netscape das im vorangegangenen Abschnitt auf das jeweils aktuelle Dokument bezogen getan hat – nur jetzt wirklich netzweit!

Die Suchhilfe im Netscape

Der Netscape-Hersteller hat hierfür eine spezielle WWW-Seite eingerichtet, die Ihnen kombinierten Zugriff auf fünf der wichtigsten WWW-Suchservices gibt (namentlich: Excite, Infoseek, Lycos, Magellan, Yahoo). Diese sind somit aus Ihrer Netscape-Software heraus besonders leicht zu erreichen.

Netzweit nach Stichwörtern suchen

① Rufen Sie den Netscape-Suchdienst durch einen Druck auf die *Suchen*-Schaltfläche auf.

② Ist die Seite erschienen, können Sie unter der Überschrift *Internet Suche* den Namen der zu verwendenden Suchmaschine anklicken – beispielsweise den *Lycos*-Service.

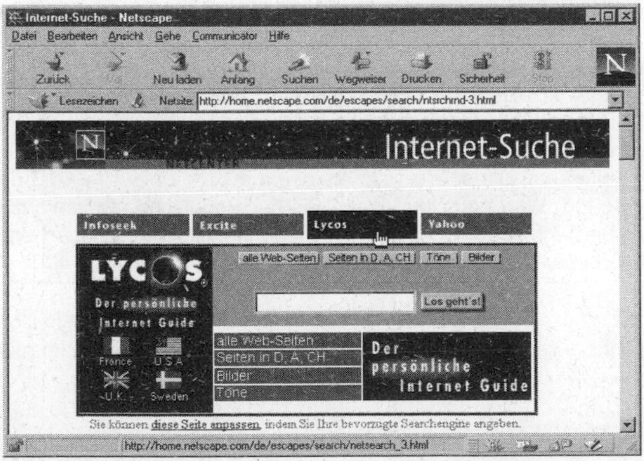

Abb. 136: Wählen Sie den zu verwendenden Such-Service

③ Sogleich erscheint unter dieser Auswahlleiste das Dialogfeld der gewählten Suchmaschine. Tragen Sie in dessen Eingabefeld das Stichwort ein, nach dem das WWW durchkämmt werden soll.

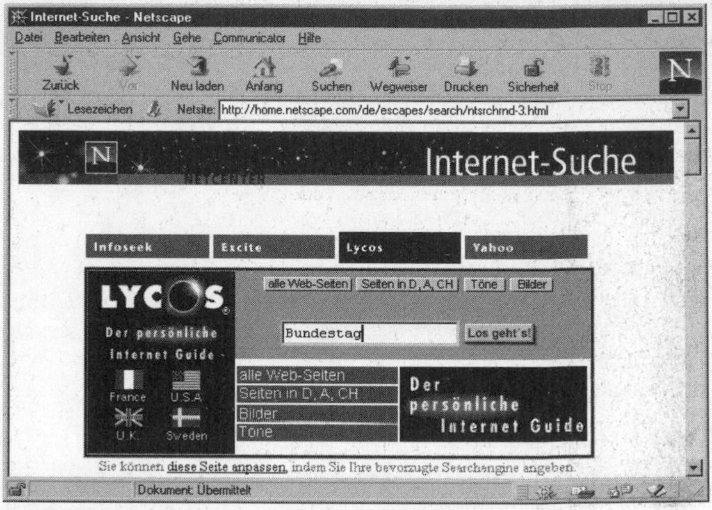

Abb. 137: Hiernach soll gesucht werden: der Bundestag

Tip: WWW-Suche genau eingrenzen

Versuchen Sie, den Suchbegriff möglichst genau einzugrenzen. Um so schneller verläuft die Suche und um so geringer wird der Anteil an Falschmeldungen (also Fundstellen, die zwar das gesuchte Stichwort enthalten, jedoch nicht zu Ihrem Thema passen). Suchen Sie beispielsweise nach einer speziellen Datei, sollten Sie deren Namen exakt (und mit Endung) eintragen. Bei der Suche nach bestimmten Inhalten lassen sich auch mehrere durch Leerzeichen voneinander getrennte Worte eingeben. Der Suchdienst listet dann alle Seiten auf, die sowohl das erste wie auch das zweite (und dritte, vierte und so fort) Wort enthalten. Wenn Sie nach deutschen Seiten suchen, verwenden Sie auch speziell deutsche Suchbegriffe, die in ausländischen Dokumenten sicherlich nicht zu finden sind.

④ Zum Starten der Suche drücken Sie auf die neben dem Eingabefeld sitzende Schaltfläche – je nach Suchservice mit *Suche*, *Los geht's* oder ähnlichem betitelt.

Sofort beginnt der Suchdienst mit der Fahndung.

Alle Fundstellen trägt er mitsamt ihrer WWW-Adresse in eine große Liste ein und präsentiert Ihnen diese am Ende seiner Suche als eigenständiges WWW-Dokument. Die einzelnen Fundstellen lassen sich dann, wie üblich, durch einfaches Anklicken der Verweise auf dieser Seite erreichen.

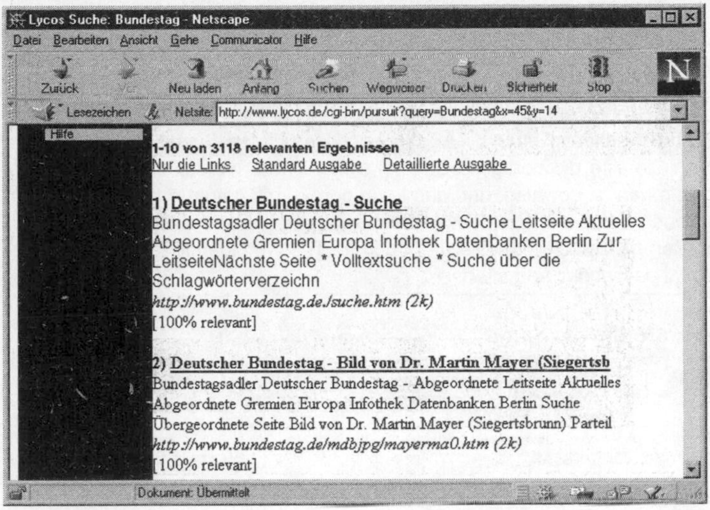

Abb. 138: Die Suche war erfolgreich, denn es gibt mehrere Seiten mit dem Inhalt Bundestag

Hinweis: Wenn Sie nun den einzelnen Hinweisen auf möglicherweise interessante Seiten nachgehen, wollen Sie sicherlich des öfteren zur Gesamtliste aller Fundstellen zurückgehen. Aber Vorsicht: Versuchen Sie das nicht über die *Lesezeichen*-Funktion (Lesezeichen)! Der WWW-Suchservice hat die Seite Ihrer Fundstelle nämlich nur temporär für Sie erzeugt und behält sie nicht auf Dauer bei. Wenn Sie die Seite also über ein Lesezeichen erneut anspringen, wird die Suchabfrage erneut durchgeführt – und das kann dauern. Über die *Zurück*-Schaltfläche können Sie die Fundstellenliste jedoch stets schnell wieder anspringen, da sich Netscape ja deren Inhalt gemerkt hat (falls Sie es nicht zwischenzeitlich beendet hatten).

Tip: Liste der Fundstellen speichern

Möchten Sie auch in zukünftigen Sitzungen noch auf die Liste der Fundstellen zurückgreifen, lohnt es sich, diese auf der Festplatte abzuspeichern. Sie kann dann jederzeit wieder eingeladen werden – und hält alle Verweise weiterhin voll funktionsfähig bereit. Wie das Abspeichern und Einladen funktioniert, ist auf Seite 191 beschrieben.

Weitere WWW-Such & Find-Server und ihre praktische Nutzung

Neben den auf Netscapes eigener Suchseite verzeichneten Services hält das World Wide Web noch eine ganze Reihe weiterer Suchdienste für Sie bereit. Eine Auswahl derselben finden Sie im folgenden aufgelistet.

Tip: Das Suchen im WWW noch schneller gemacht

Da jeder Benutzer der Netscape-Software (weltweit!), sobald er auf die *Suchen*-Schaltfläche drückt, bei den oben genannten Such-Services landet, können Sie sich die dortige Drängelei sicherlich gut vorstellen. Der Ansturm von Anfragen ist gewaltig, und das kann den Zugriff mitunter beträchtlich verlangsamen. Wer sich im WWW auskennt, greift dann auf einen anderen Such-Service zurück. Tun Sie das doch auch – im folgenden finden Sie eine Auswahl passender Adressen.

Adreßliste der wichtigsten WWW-Suchdienste

Suchdienst	Sprungadresse
Aliweb	http://web.nexor.co.uk/public/aliweb/search/doc/form.html
AltaVista	http://www.altavista.digital.com/
Apollo	http://apollo.co.uk/
Columbus-Finder	http://www.columbus-finder.de/
Cusi	http://pubweb.nexor.co.uk/public/cusi/cusi.html
EuroSeek	http://www.euroseek.net/
Excite	http://www.excite.com/
Galaxy (Elnet)	http://www.einet.net/
Harvest	http://harvest.cs.colorado.edu/
Hotbot	http://www.hotbot.com
Information Center	http://www.wu-wien.ac.at/infocenter/searchwww.html
InfoSeek	http://www.infoseek.com/
Meta Library	http://uu-gna.mit.edu:8001/cgi-bin/meta
Navigator	http://gnn.com/gnn/GNNhome.html
Nikos	http://www.rns.com/cgi-bin/nikos
Open Text	http://www.opentext.com:8080/
RBSE URL Search	http://rbse.jsc.nasa.gov/eichmann/urlsearch.html
Search.Com	http://www.search.com/
Starting Point	http://www.stpt.com/
UK-Index	http://www.ukindex.co.uk/uksearch.html
Webcrawler	http://webcrawler.com/
What's New Too	http://newtoo.manifest.com/WhatsNewToo/
World Wide Web Worm	http://www.cs.colorado.edu/home/mcbryan/WWWW.html
Yahoo	http://www.yahoo.com/

Deutschsprachige Suchhilfen

Wollen Sie sich nicht gleich das gesamte World Wide Web nach den Sie interessierenden Themen durchkämmen lassen, sondern ganz gezielt nur die deutschsprachigen Angebote, dann nutzen Sie am besten einen deutschen Suchservice. In der folgenden Tabelle finden Sie dazu passende Adressen.

Suchdienst	Sprungadresse
Aladin	http://www.aladin.de/
Alles klar	http://www.allesklar.de/
Crawler.de	http://www.crawler.de
De.Intersearch.Net	http://de.intersearch.net/
DINO	http://www.dino-online.de/
Eule	http://www.eule.de/
Excite	http://www.excite.de/
Fireball	http://www.fireball.de/
Fux.De	http://www.fux.de/
Hotlist	http://www.hotlist.de/
Kolibri	http://www.kolibri.de/
Lotse	http://www.lotse.de/
Lycos	http://www.lycos.de/
Nathan	http://www.nathan.de/
Netguide	http://www.netguide.de/
Sharelook	http://www.sharelook.de/
Sternchen Business	http://www.sternchen.de/
Such-Idefix	http://www.wiinf.uni-wuerzburg.de/dirkme/hotlist/index.idc
Suchmaschine.Com	http://www.suchmaschine.com/
Web.de	http://www.web.de/
Yahoo	http://www.yahoo.de/
Yellow-Web	http://www.yweb.com/home-de.html

WWW-Suchdienste

Mehr Service beim Suchen

Wenn Ihnen ein Suchdienst mal den Zugriff verwehren sollte, nehmen Sie es ihm nicht übel. Solche Suchmaschinen sind auch sehr beliebt und gerade zu den Spitzenzeiten (siehe Seite 166) stark ausgelastet.

Wird ein Suchdienst mit einem Ansturm verschiedener Anfragen überstrapaziert, läßt er keine neue Suche mehr zu, bis die alten erledigt sind. Bleiben Sie dann hartnäckig und versuchen Sie es einfach noch ein paar Mal oder probieren Sie es noch mit einem anderen Suchdienst.

Tip: Schneller Zugriff auf alle großen WWW-Suchhilfen
Möchten Sie Ihr Glück bei mehreren Suchdiensten probieren, wird es schnell nervig, deren Seiten immer separat anklingeln zu müsen. Daher habe ich eine WWW-Seite zusammengestellt, die schnellen Zugriff auf eine Vielzahl verschiedener Suchhilfen bietet – mit einem Mausklick. Sie erreichen diese Seite Sie unter folgender WWW-Adresse: *http://ourworld.compuserve.com/homepages/mtrudolph/www.htm*. Dort können Sie sich den gewünschten Service aussuchen, den Suchbegriff eintragen und nach Klick auf *Suche starten* wird die komplette Suchanfrage automatisch durchgeführt – wenige Augenblicke später erhalten Sie die Liste der Fundstellen. Ein Klick auf den jeweiligen Server-Namen führt Sie zu dessen Hauptseite.

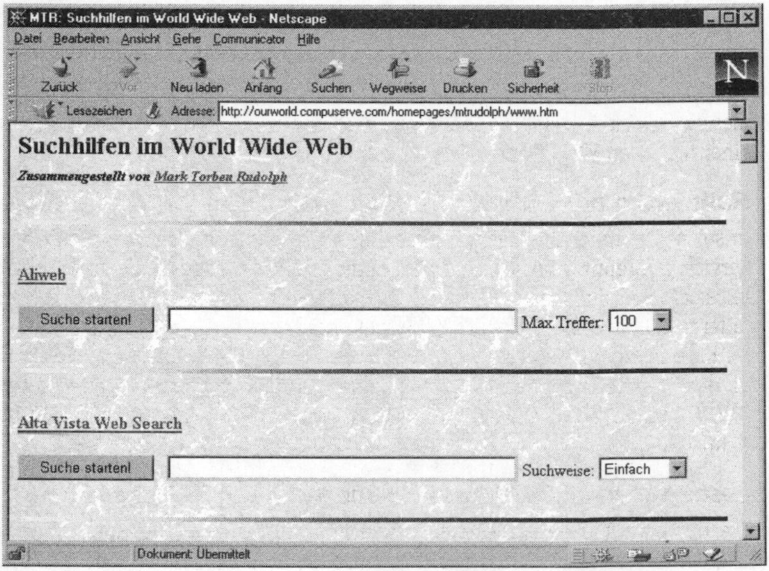

Abb. 139: Alle großen WWW-Suchdienste auf einen Blick

4.4 Java & Frames – mehr Pepp im Web

Zwei der wohl interessantesten Funktionen zum optimalen WWW-Layout des Netscape Navigators sind die *Frames* und *Java*. Erstgenannte ermöglichen die Unterteilung einer WWW-Seite in mehrere unabhängig voneinander verschieb- und nutzbare Bereiche. Letztgenanntes ist die neue Internet-Programmiersprache, die von der Firma Sun Microsystems entwickelt wurde und echte Interaktionsmöglichkeiten auf WWW-Seiten ermöglicht. Beide haben gemeinsam, daß sie Ihnen als Internet-Nutzer ganz neue und bislang ungeahnte Perspektiven eröffnen, die ich Ihnen in diesem Abschnitt vorstellen möchte.

Frames machen das WWW übersichtlich

Kennen Sie diese schönen alten Bleiglasfenster, die aus mehreren kunstvoll zusammengesetzten und von hölzernen Streben gehaltenen bunten Glasplatten bestehen? In Analogie dazu besitzt auch der Netscape Navigator die Möglichkeit, WWW-Seiten mit Hilfe von *Rahmen* (im Englischen *Frames* genannt) in mehrere Teilbereiche aufzugliedern oder auch mehrere einzelne Informationsfelder (ähnlich den verschiedenen Glaselementen des Fensters) zu einem großen Ganzen zu verbinden. Jeder Rahmen kann nahezu beliebige Datenmengen aufnehmen – Text, Verweise, Grafiken und sogar weitere multimediale Elemente; er ist sozusagen eine eigene WWW-Seite innerhalb der eigentlichen Seite.

Dies ermöglicht es den Anbietern von WWW-Services, Ihre Informationen auf weitaus praktischere (und im Design auch innovativere) Weise darzustellen, als dies bisher durch das reine Untereinanderhängen von Text und Verweisen auf einer normalen WWW-Seite möglich war.

Rahmen in der Praxis

In solchen Rahmen läßt sich beispielsweise das Inhaltsverzeichnis eines WWW-Services getrennt vom eigentlichen Textinhalt der Seiten anbieten. Netscape selbst arbeitet auf seiner Homepage mit dieser Technik: Mehrere Rahmen am unteren Bildrand enthalten das Inhaltsverzeichnis und weitere wichtige Verweise. Klicken Sie darin auf einen Verweis, werden die zugehörigen Informationen in den darüberliegenden, großen Rahmen eingeladen, der die eigentlichen WWW-Inhalte anzeigt. Somit bleibt das Inhaltsverzeichnis immer weiterhin sichtbar.

Lesezeichen innerhalb von Rahmen

Die auf Seite 157 beschriebene Lesezeichenfunktion des Netscape Navigator funktioniert auch für Seiten mit Rahmen. Jedoch nicht ganz so, wie dies vielleicht auf den ersten Blick erwartet wird: Wählen Sie hierbei nämlich die Funktion *Lesezeichen hinzufügen* im Menü *Lesezeichen* an, erstellt Netscape einen Verweis auf die komplette WWW-Seite und zwar an den Ursprung der angezeigten Rahmen.

Abb. 140: Viele WWW-Seiten arbeiten mit Rahmen – beispielsweise der Service der Harald-Schmidt-Show

Das bedeutet: Sind Sie mittlerweile in einem der Rahmen zu einer anderen WWW-Seite weitergereist und möchten nun diese neue Seite mit einem Lesezeichen versehen, bringt diese Funktion gerade nicht das gewünschte Resultat. In diesem Fall sollten Sie wieder das Kontextmenü bemühen:

① Klicken Sie mit der rechten Maustaste auf den Verweis zu dem Inhaltsteil, den Sie mit einem Lesezeichen versehen möchten.

② Wählen Sie im Kontextmenü den Punkt *Lesezeichen hinzufügen*. Es wird dann die im angeklickten Verweis angegebene Seite zu den Lesezeichen hinzugefügt.

Rahmen verschieben

Manche WWW-Seiten erlauben sogar das Verschieben der Rahmen.

① Bewegen Sie dazu den Mauszeiger auf eine der Rahmenstreben, so daß dieser sich in einen Doppelpfeil verwandelt.

② Drücken Sie dann die linke Maustaste und halten Sie diese gedrückt, während Sie die Maus bewegen. Der Rahmen wird entsprechend mitgezogen und bei Loslassen der Maustaste an die neue Stelle gesetzt.

Abb. 141: Der Doppelpfeil verändert die Rahmengröße

Java bringt echte Interaktivität ins Netz

Java ist eine von der Firma Sun Microsystems entwickelte Programmiersprache, die die Möglichkeit gibt, das Aussehen und auch die Inhalte des World Wide Web zu verändern. Mit Ihr lassen sich die bisherigen Einschränkungen des WWW, nur statische Elemente wie Texte oder Grafiken in Seiten einbauen und als einzige Bewegungsmöglichkeit Verweise auf andere Seiten oder multimediale Effekte wie Videos oder Sounds verwenden zu können, auf sehr elegante Weise aufheben – Java ermöglicht es nämlich, echte Programme in die WWW-Seiten einzubauen, die auf dem Rechner des jeweiligen Anwenders laufen und dort Daten verarbeiten sowie mit dem Anwender interagieren.

Applets: Programme für das WWW

Ein solches Java-Programm nennt sich in der Fachsprache „Applet" und vermag einem WWW-Service ähnliche Funktionalität zu verleihen, wie es beliebige andere Anwendungsprogramme mit Ihrem Windows-Schreibtisch tun. Beispielsweise könnte es ein Lexikon realisieren, das Ihnen zu einem eingegebenen Fachbegriff nicht nur die passende Erklärung zurückliefert, sondern zugleich zum jeweiligen Thema passende Informationen aus dem Netz holt und auf Ihrem System zur weiteren Verarbeitung ablegt (oder auch direkt in Ihre Textverarbeitung oder eine Datenbank einbindet).

Hinweis: Java befindet sich in ständiger Weiterentwicklung. Die erste WWW-Zugriffssoftware, welche die neuen Java-Funktionen beherrschte, war das von Sun Microsystems selbst entwickelte Programm „HotJava". Java-Programme, die darauf liefen, werden dem „Alpha"-Stadium zugeordnet. Die Java-Unterstützung des Netscape Navigator ist jedoch moderner als die ursprüngliche „HotJava"-Variante und wird daher als „Beta"-Stadium bezeichnet. Wenn Sie im World Wide Web also auf Java-Programme stoßen, achten Sie darauf, die Beta-Versionen zu erwischen. Nur dann sind diese für Sie mit dem Netscape Navigator nutzbar.

Java-Applets mit Netscape nutzen

Stößt Ihre Netscape Navigator beim Einladen einer WWW-Seite auf ein darin eingebundenes Java-Applet, so wird dieses im Normalfall sofort ausgeführt – Sie brauchen sich um nichts weiter zu kümmern. Es gibt jedoch drei Ausnahmen, die das Funktionieren des Applets auf Ihrem System verhindern können:

1. Das Programm liegt im älteren Alpha-Stadium vor.

Netscape kann nur Beta-Applets abspielen. Sie sollten sich also nach einer solchen Variante des jeweiligen Programms umsehen.

2. Das Programm ist fehlerhaft.

In diesem Fall können Sie leider nichts machen, als zu versuchen, sich nicht zu ärgern – fehlerhafte Software läuft nunmal nicht, das ist auch im Internet nicht anders als auf Ihrem lokalen System.

Hinweis: Die Fehlermeldungen eines Java-Programms zeigt Netscape in einem speziellen Fenster an, der sogenannten „Java-Konsole“. Diese holen Sie sich durch Aktivieren der Option *Java Konsole* im Menü *Communicator* auf den Bildschirm.

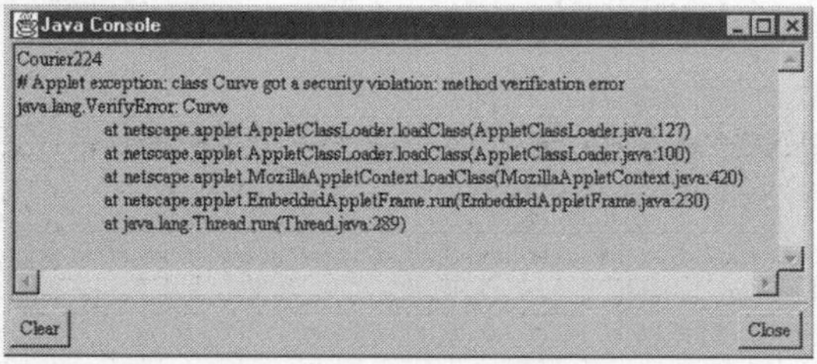

Abb. 142: Die Java-Konsole im Netscape mit Fehlermeldungen eines Programms

3. Die Java-Funktionalität in Netscape wurde ausgeschaltet.

Hier ist die Abhilfe glücklicherweise sehr einfach: Java ist nämlich nur aktiv, wenn im Bereich *Erweitert* des *Einstellungen*-Fensters (erreichbar über das *Bearbeiten*-Menü) die Option *Java aktivieren* angekreuzt ist.

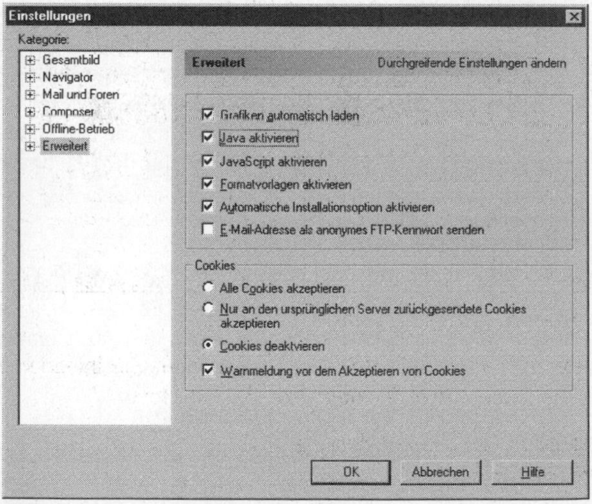

Abb. 143: Hier schalten Sie die Java-Unterstützung an und aus

Hinweis: *JavaScript* ist eine spezielle Java-Abart, die von Netscape selbst entwickelt wurde und für den Programmierer leichter zu handhaben ist. Netscapes Homepage arbeitet mit JavaScript, und auch andere Seiten greifen auf dessen Funktionalität zurück. Die Unterstützung von JavaScript läßt sich separat ein- und ausschalten.

Mehr Infos zu Java und fertige Applets im WWW

Hintergrund-Infos und Anleitungen zu Java finden Sie auf dem zugehörigen WWW-Service des Java-Herstellers Sun Microsystems. Dieser ist unter folgender Adresse erreichbar:

http://java.sun.com/

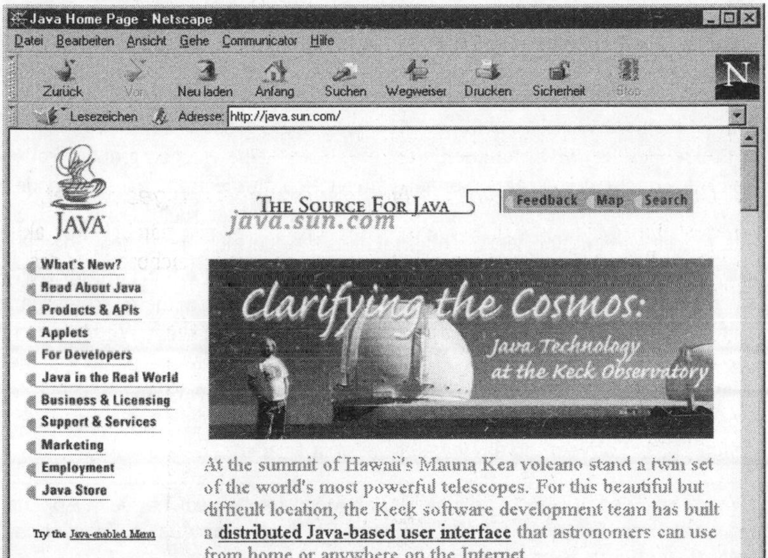

Abb. 144: Der Java-Server bei Sun Microsystems

Auch Netscape bietet auf seinem WWW-Service Informationen zur integrierten Java-Funktionalität an. Diese finden Sie unter folgender Adresse:

http://home.netscape.com/comprod/products/navigator/version_2.0/java_applets/index.html

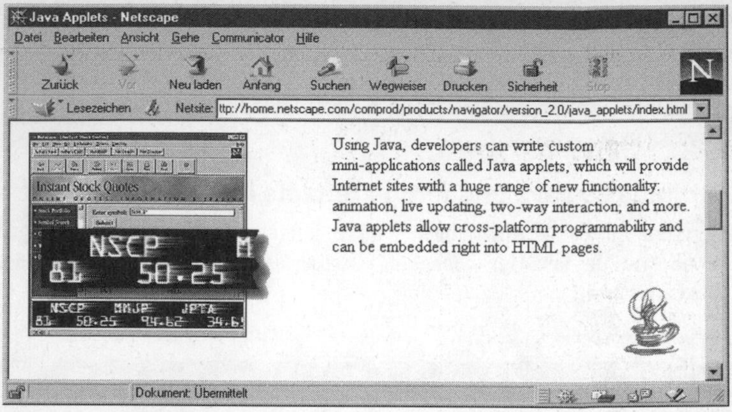

Abb. 145: Netscapes Java-Infos

Glaubt man der Werbebranche, dürfte es bald sogar ganze Computer geben, die als reine *Java-Terminals* funktionieren: Sie haben keine eigenen großen Software-Pakete mehr gespeichert, sondern holen sich Ihre Funktionalität aus dem WWW. Schreiben Sie einen Text mit einer Java-Textverarbeitung, würden Sie nie mit einer Funktionsvielfalt überfrachtet, die Sie nicht brauchen. Vielmehr sind nur die Grundfunktionen vorhanden. Benötigen Sie einmal ein spezielles Werkzeug, beispielsweise eine Rechtschreibprüfung, wird dieses kurzerhand über eine kleine Java-Routine aus dem Web erledigt. Auf diese Weise benötigt das System nur noch sehr wenig eigenen Arbeitsspeicher und nahezu keinen Massenspeicher – die riesigen Softwarepakete lagern ja im WWW und werden nur bei Bedarf (und auch dann nur in kleinen Teilen, nämlich den jeweils benötigten Einzel-Routinen) in das jeweilige System geladen.

Verweis: Erleben Sie die faszinierenden Möglichkeiten solcher Java-Applets live auf Ihrem System! Ab Seite 219 habe ich Ihnen eine Auswahl passender WWW-Adressen zusammengestellt.

4.5 Netscape optimal einrichten und besser nutzen

Netscape bietet Ihnen eine ganze Reihe ausgefuchster Funktionen, die das Leben im globalen Datennetz einfacher und bequemer gestalten sollen. Welche das sind und wie Sie diese am besten nutzen, verrät Ihnen dieses Kapitel.

Das elektronische Handbuch von Netscape

Im Menü *Hilfe* finden Sie ein Inhaltsverzeichnis für das elektronische Handbuch, das Ihnen als Nutzungshilfe zu Netscape dienen kann.

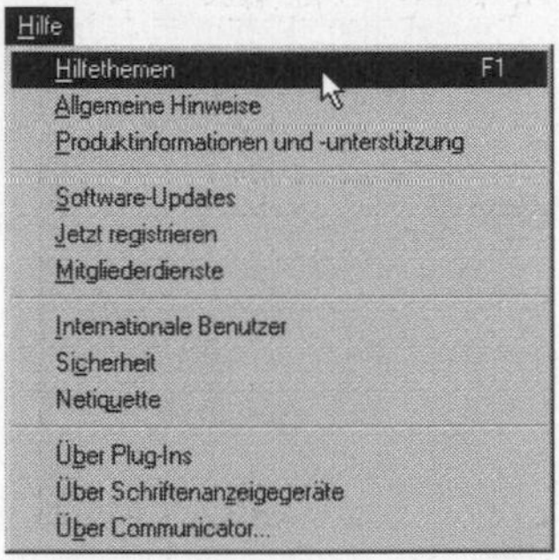

Abb. 146:
Hier schlagen Sie das Netscape Handbuch auf

> **Verweis:** Wenn Sie ein ausführliches deutsches Handbuch zu Netscape suchen, möchte ich Ihnen mein „Großes Buch zum Netscape Communicator 4" (ISBN 3-8158-1298-4) mit vielen Praxishilfen, direkt nachvollziehbaren Anleitungen, einer Menge Tips & Tricks sowie einem umfangreichen Konfigurations-Kapitel und speziellem Problemlösungs-Teil empfehlen. Selbstverständlich sind darin auch alle Extras wie Conference oder Cosmos besprochen.

Wo fühlen Sie sich zu Hause? – Die Anfangsseite einstellen

Wenn Sie auf die *Anfang*-Schaltfläche drücken, springt Netscape automatisch die WWW-Seite seines Herstellers an. Dies ist zugleich auch die Seite, die Netscape bei seinem Start einzuladen versucht. Haben Sie einen Platz im WWW gefunden, der Ihnen besser gefällt, dann können Sie Netscape diesen mitteilen. Daraufhin wird es bei Druck auf die *Anfang*-Schaltfläche stets den von Ihnen gewünschten Ort aufsuchen. Diese sehr individuelle Lokalität nennt sich im Internet-Jargon „Homepage" – weil man sich dort „zu Hause" fühlen sollte (daher auch das kleine Haus als Symbol).

Einstellen der persönlichen Homepage

① Öffnen Sie das Menü *Bearbeiten* und wählen Sie *Einstellungen.*

② In der linken Liste *Kategorie* des neuen Dialogfensters markieren Sie den Eintrag *Navigator.*

③ Im Bereich *Anfangsseite* tragen Sie in das Feld *Adresse* den URL der gewünschten WWW-Seite ein. Soll der URL der aktuell im Navigator geladenen Seite verwendet werden, können Sie auch einfach auf *Aktuelle Seite* klicken. Möchten Sie eine auf der Festplatte gespeicherte Seite nutzen (siehe auch Seite 191), klicken Sie auf *Durchsuchen* und wählen die gespeicherte Seite aus.

④ Bestätigen Sie die Änderung dann durch Druck auf *OK*.

Wenn Sie nun die *Anfang*-Schaltfläche anklicken, holt Ihnen Netscape Ihre gewünschte Homepage auf den Bildschirm.

Hinweis: Sie gelangen auch nach Umstellung der *Anfang*-Funktion jederzeit zum WWW-Service des Netscape-Herstellers: Einfach auf das *Netscape*-Symbol oben rechts unter der Menüzeile drücken.

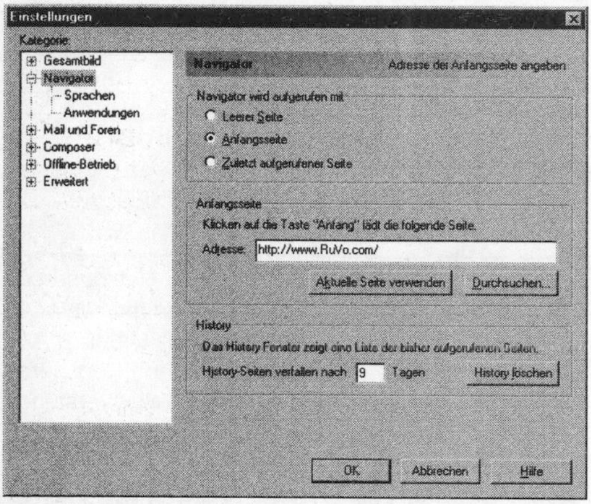

Abb. 147: Tragen Sie statt der Netscape-Homepage eine persönliche Anfangsseite ein

Tip: Schnellstart ohne Homepage

Wenn Netscape die eingestellte Anfangsseite bei jedem Programmstart einzuladen versucht, kann ein auf ausländischen Servern liegendes Dokument hier schnell wertvolle Übertragungszeiten und -volumen verschwenden. Möchten Sie also auf die Homepage-Präsentation beim Programmaufruf verzichten, können Sie dazu die Option *Leere Seite* im Bereich *Navigator wird aufgerufen mit* des gleichen Fensters anklicken. Netscape zeigt Ihnen dann bei seinem Start lediglich eine leere Seite und wartet ab, bis Sie ihm die Adresse eines einzuladenden Dokuments bekanntgeben. Ein Klick auf den Schalter *Anfang* holt Ihnen weiterhin jederzeit die eingestellte Anfangsseite auf den Bildschirm.

Tip: Dort weitermachen, wo Sie aufgehört haben

Sehr praktisch ist auch die Option *Zuletzt aufgerufener Seite* im Bereich *Navigator wird aufgerufen mit* des gleichen Fensters: Netscape lädt dann beim Programmstart automatisch die WWW-Seite in den Navigator, bei der Sie Ihre jeweils vorherige Surftour beendet haben. So können Sie immer genau an der Stelle weitersurfen, an der Sie zuletzt aufgehört hatten.

Räumen Sie den Bildschirm auf

Netscape bietet Ihnen mit seinen Symbolleisten und der Statuszeile eine Menge Komfort: ein Klick, und die zugehörige Funktion wird ausgeführt, wichtige Infos sind sofort im Blick. Allerdings benötigen diese Elemente auch ihren Platz auf dem Bildschirm – und gerade in der Standard-VGA-Auflösung von 640 x 480 Punkten sowie auf Monitoren mit einer Diagonale von 14 oder 15 Zoll wird eine gehörige Portion vom eigentlichen Darstellungsfeld der WWW-Seite abgeschnitten.

Tip: Mehr Übersicht auf dem Netscape-Bildschirm

Aus diesem Grund können Sie durch „Aufräumen" des Netscape-Bildschirms für mehr Übersicht sorgen: Schalten Sie einfach die Anzeige der Elemente, die Sie nicht oft brauchen, ab und schaffen Sie somit mehr Platz für die Anzeige der WWW-Seiten. Um die Funktionalität brauchen Sie sich dabei keine Sorgen zu machen: Alle Funktionen der Schaltflächen sind auch über ein Menü und oft auch über Tastaturkürzel erreichbar.

Diese Aufräumarbeiten geschehen bequem über das *Ansicht*-Menü.

Die oberen drei Einträge bestimmen die Anzeige der Bildschirmelemente:

- Navigationssymbolleiste ein- oder ausblenden
- Adressen-Symbolleiste ein- oder ausblenden
- Persönliche Symbolleiste ein- oder ausblenden

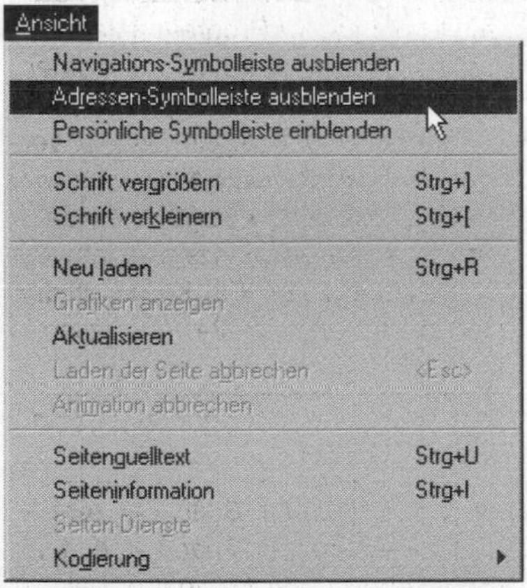

Abb. 148: Hier bestimmen Sie, welche Bedienungselemente Netscape Ihnen bieten soll

Tip: Statuszeile ein- und ausschalten
Mit der Tastenkombination [Strg]+[Alt]+[S] läßt sich zudem die Statuszeile (also die unterste Zeile des Netscape-Bildschirms, in der z. B. die *Dokument: Übermittelt*-Meldung nach dem Laden eines WWW-Dokuments erscheint) ein- und ausschalten.

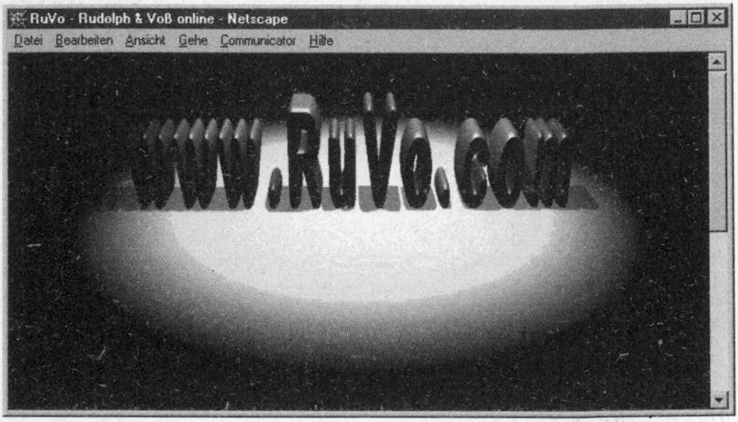

Abb. 149: Viel Übersicht, wenig Komfort – der Netscape-Bildschirm ohne alle Extras

Symbolleisten mit der Maus aus- und einklappen

Alternativ lassen sich die Symbolleisten auch mit der Maus aus- und wieder einklappen. Im Gegensatz zum Aus- und Einblenden über das Menü *Ansicht* verschwinden die Symbolleisten hierbei nicht gänzlich vom Bildschirm, sondern werden zur Miniaturgröße verkleinert.

Das notwendige Werkzeug steckt in einem unscheinbaren und gern übersehenen Element: dem Anfasser am linken Rand der Symbolleisten.

① Klicken Sie auf den leicht hervorgehobenen Anfasser am linken Rand der Symbolleiste.

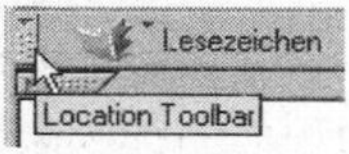

Abb. 150: Über den Anfasser lassen sich die Symbolleisten ein- und ausblenden

② Sofort verschwindet die Leiste vom Bildschirm, und der Anfasser klappt rechtwinklig ein und hängt sich unter die übrigen Leisten.

Abb. 151:
Aus drei mach eine: Mehr Platz durch weniger Leisten

③ Benötigen Sie eine der ausgeblendeten Leisten später doch wieder, klicken Sie einfach erneut auf den zugehörigen Anfasser. Sofort wird die Leiste wieder eingeblendet.

④ Um festzustellen, welche Leiste sich hinter dem jeweiligen Anfasser verbirgt, lassen Sie einfach den Mauszeiger einen kurzen Moment darüber ruhen. Sogleich erscheint ein kleines Infokästchen und nennt die damit einzublendende Leiste.

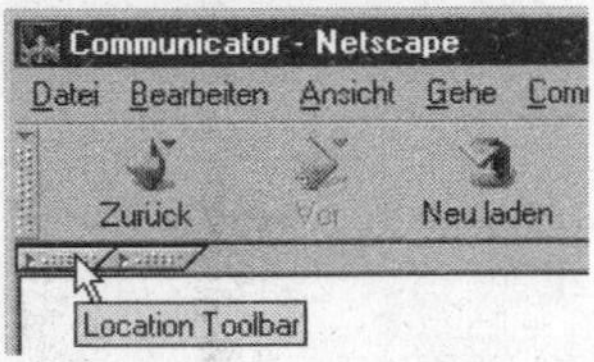

Abb. 152:
Welche Leiste verbirgt sich hier?

Symbolleisten verschieben

Der Anfasser kann die Leisten sich nicht nur ein- und ausblenden, sondern auch in ihrer Position untereinander verschieben:

① Fassen Sie die gewünschte Leiste hierzu wieder an ihrem Anfasser an, halten Sie aber diesmal die linke Maustaste gedrückt.

Abb. 153:
Über den Anfasser läßt sich eine Leiste auch verschieben

② Wenn Sie nun die Maus bei gedrückt gehaltener Taste nach oben oder unten schieben, bewegt sich die so festgehaltene Symbolleiste entsprechend mit.

Schneller geht es ohne Bilder

Das World Wide Web besteht zu immer größer werdenden Teilen aus grafischen Elementen: Bildern, die in die einzelnen Dokumente eingebunden sind. Idealerweise werden solche Bilder zeitgleich mit dem Textinhalt der jeweiligen Seite auf Ihren Rechner übertragen und dann gemeinsam angezeigt.

Leider zeigt sich diese Idealvorstellung in der Praxis jedoch als kaum realisierbar (es sei denn, Sie verfügen über eine wirklich außergewöhnlich schnelle Netzanbindung). Da Grafiken (genauso wie digitale Klänge oder computerisierte Filme) sehr umfangreiche Dateien ergeben, dauert deren Übertragung weitaus länger als die des Textteils der jeweiligen Seite.

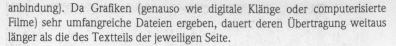

Daher bietet Ihnen Netscape die Möglichkeit, zunächst nur den rein textlichen Inhalt der jeweiligen Seite auf Ihren Rechner zu laden. Eventuell auf der Seite enthaltene Bilder werden durch Platzhalter ersetzt. Die fehlenden Bilder können jederzeit nachträglich hinzugeladen werden. Netscape fügt sie dann automatisch an den passenden Stellen ein.

Abb. 154:
Dieses Symbol ersetzt fehlende Grafiken

Automatisches Einladen von Bildern an- oder ausschalten

① Öffnen Sie das Fenster *Einstellungen* über das Menü *Bearbeiten,* und wählen Sie in der Liste *Kategorie* den Punkt *Erweitert.*

② Ist nun im rechten Fensterbereich vor dem Punkt *Grafiken automatisch laden* ein Häkchen zu sehen, lädt Netscape zu einem Dokument gehörende Bilder zugleich mit der Seite ein. Entfernen Sie dieses Häkchen durch Anklicken, um das automatische Laden auszuschalten. Sie können das Häkchen später durch erneutes Anklicken wieder hinzufügen.

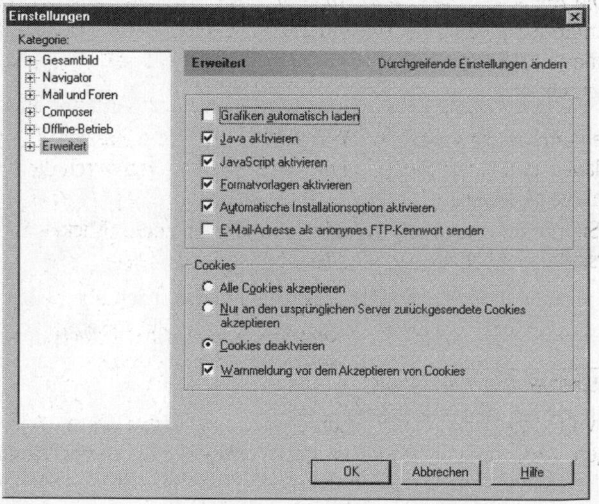

Abb. 155: Hier schalten Sie das automatische Einladen von Bildern ein und aus

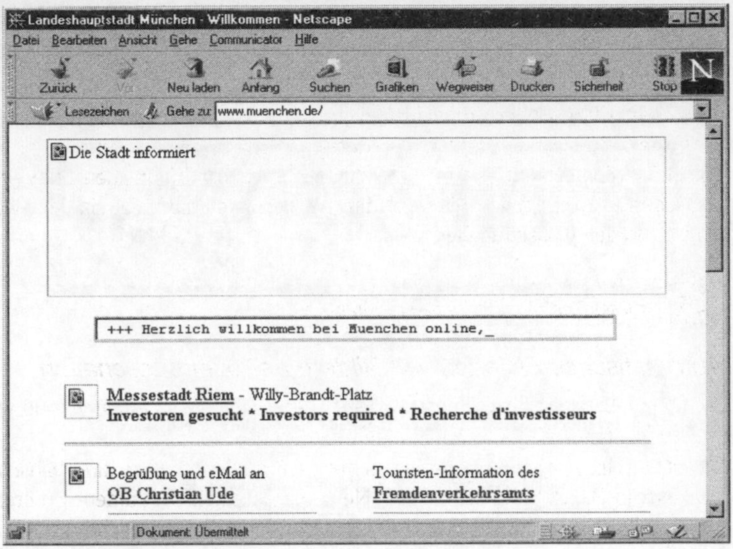

Abb. 156: Eine Seite bei abgeschaltetem Grafik-Laden

Hinweis: Die Auswahl *Grafiken automatisch laden* hat keine Auswirkungen auf die momentan dargestellte Seite. Sie tritt erst in Kraft, wenn Sie zu einem neuen Dokument springen oder die aktuelle Seite über die *Neu laden*-Schaltfläche neu einladen.

③ Öffnen Sie dann das gewünschte WWW-Dokument. Netscape wird es ohne Bilder einladen und deren Fehlen an den jeweiligen Stellen durch die Platzhalter-Symbole anzeigen.

④ Möchten Sie nun die zugehörigen Bilder ebenfalls einladen, drücken Sie auf die neu erschienene Schaltfläche *Grafiken* in der Symbolleiste.

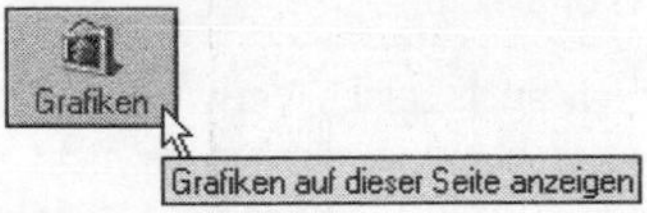

Abb. 157:
Über den neuen Grafiken-Schalter lassen sich die Bilder hinzuladen

Somit sind gewünschte Dokumente schon sehr schnell lesbar (es muß ja nur Text übertragen werden, und der ist in seiner KByte-Größe vernachlässigbar klein).

Erscheinen Ihnen die eingebundenen Bilder lohnenswert, können Sie diese ja nachträglich immer noch hinzuholen.

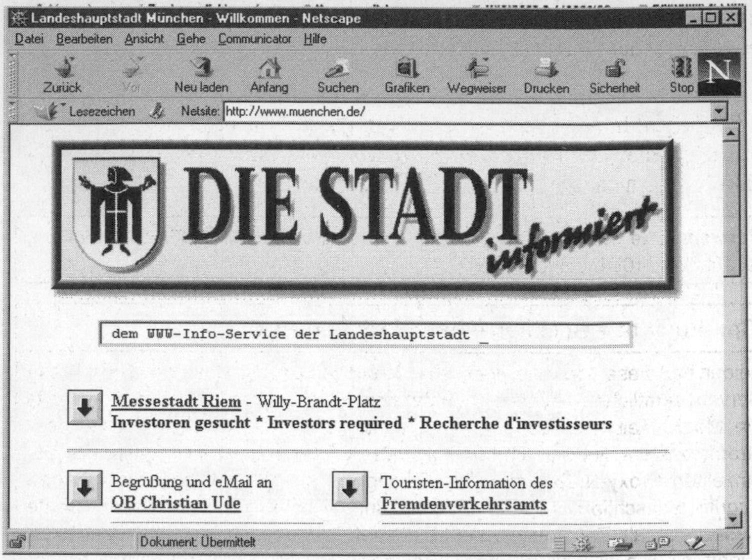

Abb. 158: Die gleiche Seite nach Druck auf die Schaltfläche Images

Netscape merkt sich Ihre Seiten

Eine weitere Möglichkeit zur Beschleunigung Ihrer WWW-Sitzung liegt in Netscapes „Gedächtnis“ für früher schon einmal geladene WWW-Seiten. Wie Sie im Rahmen unserer Ausflüge in das World Wide Web schon bemerkt haben, kennt Netscape die Inhalte schon geladener Seiten „auswendig“, und Sie können diese über die *Zurück*- und *Vor*-Schaltflächen anspringen, ohne daß sie neu geladen werden müßten.

Verweise auf solche Seiten zeigt Netscape dann in dunklerem Blau – als Hinweis: hier geht es schnell, das ist nämlich schon bekannt.

Vielleicht zeigt Ihnen Netscape aber plötzlich auch solche Verweise in dieser dunkleren Färbung, von denen Sie sich ganz sicher sind, diese noch nicht ausgewählt zu haben. Auch das hat einen guten Grund: Ihr Provider betreibt auf seinem Internet-Zugangsrechner nämlich ebenfalls eine Art „Gedächtnis“. Jedoch ein „Permanentgedächtnis“, auf das alle Teilnehmer Zugriff haben. Ein solches Gedächtnis auf einem Internet-Rechner wird im Fachchinesisch „Proxy Cache“ genannt.

Hat also schon ein Teilnehmer vor Ihnen die jeweilige Seite eingeladen, befindet sich diese noch im „Proxy Cache“ Ihres Providers. Die Netscape-Software auf Ihrem Rechner merkt dies und weist Sie durch die Dunkelfärbung auf die besonders schnelle Zugriffsmöglichkeit hin.

In einen solchen Proxy-Cache von 500 MByte passen übrigens rund 10.000 WWW-Seiten! In Anbetracht der niedrigen Preise für heutige Festplatten dieser Größenordnung lassen sich so leicht einige Vergünstigungen und zugleich Beschleunigungen im täglichen WWW-Zugriff erreichen.

Verweis: Wie Sie die Proxy-Angebote Ihres Providers mit Netscape nutzen, ist auf Seite 105 beschrieben.

Tip: Vorsicht – Gefahren eines Proxy Servers

Leider hat diese Medaille auch eine Kehrseite:Da bei Nutzung eines Proxy Servers sämtliche Kommunikation mit dem Internet über diesen läuft und hier die Möglichkeit zur Kontrolle, Auswertung und Protokollierung des Datenstroms besteht, ließen sich somit Arbeits- oder gar Persönlichkeitsprofile der einzelnen Proxy-Nutzer erstellen. Ermöglicht ein Provider jegliche Internet-Zugriffe ausschließlich unter Einschaltung eines Proxy Servers, so könnte dieser auch als Zensurinstrument eingesetzt werden. Da ohne ihn kein Netzzugriff möglich ist, lassen sich nur solche Server erreichen, deren Anwahl der Proxy zuläßt. Denkbar wäre es, einzelne Servernamen auf eine „Ausschlußliste" zu setzen, bei deren Anwahl der Proxy eine Verbindung verweigert.

Auf mehreren Hochzeiten tanzen

Haben Sie sich nicht schon einmal gewünscht, mehrere Tätigkeiten gleichzeitig erledigen zu können? Netscape kann das, denn die sogenannten „Multitasking"-Funktionen des Windows-Schreibtischs machen es ihm möglich, mehrere Fenster zu öffnen und parallel nebeneinander zu bearbeiten.

Tip: Mehrere Tätigkeiten gleichzeitig erledigen

Wenn Netscape sich mal wieder längere Zeit mit dem Einladen einer größeren Datei (beispielsweise einer grafisch besonders aufwendig gestalteten Seite) aufhält, rufen Sie einfach im Menü *Datei* unter *Neu* den Punkt *Navigator-Fenster* auf. Sofort erscheint ein zweites Netscape-Fenster, in dem Sie beliebig weiter durch das Netz surfen können. Im Hintergrund arbeitet Netscape im anderen Fenster weiter. Beachten Sie allerdings, daß sowohl die Rechen- und Speicherkapazitäten Ihres Computers als auch die Bandbreite der Telefonleitung zum Internet-Rechner begrenzt sind. Jedes neue Netscape-Fenster verlangsamt das Arbeiten aller aktiven Anwendungen ebenso, wie die laufende Datenübertragung. Daher sollten Sie stets zwischen Nutzen (weitersurfen trotz Dateitransfer) und Kosten (längere Zeiten für die Datenübertragung) abwägen.

Das Gute am Multitasking: Während Netscape für Sie Ihre Wunschdatei vom fremden Rechner auf die eigene Festplatte schaufelt, was je nach Umfang schon eine ganze Weile dauern kann, öffnen Sie einfach ein neues Netscape-Fenster und beschäftigen sich anderweitig. Und das dürfte im facettenreichen Internet wohl kaum ein Problem darstellen.

Hinweis: Zur Abwicklung von FTP-Übertragungen (siehe Seite 233) öffnet Netscape automatisch ein kleines separates Fenster und stellt Ihnen seinen eigentlichen Arbeitsbereich derweil wieder für andere Taten zur Verfügung. Während Sie sich dann weiter durch die weite WWW-Welt klicken, hievt Netscape im Hintergrund Stück für Stück die gewünschte Datei über die Leitung auf Ihren Rechner herüber.

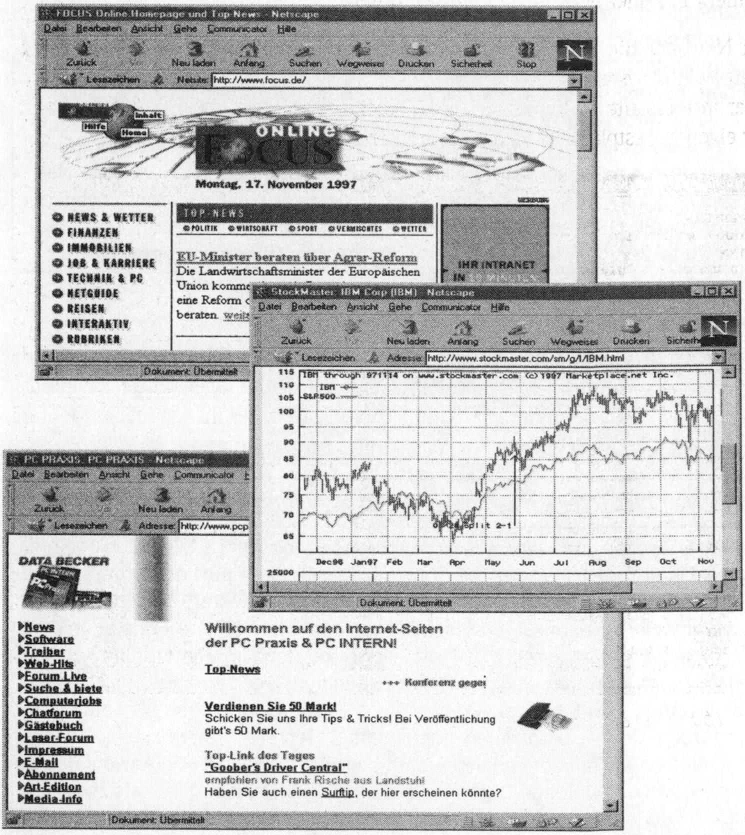

Abb. 159: Mehrere Netscape-Fenster zugleich

WWW-Dokumente auf der Festplatte archivieren

Die Dokumente des World Wide Web liegen in einem speziellen „Format“ vor: „Hyper-Text Markup Language“, kurz „HTML“ genannt.

Hierbei handelt es sich um eine Art „Sprache“, die neben dem textlichen Inhalt der jeweiligen Seite auch Hinweise zum Layout (hier Überschrift, da Text, dieses hier unterstreichen, dorthin führt ein Verweis, hier sollte diese oder jene Grafik zugeladen werden und so fort ...) enthält.

Hinweis: Falls Sie einmal sehen möchten, wie die aktuell geladene WWW-Seite in dieser Sprache aussieht, wählen Sie im Menü *Ansicht* den Punkt *Seitenquelltext*. Netscape öffnet dann ein eigenes Fenster und zeigt Ihnen das Dokument in seiner eigentlichen, ungelayouteten HTML-Form.

Da Netscape die auf Ihrem Bildschirm angezeigten WWW-Seiten zuvor komplett auf Ihr System geladen hat, bietet es sich geradezu an, besonders wichtige oder interessante Dokumente, die Sie auch später noch lesen möchten, auf Ihrer eigenen Festplatte zwischenzuspeichern.

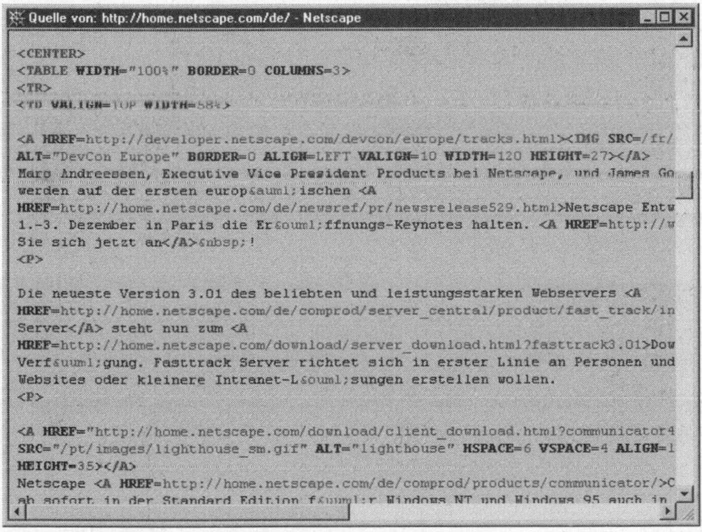

Abb. 160: Eine Seite als HTML-Quelltext ...

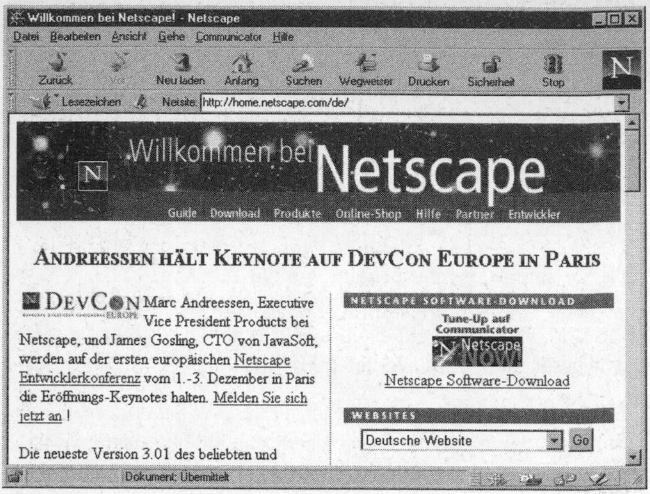

Abb. 161: ... und in der Layout-Ansicht

Das geht ohne Probleme, mehr noch: Netscape kann die so gespeicherten Dokumente jederzeit wieder einladen und zeigt diese dann im Originallayout an – so, als hätten Sie diese Seiten gerade erst aus dem Netz geholt. Selbst die Verweise funktionieren noch (dazu muß allerdings eine Netzanbindung bestehen).

Tip: Ihr eigenes WWW-Archiv
Auf diese Weise können Sie sich ein eigenes Archiv interessanter und wichtiger WWW-Dokumente aufbauen: Die Dateien im HTML-Format nehmen nur sehr wenig Platz auf der Festplatte in Anspruch, bleiben aber weiterhin mit allen Verweisen intakt.

Speichern einer WWW-Seite auf der Festplatte

① Laden Sie die gewünschte Seite aus dem WWW in Netscape ein (so daß sie auf dem Bildschirm angezeigt wird).

② Öffnen Sie das Menü *Datei* und wählen Sie den Punkt *Speichern unter*.

③ Hier können Sie nun einen Namen für Ihre Dokumentendatei angeben und den Ort ihrer Lagerung auf Ihrem System bestimmen.

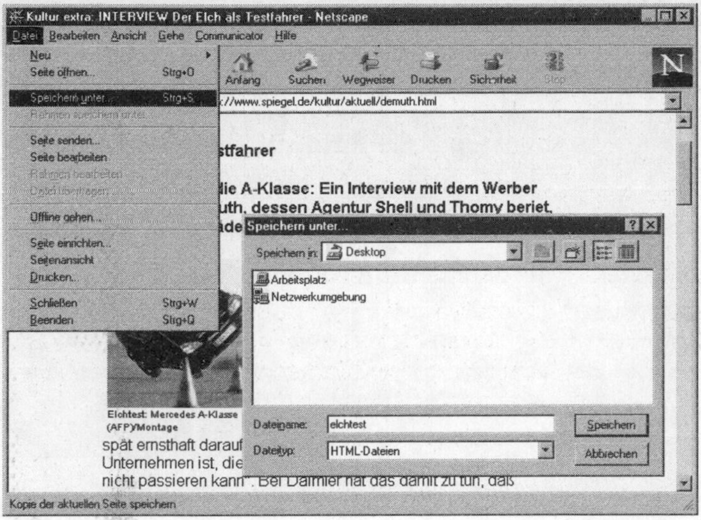

Abb. 162: Eine HTML-Datei wird erstellt

Hinweis: Achten Sie darauf, daß die Endung *.htm* bzw. *.html* bleibt. Die Seiten werden im zugrundeliegenden HTML-Format gespeichert, und durch diese Endung ist sichergestellt, daß sie mit Netscape verknüpft bleiben.

④ Bestätigen Sie den Speicherungswunsch mit Klick auf *Speichern*.

Netscape hat das aktuelle Dokument nun auf Ihrer Festplatte gesichert.

Verweis: Neben dem umfangreichen Abspeichern einer kompletten Seite als eigene Datei können Sie auch einzelne Passagen eines WWW-Dokuments markieren und in eine andere Anwendung auf Ihrem Windows-Schreibtisch (zum Beispiel Ihre Textverarbeitung) kopieren. Wie das genau geht, wurde auf Seite 22 schon vorgeführt.

Erneutes Einladen einer gespeicherten WWW-Seite

① Öffnen Sie wieder das Menü *Datei* und wählen Sie diesmal den Punkt *Öffnen*.

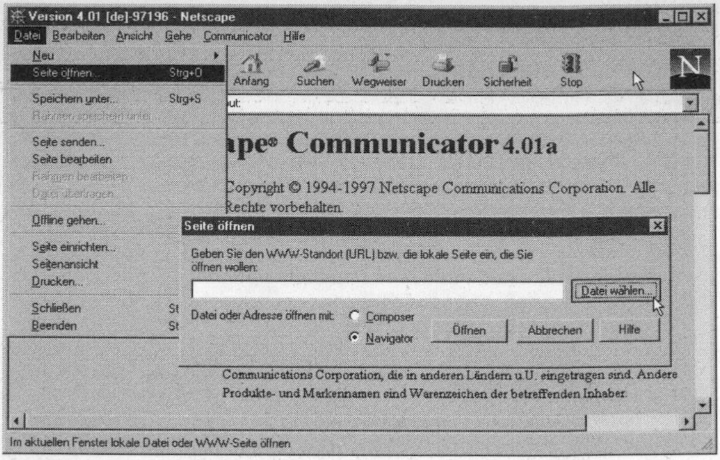

Abb. 163: Eine gespeicherte HTML-Datei wird wieder eingeladen

② Im Dialogfenster *Seite öffnen* klicken Sie auf *Durchsuchen*, um ein Laufwerkfenster auf den Bildschirm zu holen.

③ Darin wechseln Sie zum Lageort der jeweiligen HTML-Datei und wählen diese in der Dateiliste aus (Netscape zeigt dort sämtliche an der aktuellen Stelle auf der Festplatte vorhandenen Dateien mit der Endung *.htm* bzw. *.html* an).

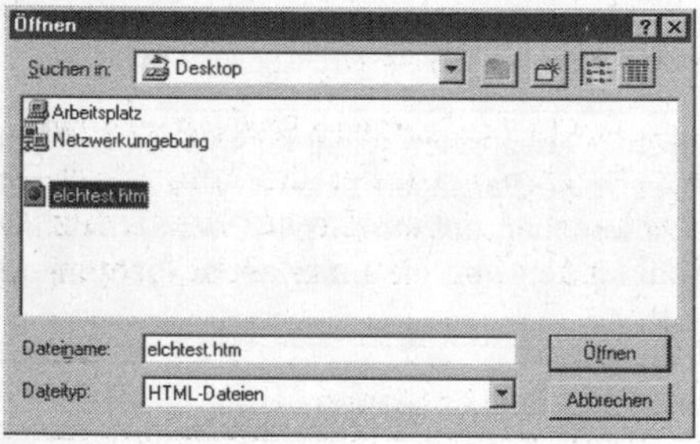

Abb. 164: Welche Datei darf's denn sein?

④ Bestätigen Sie den Ladebefehl mit *Öffnen*.

Sofort erscheint die Seite in gelayouteter Form im Netscape-Fenster. Lediglich die Bilder fehlen, da diese auf den Internet-Servern getrennt von den eigentlichen Daten der WWW-Seite vorliegen und nicht in deren HTML-Quelltexte eingebunden sind. Sie werden durch ein Platzhalter-Symbol ersetzt.

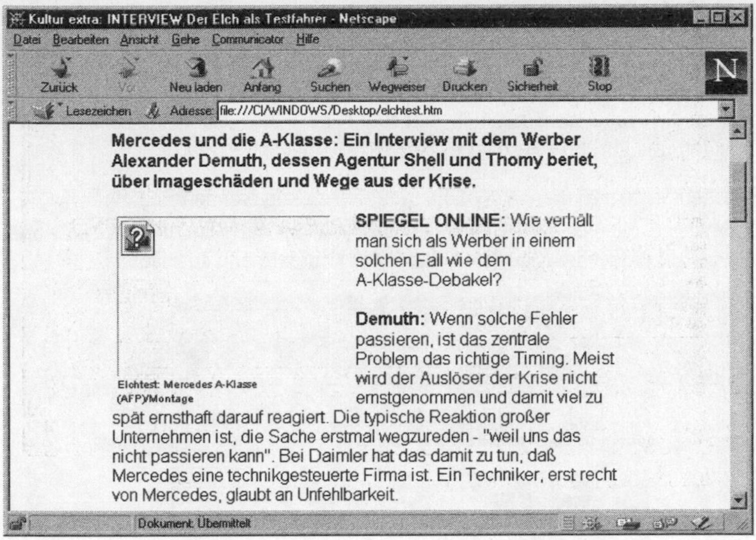

Abb. 165: Die Bilder gingen zwar verloren, alle anderen Infos sind aber noch da

Hinweis: Der URL dieser Seiten beginnt nun nicht mehr mit *http://*, sondern *file://*. Dies zeigt Netscape an, daß die gewünschten Dokumente nicht aus dem Netz, sondern von einem lokalen Laufwerk zu holen sind.

Danach folgt der komplette Name der jeweiligen Seite – inklusive Pfad, falls sich die Datei nicht im Netscape-Verzeichnis befindet.

Haben Sie also eine Seite namens *wichtig.htm* auf dem Festplattenlaufwerk *c:* im Verzeichnis *\internet\dokument* abgelegt, lautet der URL dieser Seite *file:///c:/internet/dokument/wichtig.htm* (achten Sie auf den zusätzlichen Schrägstrich vor dem Laufwerkbuchstaben und die umgekehrte Richtung aller Schrägstriche im Verzeichnispfad!).

Tip: Beim Starten eine archivierte Seite einladen

Netscape holt Ihnen beim Programmstart (sowie bei Druck auf die *Anfang*-Schaltfläche) eine voreingestellte Seite auf den Bildschirm. Dies kann auch ein Dokument sein, das Sie auf Ihrem Rechner archiviert (oder sogar selbst erstellt) haben. Klicken Sie dazu auf den Schalter *Durchsuchen* unter dem auf Seite 181 beschriebene *Anfangsseite*-Feld, um die Datei auszuwählen. Netscape trägt denn automatisch den URL des Dokuments (beginnend mit *file:/*/) in das Feld ein.

Bilder aus dem Netz holen

Sind Sie einmal weniger auf die rein textlichen Informationen der jeweiligen WWW-Seite, als auf deren grafische Präsentation „scharf", so ist das auch kein Problem: Netscape kann nämlich eingebundene Bilder aus WWW-Seiten ausschneiden und auf Ihrer Festplatte speichern:

① Laden Sie hierzu die WWW-Seite mit dem zu kopierenden Bild ein.

② Bewegen Sie den Mauszeiger auf das gewünschte Bild und drücken Sie kurz auf die rechte Maustaste, damit das Kontextmenü ausklappt.

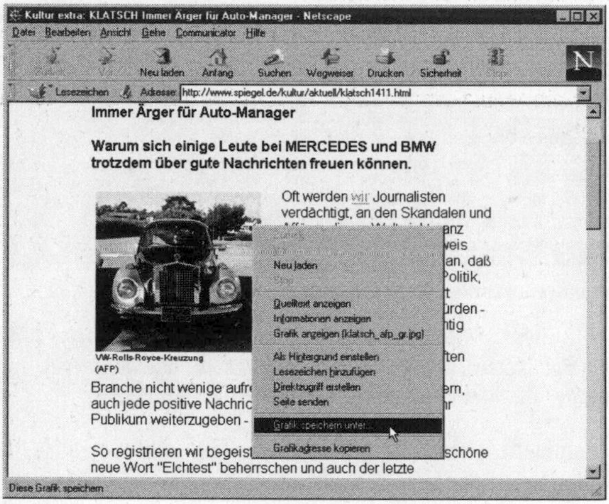

Abb. 166: Dieses Bild soll aus dem WWW geladen werden ...

③ Wählen Sie in diesem Kontextmenü den Punkt *Grafik speichern unter*

④ Daraufhin öffnet Netscape Ihnen ein kleines Fenster, in dem Sie das Zielverzeichnis und den Dateinamen angeben können, unter dem das Bild auf Ihrer Festplatte gespeichert werden soll.

Hinweis: Lassen Sie beim Dateinamen des Bildes jedoch die Endung weg, da Netscape diese automatisch setzt – je nach Format des Bildes beispielsweise „GIF" oder „JPG".

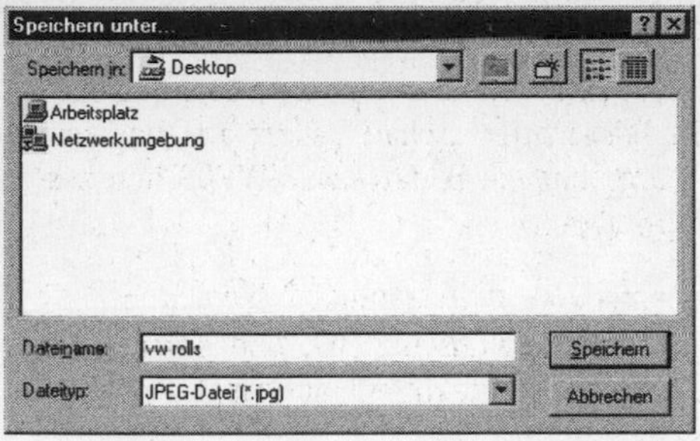

Abb. 167:
... und auf Ihrer Festplatte gespeichert

Nun liegt das Bild auf Ihrer Festplatte. Sie können es beispielsweise als Illustration in Dokumente Ihrer Textverarbeitung einbinden oder in eine Grafiksoftware einladen und es ein wenig umgestalten. Achten Sie dabei jedoch auf die Regelungen des Urheberrechts.

5. In 80 Sekunden um die Welt – eine virtuelle Stippvisite durch das World Wide Web

World Wide Web-Guide

Brauchte Phileas Fogg noch satte 80 Tage, um einmal unseren Planeten zu umrunden (und auch das war zum Erscheinen von Jules Vernes Abenteuerroman schon eine Sensation!), so springen Sie im World Wide Web mit Hilfe von Mausklicks zwischen den verschiedenen Kontinenten hin und her – die ganze Welt an den Fingerspitzen!

Im folgenden finden Sie eine ganze Reihe interessanter Tips zur Planung Ihrer persönlichen Reiseroute durch einige besondere WWW-Sehenswürdigkeiten.

5.1 Infos und Hilfen zu Hard- und Software

Das World Wide Web ist ein computergestütztes Medium – klar, daß sich gerade dort besonders viele Anbieter von Hardware, Software und Informationstechnologie im allgemeinen tummeln.

Computerbauer im WWW

Chip-Hersteller wie Intel und Hardware-Häuser wie IBM, Apple, Compaq oder Siemens-Nixdorf geben sich die Ehre und präsentieren ihre Produkte multimedial.

Intel

Möchten Sie den Hersteller der meisten PC-Prozessoren treffen? Dann wählen Sie einmal folgende WWW-Adresse an:

http://www.intel.com/

IBM

Auch „Big Blue“ betreibt einen eigenen WWW-Service. IBM-Chef Lou Gerstner persönlich begrüßt dort die Datenreisenden – und zwar unter der Adresse:

http://www.ibm.com/

Apple

Natürlich darf auch die Firma mit dem angebissenen Apfel nicht fehlen. Sie erreichen deren WWW-Service unter:

http://www.apple.com/

Compaq

Ebenfalls vertreten ist die PC-Edelschmiede Compaq. Deren WWW-Adresse lautet (nach obiger Symmetrie ahnen Sie es schon?):

http://www.compaq.com/

Siemens-Nixdorf

Auch deutsche Computerbauer finden sich im Netz, beispielsweise die Siemens-Nixdorf Informationssysteme AG:

http://www.sni.de/

Hewlett-Packard

Möchten Sie Hewlett-Packard erreichen, geschieht dies über deren Kürzel *HP* in folgendem URL:

http://www.hp.com/

Digital Equipment

Die deutsche Tochter des bekannten Großrechnerherstellers „Digital Equipment“ (kurz DEC genannt), erreichen Sie unter diesem URL:

http://www.dec.de/

AT&T Global Information Solutions (zuvor NCR)

Den WWW-Server der Firma AT&T Global Information Solutions (zuvor unter dem Namen NCR bekannt) finden Sie unter folgender Adresse:

http://www.ncr.com/

Silicon Graphics

Wollten Sie schon immer mal die Firma besuchen, von deren Rechnern ganze Generationen von Computerfreaks träumen? Jetzt ist es möglich:

http://www.sgi.com/

Sun Microsystems

Der Workstation-Hersteller mit dem freundlichen Namen ist unter folgender Adresse anzutreffen:

http://www.sun.com/

Software-Schmieden aus aller Welt

Nach den „harten Sachen“ kommt nun die „weiche Ware“, die Ihrem Rechner überhaupt erst Leben einhaucht: Von Microsoft über Borland bis hin zu Antiviren-Software und Mathematikprogrammen ist im WWW alles vorhanden.

Microsoft

Microsofts WWW-Server finden Sie unter der Adresse:

http://www.microsoft.com/

Er enthält Informationen zu vielen bekannten Microsoft-Produkten ebenso wie verschiedene Hilfen zu auftretenden Problemen, Antworten auf die häufigsten Fragen, aber auch interessante Software zum Herunterladen.

Für alle, die speziell an neuen Microsoft-Programmen und zugehöriger Hilfs-Software interessiert sind, betreibt Microsoft auch einen FTP-Server:

ftp://ftp.microsoft.com/

Hier finden Sie diverse Software rund um die Microsoft-Produktpalette.

Tricks zu Windows 95

Wenn Sie stolzer Anwender des neuen Microsoft-Betriebssystems Windows 95 sind und die englische Sprache zumindest in Grundzügen beherrschen (im weltweiten Internet ist das ja sowieso grundlegend), sollten Sie sich einmal die Seiten unter folgender Adresse genauer ansehen:

http://www.windows95.com/

Hier finden Sie allerlei hilfreiche Tips & Tricks zu diesem Betriebssystem versammelt.

Borland

Den Hersteller des berühmten „Turbo Pascal" und seines Nachfolgers „Delphi" (sowie vieler weiterer Software-Produkte für Programmierer und Anwender) erreichen Sie im WWW unter folgender Adresse:

http://www.borland.com/

Wolfram Research

Wer sich in Beruf oder Studium mit Mathematik beschäftigt, findet in den heutigen Computersystemen leistungsstarke und tatkräftige Helfer. Eines der bekanntesten Mathematikpakete ist „Mathematica" der Firma Wolfram Research. Diese finden Sie unter folgender Adresse:

http://www.wri.com/

McAfee

Wenn Sie häufig Programme aus den diversen Quellen des Internet beziehen, sollten Sie besonderes Augenmerk auf den Schutz vor sogenannten „Computerviren" haben. Unter folgendem URL finden Sie die derzeit wohl bekannteste und meist genutzte Antiviren-Software im PC-Bereich – nämlich direkt beim Hersteller McAfee:

http://www.mcafee.com/

Übrigens gibt es dort auch Hinweise auf gute Produkte aus anderen Häusern – ein feiner Zug, wie ich meine.

The Santa Cruz Operation (SCO)

Das Betriebssystem SCO UNIX sorgt in vielen Firmen für das Funktionieren der EDV-Systeme. Der Hersteller „The Santa Cruz Operation" ist im Netz unter dieser Adresse vorzufinden:

http://www.sco.com/

5.2 Druckfrisch – die Presse übers Netz lesen

Das Netz ist ein Informationsmedium, keine Frage – und kein Wunder, daß es somit besonders attraktiv für „Online"-Varianten klassischer Informationsmedien ist: Allerlei Zeitungen und Zeitschriften aus aller Welt ermöglichen schon die Lektüre via World Wide Web. Mit aktuellen Reportagen in Text, Bild und mitunter auch in Ton. Besonderer Vorteil: Dank querverknüpfter Verweise ist das Blättern endlich überflüssig, Mausklick genügt! Zudem haben viele Redaktionen die Chancen des Internet verstanden und präsentieren ausgewählte Artikel neuer Ausgaben Ihrer Publikationen schon vor dem Erscheinen am Kiosk im Netz.

Deutschsprachige Zeitungen und Zeitschriften

Obwohl das WWW schon immer ein internationales Medium mit Vorzugssprache Englisch war, sind dort dennoch viele gute Angebote auch in deutscher Sprache zu finden.

Der Spiegel

Den Service „Spiegel Online" kennen Sie schon aus unserer WWW-Tour von Seite 13. Hier nochmals die Adresse:

http://www.spiegel.de/

Focus

Genauso können Sie das Nachrichtenmagazin „Focus" über das WWW erreichen – nämlich unter diesem URL:

http://www.focus.de/

Dieser Service bietet ein umfangreiches Informationsreservoir in durchaus ansprechender Gestaltung.

Stern

Auch der „Stern" ist mit einem eigenen Online-Service im Internet vertreten – unter folgender Adresse:

http://www.stern.de/

Hier finden Sie nicht nur Artikel aus der aktuellen Ausgabe und ein durchsuchbares Archiv, sondern auch weitere Informationen und Live-Kameras, mit denen Sie z. B. einen aktuellen Blick in die Räume der Stern-Redaktion oder aus deren Fenster in den Hamburger Hafen werfen können.

Die Welt

Ebenfalls aus Hamburg, jedoch mit anderer Ausrichtung, stammt „Die Welt", die sich unter diesem URL auf den Bildschirm holen läßt:

http://www.welt.de/

Schon ab 19 Uhr finden Sie dort ausgewählte Berichte, Reportagen und Kommentare aus der erst am darauffolgenden Tag erscheinenden „Welt“-Ausgabe. Und ab 22.35 Uhr gibt's obendrein noch die Schlußkurse der Börsen New York und Toronto.

Hamburger Morgenpost

Sehr schön gemacht ist das WWW-Angebot der Hamburger Boulevardzeitung, erreichbar unter folgender Adresse:

http://www.mopo.de/

Hier gibt es allgemeine Nachrichten, Sport- und Kultur-Teile, Neuigkeiten aus Hamburg, kostenlose Kleinanzeigen, Horoskope und vieles mehr – sogar an die Ottifanten wurde gedacht. Vorbildlich: Das Programm wird täglich (!) aktualisiert.

taz

Auch die taz läßt sich über das Netz lesen. Jeden Tag wird die neue Ausgabe komplett eingespeist::http://www.taz.de/~taz/

Jeden Donnerstag gibt es die taz-Internetseite in voller Länge – mit der berüchtigten „Welt Weit Grönling“-Kolumne.

Schweriner Volkszeitung

Einen Kurztrip nach Schwerin unternehmen Sie unter folgender Adresse:

http://www.germany.eu.net/bda/nat/hn/svz.html

Saarbrücker Zeitung

Wie wäre es mit einer Stippvisite in Saarbrücken? Surfen Sie doch mal zu folgendem URL:

http://www.sz-sb.de/

Der Wiener Standard

Wien ist immer eine Reise wert! Was dort gerade von Interesse ist, lesen Sie unter dieser Adresse:

http://www.Austria.EU.net/DerStandard/

Ausländische Magazine

Nicht nur aus deutschen Landen kommen Zeitungen und Zeitschriften per Internet stets frisch auf den Tisch: In der ganzen Welt arbeiten Redaktionen mit großem Eifer daran, ihre Magazine ins World Wide Web zu bringen. Mit Erfolg! Schon jetzt lassen sich Nachrichten aus den verschiedensten Regionen in der Landessprache abrufen.

Time Magazine (International)

Die bekannte internationale Nachrichten-Zeitschrift „Time Magazine" ist im WWW unter folgendem URL verfügbar:

http://mouth.pathfinder.com/time/

Natürlich gibt es neben dem Textarchiv selbst auch noch ein weitreichendes sonstiges Online-Angebot.

Le Monde Diplomatique (Frankreich)

Die französische Zeitung „Le Monde Diplomatique" lesen Sie im Netz unter dieser Adresse:

http://www.ina.fr/CP/MondeDiplo/mondediplo.fr.html

Il Manifesto (Italien)

Der Mailänder „Il Manifesto" ist hier zu betrachten:

http://www.mir.it/

L'Unione Sarda (Sardinien)

In Sardinien ist „L'Unione Sarda" zu Hause – im WWW unter dieser Adresse:

http://www.crs4.it/~ruggiero/unione.html

La Jornada (Mexiko)

Aus Mexiko kommt „La Jornada" auf Ihren Bildschirm, und zwar unter dieser Adresse:

http://serpiente.dgsca.unam.mx/jornada/index.html

Die Computerpresse

Gerade für Informationsanbieter im Computerbereich ist das World Wide Web ein ideales Medium – kein Wunder, daß sich zu den klassischen Zeitungen auch diverse Computermagazine gesellen.

DATA BECKER

So ist auch der DATA BECKER-Verlag mit einem Online-Center im Internet vertreten. Diesen erreichen Sie unter der WWW-Adresse:

http://www.databecker.de/

PC Praxis Online

Ebenso können Sie die PC Praxis mit der folgenden Adresse im Internet anwählen:

http://www.pcpraxis.de/

Gateway

Wenn Sie sich auch neben dem reinen Netzsurfen noch für die Vorzüge und Anwendungen der modernen Datenkommunikation interessieren, sollten Sie einmal die folgende Adresse wählen:

http://www.heise.de/gw/

Sie finden dort „Gateway", das Magazin für Daten- und Telekommunikation aus dem Heise-Verlag.

c't – Magazin für Computertechnik

Unter Nutzern der verschiedensten Systeme besonders beliebt ist das „c't – Magazin für Computertechnik" aus dem Heise-Verlag. Im WWW erreichen Sie es unter der Adresse:

http://www.heise.de/ct/

ELRAD

Eine „heiße" Adresse für technisch interessierte Computernutzer ist:

http://www.elrad.de

Dahinter verbirgt sich nämlich die Zeitschrift „ELRAD", das Fachblatt für Elektronik und technische Computeranwendungen.

iX – Multiuser Multitasking Magazin

Ein weiteres Magazin aus dem Heise-Verlag ist online:

http://www.heise.de/ix/

5.3 Wissenswertes – Wissenschaft im Netz

Das Internet war von Anfang an (siehe unsere Geschichte ab Seite 31) zum Austausch wissenschaftlichen Know-hows geplant. Im folgenden finden Sie einige interessante Server für Ihre Ausflüge ins Reich der Fakten und Forschung.

Medizin und Biologie

Richtig multimedial vermitteln Mediziner und Biologen Ihre Informationen: Da können Sie Einblicke in den menschlichen Körper nehmen oder einen simulierten Frosch sezieren. Natürlich fehlen auch Forschungsinstitute nicht.

Der menschliche Körper in 3-D

Ein vollständiges, dreidimensionales Computermodell des menschlichen Körpers beiderlei Geschlechts nachzubilden und im World Wide Web für jedermann verfügbar zu machen, das ist das Ziel des „Visible Human"-Projekts der amerikanischen National Library Of Medicine. Einen Eindruck vom aktuellen Stand erhalten Sie unter folgender Adresse:

http://www.nlm.nih.gov/research/visible/visible_human.html

Heute schon einen Frosch zerlegt?

Falls nicht, sollten Sie mal die folgende Adresse anwählen:

http://george.lbl.gov/ITG.hm.pg.docs/dissect/info.html

Natürlich geht hier alles (im Gegensatz zum Medizinstudium ohne WWW-Zugriff) unblutig zu, und die Sektion des Frosches, an der Sie teilnehmen, ist nur simuliert. Es wäre wünschenswert, daß demnächst auch deutsche Unis angesichts solcher Angebote auf zigfachen realen Froschmord pro Semester verzichten.

Insektenkunde im WWW

Alles zur Entomologie – samt Fotos von Insekten und passender Lern-Software – bietet die Colorado State University in Denver unter der Adresse:

http://www.colostate.edu/Depts/Entomology/ent.html

Deutsches Krebsforschungszentrum

Das Deutsche Krebsforschungszentrum in Heidelberg erreichen Sie unter folgender Adresse:

http://www.dkfz-heidelberg.de/index.html

Der WWW-Server bietet nicht nur Informationen zur aktuellen Krebsforschung, sondern auch Verweise auf ähnliche Internet-Dienste und eine Reihe interessanter Texte zum Thema.

Botanik

Möchten Sie wissen, welche Blumen gerade vor Ihrem Fenster blühen und das Kribbeln in der Nase verursachen? Oder möchten Sie Ihr Arbeitszimmer mit einigen schönen Büropflanzen begrünen (aber welchen)? Hier erhalten Sie Infos, Tips und Lösungen.

Es grünt so grün!

Und das nicht nur, wenn Spaniens Blüten blühen! Von der TH Darmstadt erhalten Sie nämlich den jeweils aktuellen Blühbericht, der von den dortigen Mitarbeitern etwa alle vier Wochen auf den neuesten Stand gebracht wird. Die Adresse lautet:

http://www.th-darmstadt.de/fb/bio/bot/BoGa/

Das Büropflanzenlexikon

Jede Menge Informationen über Büropflanzen, deren Aufstellung und Pflege sowie die Feststellung und Kurierung von Schädlingsbefall hält „Flowers for the Internet" für Sie bereit. Es ist erreichbar unter:

http://www.wi-inf.uni-essen.de/~schwarze/pflanzen/pflanzen.html

Alles für Botaniker

Der Autor des oben empfohlenen Büropflanzen-Lexikons macht Ihnen auch die folgende WWW-Seite verfügbar:

http://www.wi-inf.uni-essen.de/~schwarze/pflanzen/botany.html

Sie enthält unzählige Verweise auf weitere WWW-Services für Botaniker und Hobby-Pflanzenfreunde. Eingerichtet wurde sie von einem Mitarbeiter des Missouri Botanic Garden.

Physik und Astronomie

Der Weltraum, unendliche Weiten ... Starten Sie in den Kosmos und erkunden Sie unser Sonnensystem – und gehen Sie noch darüber hinaus!

Unser Sonnensystem

„Views of the Solar System", „Ansichten des Sonnensystems", finden Sie unter folgender Adresse:

http://www.hawastsoc.org/solar/homepage.htm

Diese Seite enthält nicht nur fesselnde Berichte und wunderbare Bilder der Sonne und aller neun Planeten sowie Kometen, Asteroiden und Meteoroiden, sondern auch einiges Material zur Geschichte der Raumfahrt und jede Menge Verweise auf andere Weltraum-Server.

Vom Mond zu den Planeten

Weitere Informationen zu unserem Sonnensystem – im speziellen zum Mond und zu den Planeten – erhalten Sie unter folgendem URL:

http://cass.jsc.nasa.gov/lpi.html

Dahinter verbirgt sich das „Lunar and Planetary Institute" (LPI) der US-Weltraumbehörde NASA.

Kunst des Kosmos

Ebenfalls einen Blick in den Kosmos – allerdings unter dem Blickwinkel eines Künstlers – werfen Sie unter der Adresse:

http://www.secapl.com/bonestell/Top.html

Hier finden Sie die Chesley Bonestell Art Gallery, eine vernetzte Ausstellung des für seine astronomischen Zeichnungen bekannten Künstlers Bonestell.

Mathematik und Informatik

Um abstrakte Themen und neue Forschungsergebnisse anschaulich zu vermitteln, ist das World Wide Web ein ideales Medium – zum Beispiel über in die Textseiten eingebundene computergenerierte Filme.

Lehrfilme aus München

Mehrere kurze Lehrfilme halten die Informatik-Lehrstühle der Universität München bereit, zum Beispiel „Dünne Gitter":

http://wwwzenger.informatik.tu-muenchen.de/forschung/visualisierung/duenne_gitter.html

Rechnen und Visualisierung

Zudem gibt es Arbeiten aus dem Praktikum „Wissenschaftliches Rechnen und Visualisierung" zu bestaunen:

http://hpzenger5.informatik.tu-muenchen.de:80/forschung/visualisierung/praktikum.html

Museen

Wie wäre es mit einem kleinen Ausflug an die Australische Nationaluniversität oder in das Naturhistorische Museum London? Im World Wide Web gar kein Problem – und weitaus günstiger als jeder Flug.

Eine Tour durch das MCCM

Gänzlich im WWW zu besichtigen ist das Michael C. Carlos Museum der Emory Universität in Atlanta (Georgia), USA:

http://www.cc.emory.edu/CARLOS/carlos.html

Sie wandern durch die einzelnen Gänge, Räume und Etagen, betrachten die Kunstschätze, die Sie interessieren. Zudem haben Sie die Möglichkeit, einige Blicke hinter die Kulissen des Museumsbetriebes zu werfen.

Museum der Paläontologie

Fossilien aller Art gibt es im Museum of Paleontology zu bestaunen:

http://ucmp1.berkeley.edu/

Außerdem erfahren Sie jede Menge Wissenswertes über die Paläontologie im allgemeinen und das Museum der Universität von Kalifornien im speziellen.

Australische Nationaluniversität

Für Kunstfreunde lohnt sich ein Besuch in der australischen Nationaluniversität allemal. Die Adresse lautet:

http://rubens.anu.edu.au/

Dieser WWW-Dienst verschafft Ihnen Zugriff auf Kunstinformationen, die sonst nirgendwo erhältlich sind, darunter über 10.000 Bilder und ein Buch in voller Länge. Hauptgebiete sind die Kunst des Mittelmeerraums und des Islam.

Lexika und Fachpublikationen

Auch die Fachliteratur ist im Internet gut vertreten: Blättern Sie etwas in den aktuellen Ausgaben des „Spektrum der Wissenschaft" oder schlagen Sie einen Begriff in bekannten Lexika nach.

Spektrum der Wissenschaft

Interessieren Sie sich für wissenschaftliche Themen, dann ist Ihnen „Spektrum der Wissenschaft" sicherlich ein guter Begriff. Diese deutschsprachige Ausgabe der internationalen Wissenschafts-Zeitschrift „Scientific American" erreichen Sie im WWW unter der Adresse:

http://www.spektrum.de/

Meyers Lexikon

Das deutsche Nachschlagewerk gibt es auch im Internet unter:

http://www.iicm.edu/ref.m10/

Leider ist die Benutzung einer Einschränkung unterworfen, denn es kann nur von maximal drei Leuten gleichzeitig gelesen werden. Wenn bereits drei Benutzer auf das Lexikon zugreifen, erscheint für die restlichen Benutzer bei Abruf eines Lexikonartikels die Meldung "License expired" oder "no more users for license".

Encyclopaedia Britannica

Auch die berühmte Encyclopaedia Britannica bietet einen Online-Service im Internet.

Die umfangreichen Datenbestände stehen zur Suche offen – voll allerdings nur für registrierte Kunden. Sie erreichen den Service unter der Adresse:

http://www.eb.com/

Gesetzestexte im Netz

Nicht nur Jurastudenten erhalten gute Hilfen auf folgender Seite:

http://www.jura.uni-sb.de/

Betrieben vom Juristischen Internetprojekt Saarbrücken finden Sie hier eine Vielzahl wichtiger Rechtsnormen in Form von WWW-Dokumenten: von der bundesrepublikanischen Verfassung (in drei Sprachen) über das Strafgesetzbuch, den Verträgen zur Deutschen Einheit bis hin zu historischen Gesetzestexten.

Texte zur Medizin und Biologie

Ausgewählte Journale und Publikationen zur Medizin und Biologie finden Sie in den Biolabs der Harvard University in Cambridge:

http://golgi.harvard.edu/journals.html

5.4 Glitzer & Glamour – Showbusiness

Das Angebot im World Wide Web wird immer mehr zum Multimedia-Spektakel. Tauchen Sie ein in die Wunderwelt des Showbiz!

Radio und Fernsehen

Vom Musiksender MTV bis hin zu TV-Ermittler Derrick – einmal nicht über den Äther, sondern übers Netz durch die ganze Welt.

I want my MTV

Den bekannten Musiksender MTV erreichen Sie im Netz unter dieser Adresse:

http://www.mtv.com/

Neben den erwarteten Infos zur heutigen Popkultur gibt es dort auch Verweise auf Themen-ähnliche Internet-Angebote und einen kleinen Shop.

Bayerischer Rundfunk

Das Programm des Bayerischen Rundfunks gibt es unter dieser Adresse zu erkunden:

http://www.br-online.de/

Aber nicht nur das – natürlich gehen die angebotenen Informationen durchaus noch über eine reine Programminfo hinaus.

Hol´ den Wagen, Harry!

Unglaublich aber wahr: Deutschlands erfolgreichster TV-Kommissar Stephan Derrick hat es nicht nur in die Fernseher von 94 Nationen, sondern auch ins WWW geschafft! Unter dem URL

http://www.uni-karlsruhe.de/~uoka/mder.htm

gibt es einige Infos sowie eine Episoden-Liste.

Info-Quellen für Film-Freunde

Sie gehen gern ins Kino? Dann holen Sie es sich doch mal ins Haus! Nein, nicht über Video (das Kinofilme sowieso erst nach Monaten bietet), sondern über das World Wide Web. Hier erfahren Sie nicht nur alles über die Filme und Stars, sondern können sich die besten Szenen noch vor der Weltpremiere ansehen.

World Wide Web-Guide

Hollywood Online

Infos und Trailer zu den neuesten Hollywood-Streifen und deren Stars samt Sounds und Videos bietet Ihnen:

http://hollywood.com/

Movie Web

Aktuelle Infos zu allen großen Hollywood-Studios bietet das Movie-Web unter folgender Adresse:

http://www.movieweb.com/movie/movie.html

Movienet

Ebenfalls eine Menge Informationen zu den neuesten Hollywood-Produktionen samt Previews und Szenenfotos finden Sie unter:

http://www.movienet.com/

Movie Query

Für Cineasten gibt es eine große Film-Datenbank im Internet:

http://us.imdb.com/

Hier lassen sich Filmographien, Bilder, Lebensläufe von Darstellern und natürlich Beschreibungen einzelner Filme abrufen sowie nach Titeln, Genres, Regisseuren und dergleichen suchen.

Die Info-Kioske der Hollywood-Größen

Auch die großen Hollywood-Studios selbst lassen sich nicht lumpen, ihre aktuellen Produktionen höchstpersönlich den Cineasten im World Wide Web zu präsentieren.

UIP

Den Auftakt macht UIP unter dieser Adresse:

http://www.uip.com/

MCA Universal

Betreten Sie den Cyberwalk von MCA Universal mit Infos zu Filmen, Shows und Musik:

http://www.mca.com/

MGM

Die klassischen Renommee-Studios Metro-Goldwyn-Mayer und United Artists erreichen Sie unter dieser Adresse:

http://www.mgm.com/

Paramount

Ein ganzes „Online Studio" hat Paramount aufgebaut:

http://www.paramount.com/

Sony Pictures

Kinofilme, TV-Shows, Home Video und mehr finden Sie bei Sony Pictures, zu der beispielsweise auch Columbia und Tristar gehören, unter folgender Adresse:

http://www.spe.sony.com/Pictures/index.html

Walt Disney

Das Zuhause von Micky Maus, Donald Duck, Eliott, dem Schmunzelmonster, Peter Pan, dem König der Löwen, Pocahontas und Konsorten finden Sie unter:

http://www.disney.com/

New Line Cinema

Eine kleinere, aber nichtsdestotrotz bemerkenswerte Produktionsfirma ist New Line Cinema:

http://www.newline.com/

Die Stars der Musik-Szene

Zwar ist das World Wide Web ein weitestgehend optisch orientiertes Medium, doch muß trotzdem das Gehör nicht zu kurz kommen. Im folgenden erfahren Sie gute Quellen für einige gehörige Portionen besten Ohrenschmaus.

Vom Orinoco Flow zum Caribbean Blue

Freunde ruhiger, harmonischer Musik mit ausdrucksvollem Gesang freuen sich über folgende Adresse:

http://www.bath.ac.uk/~ccsdra/enya/homepage.html

Dahinter verbirgt sich die „inoffizielle" Enya-Seite des WWW – mit vielerlei Informationen, Discographien, Artikeln und Bildern rund um die keltische Künstlerin.

Sledgehammer

„Through the wire" – durch die Leitung kommt Peter Gabriel zu Ihnen, wenn Sie folgende Adresse ansteuern:

http://www.cs.clemson.edu/~junderw/pg.html

Darunter gibt es Bio- und Discographien, Cover-Art, Sounds, Lyrik und diverses weiteres Material um den Genesis-Mitbegründer und extravaganten Solo-Star.

We don´t need no education ...

Wollen Sie mal hinter die Mauer („The Wall") schauen? Dann sind Sie unter dieser Adresse genau richtig:

http://www.pinkfloyd.com/

Dort liegt nämlich eine „Pink Floyd Homepage" – mit einer Vielzahl an Plattencovers und Tourfotos, Discografien, Interviews, Zeitungsartikeln, Antworten auf die häufigsten Fragen und Links zu anderen Homepages rund um Pink Floyd.

Blues before sunrise

Fans von „Slowhand" Eric Clapton wird folgende Adresse interessieren:

http://www.iuma.com/Warner/html/Clapton%2c_Eric.html

Hier gibt es einen Film, etwas Musik und ein Interview zu entdecken.

Into the Great Wide Open

„Wilde Blumen" schenkt Ihnen Tom Petty auf folgendem WWW-Server:

http://www.iuma.com/Warner/html/Petty%2c_Tom.html

Wie bei Warner Records üblich gibt es dort etwas Musik, einen Film, mehrere Bilder und Textinformationen.

Bridges to Babylon

Stones-Fans sollten zu folgender Adresse surfen:

http://stones.com/

Hier finden Sie die offizielle WWW-Seite der „alten Herren des Rock". – mit Musik-Clips, Spielen (zum Beispiel ein Stones-Puzzle), Stories, Informationen zur aktuellen CD und vielem mehr.

Losing my religion

Dem „Monster" von R.E.M. kann hier begegnet werden:

http://www.iuma.com/Warner/html/R.E.M..html

Neben einer Titelangabe, dem Cover als Bilddatei und einer R.E.M.-Biographie gibt es dort auch einige Filme zu betrachten.

Bedtime Stories

Eine kleine Bettlektüre mit Madonna gibt es unter folgender Adresse:

http://www.iuma.com/Warner/html/Madonna.html

Independent!

Das HiFi-Musikarchiv im Internet finden Sie unter folgender Adresse:

http://www.iuma.com/IUMA-2.0/home.html

Dieses „Internet Underground Music Archive" präsentiert unter anderem über 500 verschiedene Independent-Bands.

Scotty, beam' uns rauf!

Einen famosen WWW-Führer für Star-Trek-Freunde hat Brigitte Jellinek von der Universität Salzburg zusammengestellt und unter der folgenden Adresse erreichbar gemacht:

http://www.netshop.net/Startrek/web/

Nichts, was es dort nicht gäbe: Aktuelle Infos, Bilder, Sounds, klingonische Sprachführer, Con-Berichte, Programme, und und und ... da heißt es maximum Warp zu diesem Server!

Video-Clips von Psycho bis Al Bundy

Eine ganze Menge verschiedener Videoclips, zum Beispiel aus dem Film „The Wall" von Pink Floyd, Sketche mit den Plastfiguren Wallace & Gromit von Nick Park, Highlights der Kinostreifen „Blade Runner", „Highlander", „Poltergeist" und „Psycho" (die berühmte Dusch-Szene!), allerlei Ausschnitte aus dem TV-Kult-Spaß „Married ... with children" (zu deutsch „Eine schrecklich nette Familie") und dergleichen mehr bietet:

http://wwwzenger.informatik.tu-muenchen.de/persons/paula/mpeg/index.html

Auf die „Al Bundy"-Spots läßt sich auch direkt zugreifen, wenn Sie Ihre Software zu folgender Adresse schicken:

http://wwwzenger.informatik.tu-muenchen.de/persons/paula/mwc/mpeg/mwc_mpegs.html

5.5 Durchgeknallt – verrücktes Entertainment und Online-Spiele

Viel Spaß bringen Ihnen die folgenden WWW-Angebote über das Internet auf den Schreibtisch: Von besonders ausgefallenen Ideen über WWW-Spielhallen bis zu netzweit erzählten Witzen.

Ganz schön verrückt

„Es gibt nichts, was es nicht gibt!" scheint ein festes Motto des World Wide Web zu sein – wie Sie nach einer Reise durch die folgenden WWW-Lokalitäten selbst feststellen werden.

Nichts ist unmööööglich!

Für die einen ein Skandal, für die anderen zum totlachen: Hier sammelt Johannes Plenio bekannte Werbesymbole, die mit viele Phantasie christlich getrimmt wurden. In diesem Sinne: Die zarteste Erlösung, seit es Versuchung gibt ...

http://www.feg.pair.com/werbung/Modelleisenbahn-Fahren im WWW

Sind Sie ein begeisterter Modelleisenbahner oder wollen Sie es werden? Dann lassen Sie sich diese Adresse nicht entgehen, unter der Sie eine Modellbahn-Anlage in Ulm beobachten und sogar über das Netz fernsteuern können:

http://rr-vs.informatik.uni-ulm.de/rr/

Spielen übers Netz

Spielen macht Spaß! Und wenn Ihre Bewerbung zu einer TV-Gameshow unerhörterweise abgelehnt wurde oder Ihnen gerade das nötige Kleingeld fehlt, um es im nächsten Casino auf den Kopf zu hauen, schauen Sie doch mal in die WWW-Online-Spiele hinein.

Virtual Vegas

Auf ins Cyberspace-Casino! Zu finden ist es unter der Adresse

http://www.virtualvegas.com/

und nennt sich „Virtual Vegas", die elektronische Variante des Vergnügungsparadieses Las Vegas also. Na dann viel Spaß!

Die Großen Alten kommen!

Mögen Sie schaurige Abenteuer? Haben Sie ein Faible für die düsteren Geschichten H.P. Lovecrafts? Sind Sie ein Rollenspiel-Freund? Dann wird Ihnen der „Cthulhu Park“ gefallen, erreichbar unter folgender Adresse:

http://www.cyberteam.com/cthulhu_park/

Hier erwartet Sie ein gruseliges Abenteuer rund um den Cthulhu-Mythos aus der Feder des bekannten Autors phantastischer Literatur.

Cartoons im World Wide Web

Als hätten wir es nicht immer schon geahnt: Das World Wide Web ist bevölkert von ... Zeichentrickfiguren!

Cartoon-Line

Ein für den sonstigen Uni-Betrieb sicherlich außergewöhnliches Projekt am Institut für Kommunikationswissenschaft der Universität München ist die „Cartoonline“, erreichbar unter:

http://cartoons.ifkw.uni-muenchen.de/cartoons/index.htm

Sie bietet aktuelle Karikaturen zum Tagesgeschehen (und mehr) von Dieter Hanitzsch.

Dr. Fun

Den neuesten „Dr. Fun“-Cartoon können Sie sich unter dieser Adresse betrachten:

http://www.mcc.ac.uk/Dr-Fun/Dr-Fun/latest.jpg

5.6 Showtime – Java live erleben

„Java-Applets“, das sind die mit Java (der von Sun Microsystems entwickelten „Programmiersprache des World Wide Web“) entwickelten Programme, eröffnen den Anbietern von WWW-Services – und damit auch Ihnen als deren Anwender – ungeahnte Perspektiven.

Probieren Sie diese faszinierenden Möglichkeiten von Java doch einmal aus!

Hinweis: Beim Umgang mit Java heißt es aufgepaßt: Die Netscape-Fassung 2.0 hatte nämlich eine erhebliche Sicherheitslücke, durch die Mißbrauch mit den Java-Funktionen und Ihren privaten Daten getrieben werden konnte. In der aktuellen Version 4.0 sind die bekannten Probleme beseitigt. Es ist jedoch nicht auszuschließen, daß kriminelle Programmierer einen Weg finden, auch die neuen Sicherheitsroutinen zu überwinden ...

Let's Play – interaktive Spiele

Einen ganz besonderen Reiz üben mit Java programmierte Spiele aus: Sie stellen alle hypermedialen Features des World Wide Web zur Verfügung und ermöglichen zugleich eine unmittelbare Interaktivität: So können Sie beispielsweise die Bausteine eines Java-Puzzles mit der Maus auf dem Bildschirm hin und her schieben.

Das verflixte Bilderpuzzle

Diese Puzzle, in denen ein Bild in neun Teile zersägt wurde, und diese nun – bunt durcheinandergewürfelt – durch einfaches Verschieben wieder in die richtige Reihenfolge gebracht werden müssen, sind manchmal echte Nervtöter.

Richtig Spaß macht es, wenn Sie diese Puzzle über das WWW zu lösen versuchen – und zwar mit einem eigenen (einstellbaren) Bild:

http://www.servonet.com/1k1/cafe/puzzle.html

Hund, Katze, Maus?!

Machen Sie mit beim heiteren Worteraten in den verschiedensten Sprachen!

http://www.javasoft.com/applets/applets/WordMatch/index.html

XXO – Tic-Tac-Toe!

Ein paar Kringel und Kreise in einem 3 x 3-Feld – fertig ist das Tic-Tac-Toe-Spiel. Drei gleiche Symbole übereinander, nebeneinander oder in der Diagonalen – und Sie haben gewonnen. Dieses Spielchen finden Sie unter:

http://www.javasoft.com/applets/applets/TicTacToe/example1.html

Das Hängemännchen

Auch das beliebte Wort-Rate-Spiel „Hangman" ist im WWW vertreten. Versuchen Sie, das Wort herauszufinden, bevor der arme Duke gehängt wird – und zwar hier:

http://www.javasoft.com/applets/applets/Hangman/index.html

Das Shinsui-Spiel aus Japan

Spielen Sie doch eine Runde „Shinsui"! Sie wissen nicht, was das ist? Dann schauen Sie es sich schleunigst einmal unter folgender Adresse an:

http://www.linc.or.jp/~hamano/game/shinsui/Shinsui.html

Siming

Beim Spielen auch noch Chinesisch lernen? Kein Problem mit „Siming“! Sagt zumindest der Autor folgender WWW-Seite:

http://www.servonet.com/1k1/cafe/siming.html

Just for fun – etwas zur Unterhaltung

Zwar nicht als Spiele im eigentlichen Sinne gedacht, aber doch nicht minder unterhaltsam sind weitere multimediale Präsentationen, die sich findige Java-Programmierer ausgedacht haben: zum Beispiele eine Diashow, ein Bildschirm-Feuerwerk oder eine bewegte Bildergeschichte.

Virtuelle „Ooh“s und „Aah“s

Lassen Sie Netscape ein Feuerwerk auf Ihrem Bildschirm zünden. Unter folgender Adresse findet sich das passende Java-Programm:

http://www.cs.chalmers.se/~wistrand/fireworks.html

Es war einmal ...

Eine bewegte Bildergeschichte wird Ihnen unter folgender Adresse erzählt:

http://www.servonet.com/1k1/cafe/demo2.html

Infotainment – Simulationen und Lernprogramme

Die „Infotainment“-Sektion im Netz hat auch einiges zu bieten: Hier erhalten Sie fundierte Informationen auf unterhaltsame Weise vermittelt – zum Beispiel mit einem animierten Tanzkurs, einer interaktiven Demonstration des „Abakus“-Rechners oder einem Lernprogramm der numerischen Mathematik.

Tanzen lernen über das WWW

Einen animierten Tanzkurs bieten die technischen Informatiker der Universität Hamburg unter folgender Adresse an:

http://tech-www.informatik.uni-hamburg.de/dance/JDance.html

Der Abakus-Rechner

Wissen Sie, wie man mit der uralten Zählmaschine „Abakus“ rechnet? Wenn nicht, dann lassen Sie es sich doch erklären und probieren Sie es einmal selbst aus – unter folgender Adresse:

http://www.ee.ryerson.ca:8080/~elf/abacus.html

Numerische Mathematik

Ein beliebtes Gebiet der numerischen Mathematik ist die Interpolation; auf folgender WWW-Seite können Sie sich das einmal vorführen lassen, und zwar nach verschiedenen Methoden und mit wählbarer Genauigkeit:

http://fas.sfu.ca:80/1/cs/people/GradStudents/heinrica/personal/curve.html

5.7 Kultur & Politik

Von seiner besten Seite als ultramodernes Informationsmedium zeigt sich das World Wide Web in dieser Sektion unserer Rundreise.

Multimediale Kunst & Musik

Sie finden Gefallen an schönen Werken der Malerei und Photographie? Sie haben ein Faible für musikalische Erlebnisse? Dann sind Sie auf folgenden Seiten genau richtig.

Die Oper im Internet

Als erste deutsche Oper ist die Oper der Stadt Köln im World Wide Web unter folgender Adresse erreichbar:

http://www.rrz.uni-koeln.de/koeln/oper/index.html

Hier finden Sie nicht nur den aktuellen Spielplan samt Ausblick auf die jeweils kommende Spielzeit, sondern Sie können auch einen Blick werfen hinter die Kulissen, auf Daten und Geschichte des Opernhauses, Zeitungsartikel zur Oper und diverse weitere Informationen zum Thema – von der Verkehrsanbindung bis hin zu Stellenangeboten. Auch vielfältige Verweise auf sonstige Musikseiten im WWW fehlen nicht.

Die Photos des Ansel Adams

Die beeindruckenden Schwarzweißbilder des Kamerakünstlers Ansel Adams erleben Sie im Netz unter dieser Adresse:

http://bookweb.cwis.uci.edu/AdamsHome.html

Sie finden hier nicht nur einige schöne Werke als Bilddateien zum Einladen, sondern auch eine Biographie, mehrere Essays und weitere Informationen zum Künstler selbst und seinem Schaffen.

Verzeichnis der Kunstmuseen im WWW

Einen Katalog von über 170 offiziellen WWW-Servern internationaler Kunstmuseen finden Sie unter dieser Adresse, die dort gebotenen Verweise ermöglichen Ihnen Stunden ungetrübten Kunstgenusses:

http://www.cgrg.ohio-state.edu/Newark/museums.html

Elektronische Literatur

Die überwiegende Mehrheit der Informationen im Netz besteht aus Text – kein Wunder also, daß gerade auch Literaten damit gut beraten sind.

Bücher im Netz

Ein ehrgeiziges Privatprojekt ist „Bin – Bücher im Netz", beheimatet in Berlin:

http://grimnir.wiwi.hu-berlin.de/~huck/bin.html

Dort gibt es vielfältige Beiträge zu Büchern im allgemeinen: Von Rezensionen über Essays und Interviews bis hin zu Autoren- und Verlagsportraits.

Zudem existieren einige Verweise auf andere Literatur-Server.

Ein Roman im WWW

Einen Roman im World Wide Web hat Regina Berlinghof auf der Literaturseite des Providers Germany.Net veröffentlicht:

http://www.literatur.de/

Polyglott – Netzreisen in nah und fern

Auf Ihrer Rundreise durchs World Wide Web springen Sie von Server zu Server durch aller Herren Länder – vielleicht möchten Sie auch einmal einen Blick aus dem virtuellen Fenster werfen?

Digitale Jecken

Daß es am Rhein nicht nur urige Gemütlichkeit und ausgelassene Jecken gibt, beweist folgende Adresse:

http://www.colonia.de/

Die Stadtinfos sind modern und vielfältig aufgemacht – wer die Domstadt übers Netz kennenlernen oder demnächst auch „real" besuchen (und sich zuvor gründlich informieren) möchte, sollte unbedingt mal hineinschauen.

Nach München zum Oktoberfest

Wie wäre es nach dem Besuch am Rhein mit einem virtuellen Ausflug an die Isar? Rufen Sie einfach folgende Seite auf:

http://www.muenchen.de/Dort finden Sie allerlei Infos rund um München, seine Sehenswürdigkeiten, Daten und Geschichte, diverse Verzeichnisse (zum Beispiel über Museen, Sammlungen, Kirchen, aber auch Biergärten) sowie einen anklickbaren Plan der Münchener Innenstadt für Ihre Stadttour via WWW.

Die Stadt der Liebe

Wem die Isar noch zu nah ist, der wird vielleicht lieber die Stadt an der Seine besuchen. Auch das ist im World Wide Web möglich – unter dieser Adresse, hier gibt es viele Informationen zur Stadt und ihren Leuten, zu Sehenswürdigkeiten, Cafés und Veranstaltungen:

http://www.paris.org/

Oder in die Stadt der Liebenden?

Vielleicht mögen Sie es noch etwas romantischer und reisen in den warmen Süden in die alte Handelsstadt Venedig:

http://www.venicelagoon.com/

Allerdings ist es letztendlich doch empfehlenswerter ganz real Hand in Hand über den Markusplatz zu schlendern. Alles was Sie für eine Resiplanung „im echten Leben" brauchen, finden Sie unter:

http://www.doge.it/

Noch nicht weit genug?

Also gut, wenn Sie möchten, können Sie auch zu den abgelegensten Stellen der Erde reisen, in die Antarktis etwa:

http://astro.uchicago.edu/cara/vtour/pole/

Hier geht es zur „Amundsen-Scott South Pole Research Station".

Die Lutherstadt im Internet

Einen „elektronischen Stadtführer" in deutscher Sprache macht die Lutherstadt Wittenberg auf dem Informations-Highway verfügbar:

Von der Schloßkirche zur Luthereiche

Unter der Adresse

http://www.wittenberg.de/seiten/virtuell/vir_sf01.html

stellt sich Ihnen die Stadt der Reformation in Text und Bild vor. Über eine menügesteuerte Benutzerführung bewegen Sie sich beliebig zwischen der Schloßkirche, an deren Tür Martin Luther 1517 seine 95 Thesen schlug, dem historischen Marktplatz und der Luthereiche hin und her.

Führung durch die Lutherhalle

Eindrucksvoll ist auch die virtuelle Führung durch die Lutherhalle, das größte reformationsgeschichtliche Museum der Welt, an der Sie unter folgender Adresse teilnehmen können:

http://www.wittenberg.de/seiten/lutherha/luha01.html

Das Hundertwasser-Haus

Des weiteren erhalten Freunde des Künstlers Friedensreich Hundertwasser unter der Adresse

http://www.wittenberg.de/seiten/st011gy.html

Einblick in das Projekt „Hundertwasser-Haus Wittenberg".

Ämter und Organisationen

Mit wachsendem Interesse der Öffentlichkeit am Internet strecken zunehmend auch Ämter, Behörden und ähnliche Organisationen ihre Fühler in die schöne neue Informationswelt aus.

Ein Besuch im Weißen Haus

Möchten Sie den Amtssitz des amerikanischen Präsidenten in Washington D. C. besuchen? Dann schauen Sie doch einfach mal rein:

http://www.whitehouse.gov/

Europa wächst zusammen

Sie sind an Informationen über Europa interessiert? Dann sollten Sie sich die folgende WWW-Adresse einmal genauer anschauen:

http://www.echo.lu/

Hier finden Sie den Informationsservice des „Directorate-General XIII" der Europäischen Gemeinschaft. Dort gibt es beispielsweise den Maastrichter Vertrag zur eigenen Begutachtung.

Willkommen in Bayern

Viel Mühe hat man sich in der bayerischen Staatskanzlei mit dem Aufbau eines blau-weißen Servers im World Wide Web gegeben. Und es ist auch etwas Gutes dabei herausgekommen – zu begutachten unter folgender Adresse:

http://www.bayern.de/

Die Stadtverwaltung im Internet

Nachdem Bankgeschäfte und Einkaufen vom PC im Büro oder zu Hause dank diverser Telefondienste schon keine Seltenheit mehr sind, macht man sich in der Lutherstadt Wittenberg schon daran, die gesamte Stadtverwaltung ins Internet zu schicken. Einen eigenen Eindruck von diesem Projekt verschaffen Sie sich unter der Adresse:

http://www.wittenberg.de/seiten/stadtwb/home.html

Hierunter soll es dann zum Beispiel möglich sein, per Datennetz mit dem Oberbürgermeister zu plaudern oder sich schnelle Auskünfte von den verschiedenen Ämtern zu besorgen. Außerdem läßt sich durch Abfrage von Veranstaltungsterminen sowie Öffnungszeiten von Museen, Galerien und Gaststätten auch ein Besuch in der Stadt besser planen.

Die deutsche Parteienlandschaft

Nur ein informierter Bürger ist ein mündiger Bürger. Und wo fällt das Informieren leichter und macht mehr Spaß als im World Wide Web?

Der Bundestag

Schauen Sie doch mal beim Deutschen Bundestag vorbei:

http://www.bundestag.de/

Dort finden Sie Informationen über Abgeordnete und Gremien sowie politische Bühnen von Berlin bis Europa. Auch aktuelle Angebote wie Online-Konferenzen zu politischen Schwerpunktthemen sind vorhanden.

Der Bundespräsident

Eine Stippvisite in Schloß Bellevue und Villa Hammerschidt? Kein Problem – zumindest virtuell – unter folgender Adresse:

http://www.bundespraesident.de/

Neben Mitteilungen und Reden des Bundespräsidenten und seiner Gattin finden Sie dort auch Internet-Rundgänge durch die Amtssitze in Bonn und Berlin.

SPD

Die Sozialdemokratische Partei Deutschlands erreichen Sie im World Wide Web unter folgender Adresse:

http://www.spd.de/

Hier gibt es diverse Informationen zur SPD (darunter auch ein Ausschnitt aus einer Brandt-Rede als Klangdatei) sowie Verweise auf weitere interessante Server im Netz.

CDU

Auch die CDU läßt sich nicht lumpen und hat einen eigenen WWW-Service aufgebaut:

http://www.cdu.de/

Dieser präsentiert sich zwar etwas konservativ im Layout, hält jedoch für alle Interessenten einige aktuelle Informationen bereit – und dies sogar in drei Sprachen (Deutsch, Englisch, Italienisch).

Bündnis ´90/Die Grünen

Mit "Bitte Grafikmodus einschalten" werden Sie auf der Seite der Bündnisgrünen begrüßt, wenn Sie (wie auf Seite 186 beschrieben) das automatische Einladen der Bilder abgeschaltet hatten. Und was kommt dann? Die beiden anzuzeigenden Bilder enthalten nur textliche Slogans. Glücklicherweise gibt es auf der darauffolgenden zweiten Homepage mehr zu lesen.

Die Adresse:

http://www.gruenebt.de/

FDP

In leuchtend gelben Lettern und Symbolen vor einem blauen Hintergrund präsentiert sich die WWW-Seite unter folgender Adresse:

http://www.liberale.de/

Sie bietet Informationen zur FDP-Bundespartei und -Fraktion, zu den Jungen Liberalen und zur Friedrich-Naumann-Stiftung sowie auch einige weitere Texte zu Themen liberaler Politik.

PDS

Live-Chats mit Gregor Gysi und mehr sind über die Homepage der PDS möglich:

http://www.pds-online.de/

Auch Publikationen, Presseinfos und andere Materialien lassen sich einsehen.

Pilotprojekt „Abgeordnete im Internet"

Der Fachbereich Politische Wissenschaft der Freien Universität Berlin führt derzeit ein außergewöhnliches Pilotprojekt durch: Zum ersten Mal in der Bundesrepublik präsentieren sich Abgeordnete des Deutschen Bundestages im Internet. Sie sind nicht nur per E-Mail (siehe Seite 324) erreichbar, sondern stellen selbst Informationen im World Wide Web bereit. Sie erreichen das Projekt unter folgender Adresse:

http://www.fu-berlin.de/POLWISS/mdb-projekt/index.html

Angenehm ist, daß die dort enthaltenen Dokumente nicht bloß simple Übertragungen von bunten Wahlkampfbroschüren auf das Internet sind, sondern vielfältige weitaus konkretere Informationen bieten: Zur Person des Abgeordneten selbst ebenso wie zu Debattenbeiträgen, Gesetzentwürfen oder Thesenpapieren, an denen er mitgearbeitet hat.

Daneben gibt es eine Reihe weiterer Dokumente wie Aufsätze und Zeitungsartikel sowie unter der Rubrik „Politik im Internet" Verweise auf viele weitere Seiten politischen Inhalts.

Weitere Vereinigungen und Bewegungen

Neben staatlichen Institutionen stellen auch viele weitere Vereinigungen und Bewegungen sich und Ihre Aktionen und Ziele im Netz vor.

Vereinte Nationen

Sie erreichen die Vereinten Nationen (UNO, United Nations Organization) unter folgender Adresse:

http://www.un.org/

Weltgesundheit im weltweiten Netz

In Genf stationiert ist der WWW-Server der Weltgesundheitsorganisation WHO (World Health Organisation):

http://www.who.org/

Sie erhalten dort aktuelle Informationen zu Gesundheitsthemen, Impfbestimmungen für Auslandsreisen sowie viele Verweise auf weitere, ähnlich ausgerichtete Server.

Die Nichtraucher-Initiative Deutschlands

Ebenfalls um die Gesundheit der Internet-Surfer bemüht ist man unter folgender Adresse:

http://www.success.cubenet.de/NID/

Die „Nichtraucher-Initiative Deutschlands“ setzt sich dafür ein, daß Nichtrauchen der Normalfall und Qualmen die Ausnahme wird und daß der Gesundheitsschutz unfreiwilliger Passivraucher gesetzlich verankert wird.

Greenpeace

Naturfreunde werden sich über folgende Adresse freuen:

http://www.greenpeace.org/greenpeace.html

Hier finden Sie den europäischen WWW-Service von Greenpeace International mit vielfältigen Informationen über die aktuellen Projekte, Statistiken zu umweltbezogenen Themen und einem umfangreichen Bild- und Ton-Archiv.

Kampagne gegen Zwangsdienste

Die grundlegend staatlicher Gewalt gegenüber skeptisch eingestellte Ausrichtung vieler Internet-Nutzer verdeutlicht sich unter folgendem URL:

http://www.snafu.de/~campaign/

Hier erreichen Sie die „Kampagne gegen Wehrpflicht, Zwangsdienste und Militär“ mit vielen Hilfen für Kriegsdienstverweigerer und sonstigen Informationen zu Friedensbewegungen.

5.8 Diverse sonstige Informationen

Unsere Rundreise nähert sich ihrem Ende. Doch lassen Sie uns vor der Nachhausefahrt noch einmal bei ein paar weiteren nicht uninteressanten WWW-Angeboten vorbeischauen.

Kommerz oder Info-Service? – Firmen im Netz

Neben den typischen Computerfirmen und klassischen Informationsmedien finden auch andere Unternehmen immer stärkeren Zutritt ins Datennetz.

Daimler-Benz

Ein gewichtiges Beispiel ist der Daimler-Benz-Konzern, den Sie unter folgender Adresse erreichen:

http://www.daimler-benz.com/index_g.html

Deutsche Bank

Bequemes Homebanking aus dem Wohnzimmer heraus ist schon lange möglich – geht es bald auch übers Internet? Die Deutsche Bank bietet dort jedenfalls schon Informationen an:

http://www.deutsche-bank.de/db/index.htm

Aktienstände kontrollieren

Reich werden übers Netz? Aktuelle Neuigkeiten von den Börsen der Welt finden Sie hier – und zwar über einen Service des Bayrischen Rundfunks:

http://www.br-online.de/geld/boerse/index.html

Gesellschaft für Mathematik und Datenverarbeitung

Im Gegensatz zu Automobilen und Finanzwesen ist die Netzanwendung im datenverarbeitenden Bereich schon als „klassisch" zu bezeichnen. Einen entsprechenden Server finden Sie auch unter folgender Adresse:

http://www.gmd.de/

Hier erreichen Sie das Forschungszentrum Informationstechnik GmbH der Gesellschaft für Mathematik und Datenverarbeitung (GMD) in Sankt Augustin (Verweise auf GMD-Einrichtungen in anderen Städten gehen direkt von dieser Seite ab). Um zur deutschsprachigen Startseite zu gelangen, können Sie auch direkt folgenden URL anwählen:

http://www.gmd.de/GMDHome.german.html

Touristenfreuden dank WWW

Weltenbummler können nicht nur durch das WWW selbst reisen, sondern kommen mit Hilfe seiner Services auch in der realen Welt schneller zum Ziel.

Die Bahnauskunft im Netz

Wer sich über „Die Bahn" informieren möchte, findet alles, was er sucht, unter:

http://www.bahn.de/

Neben Fahrplanauskünften wie Preisen, An- und Abfahrtszeiten finden Sie hier auch Informationen zu regionalen Angeboten der Bahn sowie aktuelle Pressemitteilungen.

Lufthansa

„Über den Wolken ...“ – wenn Sie dorthin möchten, sollten Sie erst einmal hier vorbeischauen:

http://www.lufthansa.com/dhome.htm

Die Flugplanauskunft der Lufthansa – auch ein Service im WWW. Was sagt das den Netzsurfern? – Nur Fliegen ist schöner!

Deutscher Reisebüro-Verband

Eine Menge sonstiger Infos zum Thema „Tourismus“ hält der Deutsche Reisebüro-Verband bereit – erreichbar unter dieser Adresse:

http://www.drv.de/

Und und und ...

Das World Wide Web ist riesig und wächst immer weiter. Täglich kommen unzählige neue Services hinzu! Da ist es klar, daß jeder Spaziergang durch dessen Weiten (und sei er auch noch so ausgedehnt) lediglich einen kleinen Querschnitt der vorhandenen Angebote wiedergeben kann. Doch es existieren noch jede Menge mehr, zum Beispiel:

Ständig neueste Nachrichten

Ein sehr interessantes Nachrichtensystem bietet die Universität Karlsruhe unter der Adresse:

http://www.mathematik.uni-ulm.de/germnews/ThisYear/ThisMonth/Today.htmlHier erhalten Sie täglich die neuesten Nachrichten zu den verschiedensten Ereignissen des aktuellen Geschehens. Allerdings befindet sich der Service noch in der Experimentierphase.

Das elektronische Kochbuch

Sie kochen gern? Dann sollten Sie einmal folgende Adresse anwählen:

http://math-www.uni-paderborn.de/cgi-bin/Rezept

Hier können Sie eine Datenbank mit schmackhaften Rezepten abfragen.

Geld sparen dank Second Hand

Neuanschaffungen müssen nicht teuer sein. Gebrauchtkauf („Second Hand“) ist eine günstige und dennoch gute Lösung! Hierzu gibt es unter der Adresse

http://www.zweitehand.de/

die aktuellen Ausgaben der Kleinanzeigenblätter „Zweite Hand“, „Autohandel“ und „Bikerbörse“ zu lesen. Eine Recherche im Datenbestand ist ebenso möglich wie die direkte Aufgabe neuer Anzeigen.

Weitere lohnenswerte Startseiten

Möchten Sie weitere Plätze im weltweiten Netz auftun und erforschen? Dann sollten Sie entweder eine der auf Seite 169 vorgestellten Suchmaschinen bemühen oder auf den hier aufgeführten Internet-Startseiten Ausschau nach Neuigkeiten halten.

Die Bundesdatenautobahn

Das Klischeebild der „Datenautobahn“ hat sich verselbständigt; unter folgender Adresse gelangen Sie auf die norddeutsche Auffahrt:

http://eunet.bda.de/Die Bundesdatenautobahn ist eine unabhängige Initiative des Ende 1994 von fünf regionalen Providern aus Hamburg, Kiel, München, Kaarst und Frankfurt gegründeten BDA-Vereins und wurde am 2. Januar 1995 eröffnet. Mit ihr sollen die Mittel zur Kommunikation vereinfacht und neue Medien für die breite Bevölkerung nutzbar gemacht werden. Als Fernziel schwebt den Betreibern vor, das Reisen auf der Datenautobahn so selbstverständlich wie das Telefonieren zu machen.

Das Deutsche InterNet-Organisationssystem

Schon in unserer kurzen WWW-Tour zu Beginn dieses Buchs (ab Seite 13) haben Sie einen Blick in das DINO-System geworfen. Diesen gut sortierten Katalog interessanter WWW-Angebote erreichen Sie unter:

http://www.dino-online.de/

Einstieg ins Internet

Hier finden Sie verschiedenes für Einsteiger auf einer Seite zusammengefaßt:

http://stanpc1.lb.tu-berlin.de/lc/InternetDienste.html

Auf dieser Seite sind mehrere Suchmaschinen, ein Postleitzahlenverzeichnis sowie ein paar Texte zum Einstieg ins Internet zusammengefaßt.

6. Elektronische Paketdienste – Dateien aus dem Internet holen

Im Internet lagern riesige Software-Schätze, die nur darauf warten, von Ihnen gehoben zu werden: Egal, ob es sich um ein raffiniertes Hilfsmittel für Ihre Anwendungen, eine patente Lösung für ein bestimmtes Problem, den neuesten Treiber für Ihre Hardware, schöne Bilder und satte Klänge oder ein unterhaltsames Spiel handelt – im weltweiten Softwarepool des Internet findet sich zu jedem Wunsch ein passendes Programm! Dieses Kapitel zeigt Ihnen, wie Sie sich in den Programmlagern der Internet-Rechner in aller Welt nach Herzenslust bedienen können, und wie Sie aus dem gewaltigen Datenberg genau die Dateien herausziehen, die Sie wirklich interessieren.

6.1 So holen Sie sich Dateien aus dem Netz: FTP

Damit Sie sich über das Internet Dateien von einem fremden System auf den eigenen Rechner laden können, muß dieses System von seinem Betreiber für derartigen Dateitransfer freigegeben sein. Aber keine Bange: Solche Systeme gibt es mehr als genug. So gut wie jede ans Internet angeschlossene Universität und viele Firmen (zum Beispiel der Windows-Hersteller Microsoft) bieten ein oder mehrere Systeme, und nahezu alle dürfen von jedem Internet-Teilnehmer kostenlos genutzt werden. Was Sie dort finden, ist ebenso bunt gemischt wie die übrigen Angebote des weltweiten Datennetzes, zum Beispiel:

- Anwendungsprogramme für die verschiedensten Bereiche;
- sogar ganze Betriebssysteme (zum Beispiel das bekannte „Linux", ein UNIX-ähnliches Betriebssystem für Ihren PC);
- allerlei hilfreiche Dienstprogramme und Software-Werkzeuge;
- elektronische Literatur, Informationsdateien und Anleitungstexte zu unzähligen Themen;
- Spiele jeglicher Couleur;
- „Treiber"-Dateien, mit denen Ihre Hardware und Ihr Betriebssystem besser zusammenarbeiten;
- Updates und Bugfixes (Fehlerkorrekturen) kommerzieller Anwendungs-Software (zum Beispiel Word);
- Bilder und Klänge in Hülle und Fülle;
- und vieles mehr!

Was ist FTP?

Solche Internet-Rechner, die derartige Software-Sammlungen für andere Teilnehmer bereithalten, nennen sich „FTP-Server". „Server" deutet einfach nur an, daß der jeweilige Rechner Ihnen die Dateien „serviert", und die drei Buchstaben FTP stehen für das sogenannte „File Transfer Protocol". Dies ist ein Verfahren zum Dateitransfer im Internet (genauso wie HTTP, das „HyperText Transfer Protocol", das ein Verfahren zum Transfer von Dokumenten im WWW darstellt).

Hinweis: Der noch genauere Fachausdruck lautet „Anonymous FTP". Sie klinken sich per FTP nämlich „anonym" in den jeweils anderen Rechner ein, um Dateien von dort zu holen. Das heißt, Sie benötigen keine spezielle Benutzerkennung, die zum eigentlichen Arbeiten auf dem jeweiligen FTP-Server sonst notwendig wäre. Statt dessen reicht bei einem solchen „anonymen" FTP-Server die Angabe der E-Mail-Adresse als Zugangsberechtigung.

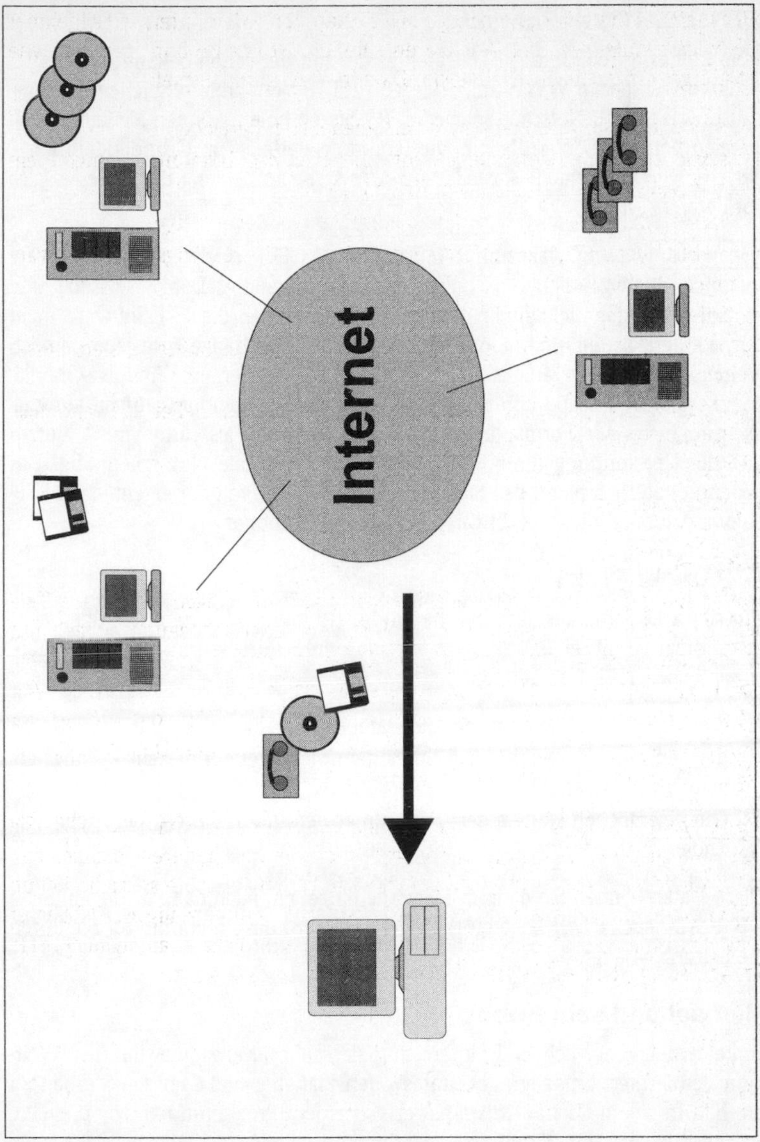

Abb. 168: FTP-Server im Internet

FTP über WWW-Browser

Schon eingangs wurde der FTP-Dateitransfer mit der schon bekannten Übertragung von Seiten im WWW mit Hilfe von HTTP-Verfahren verglichen. Und genauso, wie Sie mit Netscape solche WWW-Seiten holen, können Sie damit auch Dateien von FTP-Servern laden. Die Funktionsweise ist im Grunde identisch – der einzige Unterschied: Anstelle von *http* steht am Anfang der Adresse (also vor dem *://*) *ftp*.

Hinweis: Bislang war zum Dateitransfer via FTP noch spezielle Software (nämlich die eigentlichen FTP-Programme) notwendig. Dank Netscape und Konsorten ist das nicht mehr der Fall. Diese ersetzen die FTP-Software nicht nur, sondern bieten auch noch diverse Vorteile: Das Ganze läuft jetzt nämlich weitaus komfortabler ab. Es gibt nicht nur die angenehme Windows-Oberfläche, sondern Netscape kümmert sich neben dem Verbindungsaufbau automatisch auch um alle Formalitäten, etwa das Anmelden als „anonymer" Nutzer und die Übermittlung Ihrer E-Mail-Adresse als passende Nutzerkennung. Das bedeutet natürlich nicht, daß Sie nicht weiterhin auch mit der eigentlichen FTP-Software auf die Internet-Softwarepools zugreifen können.

FTP in der Praxis

Um sich eine Datei aus dem Internet zu holen, müssen Sie natürlich überhaupt erst einmal von ihrer Existenz wissen und deren Adresse im Internet kennen. Diese liefert drei Informationen:

1. den Namen des Rechners, der die Datei bereitstellt;
2. der genauen Verzeichnispfad, unter dem die Datei auf diesem Rechner abgelegt ist;
3. den eigentlichen Namen der Datei, unter dem sie in diesem Verzeichnis zu finden ist.

Diese Daten können Sie dann in Netscape eingeben (auch dazu ist die auf Seite 149 beschriebene *URL*-Zeile gut!), und schon wird das Programm für Sie durch die Leitung gesaugt.

Michael und sein Hobby

So lief es auch bei Michael. Er interessiert sich sehr für alles, was mit dem Weltraum, entfernten Galaxien, geheimnisvollen Planeten und fremden Sternen zu tun hat. In einem Usenet-Artikel hat er von einem Programm namens „SkyGlobe" gelesen, das ihm die aktuelle Sternenkonstellation des Himmels über seinem Haus sowie an jedem beliebigen Beobachtungsstandort auf der Erde berechnet und auf seinem Bildschirm anzeigt.

Daneben soll es viele Hintergrundinformationen bereithalten. Eine tolle Unterstützung für die Beobachtung des Nachthimmels! Michael beschließt, sich dieses Programm zu holen.

Wo liegt das Programm?

Als Quelle wurde in dem Artikel ein Rechner namens

ftp.th-darmstadt.de

angegeben, dort soll das Programm als Datei

skyglb36.zip

im Verzeichnis

/pub/machines/ms-dos/simtel/SimTel/msdos/astrnomy/

liegen.

Wie versteht Netscape die Adresse des Programms?

Netscape findet Daten im Internet anhand des sogenannten „Uniform Resource Locator", kurz *URL* genannt. Da Michael die Informationen über den URL ab Seite 149 gelesen hat, kennt er deren Aufbau und kann die oben genannten Informationen über den Lagerort der Datei schnell in einen URL umschreiben.

① Am Anfang steht immer das Kürzel des Übertragungsverfahrens, gefolgt von den Zeichen *://*. Beim Dateitransfer mittels FTP ist das also:

ftp://

Tip: ftp:// Können Sie sich sparen
Wenn Ihre Zieladresse, wie hier in Michaels Fall, mit *ftp* beginnt, können Sie sich die Eingabe vereinfachen: Lassen Sie das *ftp://* einfach weg, Netcape merkt an der Adresse, daß Sie beabsichtigen, das FTP-Übertragungsprotokoll zu benutzen und ergänzt den URL dementsprechend.

② Danach wird der Name des Rechners angegeben, der die jeweiligen Daten bereitstellt. In Michaels Fall ist dies ein Rechner namens *ftp.th-darmstadt.de*. Die Zeile lautet also weiter:

ftp://ftp.th-darmstadt.de

③ Nun folgt die Beschreibung des Lagerorts der Datei auf diesem Rechner, also der komplette Verzeichnispfad. Für das Astronomieprogramm lautet dieser */pub/machines/ms-dos/simtel/SimTel/msdos/astrnomy/*, so daß der URL nun wie folgt aussieht:

ftp://ftp.th-darmstadt.de/pub/machines/ms-dos/simtel/SimTel/msdos/astrnomy/

④ Als letztes muß noch der eigentliche Dateiname mit angegeben werden, in diesem Fall *skyglb36.zip*. Der URL ist komplett:

ftp://ftp.th-darmstadt.de/pub/machines/ms-dos/simtel/SimTel/msdos/astrnomy/skyglb36.zip

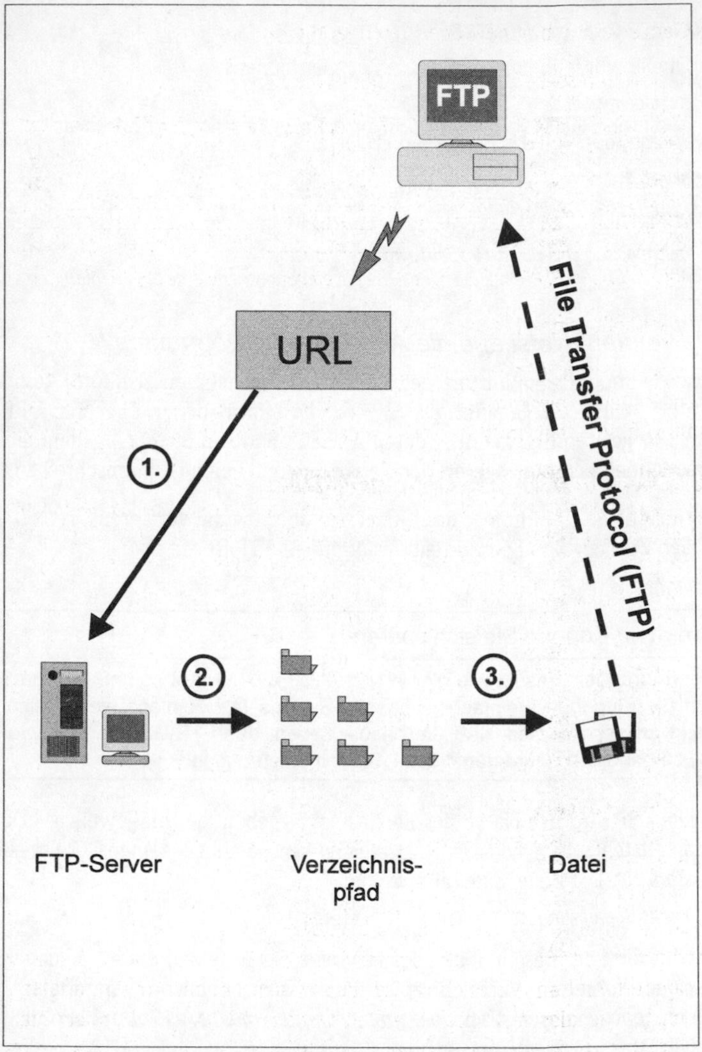

Abb. 169: Auch der Dateizugriff erfolgt über eine URL-Adresse

Jetzt wird das Programm geholt!

Nun kann Michael nichts mehr davon abhalten, das geheimnisvolle Programm auf seinen Rechner zu laden.

Das Ganze geht in nur zwei Schritten über die Bühne:

② Er trägt den soeben ermittelten URL in die Adreßzeile ein.

Abb. 170: Ein FTP-Transfer wird genauso eingeleitet wie eine WWW-Nutzung

③ Er schließt seine Eingabe mit [Enter] ab.

Netscape macht sich sofort „auf die Socken", um Michael schnellstmöglich zu seinem neuen Programm zu verhelfen. Wenn Netscape das gewünschte Programm gefunden hat, fragt es zunächst nach, was es nun damit anfangen soll:

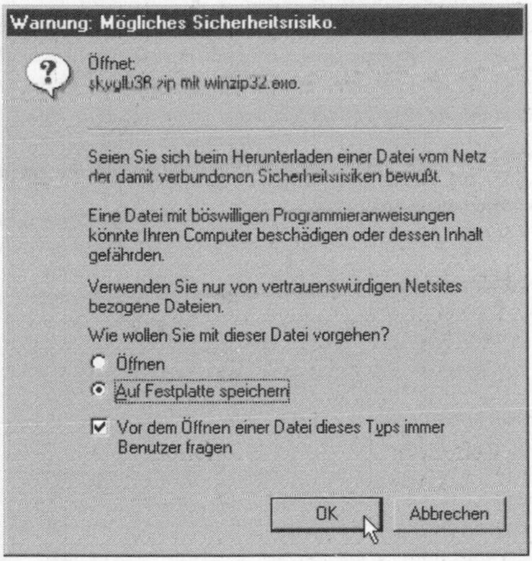

Abb. 171: Hier können Sie wählen, was mit dem Programm geschehen soll.

Netscape erkennt an der Endung *.zip*, daß es sich um ein Archiv handelt, und fragt nach, wie dieses Archiv behandelt werden soll. Michael ändert hier zunächst nichts an den Vorgabewerten und klickt einfach auf *OK*. Was es damit genau auf sich hat, erfahren Sie auf Seite 248.

Nun öffnet Netscape einen *Speichern unter*-Dialog, in dem Michael die Möglichkeit hat zu bestimmen, in welchem Ordner auf seiner Festplatte und unter welchem Namen die Datei gespeichert werden soll:

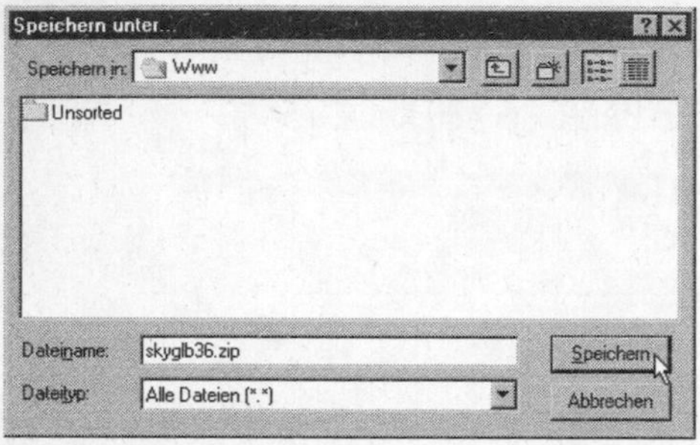

Abb. 172:
Wo und unter welchem Namen soll Netcape die Datei speichern?

Hier ändert Michael nichts an den Vorgaben und bestätigt den Dialog durch einen Klick auf *Speichern.*

Tip: Richten Sie sich einen Auffangordner ein

Bei jedem *Speichern unter*-Dialog bietet Ihnen Netscape automatisch den Ordner an, den Sie beim vorangegangenen Mal zum Speichern benutzt haben. Es ist sinnvoll, einen Ordner anzulegen, den Sie immer nur dazu benutzen, Dateien aus dem Internet zur späteren Behandlung zwischenzuspeichern. So wissen Sie auch nach einem längeren Surftrip noch, wo Sie die neuen Dateien aus dem Internet hingeräumt haben. Sie ersparen sich so die Suche auf der ganzen Festplatte, die meist mit Fragen wie „Hatte ich nicht auch ..., „Wie hieß nochmal .... ?“ „Ist diese ... Datei neu ?“ verbunden ist.

Netscape öffnet jetzt ein kleines Fenster, in dem es Michael ständig informiert, wie weit die Angelegenheit schon gediehen ist.

Hinweis: Das eigentliche Netscape-Fenster steht derweil schon wieder für neue Aktionen zur Verfügung.

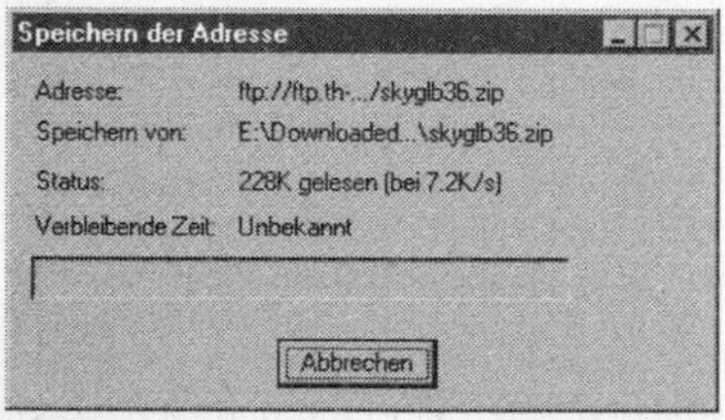

Abb. 173:
Netscape kümmert sich um alles weitere

Schließlich ist die Übertragung vollendet, und Michael kann sich ganz seinem Neuerwerb widmen.

Raubkopien oder berechtigte Nutzung?

Sicherlich haben Sie im Rahmen Ihrer Computernutzung auch schon von den sogenannten „Raubkopien“ gehört. Das sind Duplikate von Original-Software, die heimlich auf Leerdisketten gezogen und dannn an Dritte weitergegeben worden sind. Diese können die Programme nun benutzen, ohne sie je gekauft zu haben. Der Kopierer lacht sich ins Fäustchen, der Programmhersteller guckt in die Röhre – und weil aufgrund der billigen Kopien niemand mehr seine Produkte legal kauft, geht er irgendwann Pleite. Ein düsteres Szenario, und schon jenseits der Legalität. Doch wie sieht es da mit den Dateien aus, die Sie sich aus dem Internet geholt haben? Sind das vielleicht auch Raubkopien?

Freeware

In den meisten Fällen nicht. Viele Programmierer – gerade die ans Internet angeschlossenen – geben ihre Werke nämlich als sogenannte „Freeware“ frei. Diese dürfen dann beliebig verteilt und kostenlos genutzt werden.

Public Domain

Daneben kann Software von ihren Autoren auch als „Public Domain“ (kurz „PD“) freigegeben sein. Das Wort stammt aus dem Englischen und bedeutet „öffentliches Gut“. Diese Produkte dürfen dann nicht nur frei kopiert, sondern zumeist auch beliebig verändert und an eigene Bedürfnisse angepaßt werden. Besonders Grafiken und Klangdateien sind oft im Rahmen der Public Domain freigegeben.

Shareware

Wer in oft monatelanger Arbeit und unzähligen durchprogrammierten Nächten ein ausgeklügeltes Programm hergestellt hat, freut sich natürlich über eine entsprechende Honorierung seiner Arbeit. Daher haben findige Programmierer die „Shareware“ erfunden. Dieses Kunstwort aus dem englischen „share“ („teilhaben“) und „Software“ bezeichnet einen besonderen Vertriebsweg: jeder darf daran „teilhaben“, das Programm also kostenfrei kopieren und beliebig ausprobieren. Entschließen Sie sich später, das Programm regelmäßig zu benutzen, wird die Zahlung einer gewissen (im Programm genannten) Gebühr als Entlohnung an den Programmierer fällig.

GNU-Software

Ein anderes, im Internet hoch angesehenes Vertriebskonzept für Software ist die von der amerikanischen „Free Software Foundation“ eingeführte GNU-Lizenz. Sie ermöglicht es den Nutzern der Programme nicht nur, diese kostenlos und mitsamt Quelltext zu erhalten, sondern auch beliebig zu verändern und an eigene Bedürfnisse anzupassen, solange sämtliche Veränderungen im Quelltext dokumentiert und offen an andere Nutzer weitergegeben werden. Auf diese Weise entstehen im Internet durch die Zusammenarbeit von Programmierern aus aller Welt leistungsfähige Software-Pakete, die es in Funktionsumfang und

Qualität leicht mit kommerziellen Produkten aufnehmen können und für jedermann kostenlos erhältlich sind.

Sonstige Regelungen

Mitunter konstruieren sich Softwarehersteller ihre eigenen Regelungen, was die Anwendung ihrer Programme angeht – beispielsweise, daß diese von Privatleuten kostenlos genutzt werden dürfen, gewerbliche Anwender jedoch eine bestimmte Gebühr zahlen müssen.

Zu welchen Bedingungen darf die Software denn nun genutzt werden?

Wenn Sie sich ein neues Programm aus dem Internet geholt haben, schauen Sie am besten als erstes in die beigegebenen Dokumentationsdateien, zumeist an Namen wie *read.me*, *license.txt*, *manual.doc* oder generell an Endungen wie *doc*, *txt* oder *inf* zu erkennen.

Hier ist genau beschrieben, zu welchen Bedingungen der Programmierer sein Werk freigegeben hat.

Hinweis: Stoßen Sie bei der Nutzung des Programms selbst auf Hinweise wie „Kopieren oder Ausleihen verboten", dann könnte es sich dabei tatsächlich um eine Raubkopie handeln. In diesem Falle sollten Sie das Programm löschen und – falls möglich – den Betreiber des FTP-Servers darüber informieren. Dieser ist dankbar für jede Hilfe beim Aussortieren von „schwarzen Schafen" aus seinem Datenbestand.

Tip: Geben Sie Viren keine Chance!

Die ersten Programme, die Sie sich via FTP aus dem Netz holen sollten, sind aktuelle „Virenkiller". Denn auch Ihr PC kann krank werden: Wenn Sie sich mit sogenannten „Computerviren" befallene Programme ins Haus holen und diese starten, kann die Infektion auf Ihre übrige Software übergreifen und diese unbrauchbar machen. Sogar Ihre wichtigen Daten könnten zerstört werden! Holen Sie sich daher Virenkiller und lassen Sie jedes neue Programm von diesen (vor dem Start!) auf eventuelle Gefahren überprüfen. Ein sehr bekannter und verläßlicher Server für solche Schutzprogramme ist http://www.mcafee.com/.

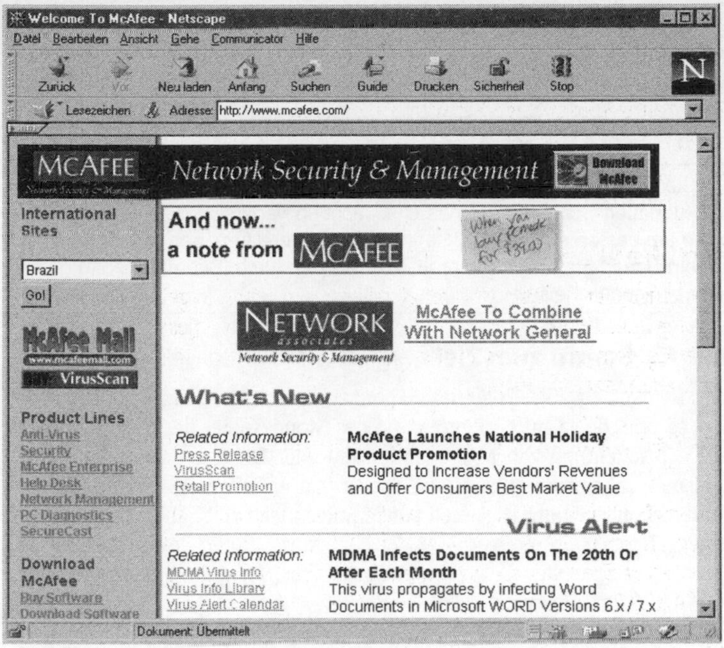

Abb. 174: Diese Programme bewahren Sie vor Schaden durch Computerviren

Was tun, wenn es Probleme gibt?

Nicht immer läuft alles so reibungslos ab, wie man sich das wünscht. Manchmal will es partout nicht klappen – trotz mehrfacher Versuche. Dafür kann es mehrere Ursachen geben:

- Der Name des Rechners stimmt nicht.
- Der Verzeichnispfad führt ins Nichts.
- Die Datei ist dort nicht vorhanden.
- Der Rechner läßt momentan keinen Kontakt zu.

Bei den ersten drei oben genannten Ursachen ist die Fehlerquelle in dem von Ihnen eingegebenen URL versteckt. Vielleicht ein Schreibfehler, oder Ihre Informationen waren nicht ganz korrekt (manchmal fehlt einfach ein Unterverzeichnis bei der Pfadangabe oder die Endung des Programms ist nicht richtig).

Hier ist es praktisch, daß Sie nicht immer den kompletten URL angeben müssen. Sie können auch zunächst nur das Kürzel des Filetransfers sowie den Namen des Servers eingeben.

Dann nämlich versucht Netscape lediglich, den Kontakt zu diesem Rechner herzustellen. Von dort aus können Sie dann interaktiv alle weiteren Bewegungen bis zum Laden der Datei selbst vornehmen.

> **Tip:** FTP Schritt für Schritt
>
> Wenn Sie bei Ihrem FTP-Versuch eine Fehlermeldung bekommen oder sich bei der genauen Schreibweise des URL nicht so ganz sicher sind, dann klingeln Sie am besten einfach den Server ohne weitere Angaben an und klicken sich dann Schritt für Schritt zu Ihrem Wunschziel durch. Wie das genau geht, zeigt das folgende Beispiel.

Schritt für Schritt zum Ziel

Michael ist nämlich auch begeisterter Nutzer eines anderen Programms: GeoClock – es zeigt den Lauf der Sonne und des Mondes über der Welt sowie die derzeitige Beleuchtung von Mutter Erde samt aller Längen- und Breitengrade, Abstandsmessungen und Lokalzeiten. Soeben hat er davon erfahren, daß es eine neue Version 7.5 gibt.. Diese soll auf dem Rechner

ftp.uni-koeln.de

im Verzeichnis

/pc/win3/graphics/

als Datei

gckwin.zip

zum Herunterladen bereitstehen. Er trägt den daraus resultierenden URL in Netscapes Adreßzelle ein:

ftp://ftp.uni-koeln.de/pc/win3/graphics/gckwin.zip

Abb. 175: Der ermittelte URL

Doch dieses meldet nach kurzen Übertragungsversuchen nur lapidar: *ERROR The requested URL could not be retrieved*

Michael läßt sich davon jedoch nicht beeindrucken und beschließt, der Sache Schritt für Schritt auf den Grund zu gehen.

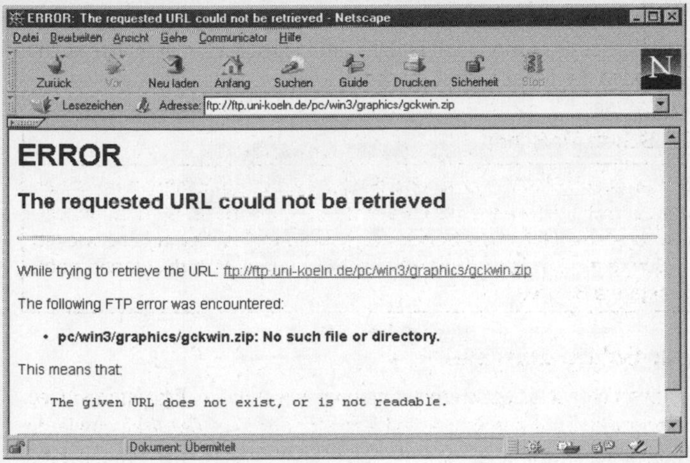

Abb. 176: Mit diesem URL klappt es nicht!

Von der Anwahl bis zum Dateitransfer

① Er gibt als URL diesmal nur das FTP-Verfahren sowie die Adresse des gewünschten Rechners in die Adreßzeile ein und bestätigt mit [Enter]
ftp://ftp.uni-koeln.de

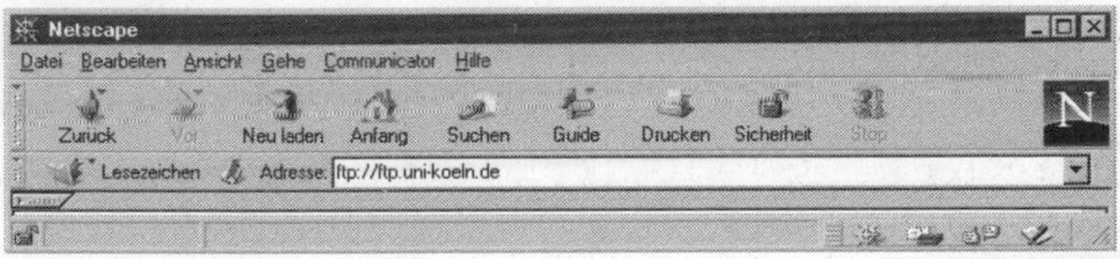

Abb. 177: Erst einmal nur den Rechner anklingeln

② Netscape klingelt den Rechner an und stellt eine Verbindung her. Nun ist der Eingangsbildschirm des FTP-Servers der Uni Köln sichtbar, darunter stehen schon einige Verweise auf Dateien und Verzeichnisse (Abb. 178).

③ Michael sucht nach dem Verzeichnis *pc*, das ja als erstes in dem langen Verzeichnispfad */pc/win3/graphics/* angegeben war. Er blättert mit der rechten Bildlaufleiste etwas nach unten, bis er es gefunden hat. Dann klickt er darauf (der Mauszeiger verwandelt sich hierbei in eine Hand, Abb. 179).

④ Durch diesen Verweis ist er einen Schritt im Verzeichnispfad weiter gegangen – nämlich in das Verzeichnis *pc*. Auf diese Weise klickt sich Michael durch den gesamten Verzeichnispfad: zuerst *win3*, dann *graphics* – und schon ist er am Ziel.

⑤ Hier sucht er nun nach der Datei *gckwin.zip*, kann sie jedoch trotz intensiven Blätterns nicht finden. Statt dessen entdeckt er eine Datei namens *gckwin75.zip*. Er klickt darauf, und Netscape lädt ihm das Programm auf seinen Rechner.

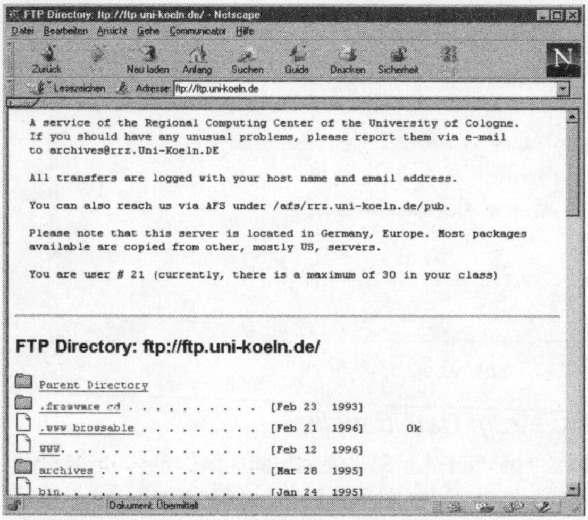

Abb. 178: Der FTP-Server meldet sich

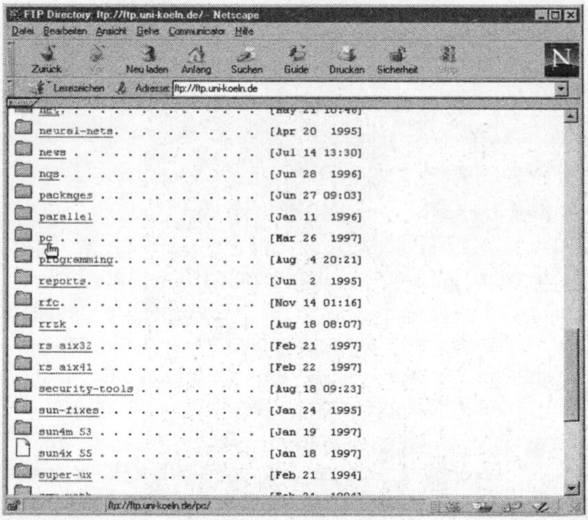

Abb. 179: Klicken Sie sich durch die Verzeichnisse

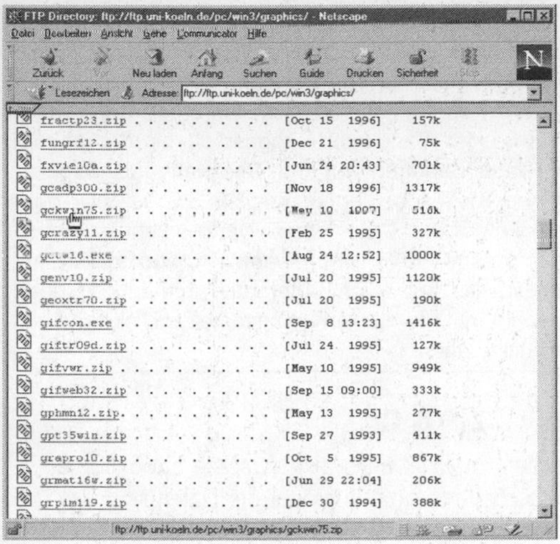

Abb. 180: Das Programm ist gefunden

Klar, daß es zunächst mit dem auf Seite 244 abgedruckten URL nicht geklappt hatte, denn der Dateiname ist ja ein anderer (die Versionsnummer 7.5 wurde mit hinein geschrieben)! Jetzt liegt die Datei jedoch zum direkten Zugriff vor ihm und befindet sich – dank Mausklick – sogleich auf dem Weg in Michaels Rechner.

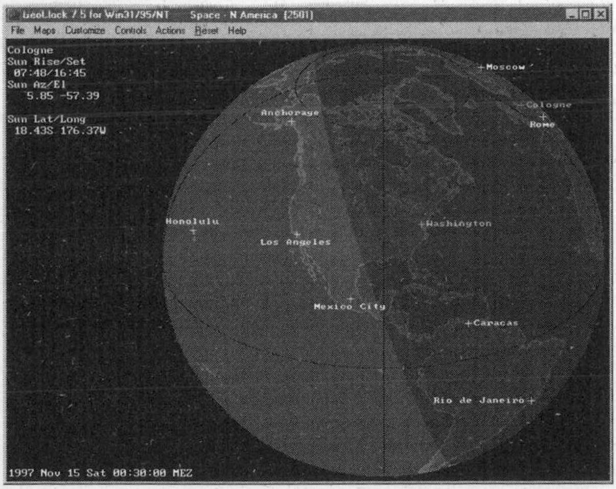

Abb. 181: GeoClock 7.5 ist angekommen und funktioniert perfekt

> **Tip:** Datei-Download mit Hilfe der rechten Maustaste
>
> Wenn Sie Dateien durch simples Anklicken herunterladen, versucht Netscape diese nach der Übertragung zu öffnen. Im Falle einer ausführbaren Datei würde die Datei gestartet, ein Video oder Klang würde abgespielt, ein Bild angezeigt und so fort. Um die Datei dagegen auf der Festplatte abzulegen, müssen Sie sich eines kleinen Kniffes bedienen: Klicken Sie anstelle der linken mit der rechten Maustaste auf den Dateinamen. Dann erscheint direkt neben dem Mauszeiger ein kleines Menü (das sogenannte Kontextmenü), in dem Sie den Befehl *Save Link As* anwählen. Alternativ können Sie den Dateiverweis auch wie gewohnt mit der linken Maustaste anklicken, und dabei die [Umschalt]-Taste gedrückt halten.

Dateien aus dem Archiv – ZIP & Co.

Wenn Sie sich eine Datei aus dem Internet holen, ist Netscape mit der Übertragung dieses Pakets ziemlich beschäftigt – und je größer die Datei ist, desto länger dauert das – klar. Damit wird es jedoch auch entsprechend teurer, denn vertelefonierte Zeit ist nunmal nicht gratis. Aus diesem Grunde haben sich findige Programmierer Verfahren einfallen lassen, mit denen Dateien aller Art „eingedampft" werden können. Sie umfassen dann nur noch einen Bruchteil ihrer ursprünglichen Größe, sausen damit weitaus schneller durch die Leitungen – und das spart somit viel Geld.

Es gibt sogar noch einen weiteren Vorteil, denn die vielen einzelnen Dateien, aus denen ein Software-Paket normalerweise besteht, werden allesamt in die große „Paket-Datei" (ein sogenanntes „Archiv") hineingesteckt und zusammengepackt. Somit brauchen Sie sich nur noch eine einzelne Datei über das Netz zu holen und haben dennoch das komplette Software-Paket – denn zu Hause packen Sie einfach dieses „Archiv" wieder aus. Alle einzelnen Dateien werden herausgeholt und wieder auf ihre normale Größe gebracht.

Das sind „Archive"

Derart zu Archiven zusammengestauchte Dateien erkennen Sie an Endungen wie *z*, *zip*, *arj*, *lha*, *lzh* oder *tar*.

- Dateien mit der Endung *Z* wurden mit dem UNIX-Werkzeug *Compress* eingedampft, bei *zip*, *arj*, *lha* und *lzh* handelt es sich um gleichnamige DOS-Tools.
- Dateien mit der Endung *tar* wurden mit dem UNIX-Werkzeug *Tape Archiver* archiviert, das mehrere Einzeldateien zu einem großen Archiv verbindet. Wird dieses Archiv dann noch mit Compress platzsparend zusammengestaucht, ändert sich die Endung auf *taz*.

Hinweis: In der Windows-Welt haben die Packer pkZip bzw. WinZip durch ihre weite Verbreitung einen Quasistandard geschaffen. Sie werden also nahezu ausschliesslich auf Archive mit der Endung *zip* treffen. Stoßen Sie dennoch einmal auf ein Archiv mit einer anderen als der oben genannten Endungen, dann lohnt es sich unter Umständen, erst einmal zu prüfen, ob dieses Archiv tatsächlich enthält, was Sie suchen. Die Datei könnte nämlich auch veraltet oder unter Windows nicht verwendbar sein.

So packen Sie die Archive aus

Da solche Archive mit speziellen Programmen (Compress, PKZIP, WinZip und wie sie alle heißen) erstellt wurden, müssen Sie auch mit derartigen Software-Hilfsmitteln wieder ausgepackt werden. Hierzu benötigen Sie also das zum jeweiligen Archiv-Typ (den Sie an der Endung erkennen) passende Entpack-Programm. Auch dieses finden Sie auf FTP-Servern. Aller Wahrscheinlichkeit nach bietet sogar der Server, von dem Sie das gepackte Archiv geholt haben, das zugehörige Entpack-Programm. Halten Sie auf dem Server Ausschau nach Verzeichnisnamen wie *tools*, *utilities*, *utils* oder ähnlichen. In den meisten Fällen werden Sie aber lediglich Winzip benötigen. Die aktuelle Version finden Sie im Internet auf der Homepage der Herstellerfirma NicoMak unter

http://www.winzip.com.

Dort finden Sie auch weitere Informationen rund um die Arbeit mit WinZip.

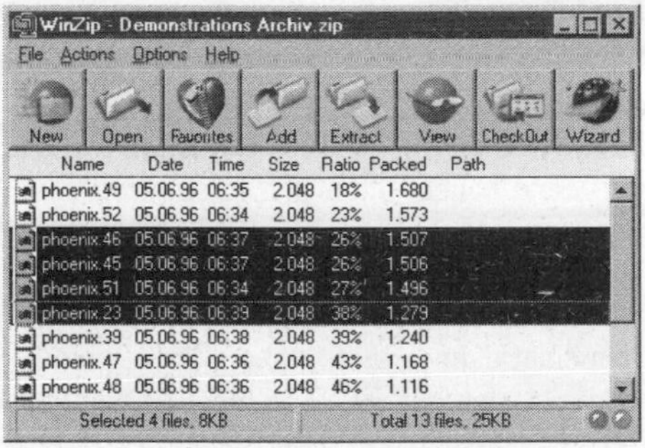

Abb. 182:
Besonders komfortabel lassen sich Archive mit Hilfe von WinZip bearbeiten.

Tip: Die WinZip-Netscape Partnerschaft

Ist Winzip auf Ihrem Computer installiert, bietet Ihnen Netscape vor dem Herunterladen eines Archivs aus dem Internet auf Ihren Rechner als Optionen *Öffen* oder *Auf Festplatte speichern* an. Bedenken Sie, daß die Option *Öffnen* bewirkt, daß nur eine temporäre Kopie des gewünschten Archivs auf Ihrer Festplatte gespeichert wird, welche dann mit WinZip geöffnet wird. Nach dem Beenden von Netscape wird diese Kopie möglicherweise automatisch gelöscht, und das Archiv geht so verloren. Sie sollten also als Option immer *Auf Festplatte speichern* wählen und das Archiv später „behandeln".

Wenn die Programmpakete sich dann schließlich ausgepackt auf Ihrer Festplatte befinden, können Sie die ursprünglichen Archive löschen – Sie haben ja nun die eigentlichen Programmdateien. Eine gute Idee ist es aber, die Archivdateien zuvor auf Diskette zu sichern. Man weiß ja nie, ob man sie nicht noch mal braucht (beispielsweise zur Neuinstallation bei Fehlern), und den ganzen FTP-Transfer dann von Neuem zu beginnen, wäre doch sehr umständlich ...

FTP noch besser nutzen

Wie bei allem im Leben kommen Sie auch bei FTP-Transfers mit etwas Übung und den richtigen Kniffen schneller und besser zum Ziel.

Wegen Überfüllung geschlossen?

Die „Berühmtheiten" unter den FTP-Servern, wie etwa der SimTel für MS-DOS, der CICA-Server für Windows oder der Informationsserver „RTFM" des Massachussettes Institute of Technology sowie die Server der großen Firmen wie Microsoft sind natürlich entsprechend beliebt unter den Internet-Nutzern. Da jeder FTP-Rechner nur eine bestimmte Anzahl „anonymer" Nutzer gleichzeitig zuläßt, kann es durchaus passieren, daß solche Server überfüllt sind. Dann riegeln die Rechner ab und lassen niemanden mehr herein, bis nicht wieder ein Plätzchen frei ist. Netscape meldet dann, daß es keinen Zutritt zum jeweiligen Server erhalten hat. Vor allem zu den auf Seite 166 aufgeführten Spitzenzeiten kann dies häufig passieren. In einem solchen Fall sollten Sie es entweder später nocheinmal probieren (und dabei hartnäckig bleiben) oder sich das Programm von einem anderen Server holen.

Verweis: Wie Sie herausfinden, auf welchen FTP-Servern das gewünschte Programm vorhanden ist, erfahren Sie ab Seite 253.

Kurze Wege sparen Zeit und Geld

Warum in die Ferne schweifen? Das Gute liegt doch so nah: Viele deutsche FTP-Server bieten Ihnen nämlich einen besonderen Service und holen die beliebtesten Server aus Übersee nach Deutschland. So etwas nennt sich „Mirror" (oder frei übersetzt „gespiegelte Server"): Alle Daten des ausländischen Rechners werden nach Deutschland geholt und lokal gelagert. Der fremde Datenbestand wird weiterhin überwacht und Änderungen daran automatisch auf die hiesige Kopie übertragen. Somit ist sichergestellt, daß Sie auf dem deutschen „Spiegel" eines amerikanischen FTP-Servers exakt die gleichen Dateien vorfinden wie auf dem US-Original.

Tip: In Deutschland „gespiegelte" FTP-Server nutzen
Einen FTP-Server im eigenen Lande zu nutzen geht (fast) immer weitaus schneller, als die Daten durch eine Verbindung über den großen Teich schicken zu müssen.

6.2 Dateien soweit das Auge reicht – FTP-Server im Überblick

Auf der Jagd nach dem Software-Schatz ist es wichtig, die möglichen Fundorte zu kennen – sprich die Adressen der FTP-Server.

Anonyme FTP-Server in Deutschland

Nicht jeder Internet-Rechner mit großem Datenbestand ist schon für die Öffentlichkeit „anonym" zugänglich, aber es sind doch schon eine ganze Menge solcher „anonymer" FTP-Server in Deutschland vorhanden (und es werden immer mehr!). Wo Sie welche Software finden, verrät Ihnen die von Christian Hettler (E-Mail-Adresse hettler@ask.uni-karlsruhe.de) an der Universität Karlsruhe zusammengestellte Liste deutscher FTP-Server nebst Inhaltsschwerpunkten. Sie ist im World Wide Web unter der Adresse *http://www.ask.uni-karlsruhe.de/ftp/ftp-list-de.html* veröffentlicht.

In Deutschland „gespiegelte" FTP-Server

Wie Sie schon im vorigen Kapitel erfahren haben, werden viele besonders beliebte und gute FTP-Server aus aller Welt in Deutschland „gespiegelt".

Sie greifen dann auf einen deutschen FTP-Server zu, der über genau den gleichen Datenbestand verfügt wie das ausländische Original, nur daß die Übertragungsgeschwindigkeit zumeist beträchtlich höher und die Gefahr der Überlastung durch zu viele Zugriffe weitaus geringer ist.

Damit Sie nicht erst lange in Übersee nach Ihren Wunschdaten suchen müssen, gibt es an der TU München ein Projekt, alle derzeit in Deutschland gespiegelten FTP-Server samt (inländischer!) Kontaktadressen und Inhaltsangaben zu katalogisieren.

Sie finden diesen Katalog unter der folgenden WWW-Adresse:

http://www.leo.org/de-mirror/

Außerdem sind die Server über diesen Katalog auch einfach per Mausklick erreichbar.

Tip: Herausfinden, ob (und wo) ein Server gespiegelt wird

Falls Ihr persönlicher Lieblings-Server in dieser Liste nicht vorhanden ist, ist das noch kein Beinbruch. Diese Liste befindet sich noch im Aufbau, vielleicht wird der Server ja neuerdings doch gespiegelt. Ein guter Weg, das herauszufinden, ist, den Server einfach anzuklingeln – ohne weitere Angabe von Verzeichnispfad oder Dateinamen, wie auf Seite 245 beschrieben. Auf der Eingangsseite (wie in Abb. 177 dargestellt) sollten eventuelle Spiegel genau aufgelistet sein.

Weltweite Verzeichnisse öffentlicher FTP-Server

Die Anzahl der FTP-Server weltweit ist ungeheuer groß – es ließe sich problemlos das ganze Buch mit ihrer Beschreibung füllen. Daher erhalten sie an dieser Stelle drei Verweise auf Dokumente im World Wide Web, anhand derer Sie sich – bei Interesse – über die FTP-Rechner in aller Welt informieren können.

Eine nach Themengebieten sortierte Liste amerikanischer FTP-Server finden Sie unter der WWW-Adresse:

http://darkwing.uoregon.edu/~joe/best-ftp-sites.html

Zudem bieten Ihnen die WWW-Services

http://www.info.net/Public/ftp-list.html

und

http://hoohoo.ncsa.uiuc.edu/ftp-interface.html

Auflistungen nahezu sämtlicher bekannter FTP-Server aus aller Welt.

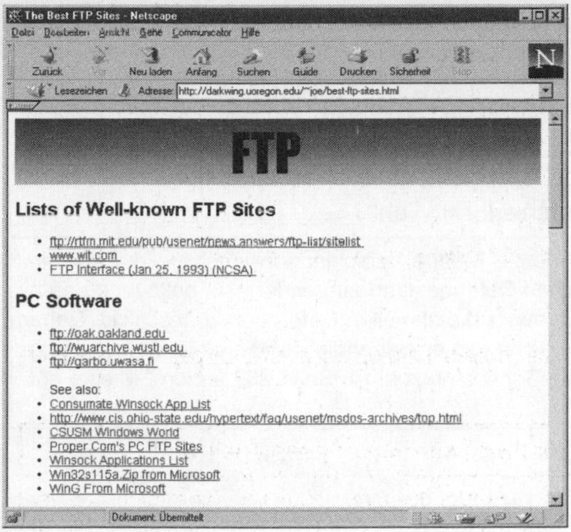

Abb. 183: Eine umfangreiche Liste internationaler WWW-Services

6.3 So finden Sie den Lagerort von Dateien – Archie hilft dabei!

Die Vielfalt der Dateien auf den weltweiten FTP-Servern ist riesig. Nichts, was es da nicht in irgendeiner Form geben würde! Das stellt Sie jedoch scheinbar wieder vor ein Problem: Sie suchen eine Datei zu einem ganz bestimmten Thema, aber gibt es eine solche? Und wenn ja: wo ist sie zu finden? Sich jetzt durch die Vielzahl der FTP-Server durchzuklicken, ist nicht unbedingt angenehm und führt auch nicht gerade schnell zum Ziel (es wäre vielmehr eine Lebensaufgabe). Doch das Internet wäre nicht das Internet, würde nicht auch hierfür ein pfiffiger Service existieren, der Ihnen die gewünschten Dateien aus dem globalen Datenmeer herausangelt. Welcher das ist und wie Sie ihn nutzen, zeigt dieses Kapitel.

Michael will mehr!

Mit den beiden neuen Programmen hat Michael nun jede Menge Spaß bei seinen nächtlichen Sternenobservationen. Ein Wunsch bleibt dabei aber noch offen: In den verschiedenen Zeitschriften erscheinen oft viele faszinierende Bilder der Planeten unseres Sonnensystems – groß, eindrucksvoll (weitaus besser sichtbar als durch sein Fernrohr jedenfalls) und in Farbe. Zumindest ein solches Bild hätte Michael gern auf seinem PC, um es als Bildschirmhintergrund für seinen Windows-Schreibtisch zu verwenden. Sicherlich gibt es irgendwo im Internet neben den Unmengen diverser Software auch solche Grafiken mit den Aufnahmen der NASA-Weltraumsonden. Aber wo? Von einem Freund erfährt Michael etwas über einen pfiffigen Internet-Service, der für ihn jede beliebige Datei aus dem riesigen Datenreservoir der internationalen FTP-Server heraussucht. Sein Name ist „Archie".

> **Tip:** Nutzen Sie den Archie Ihrer Wahl
>
> Es gibt im Internet eine ganze Menge verschiedener Archies, die aber im Grunde alle auf den gleichen Datenbestand zugreifen – sie bekommen nämlich von den FTP-Servern immer die aktuellen Dateilisten zugeschickt. Daher sollten Sie den für Sie am besten zu erreichenden (und momentan am wenigsten ausgelasteten) Archie-Service nutzen. Ab Seite 259 finden Sie eine entsprechende Liste.

Das ist Archie

Archie ist ein freundlicher Such-Service, der über aktuelle Dateilisten der verschiedensten FTP-Server verfügt und diese auf Ihre Anfrage hin nach passenden Dateien durchsucht. Wird er fündig, nennt er Ihnen den Aufenthaltsort (Server, Verzeichnispfad) und den Namen der jeweiligen Datei(en), so daß Sie sich diese ohne Probleme via FTP besorgen können.

Super-Komfort – Archie über das WWW

Über Ihren WWW-Browser (wie Netscape) geht das Ganze noch ein ganzes Stück komfortabler. Der kümmert sich nämlich nicht nur um die reibungslose Kommunikation mit Archie selbst, sondern verarbeitet auch gleich die Archie-Antworten zu einem übersichtlichen WWW-Dokument. Sie müssen also die *Open*-Schaltfläche nicht nochmal bemühen und sich auch keinen neuen URL aus den Archie-Antworten zusammenstricken, sondern können ganz bequem den Namen der gewünschten Datei anklicken – und Netscape besorgt diese für Sie. Das Ganze läuft – grob gesagt – in den im folgenden beschriebenen fünf Schritten ab.

So arbeitet Netscape mit Archie zusammen

① Sie klingeln bei Archie an und stellen ihm eine Frage.

② Daraufhin durchforstet Archie seine Listen der aktuellen Datenbestände auf den verschiedensten FTP-Servern und findet (hoffentlich) eine oder mehrere passende Datei(en).

③ Die Namen und Lagerorte dieser Dateien liefert Archie an Netscape zurück, das diese als eine Liste mit verschiedenen Verweisen (also den URL-Adressen der jeweiligen Dateien) anzeigt.

④ In dieser Liste klicken Sie nun die gewünschte Datei an. Netscape greift dann auf den jeweils zugehörigen FTP-Server zu.

⑤ Dieser liefert Ihnen dann Ihre Wunsch-Software frei Haus. So einfach geht das.

So wird's gemacht – Suche in FTP-Archiven

Genauso wie Sie, weiß jetzt auch Michael über die Funktion des Archie-Services Bescheid. Er entschließt sich, nach einem Bild des Saturns suchen zu lassen. Hierfür will er den Archie-Service der Rheinisch-Westfälischen Technischen Hochschule in Aachen nutzen, der eine komfortable ins World Wide Web integrierte FTP-Recherche bietet. Der URL lautet:

http://www.informatik.rwth-aachen.de/archie.html

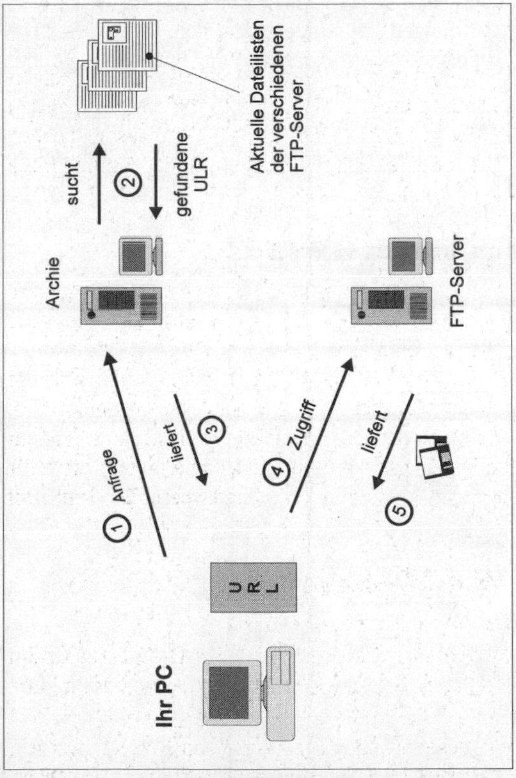

Abb. 184: Der Archie-Such-Service in voller Funktion

FTP-Server nach Dateien durchsuchen

① Michael trägt den URL des Such-Services in die Adreßzeile und bestätig die Eingabe mit [Enter]. Netscape stellt sogleich eine Verbindung zum RWTH-Rechner her.

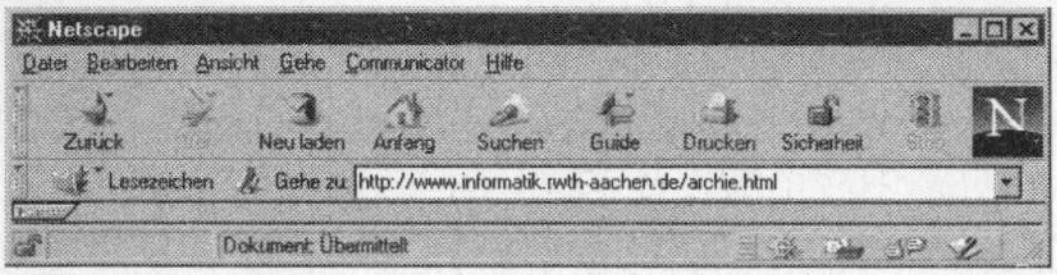

Abb. 185: Der Such-Server wird angeklingelt

② Auf der WWW-Seite des Suchdiensts blättert er zum Eingabefeld und trägt dort das Stichwort ein. Er will nach Bildern des Saturn suchen. Diese liegen auf den FTP-Servern zumeist in den Formaten *gif* oder *jpg* vor und haben daher gleichnamige Dateiendungen (die Kürzel hinter dem Punkt). Der Dateiname muß also mit *saturn* anfangen und nach dem Punkt mit *gif* oder *jpg* aufhören.

Dazwischen könnte aber noch etwas stehen, zum Beispiel eine weitere Angabe über die Farbanzahl (etwa *saturn24.gif* für ein 24-Bit-Farbbild), so daß Michael sich für das Suchwort „SATURN" entscheidet. Hierüber werden alle Dateien, deren Name dieses Wort enthält, gefunden.

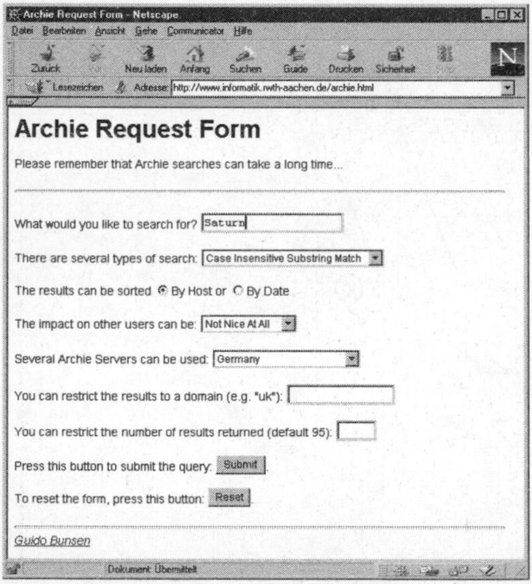

Abb. 186: Hiernach soll gesucht werden

Tip: Archie-Suche optimal zuschneidern

Sie können die Archie-Suche noch weiter auf Ihre Wünsche zuschneidern. Zum Beispiel die Art, wie Archie Ihnen die ermittelten Fundstellen liefert: Sortiert nach Rechner (*By Host*) oder Datum (*By Date*) – je nachdem, ob Sie möglichst nah liegende oder vor allem neue Dateien suchen. Den *Type of Search*, also die Art der Suche, sollten Sie auf *Case Insensitive Substring Match* stehen lassen, dann findet Archie alle Dateien, die den von Ihnen eingegebenen Text unabhängig von Groß- und Kleinschreibung an irgendeiner Stelle im Namen stehen haben. Außerdem können Sie festlegen, wie „nett" Sie zu anderen Netzteilnehmern sein möchten. Das will heißen: Ob Ihre Anfrage gleich bearbeitet werden soll (*Not Nice At All*) oder noch etwas Zeit hat (*Nice* bis *Nicest*), so daß eilige Anfragen anderer Nutzer durchaus vorher abgearbeitet werden dürfen. Legen Sie fest, aus welchen Ländern Archie seine Infos holen soll (voreingestellt ist *Germany* für deutsche Indizes) und ob nur Dateien zu melden sind, die auf Servern einer bestimmten Domain gefunden wurden (im *Restrict*-Feld, z. B. *de* für Deutschland). Zu guter Letzt können Sie die maximale Anzahl der zu zeigenden Fundstellen bestimmen.

③ Danach drückt er auf die mit *Submit* beschriftete Schaltfläche unter dem Eingabefeld, um seine Suchanfrage an den Archie-Service zu schicken.

Bevor Netscape die Daten an den Suchservice weiterleitet, informiert es Michael unter Umständen noch über eine mögliche Sicherheitslücke: Die übertragenen Daten könnten „abgehört" und von anderen Usern mitgelesen werden. Das ist in diesem Fall aber nicht so tragisch, weshalb Michael direkt auf *Weiter* klickt, um die Suchanfrage auch wirklich loszuschicken.

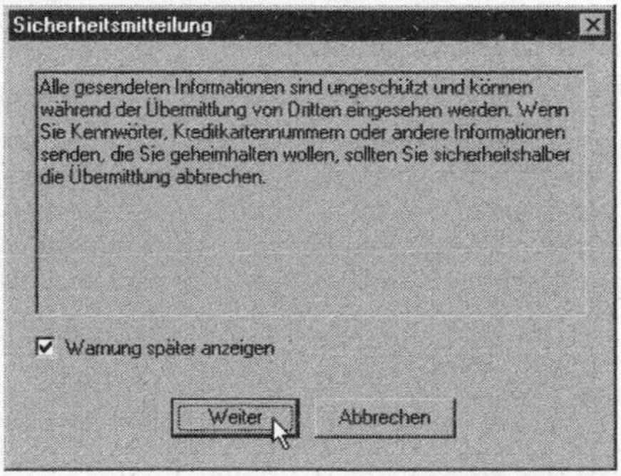

Abb. 187: Übervorsichtig – Netscapes Sicherheitswarnung

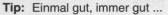

Tip: Einmal gut, immer gut ...
In dem Fenster der Sicherheitsabfrage gibt es die Möglichkeit, ein Kontrollkästchen (Checkbox) mit der Beschriftung *Warnung später anzeigen* anzukreuzen. Dieses Kästchen ist als Standardeinstellung markiert. Wenn Sie sich der möglichen Sicherheitsrisiken bewußt sind und nicht immer wieder von Netscape darauf hingewiesen werden möchten, dann entfernen Sie das Häkchen einfach durch einmaliges Anklicken, und Netscape wird in Zukunft dann nicht mehr nachfragen, bevor Ihre Eingaben übertragen werden.

Der Suchservice beginnt sogleich mit dem Durchforsten seiner Informationen und schickt am Ende seiner Suche alle Fundstellen mitsamt der entsprechenden Dateinamen und Adressen als eine große Liste an Netscape. Das präsentiert Ihnen diese als eigenständiges WWW-Dokument.

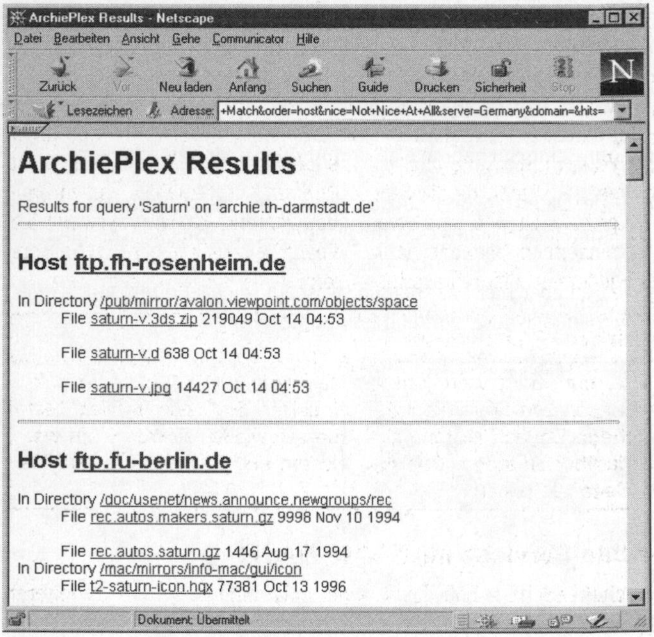

Abb. 188: Die Suche war erfolgreich

Die einzelnen Dateien lassen sich dann, wie üblich, durch einfaches Anklicken der Verweise auf dieser Seite laden.

Abb. 189:
Geschafft – Der Saturn erstrahlt in vollem Glanz

Hinweis: Finden mehrere Dateien Ihr Interesse, dann wollen Sie vielleicht später noch zu der Gesamtliste aller Fundstellen zurückgehen. Aber aufgepaßt – die *Bookmark*-Funktion (Lesezeichen) ist hierfür nicht geeignet! Die WWW-Seite Ihrer Fundstelle wurde nämlich nur temporär für Sie auf Basis der vom Archie-Service gelieferten Daten erzeugt und besteht bei diesem Service nicht auf Dauer. Der Versuch, die Seite über ein Lesezeichen erneut anzuspringen, ist also zum Scheitern verurteilt, da die Seite dort dann schon nicht mehr vorhanden ist. Allerdings hat sich Netscape deren Inhalt gemerkt, so daß Sie (wenn Sie es nicht zwischenzeitlich beendet hatten) über die *Zurück*-Schaltfläche Ihre Fundstellenliste jederzeit wieder anspringen können.

Tip: Liste der Dateien speichern

Enthält die Liste der Fundstellen Informationen, auf die Sie auch in zukünftigen Sitzungen noch zurückgreifen möchten, sollten Sie diese auf der Festplatte abspeichern. Danach läßt sie sich jederzeit wieder einladen, um weitere Dateien darüber zu laden. Das Abspeichern und Einladen von WWW-Seiten ist auf Seite 191 erklärt.

Weitere Archie-Services mit WWW-Zugriff

Neben dem Aachener-Service hält das Internet noch eine ganze Reihe weiterer Archie-Suchdienste für Sie bereit, die Sie komfortabel über das World Wide Web nutzen können.

Hinweis: Eine solche WWW-Nutzung ist nicht bei jedem Archie-Suchdienst möglich, daher sollten Sie sich an die speziell dafür eingerichteten Services halten.

Da derartige Suchmaschinen sehr beliebt sind (wer will sich schon ewig durch einen FTP-Server klicken, um eine Datei zu finden?), werden Sie gerade zu den auf Seite 166 beschriebenen Spitzenzeiten stark mit verschiedenen Anfragen überschwemmt.

Sollte Ihnen im Rahmen dessen also mal ein Suchdienst den Zugriff verwehren, nehmen Sie es ihm nicht übel – es ist einfach ein Überlastungsschutz, um wenigstens die bereits vorhandenen Anfragen in einigermaßen erträglicher Zeit abarbeiten zu können.

Versuchen Sie es einfach noch ein paar Mal oder probieren Sie es mit einem anderen Suchdienst.

Hierzu finden Sie im folgenden eine Auswahl solcher Services aus deutschen Ländern aufgeführt.

Archie-Suchdienst	Internet-Adresse
TU Berlin	http://www1.tu-chemnitz.de/cgi-bin/shase
TU Chemnitz	http://www.tu-chemnitz.de/~ami/archie.html
TH Darmstadt	http://www.th-darmstadt.de/archie/archieplex.html
Uni Karlsruhe	http://www.ask.uni-karlsruhe.de/SINA/WWW_SINA
Uni Oldenburg	http://marvin.physik.uni-oldenburg.de/Docs/net-serv/archie-gate.html

Spezialkataloge kostenloser Software

Die oben genannten Suchdienste durchforsten stets alle auf FTP-Servern abgelegten Datenbestände. Wenn Sie speziell nach kostenloser Software (sogenannter „Freeware") oder nach frei kopierbarer „Shareware" (siehe Seite 241) suchen, sollten Sie zwei weitere, darauf spezialisierte Angebote unter die Lupe nehmen.

Jumbo

Der Jumbo-Server bietet Ihnen eine große Anzahl von frei erhältlichen Programmen – gesammelt von den verschiedensten FTP-Servern aus aller Welt. Dabei läßt sich über die WWW-Oberfläche sehr komfortabel auf das Angebot zugreifen. Die Kontaktadresse lautet:

http://www.jumbo.com/

Virtual Shareware Library

In ähnlicher Weise archiviert die „Virtual Shareware Library" der TU Chemnitz über 60.000 Programme aus den Bereichen Freeware und Shareware, zusammengetragen aus den Datenbeständen der 15 größten FTP-Server im Internet.

Die Kontaktadresse lautet:

http://www1.tu-chemnitz.de/cgi-bin/shase

Shareware.Com

Ebenfalls ganz auf Shareware spezialisiert hat sich der shareware.com-Service:

http://www.shareware.com/

Er ermöglicht Recherchen in seiner Datenbank mit 190.000 Programmen, stellt stets die neuesten Highlights vor und präsentiert die mit dem Industry Shareware Award ausgezeichneten Top-Programme.

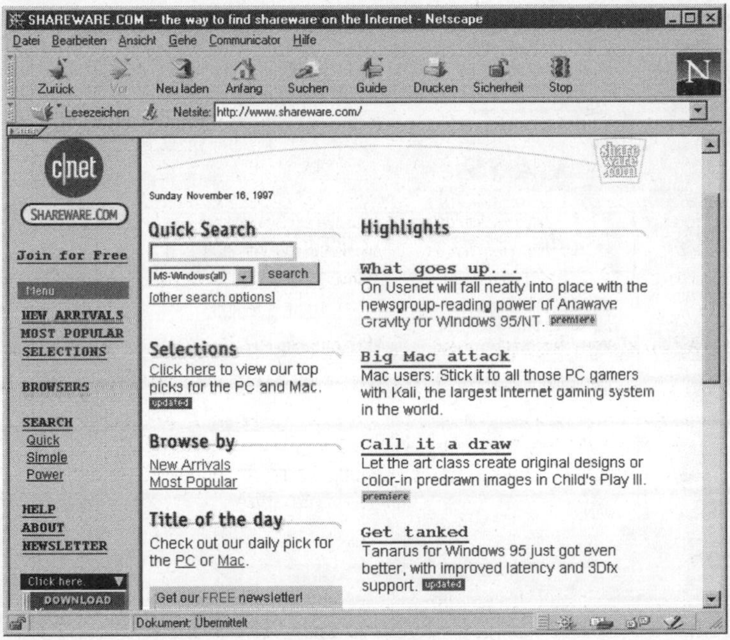

Abb. 190: Der shareware.com-Service prämiert gute Programme

Nonags

Ein etwas anderes Konzept verfolgt Nongas: Hier gibt es ebenfalls nur Shareware und Freeware für Windows 95/NT, wobei die Betreiber von Nonags großen Wert darauf legen, ausschließlich Programme anzubieten, die auch in der Testphase reibunglos funktionieren. Leider ist es nämlich so, daß sich viele Shareware Autoren ständig neue Mechanismen ausdenken, die den Anweder dazu zwingen sollen, das Programm zu registrieren. Diese Mechanismen fallen oft so drastisch aus, daß der Anwender in der für Shareware typischen Begutachtungsphase bereits so abgeschreckt wird, daß das Programm oft dirket wieder von der Platte fliegt. Dies kann Ihnen bei Programmen von Nonags nicht passieren, allerdings muß dazu gesagt werden, daß dieses Konzept nur auf der Basis gegenseitigen Vertrauens funktioniert. Wenn Sie also beabsichtigen, ein Programm dauerhaft zu nutzen, lassen Sie es bei dem Autor gegen die (oft sehr geringe) Gebühr registrieren! Die umfangreiche Liste der weltweiten Spiegel von Nonags finden Sie unter

http://www.nonags.com

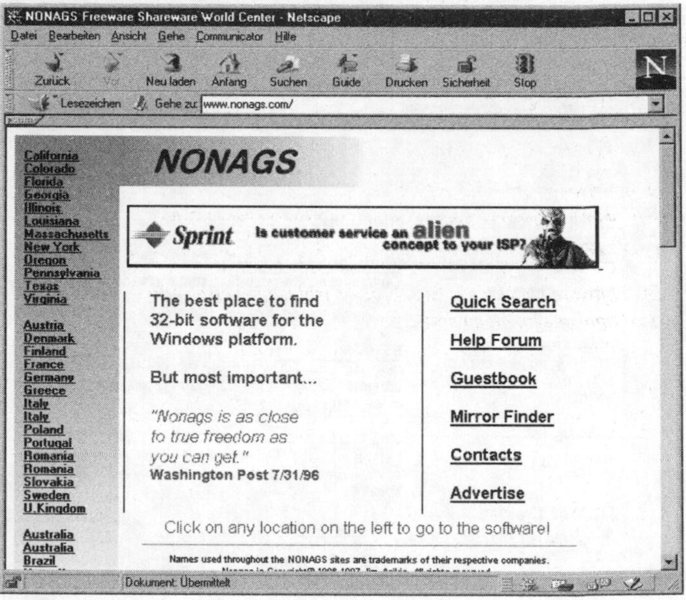

Abb. 191: Vom Nonags Hauptquartier geht es zu den Spiegeln in aller Welt

Es gibt auch einen deutschen Spiegel von Nonags unter:

http://www.regio3.de/nonags/main.html

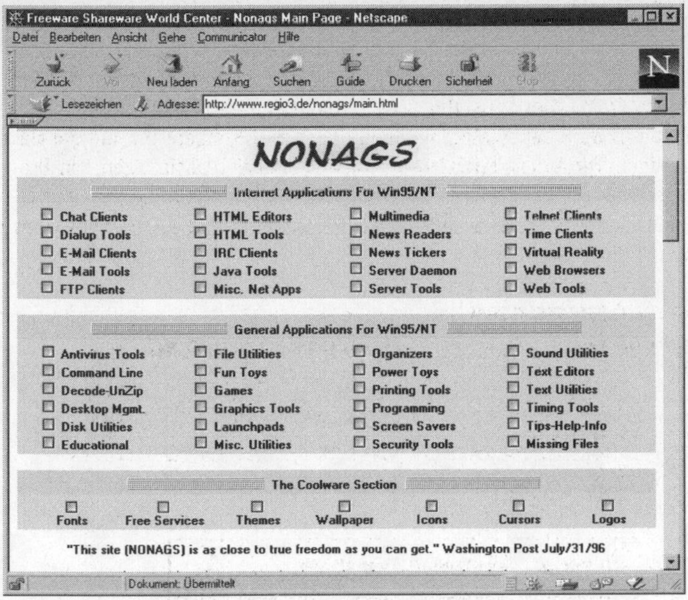

Abb. 192: Die Software bei Nonags ist sehr übersichtlich in verschiedene Programmkategorien einsortiert

7. Alle sprechen davon – Diskussionsforen im Internet

Neben den glitzernden Kiosken und Datenbanken des World Wide Web und den gigantischen Softwarepools der FTP-Server bietet Ihnen das Internet noch einen weiteren Dienst, wie es ihn weltweit kein zweites Mal gibt: die sogenannten „Newsgroups", weltumspannende Diskussionsforen.

7.1 Willkommen im Usenet

Stellen Sie sich einen großen Platz vor, auf dem Menschen aus aller Welt zusammenkommen, um sich über Themen aller Art zu unterhalten, Gedanken auszutauschen oder sich gegenseitig Ratschläge und Tips zu geben. Und jetzt stellen Sie sich weiter vor, daß die Menschen gar nicht alle gleichzeitig dort sein müssen, um sich zu unterhalten. Der eine kommt am Feierabend, der andere meldet sich in einer Uni-Freistunde, wieder ein anderer schaut gerne morgens mal vorbei. Wenn Sie sich dann noch ausmalen, daß alle Teilnehmer im Grunde in ihrer jeweiligen Stadt am PC sitzen, haben Sie eine ziemlich gute Vorstellung vom elektronischen Diskussionsforum.

Aber auch das ist eigentlich schon wieder untertrieben, denn zu nahezu jedem erdenklichen Thema finden Sie im Internet ein eigenes Forum zur Diskussion mit Gleichgesinnten.

Was Sie davon haben

Zugegeben, „Diskussionsforum" ist ein ziemlich sprödes Wort. Daß sich dahinter dennoch eine tolle Sache (und eine Menge Vorzüge für Sie!) verbirgt, sollen die folgenden beiden Szenarien zeigen.

Die Gehaltserhöhung

Klaus hat gerade eine Gehaltserhöhung bekommen und beschließt, das zusätzliche Geld auf die hohe Kante zu legen. Er schwankt noch zwischen verschiedenen Anlageformen und ist außerdem skeptisch, ob der ihm von seiner Bank eingeräumte Zinssatz wirklich schon das Optimum darstellt. Er schildert seine Lage im Diskussionsforum *de.etc.finanz* – und erhält prompt mehrere Antworten: Neben Tips zu verschiedenen Anlageformen auch eine Liste aktueller Zinssätze verschiedener Banken.

Die Fahrradtour

Zur gleichen Zeit beschließt Ralph, ein Student aus Hannover, das kommende lange Wochenende fahrradfahrenderweise am Bodensee zu verbringen. Leider kennt er sich dort nicht aus und fragt im Forum *de.rec.fahrrad* nach empfehlenswerten Radwegen. Daraufhin meldet sich Peter, ein Internet-Teilnehmer aus Konstanz, der einige ganz phantastische Routen am See entlang kennt. Man kommt ins Gespräch und gerät – da beide die Leidenschaft für ausgedehnte Landschaftstouren auf dem Fahrrad teilen – schnell ins Schwärmen. Als Ralph schließlich am Bodensee eintrudelt, trifft man sich zum gemeinsamen Picknick.

Anschließend zeigt Peter seinem neuen Freund die Sehenswürdigkeiten der Gegend. Zum Ende vereinbart man, im Sommer gemeinsam eine Radtour durch die Alpen zu unternehmen.

Was ist das überhaupt?

Im Internet-Chinesisch werden diese Diskussionsforen „Newsgroups“ genannt (also Gruppen, in denen Neuigkeiten ausgetauscht werden). Darin stehen „Artikel“ wie in einer Zeitschrift – und im Grunde funktionieren diese Newsgroups auch wie eine große Zeitschrift, die als Artikel lauter Leserzuschriften abdruckt. Die Gesamtheit aller Artikel heißt schlicht und einfach „News“ („Neuigkeiten“).

Sie können durch diese „News“ genauso blättern wie durch eine Zeitschrift: Jeder Artikel hat eine (mehr oder minder) aussagekräftige Überschrift, das sogenannte „Subject“. Wenn Sie auf ein interessantes Thema stoßen, halten Sie inne und lesen den zugehörigen Artikel. Vielleicht schreiben Sie selbst einen Leserbrief – als Antwort auf einen gelesenen Artikel oder zur Eröffnung einer ganz neuen Diskussion -, der dann als Artikel veröffentlicht wird und weltweit gelesen werden kann.

Und so funktioniert's

Der zugehörige Nachrichtentransfer läuft über das sogenannte „Usenet“. Wenn Sie nun fragen, was das schon wieder für ein Netz sei, so lautet die Antwort grundsätzlich gesprochen: Das Usenet ist nicht das Internet, und das Internet ist nicht das Usenet! Aber beide sind stark miteinander verwoben.

Falls Sie jetzt noch verwirrter sind als zuvor, sollten Sie einen kurzen Blick in die kleine Geschichte des Internet (ab Seite 31) werfen. Das Usenet ist nämlich eines der Netze, die in ihrer Verknüpfung mit vielen anderen Netzen das große Ganze, das Internet, bilden.

Die Diskussion in den Foren läuft ab, indem jeder Teilnehmer seine Nachrichten als elektronischen Brief in das entsprechende Forum hineinlegt. Alle anderen Teilnehmer können diesen Brief (und alle übrigen in diesem Forum vorhandenen) lesen. Außerdem wandert dieser Brief über das Netzwerk von Rechner zu Rechner weiter, während die dort geschriebenen Nachrichten wiederum an die jeweils anderen Rechner weitergegeben werden.

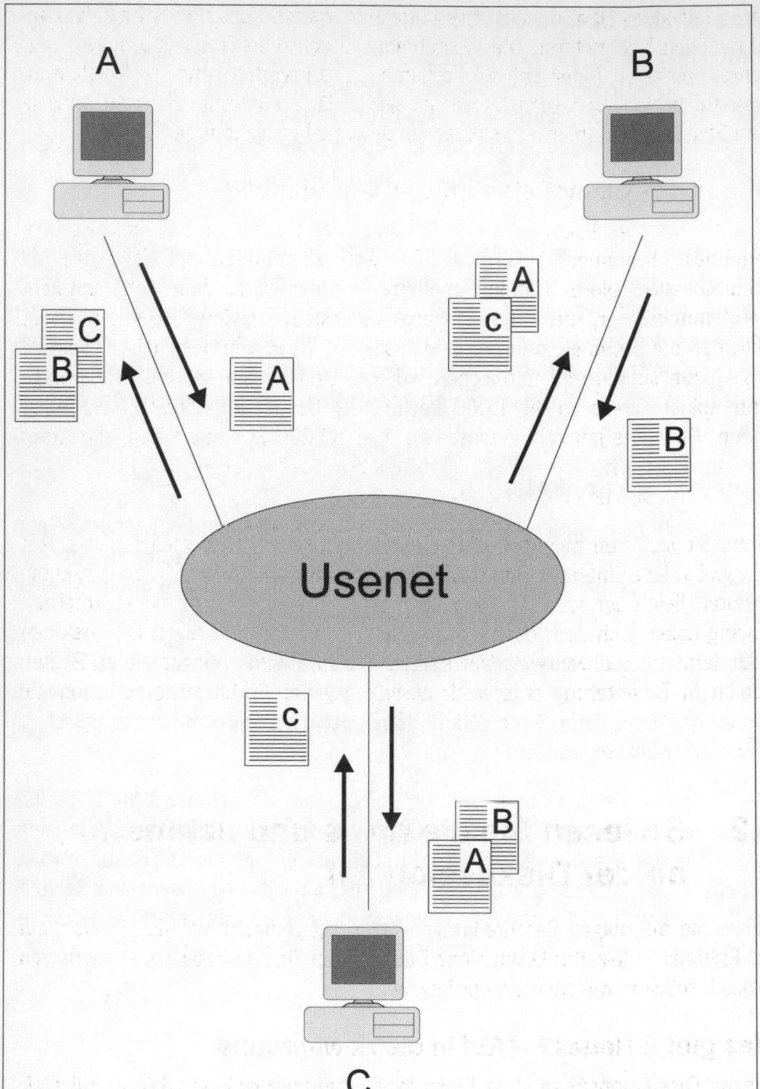

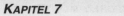

Abb. 193: So funktioniert das Usenet

Im Endeffekt erhält also jedes angeschlossene System Kopien aller irgendwo geschriebenen Nachrichten. Die Teilnehmer können diese lesen und neue Nachrichten verfassen (oder auf die vorhandenen antworten) und der Austausch-Kreislauf beginnt von vorn (besser gesagt: er läuft kontinuierlich und ohne je zum Stehen zu kommen – Systemabstürze einmal ausgenommen).

Woher das Usenet stammt und wer es nutzt

Wie vieles in der Computerszene hat auch das Usenet ganz klein als „Garagenprojekt" begonnen: Anfang der 80er Jahre verknüpften zwei Studenten im US-Bundesstaat North Carolina mehrere Rechner unter dem Betriebssystem UNIX miteinander, um – wie eingangs dargestellt – „News" auszutauschen. Klar, daß die Kommilitonen der beiden schnell Wind von der Sache bekamen, Spaß daran fanden und mitmachen wollten. Und so kam es, daß nur wenige Jahre später bereits an die 1.000 Rechner im Usenet miteinander verbunden waren. Ende des Jahrzehnts tauschten über 30.000 Systeme fleißig alle Arten von News miteinander aus – die Verschmelzung mit anderen Netzwerken zum Internet brachte dem Usenet weiteren Aufwind.

Wenn Sie sich nun fragen, wer eigentlich das Usenet im speziellen nutzt, läßt sich global jeder Internet-Teilnehmer nennen, sobald er Artikel in den Diskussionsforen liest oder schreibt. Aber auch viele Anwender ohne vollen Internet-Zugang haben sich dem Usenet angeschlossen, um an den regen Diskussionen teilzunehmen und weltweit Nachrichten auszutauschen. Sogar einige Firmen nutzen in Erweiterung oder auch anstelle eigener E-Mail-Systeme schon die Usenet-Angebote, um elektronische Meldungen in alle Welt zu verschicken oder von dort zu erhalten.

7.2 So lesen Sie die News und nehmen an der Diskussion teil

Haben Sie die obigen Beschreibungen neugierig gemacht auf die „News", auf das Erlebnis weltweiter Diskussion? Dann sollten Sie nicht zögern, sondern sich sogleich selbst in die Newsgroups begeben!

Was gibt´s Neues? – Auf in die Newsgroups

Für die Diskussionsforen steht Ihnen im Communicator-Paket das Modul *Collabra* zur Verfügung. Dies läßt sich über seinen Eintrag in der *Netscape Communicator*-Gruppe im *Start*-Menü oder den gleichnamigen Punkt im Menü *Communicator* des Navigators aufrufen.

Sofort erscheint das Fenster der Netscape-Nachrichtenzentrale auf dem Bildschirm.

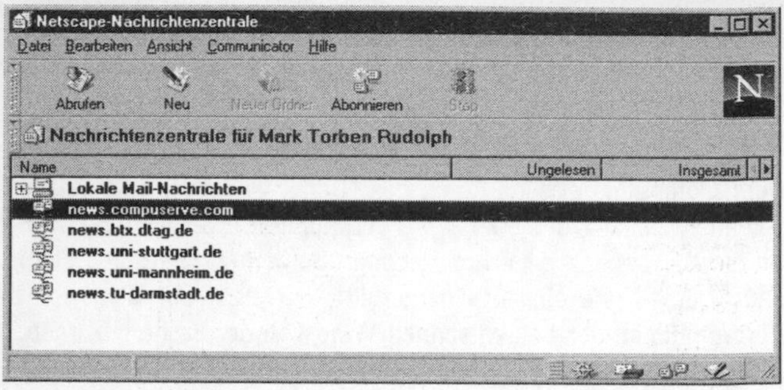

Abb. 194: Die Nachrichtenzentrale öffnet Ihnen die Diskussionsforen!

News Server öffnen

Damit Sie Zugang zu den Foren erhalten, müssen Sie zunächst die gewünschten Themen abonnieren. Da es weltweit unglaubliche viele verschiedene Gruppen gibt, zeigt Netscape Ihnen nur solche an, die Sie für sich als besonders interessant ausgewählt haben:

① Klicken Sie hierzu auf den Eintrag des News-Servers (des Rechners, der die Foren für Sie bereithält) und dann auf die Schaltfläche *Abonnieren* in der Symbolleiste.

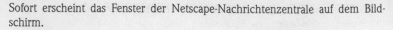

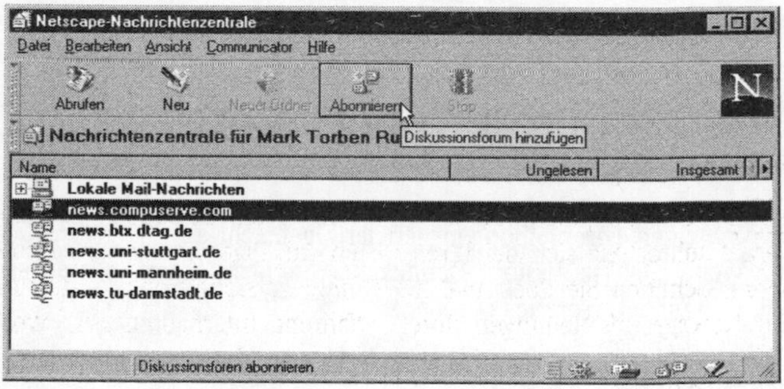

Abb. 195: Als erstes müssen Sie einige Gruppen abonnieren

② Netscape klinkt sich nun in den News Server ein und holt sich von dort die Liste aller vorhandenen Gruppen. In Anbetracht der zumeist recht hohen Zahl vorhandener Gruppen kann dies durchaus ein paar Minuten dauern.

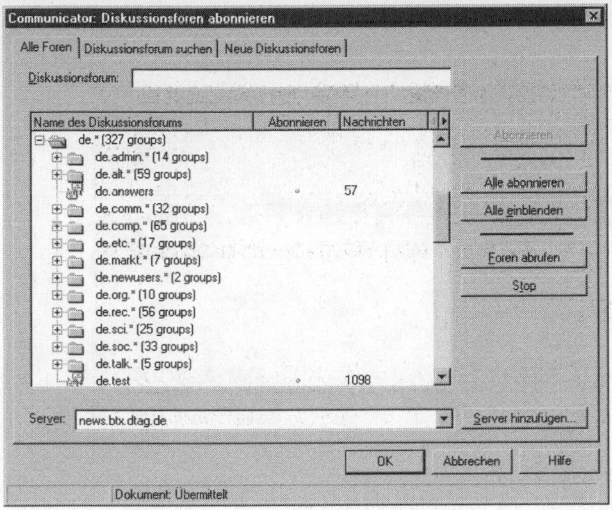

Abb. 196: Die Liste aller vorhandenen Gruppen

③ Im Fenster *Diskussionsforen abonnieren* zeigt Netscape Ihnen nun die gefundenen Gruppen an. Da sie in ihrer Gesamtheit hierarchisch strukturiert sind, erscheint neben manchen Gruppennamen ein Pluszeichen. Dieses repräsentiert eine ganze Unterhierarchie von Gruppen. Klicken Sie darauf, um die Liste der in diesem Bereichen zusammengefaßten Gruppen auszuklappen.

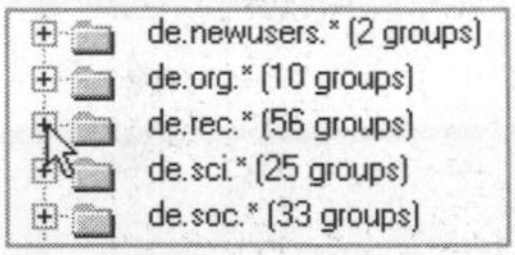

Abb. 197: Klappen Sie die Unterlisten aus

Hinweis: Die Gruppen, die mit einem „de." beginnen, sind deutschsprachige Foren. Hierauf sollten Sie sich bei Ihren ersten Ausflügen in die Newsgroups konzentrieren. Schauen Sie doch mal in *de.newusers.questions*, in der viele Fragen von Newsgroups-Neulingen durch erfahrene Internauten beantwortet werden. Wie Sie Newsgroups zu Ihren individuellen Interessensgebieten finden, ist ab Seite 269 beschrieben.

④ Markieren Sie die gewünschten Forennamen und klicken Sie auf *Abonnieren*. Die Foren werden dann mit einem Häkchen versehen.

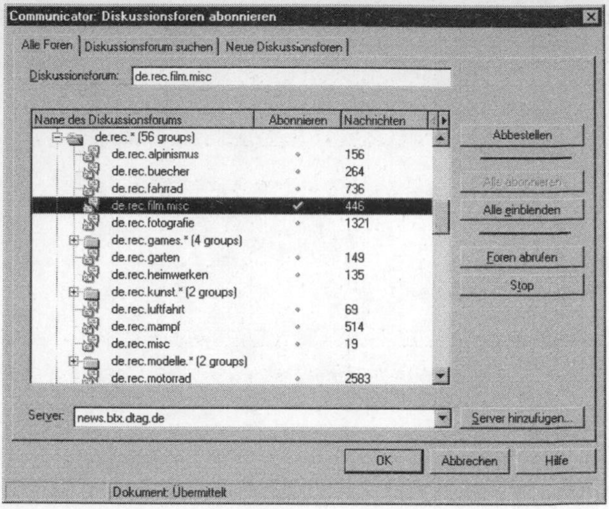

Abb. 198: Abonnieren Sie einzelne Gruppen

⑤ Haben Sie alle gewünschten Gruppen gewählt, schließen Sie das Fenster durch Klick auf *OK*.

Sobald diese einmaligen Vorarbeiten erledigt sind, haben Sie endlich vollen Zugriff auf die umfangreiche Vielfalt der elektronischen Diskussionsforen im Internet.

So wechseln Sie zu einer Gruppe

Damit Sie die „News" lesen können, müssen Sie sich zunächst in die passende Newsgroup begeben. Dort finden Sie dann alle zugehörigen Artikel aufgelistet.

① Klicken Sie hierzu auf das Pluszeichen neben dem Namen des News-Servers. Sogleich klappt darunter die Liste der abonnierten Gruppen heraus.
② Suchen Sie in dieser Liste nach dem Namen der gewünschten Gruppe.
③ Öffnen Sie dann diese Gruppe mit einem Doppelklick auf ihren Namen.

Hinweis: In den Spalten rechts neben dem Gruppennamen zeigt Netscape Ihnen die Anzahl der in dieser Gruppe enthaltenen Artikel (*Insgesamt*) sowie der davon noch nicht gelesenen Nachrichten (*Ungelesen*).

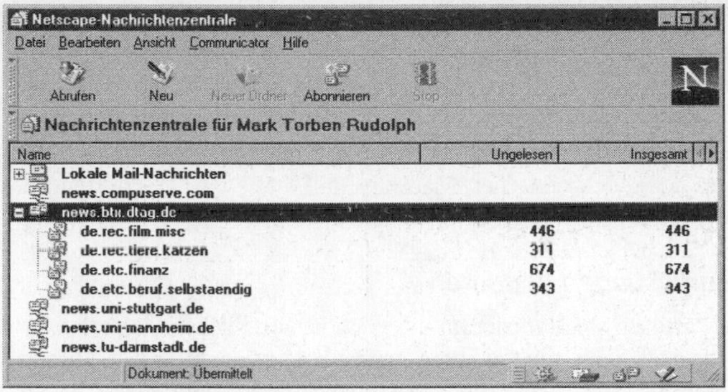

Abb. 199: Suchen Sie sich die gewünschte Gruppe aus

So lesen Sie News

Sobald Sie sich in der gewünschten Gruppe befinden, listet Netscape Ihnen alle zugehörigen Artikel in einem eigenen Fenster.

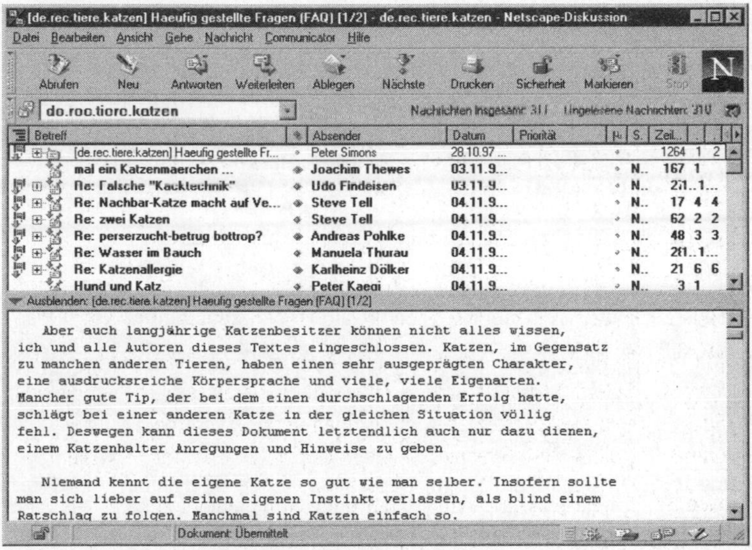

Abb. 200: Das News-Fenster der Gruppe de.rec.tiere.katzen mit mehreren Nachrichten

Wie die Artikel-Liste aufgebaut ist

Sie sehen, daß jeder Artikel eine Betreffzeile hat, die das Thema des zugehörigen Artikels kurz umschreibt. Außerdem wird davor der Name des Verfassers mit angegeben (hatte dieser beim Absenden des Artikels keinen Real-Namen angegeben, steht dort seine Internet-Adresse). Zwischen Verfasser und Überschrift ist Platz für ein grünes Karo: Es markiert bislang ungelesene Artikel. Außerdem lassen sich mit der „Flagge“ (weiter rechts in den Spalten) besonders interessante Artikel hervorheben, um diese später leicht wiederfinden zu können. Beide Symbole lassen sich durch einfachen Mausklick auf ihre jeweilige Position setzen und wieder entfernen.

Was die Einrückungen bedeuten

Neben einigen Artikeln steht wiederum ein Pluszeichen. Klicken Sie darauf, erscheinen, leicht eingerückt, noch weitere Artikel zum gleichen Betreff. Dies ist eine besondere Spezialität des Usenet: Zu einem Thema gehörende Artikel werden in der Reihenfolge ihres Erscheinens miteinander verknüpft.

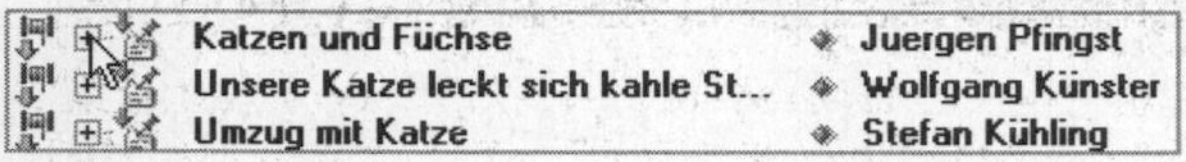

Abb. 201: Ein Klick auf ein Pluszeichen ...

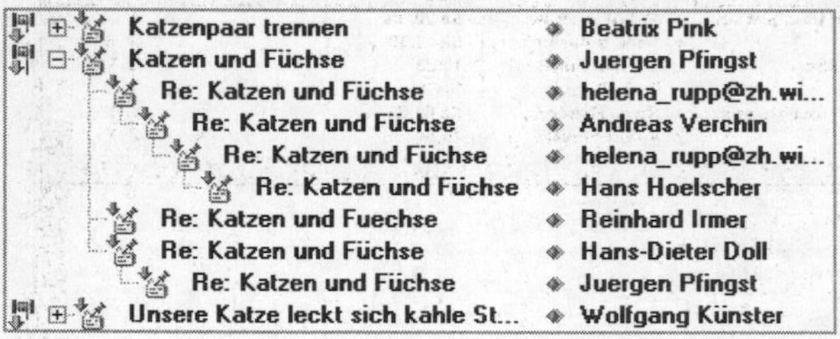

Abb. 202: ... klappt die Liste zum Thema gehörender Artikel aus

Die Tiefe der Einrückung gibt die „Ebene“ dieser Verknüpfung wieder: Die erste Antwort auf einen Artikel wird also einfach eingerückt, darunter steht vielleicht schon eine Antwort auf die Antwort, so daß diese zweifach eingerückt wird. Antwortet nun nochmals jemand auf die Originalnachricht, wird sein Name wieder einfach eingerückt daruntergestellt.

Hinweis: Die Gesamtheit derartig verketteter, zu einem Thema gehörender Nachrichten wird in der Usenet-Fachsprache als „Thread“ bezeichnet.

Tip: Unterbrochene Nachrichtenverkettung
Lassen Sie sich aber von dieser Verkettung nicht aufs Kreuz legen – sie funktioniert nämlich nicht immer. Wenn einzelne Teilnehmer im jeweiligen Forum ihre Nachrichten noch mit älterer Software schreiben, die eine solche Nachrichtenverknüpfung nicht unterstützt, wird die Kette unterbrochen. Daher sollten Sie bei interessanten Themen auch abseits einer existierenden Kette nach Artikeln mit gleichlautender Betreffzeile Ausschau halten.

Endlich – einen Artikel lesen

Um einen Artikel zu lesen, reicht es, den zugehörigen Betreff im Gruppenfenster anzuklicken. Netscape zeigt Ihnen dann den Artikeltext unterhalb der Nachrichtenliste.

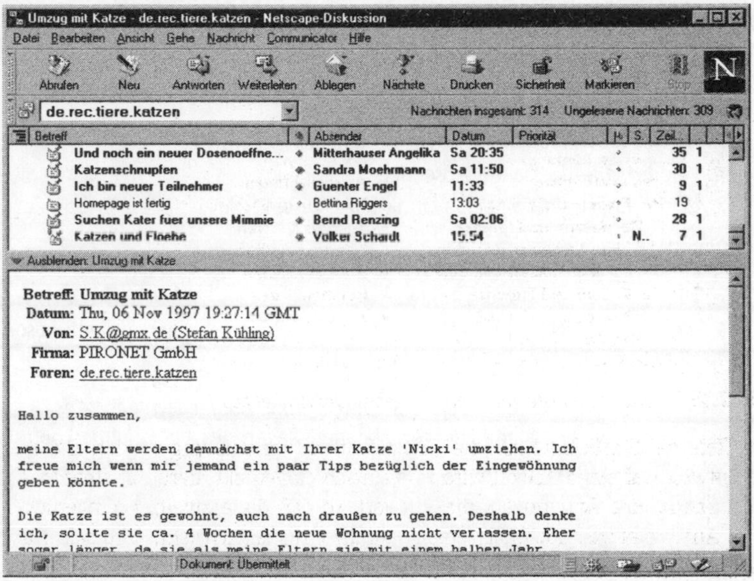

Abb. 203: Eine Nachricht in de.rec,tiere,katzen

Ist der Artikeltext dort nicht zu sehen, so ist seine Anzeige wahrscheinlich ausgeblendet. Aktivieren Sie diese über die Funktion *Nachricht einblenden* im Menü *Ansicht.* Alternativ können Sie auch doppelt auf den Artikeleintrag in der Nachrichtenliste klicken, der Text erscheint dann in einem separaten Fenster.

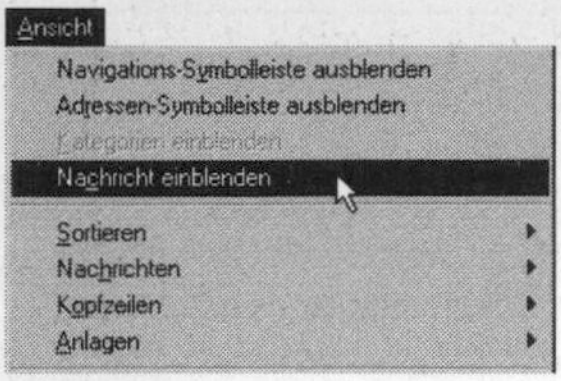

Abb. 204:
Blenden Sie die Anzeige des Nachrichtentextes ein

Hinweis: Manchen Zeilen ist ein >-Zeichen vorangestellt. Dies signalisiert, daß der rechts davon stehende Text nicht die Meinung des Absenders wiedergibt, sondern ein Zitat ist. Über einer solchen Passage sollte auch die Angabe zu finden sein, wer hier zitiert wird (zumeist die vorangegangene Bezugsnachricht). Das Zitieren wird im Usenet „quoten" genannt (vom englischen Wort für „zitieren", nämlich „to quote").

Über dem eigentlichen Nachrichtentext befindet sich noch ein Kopf, der sogenannte „Header" (das übliche Fachenglisch mal wieder), mit verschiedenen Angaben zum Artikel:

- *Betreff* enthält den Betreff des Artikels,
- *Datum* das Datum, an dem der Artikel abgeschickt wurde,
- *Von* die E-Mail-Adresse des Absenders,
- *Firma* die Organisation (z. B. Firma oder Verein), zu der dieser Absender gehört,
- *Foren* die Namen der Newsgroups, in die der jeweilige Artikel abgeschickt wurde,
- *Referenzen* Verweise auf die weiteren zu diesem Thema gehörenden (also mit der Originalnachricht verknüpften) Artikel.

Hinweis: Über die Option *Alle* im Unterpunkt *Kopfzeilen* des *Ansicht*-Menüs können Sie sich sämtliche vorhandenen Zeilen des Nachrichtenkopfes anzeigen lassen. Im Normalfall genügt jedoch die oben genannte Standard-Darstellung.

Wie Sie sich in den Newsgroups zurechtfinden

Netscape bietet Ihnen diverse Funktionen, um komfortabel durch den riesigen Diskussions-Pool der Newsgroups zu manövrieren.

Wenn Sie mehr zu einem Thema lesen möchten

Im Kopf jeder Nachricht können Sie über die Felder *Foren* und *Referenzen* zu anderen thematisch zugehörigen Artikeln und Gruppen weiterschalten:

- Wurde der vorliegende Artikel in mehrere Gruppen verschickt, sind diese in der *Foren*-Zeile aufgelistet. Klicken Sie auf deren Namen, um zur jeweiligen Gruppe umzuschalten.

Hinweis: Solche mehrfach verschickten Nachrichten nennt der Fachmann übrigens „Crossposting", da sie „kreuz und quer" durch die verschiedenen Gruppen „gepostet" (also verschickt) wurden.

- In *Referenz* finden Sie Verweise auf weitere Artikel, die mit der Originalnachricht verknüpft sind – in der Fachsprache: zu diesem „Thread" gehören. Klicken Sie diese an, um sie zu lesen.

Mehr Übersicht in der Nachrichtenliste

Die Nachrichtenliste zeigt Ihnen wichtige Informationen zu den einzelnen Artikeln in mehreren Spalten an.

Sollte eine Spalte nicht zu sehen sein, können Sie sich diese ins Bild holen, indem Sie das News-Fenster vergrößern und die Breite der übrigen Spalten etwas reduzieren:

① Hierzu bewegen Sie den Mauszeiger auf die Trennlinie zwischen zwei Spaltenköpfen, so daß er sich in einen Doppelpfeil verwandelt.
② Drücken Sie dann die linke Maustaste und halten Sie diese gedrückt.
③ Durch Bewegen der Maus können Sie nun die Begrenzung der Spalte verschieben.
④ Sobald Sie die linke Maustaste wieder loslassen, wird die Spalte auf die neue Breite getrimmt.

Abb. 205: Mit dem Doppelpfeil verändern Sie die Spaltenbreite

Verknüpfen richtig nutzen

Wie eingangs schon erwähnt, ist es eine besondere Spezialität des Usenets, daß zu einem Thema gehörende Artikel in der Reihenfolge Ihres Erscheinens zu einem sogenannten „Thread" verknüpft werden. Die einzelnen zugehörigen Nachrichten werden dabei leicht eingerückt untereinander angeordnet.

Um diese Darstellungsweise zu erhalten, brauchen Sie lediglich im Menü *Ansicht* die *Sortieren*-Funktionen auszuklappen und dort die Option *Nach Thread* zu aktivieren.

Nachrichten sortieren

Über diese „Sortieren"-Funktionen können Sie außerdem die Anordnung der Nachrichten innerhalb der Liste festlegen – beispielsweise nach *Datum* oder *Betreff.*

Falls Sie etwas nachschlagen möchten: nach und in Artikeln suchen

Eine weitere praktische Hilfe bei der Suche nach speziellen Informationen in den Diskussionsforen ist Netscapes Funktion *Nachrichten durchsuchen* (im Menü *Bearbeiten*):

① Rufen Sie das Dialogfenster *Nachrichten durchsuchen* über den gleichnamigen Menüpunkt auf.

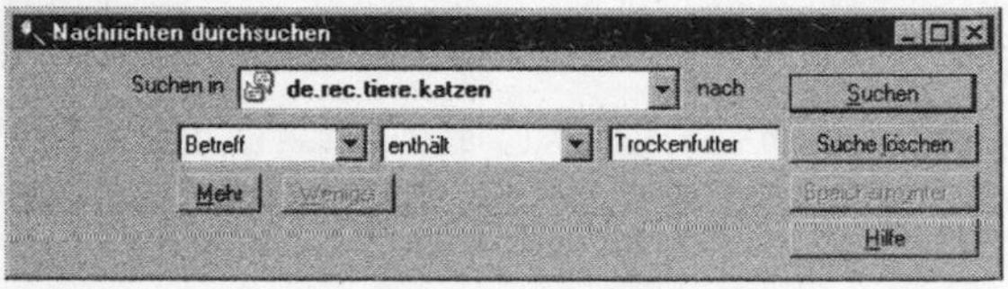

Abb. 206: Netscapes Suchfunktion für Artikel

② Wählen Sie im Feld *Suchen in* die zu durchsuchende Gruppe aus.

③ Darunter stellen Sie ein, welche Kriterien die zu findenden Artikel erfüllen müssen.

④ Durch Klick auf *Mehr* lassen sich weitere Kriterienfelder einblenden, um noch genauere Suchen durchzuführen.

⑤ Starten Sie danach den Suchvorgang durch Klick auf *Suchen.*

Die weiteren Funktionen der Werkzeugleiste

Im Fenster des Forums finden Sie über dem eigentlichen Nachrichten-Feld eine ganze Reihe von Schaltflächen zur leichteren Handhabung der Diskussionen:

Abrufen holt neue Nachrichten vom News-Server.

Neu ermöglicht es, eine eigene, neue Nachricht in die aktuelle Gruppe zu schicken.

Eine Antwort auf die aktuell markierte Nachricht wird nach Druck auf *Antworten* erfaßt verschickt.

Weiterleiten ermöglicht das Erfassen einer neuen Nachricht, welcher der aktuell markierte Artikel angehängt wird.

Ablegen verschiebt die aktuelle Nachricht in einen Ordner der Nachrichtenzentrale. Hier lassen sich mehrere Ordner anlegen, um interessante Artikel aufzubewahren.

Nächste zeigt die, von der aktuellen Position in der Nachrichtenliste ausgehend, nächsten (also weiter unten liegenden) Artikel an – wahlweise den nächsten ungelesenen, den nächsten markierten oder dergleichen.

Markieren ermöglicht es, alle Artikel oder alle mit der aktuellen Nachricht verknüpften Artikel auf „gelesen" (das grüne Karo in der Nachrichtenliste verschwindet) oder wieder auf „ungelesen" zu setzen oder für spätere Lektüre zu markieren.

Wenn Sie auch etwas zu sagen haben

Jetzt können Sie sich schon zielsicher durch die Newsgroups bewegen, da ist es an der Zeit, sich auch mal selbst zu Wort zu melden.

Hinweis: Eine Meldung, die Sie in solch eine Gruppe schicken, wird „Artikel", der Vorgang dieser Veröffentlichung wird „posten" des Artikels genannt. Dies ist vor allem von dem Versand von privaten Nachrichten (den weiter hinten ab Seite 323 beschriebenen „E-Mails"), dem sogenannten „Mailen", zu unterscheiden.

So schreiben Sie einen neuen Artikel

Um einen neuen Artikel in eine Gruppe zu schreiben, wechseln Sie einfach in die entsprechende Gruppe (wie auf Seite 272 beschrieben) und klicken dort auf die am oberen Rand des Gruppenfensters stehende Schaltfläche *Neu.*

Abb. 207:
Über diese Schaltfläche entstehen neue Artikel

Netscape öffnet Ihnen dann ein neues Fenster, in dem Sie Ihren Artikel verfassen können.

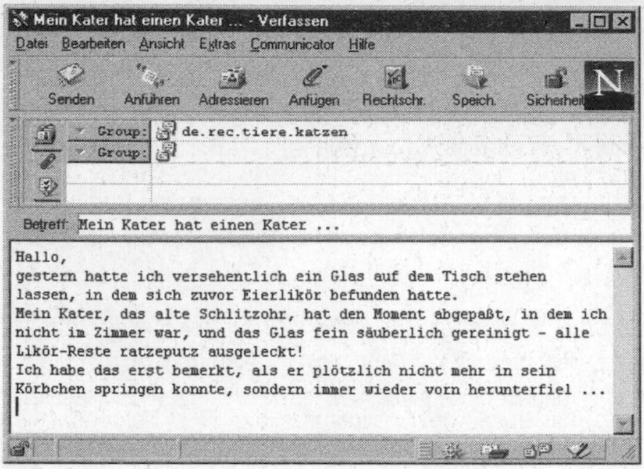

Abb. 208: Hier geben Sie Ihren neuen Artikel ein

Der Name der aktuellen Gruppe ist schon als Empfänger eingetragen. Geben Sie Ihrer Nachricht dann einen aussagekräftigen Betreff und schreiben Sie Ihren Text in das große Feld.

Schließlich senden Sie Ihren Artikel durch Druck auf die *Senden*-Schaltfläche in die Gruppe.

Tip: Testen Sie Ihre News-Anbindung
Wenn Sie einmal testen möchten, ob Ihre Anbindung an die weltweiten News richtig funktioniert, schreiben Sie bitte keine Nachricht „Kann mich hier jemand lesen?“ in eine allgemeine Diskussionsgruppe. Hierfür gibt es spezielle Testgruppen, zum Beispiel *de.test*. Das hat gleich zwei Vorteile: Zum einen werden die Diskussionen in den Fachgruppen nicht durch Tests gestört, und zum anderen erhalten Sie automatisch Rückmeldungen auf Ihren Test, die Ihnen sagen, wo und wann Ihre Nachricht gelesen wurde. Diese automatischen Antworten werden per E-Mail an Sie geschickt und können dann in Netscapes E-Mail-Abteilung gelesen werden. Das hierzu passende Kapitel beginnt übrigens auf Seite 324.

So antworten Sie auf einen Artikel

Möchten Sie auf einen Artikel aus der aktuellen Gruppe antworten und Ihre Nachricht somit in die Themenverkettung einreihen, müssen Sie eine andere Schaltfläche nutzen:

① Holen Sie sich den Text der Nachricht auf den Bildschirm.

② Drücken Sie auf die am oberen Fensterrand stehende Schaltfläche *Antwort*.

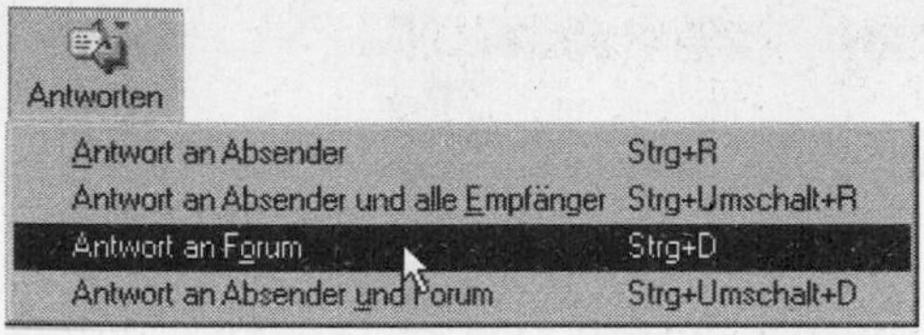

Abb. 209: Öffentliche Antworten entstehen über diese Schaltfläche

Hinweis: Halten Sie die Maustaste auf der *Antworten*-Schaltfläche gedrückt, klappt eine Liste mit mehreren Optionen aus. Darüber können Sie Ihre Antwort nicht nur in die Gruppe einleiten (*Antwort an Forum*), sondern als privaten Brief dem Verfasser der Originalnachricht (*Antwort an Absender*) bzw. dem Verfasser und allen ursprünglichen Kopienempfänger der Nachricht (*Antwort an Absender und alle Empfänger*) zuschicken oder gleichzeitig als privaten Brief und öffentlichen Artikel (*Antwort an Absender und Forum*) verschicken.

③ Es erscheint das in Abb. 208 dargestellte Fenster, in dem Sie Ihren Artikel verfassen können. Hierbei übernimmt Netscape schon einiges automatisch für Sie:

- Es trägt die Namen der Gruppen, in denen die ursprüngliche Nachricht zu finden war, in die Empfängerzeileein.
- Es übernimmt die Betreffzeile aus der Ursprungsnachricht und stellt dieser ein *Re:* voran, um den neuen Artikel als Antwort („Reply") zu kennzeichnen.
- Es fügt automatisch eine Kopie des Textes der Ursprungsnachricht in das Textfeld ein und stellt jeder Zeile ein > Zeichen als Zitat-Markierung voran.
- Es stellt den zitierten Zeilen die Einleitung *Name schrieb* voran, wobei der Name des Absenders der Ursprungsnachricht eingesetzt wird.

④ Ihre Antwort können Sie nun bequem in das Textfeld eingeben. Löschen Sie am besten zuerst die überflüssig zitierten Zeilen heraus und schreiben Sie Ihre Kommentare zu den Zitaten direkt unter dieselben. Falls sich die Diskussion nach mehreren Antworten so weit fortbewegt hat, daß der eigentliche Betreff nicht mehr stimmt, ändern Sie diesen entsprechend ab und weisen in Klammern auf den ursprünglichen Betreff hin.

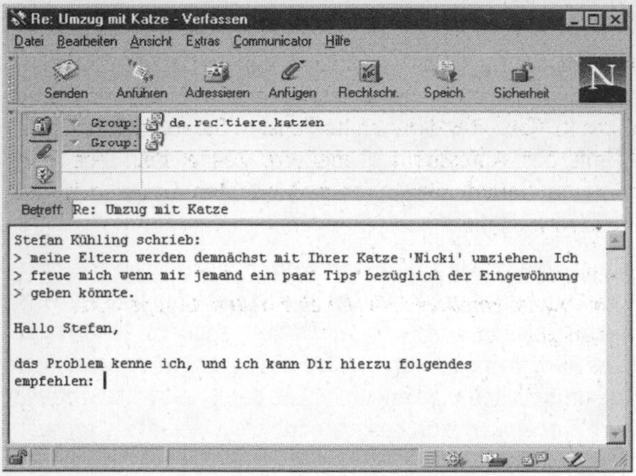

Re: Umzug mit Katze - Verfassen
Datei Bearbeiten Ansicht Extras Communicator Hilfe
Senden Anführen Adressieren Anfügen Rechtschr. Speich. Sicherheit
Group: de.rec.tiere.katzen
Group:
Betreff: Re: Umzug mit Katze
Stefan Kühling schrieb:
> meine Eltern werden demnächst mit Ihrer Katze 'Nicki' umziehen. Ich
> freue mich wenn mir jemand ein paar Tips bezüglich der Eingewöhnung
> geben könnte.
Hallo Stefan,
das Problem kenne ich, und ich kann Dir hierzu folgendes
empfehlen:

Abb. 210: In einer Antwort werden Teile der Originalnachricht zitiert

Ihr Artikel läßt sich dann wie gehabt über die *Senden*-Schaltfläche abschicken.

Weiterleitung von News an Freunde

Vielleicht erscheint Ihnen der Inhalt eines Artikels so interessant, daß Sie diesen per elektronischer Post an einen Freund im Internet weiterleiten möchten, der diese Gruppe nicht liest? Gar kein Problem:

① Holen Sie sich hierzu wieder den Text der Nachricht auf den Bildschirm.
② Klicken Sie nun auf die Schaltfläche *Weiterleiten.*

Abb. 211:
Mit Hilfe dieser Schaltfläche leiten Sie Artikel weiter

③ In dem dann erscheinenden und schon aus Abb. 208 hinlänglich bekannten Fenster zur Eingabe Ihres Brieftextes tragen Sie die E-Mail-Adresse des Empfängers in das Feld *An:* ein. Netscape übernimmt automatisch den Betreff des weiterzuleitenden Briefs und setzt diesem ein Kürzel *fwd* (für „Forward“) voran. Außerdem hängt es eine Kopie der Originalnachricht an Ihre neue Mitteilung an.
④ Möchten Sie den Text der Originalnachricht in Ihrem Brief zitieren, so brauchen Sie lediglich auf die *Anführen*-Schaltfläche zu klicken. Netscape fügt diesen dann automatisch in das Nachrichtenfeld ein und hängt den Zeilen die oben beschriebenen Zitierzeichen („>„) voran.
⑤ Vielleicht schreiben Sie auch noch einige Grußworte dazu.

Einen Artikel in mehrere Gruppen schicken (Crossposting)

Auch das sogenannte „Crossposting", das Verschicken eines Artikels in mehrere Gruppen zugleich, geschieht über die oben beschriebenen Funktionen *Neu* bzw. *Antworten* und das in Abb. 208 dargestellte Fenster. Sie müssen lediglich im Nachrichtenkopf (mit der Adressierung) mehrere Zeilen mit dem Feld *Group:* versehen und sodie Namen sämtlicher gewünschten Gruppen in die einzelnen Empfängerzeilen eintragen.

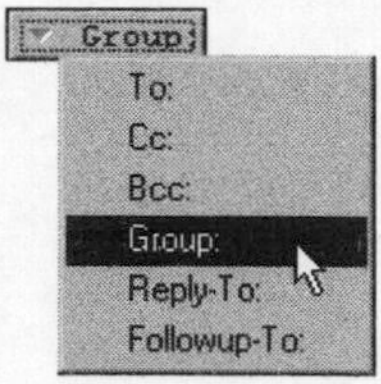

Abb. 212:
Eine zweite Empfängerzeile für eine weitere Gruppe wird angelegt

Hinweis: Wenn Sie auf ein solches Crossposting antworten, fügt Netscape automatisch die Namen aller Gruppen, in welche die Originalnachricht geschickt wurde, ein.

Tip: Antworten auf Crosspostings in eine Gruppe leiten
Möchten Sie, daß alle Antworten auf Ihren Artikel in eine einzige Newsgroup geleitet werden, so aktivieren Sie in einer Kopfzeile das Feld *Followup To* und tragen dort den Namen dieser Gruppe ein.

Dateien in Newsgroups schicken

Sollten Sie einmal in die Verlegenheit geraten, neben reinen Textartikeln auch eine Datei in eine Gruppe schicken zu wollen, geschieht das über eine Sonderfunktion des in Abb. 208 dargestellten Fensters: Drücken Sie auf die Schaltfläche *Anfügen:* und in der ausklappenden Liste auf *Datei.* Wählen Sie dann die Datei aus, die Sie in die Gruppe schicken möchten.

Hinweis: Schicken Sie bitte nicht ungebeten große Dateien in Gruppen, denn diese werden ja millionenfach kopiert und in der ganzen Welt verteilt. Das kann eine Menge Ärger hervorrufen, wenn die anderen Gruppenteilnehmer urplötzlich eine Menge unerwünschter Kbytes erhalten, mit denen die meisten vielleicht gar nichts anfangen können. Am besten fragen Sie vorher nach, ob diese Datei gewünscht wird, oder Sie weichen gleich auf eine der speziell für Dateiversand eingerichteten Gruppen aus (deren Namen endet zumeist auf „binaries" – englisch für „Binärdateien").

> **Verweis:** Bevor Sie daran gehen, Dateien zu verschicken, sollten Sie den passenden Abschnitt aus dem E-Mail-Kapitel gelesen haben: Er beginnt auf Seite 358 und gilt grundlegend auch für den Dateiversand in Newsgroups.

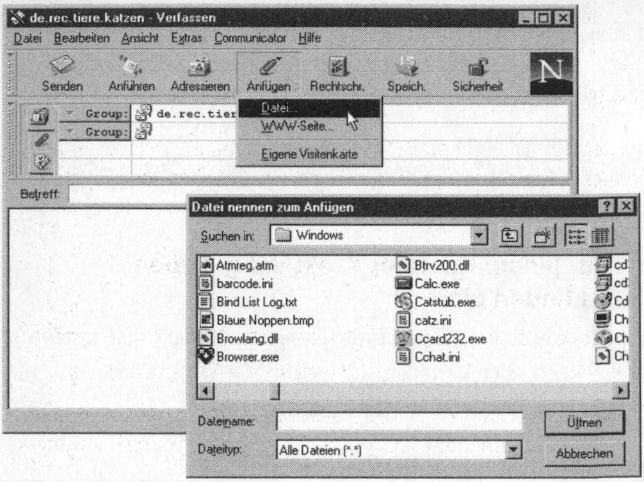

Abb. 213: Welche Datei soll verschickt werden?

Einen schon veröffentlichten Artikel wieder löschen

Vielleicht stellen Sie nach dem Versand eines Artikels plötzlich fest, daß Sie diesen eigentlich doch nicht hätten abschicken wollen.

Da Netscape Ihre Artikel sofort ins Netz weiterleitet, nützt es nichts, wenn Sie diesen später auf Ihrem System löschen. Um ihn netzweit zu entfernen, müssen Sie sich daher einer sogenannten „Cancel"-Nachricht bedienen.

Das ist ein weiterer Artikel, der genauso ins Netz geschickt wird, wie Ihre ursprüngliche Nachricht. Jedoch ist er für die eigentlichen Anwender unsichtbar und wird nur von den News-Programmen auf den verschiedenen News Servern im Internet selbst bearbeitet: Diesen teilt er nämlich mit, daß der entsprechende Artikel zu löschen sei – was diese dann auch bereitwillig tun.

Canceln eines eigenen Artikels

① Um eine solche „Cancel"-Nachricht für einen Ihrer Artikel abzuschicken, markieren Sie zunächst den betreffenden Artikel in der Nachrichtenliste.

② Wählen Sie im Menü *Bearbeiten* den Punkt *Nachricht abbrechen.*

③ Sogleich erzeugt Netscape die gewünschte „Cancel"-Nachricht und schickt diese heraus.

Hinweis: Dieses „Canceln" erlaubt Netscape nur, wenn es sich bei dem markierten Artikel um eine Nachricht aus Ihrer Feder gehandelt hat.

7.3 Newsgroups für jeden Geschmack

Die Vielfalt der internationalen Foren ist unglaublich. Damit Sie sich darin nicht verlaufen, stellt dieses Kapitel als „Führer" durch die Gruppen einige patente Hilfen bereit.

Warum nicht auf jedem Rechner exakt die gleichen Newsgroups zu finden sind

Vielleicht finden Sie auf dem Rechner Ihres Providers die eine oder andere Gruppe nicht, von der ein Freund aus dem Internet Ihnen erzählt hat.

Dies hat einen einfachen Grund: Die Gruppen werden nicht zentral verwaltet, sondern ebenso wie die Nachrichten von Rechner zu Rechner durch das Internet geschickt.

Dieses „Routing" genannte Verfahren ist auch in unserer kleinen Internet-Geschichte ab Seite 31 beschrieben. Hier kommt es natürlich vor, daß manche Server einzelne Gruppen in den „elektronischen Müll" befördern, weil bei ihnen kein Interesse daran besteht.

Diese Foren werden dann auf dem jeweiligen Rechner gelöscht und auch nicht mehr an die dahinter liegenden Systeme weitergeleitet. Ebenso kann es im umgekehrten Falle geschehen, daß ein System eine neue Gruppe einrichtet und weiterleitet.

Diese ist dann zumeist auch auf den nachfolgenden Systemen verfügbar.

Wirklich alle Newsgroups finden Sie daher wohl auf keinem Server dieser Welt versammelt. Ihr Provider wird sich aber sicher gern darum bemühen, Ihnen die gewünschten Gruppen zu besorgen, wenn Sie ihn darauf ansprechen.

Welcher Artikel gehört in welche Gruppe?

Die Vielfalt der Gruppen ist kaum noch zu überblicken. Zum Glück gibt es Kürzel in den Gruppennamen, über die das Forenangebot hierarchisch gegliedert wird.

Dieser Abschnitt zeigt Ihnen, wie Sie die Ihren Wünschen am besten entgegenkommende Gruppe finden.

Was bedeuten die Kürzel?

Die Namen der Internet-Foren beginnen mit einem oder mehreren Kürzeln.

Hier ist erklärt, wofür diese stehen und was dies bedeutet:

Kürzel	Bedeutung
de	Alle Gruppen, die mit dem Kürzel *de* beginnen, sind deutschsprachig. An die Teilnehmer aller übrigen Foren wenden Sie sich am besten in englischer Sprache.
Misc	Das wohl am häufigsten zu findende Kürzel *misc* steht für „miscellaneous" – das ist Englisch und bedeutet „Verschiedenes".
Org	Unter *org* finden Sie diverse Organisationen versammelt, zum Beispiel Computer-Clubs, aber auch Firmen oder die Mensa.
Rec	*rec* steht für „Recreational Activities", zu deutsch: erholsame Aktivitäten. Die Freizeit also, vom Radeln über Spiele bis hin zur Literatur.
Sci	Das englische „Science" wird mit *sci* abgekürzt und umfaßt ausschließlich wissenschaftliche Themen.
Soc	Gesellschaftliche Themen finden sich dagegen in der *soc*-Rubrik (für „Social").
Etc	Unter *etc* (et cetera = „und übrige") sind schließlich alle Themen versammelt, die nicht anderweitig eingeordnet wurden.
Alt	Hier finden Sie eine „alternative" Hierarchie: Da es im Usenet ein recht komplexes Verfahren für die Eintragung neuer Gruppen in die bestehende Hierarchie gibt (das läuft über Vorschläge, Diskussionen und Abstimmungen), wurde eine zweite Hierarchie daneben gegründet, in der das Einrichten neuer Gruppen stark erleichtert wurde. Dafür geht es gerade hier mitunter recht chaotisch zu, und wohl niemand hat wirklich einen Überblick über alle jemals eingerichteten *alt*-Foren.
D	Viele Gruppen sind moderiert (siehe Seite 289) oder erlauben aus anderen Gründen keine freie Diskussion (zum Beispiel, weil sich die Nachrichten auf wichtige Bekanntgaben einer Organisation beschränken sollen). Oftmals existiert dann zu einem solchen Forum noch eine weitere Gruppe mit einem kleinen *.d* hinter ihrem Namen. Dieses ist dann ein speziell zur freien Diskussion über die jeweiligen Themen zusätzlich eingerichtetes Forum.

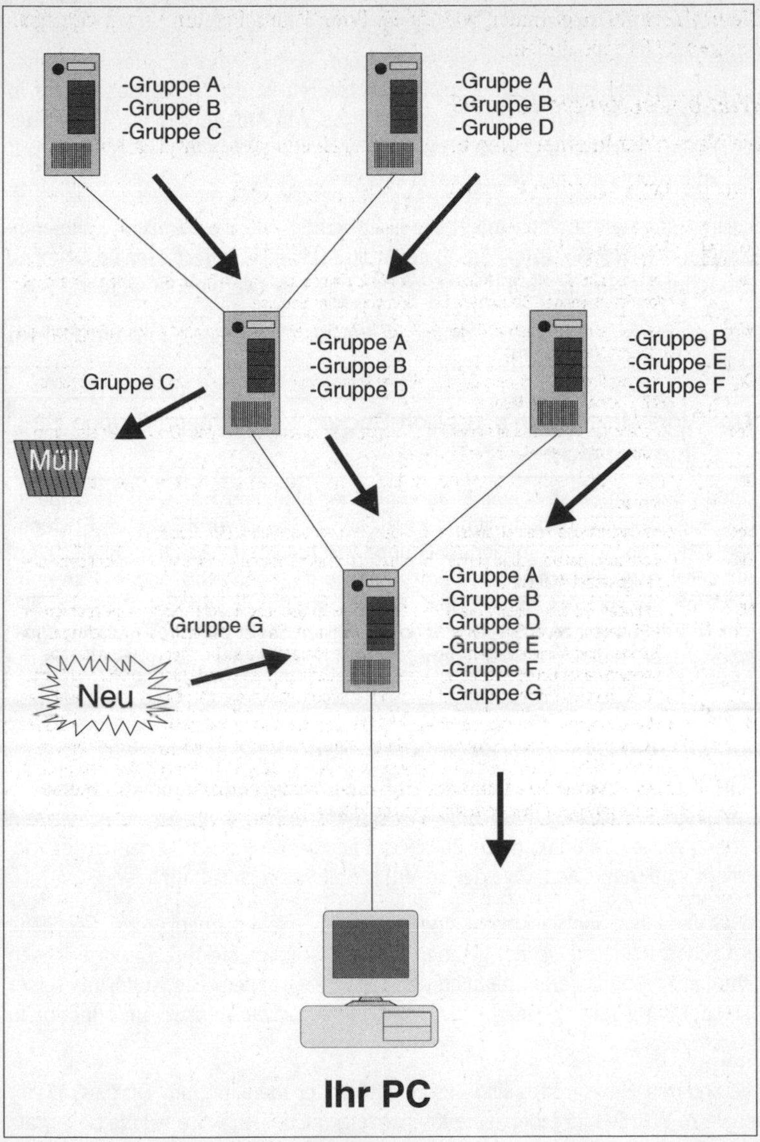

Abb. 214: So wandern die Gruppen durchs Netz

Man spricht Deutsch? Or do you speak English?

Das Internet ist – der Name sagt es ja schon – ein internationales Netzwerk. Die gemeinsame Sprache in den Diskussionsforen ist daher Englisch. Außer in den speziell deutschen Gruppen (denen mit *de.* Am Anfang) sollten Sie es daher vermeiden, Nachrichten in deutscher Sprache zu verfassen. Sie erhalten nur verständnislose oder gar verärgerte Reaktionen.

Gleiches gilt auch für den Inhalt der Nachrichten und die daraus resultierende Auswahl der Gruppe, in die Sie Ihren Artikel schicken. Internationale Gruppen sollten nur für Nachrichten internationalen Interesses verwendet werden.

Themen, die sich auf speziell deutsche Ereignisse beziehen, sind dort fehl am Platz und gehören in die *de.*-Foren.

Tip: Vom Mais-Essen und Tatort-Gucken – Die richtige Gruppe für Ihre Nachricht

Haben Sie zum Beispiel einmal das Ende des aktuellen Tatort-Krimis verpaßt und suchen einen netten Mitmenschen, der es Ihnen verrät, sollten Sie sich keinesfalls an eine internationale Gruppe wie *rec.arts.tv* wenden, sondern Ihr Anliegen in *de.alt.tv.misc* schildern. Sind Sie dagegen ein Popcorn-Fan und möchten Rezepte mit anderen Mais-Liebhabern auf der ganzen Welt (vor allem natürlich aus den USA) austauschen, finden Sie sich in der *rec.food.cooking*-Gruppe sicher besser aufgehoben als in *de.rec.mampf* mit begrenztem (deutschen) Publikum.

Suchen und Bieten – nur auf dem Marktplatz

Vielleicht mag es Ihnen auf den ersten Blick naheliegend und praktisch erscheinen, auch Kleinanzeigen in den Newsgroups aufzugeben: Sie erreichen ein weitaus größeres Publikum als über jedes andere Medium und zahlen (im Gegensatz zu den meisten Tageszeitungen) so gut wie nichts dafür.

Im Grunde hat auch niemand etwas dagegen (viele lohnenswerte Geschäfte sind schon über das Usenet getätigt worden), solange Sie Ihre Inserate in den richtigen Foren plazieren, nämlich den „Markt"-Gruppen. Die Auflösung seiner CD-Sammlung kündigt man eben nicht in *de.rec.music.misc* an, sondern in *de.markt.misc*.

Alle anderen Newsgroups sind ausschließlich der thematischen Diskussion vorbehalten. Würde hier jeder seine Kleinanzeigen abladen, wäre bald jeder Ansatz eines sinnvollen Gedankenaustauschs darunter erstickt. Genau das gleiche würde einer Gesellschaftszeitschrift passieren, bei der auf jeder Seite neben 10 Zeilen Artikel noch 20 riesige Werbeanzeigen prangen.

Erotisches – ein Heißluftballon der Boulevardpresse

Im Usenet finden Sie Foren zu so gut wie allen Themen. Natürlich auch welche, die sich um „das Eine" drehen, das viele Boulevardjournalisten Tag und Nacht zu beschäftigen scheint: die menschliche Sexualität.

Allerdings haben eben diese Journalisten diese Angelegenheit schon zu einem ziemlichen Heißluftballon aufgeblasen: Zwar gibt es im Usenet Foren, die sich mit der Sexualität beschäftigen, doch auch dort wird nur mit Wasser gekocht – sprich harmlose Gespräche und Diskussionen geführt.

Von „Perversionen aller Art" werden Sie in den deutschen Newsgroups also herzlich wenig finden.

Wenn Newsgroups „moderiert" werden ...

Wenn Sie sich eine Zeitlang in den verschiedenen Foren der Newsgroups aufgehalten haben, werden Sie feststellen, daß in vielen Gruppen das „Rauschen" sehr hoch ist. Hierunter versteht man den Anteil von Nachrichten, die eigentlich nichts weiteres als eine nette Plauderei darstellen – vielleicht mit dem Thema verwandt, aber nicht unbedingt zum Kern der Themenstellung in der jeweiligen Gruppe gehörend.

Das Aus für „rauschende" Artikel

In manchen Foren mag das nicht weiter stören, teilweise sogar erwünscht sein – es gibt aber Gruppen, die schon durch ihre Ausrichtung das Rauschen auf ein Minimum reduzieren oder sogar gänzlich verhindern müssen. Foren, die auf *.announce* enden, sind zumeist solche Fälle.

Hier sollen ausschließlich aktuelle Mitteilungen zu einem bestimmten Thema gepostet werden – in *comp.infosystems.announce* sind das beispielsweise die Adressen neuer WWW-Services.

Hier haben sich die Erfinder dieser Gruppen einen speziellen Mechanismus einfallen lassen, um dieses Rauschen auszuschließen: die Moderation.

So funktioniert die Moderation

Hierbei posten die Teilnehmer der Newsgroup ihre Meldungen nicht direkt als Artikel in die Gruppe, sondern schicken sie dem jeweiligen Moderator als private Nachricht (E-Mail, siehe Seite 324) zu.

Dieser entscheidet, welche davon für die Gesamtheit der Forumsteilnehmer interessant sind und welche zuviel Rauschen enthalten.

Letztere werden direkt gelöscht, die übrigen in die Gruppe geleitet, in der sie jeder lesen kann.

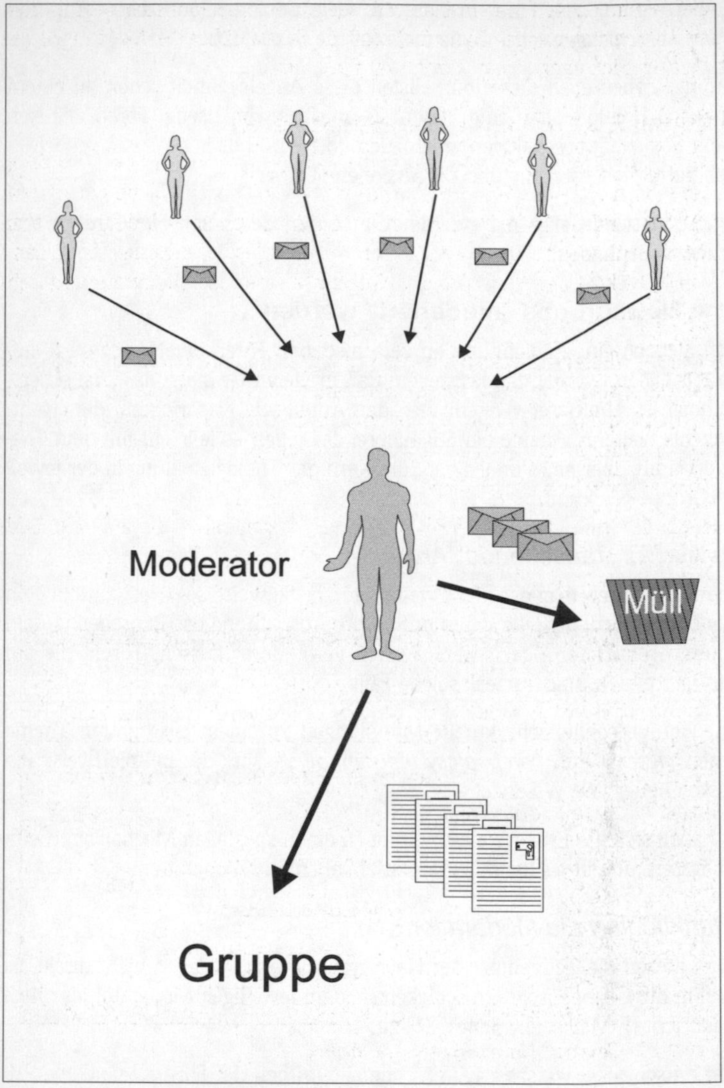

Abb. 215: Die Moderation einer Gruppe

Diskussion mit Zensur?

Natürlich ist Moderation eine Art von Zensur, also eigentlich etwas dem Internet völlig Fremdes. Aus diesem Grund findet sich zu nahezu jeder moderierten Gruppe auch ein passendes Diskussionsforum, in dem über die Meldungen frei diskutiert werden kann (dann wieder mit Rauschen).

So finden Sie Foren, die Sie interessieren

Die Vielfalt der Diskussionsforen ist schier unglaublich. Wenn Sie den Überblick verloren haben (oder erst noch finden müssen) oder auf der Suche nach Foren zu ganz bestimmten Themen sind, hilft Ihnen ein patenter WWW-Service weiter: Der amerikanische DejaNews-Server verfügt über eine riesige Datenbank der Usenet-Diskussionen, die sich auf einfache Weise nach Stichwörtern durchsuchen lassen.

Hinweis: Während Netscapes eigene „Find"-Funktion aus dem *Edit*-Menü nur nach Textstellen in den Nachrichtenköpfen oder wahlweise in einem einzelnen Textkörper der schon geladenen Artikel in der aktuell gewählten Gruppe sucht, durchkämmt der DejaNews-Server für Sie gern die Inhalte sämtlicher Usenet-Nachrichten nach den gesuchten Wörtern.

① Holen Sie sich dessen WWW-Seite unter folgendem URL auf den Bildschirm:

http://www.dejanews.com/

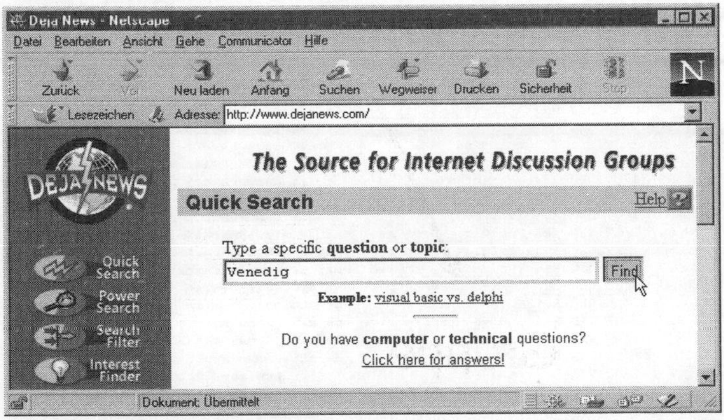

Abb. 216: Gesucht sind venezianische Inhalte

② Tragen Sie in das Feld *Quick Search for* das Stichwort ein, nach dem Sie fahnden möchten. Hierbei empfiehlt es sich, das Stichwort so zu wählen, daß es den gewünschten Themenbereich möglichst eng eingrenzt (um Sie nicht mit einer riesigen Antwortenflut zu verwandten Themen zu überschwemmen), aber zugleich nicht durch eventuelle sprachliche Besonderheiten zutreffende Antworten ausschließt (so würde die Suche nach *Technik* keine englischen Diskussionen auffinden, da der Fachbegriff dort ja nicht auf *k*, sondern auf *c* endet). Natürlich läßt sich auch ein Anwendername eingeben, wenn Sie Artikel aus der Feder eines bestimmten Nutzers suchen.

③ Sobald Sie den Suchbegriff eingetragen haben, klicken Sie auf die daneben liegende, mit „Find“ beschriftete Schaltfläche, um die Suche zu starten. Möglicherweise zeigt Netscape Ihnen noch einen Sicherheitshinweis: Die übertragenen Daten könnten „abgehört“ und von anderen Usern mitgelesen werden. Das ist in diesem Fall nicht so tragisch, klicken Sie also ruhig auf „Continue“, um die Suchanfrage loszuschicken.

④ Kurz darauf erscheint eine Liste aller passenden Nachrichten, und Sie können diese durch Anklicken der Betreffzeile lesen.

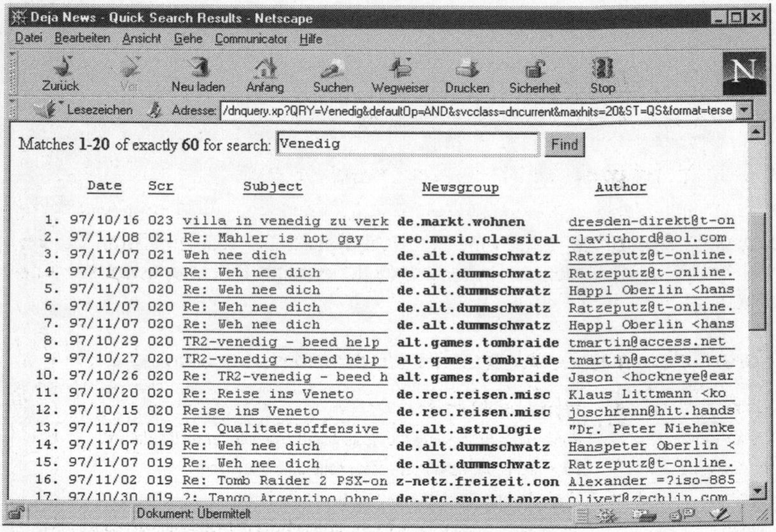

Abb. 217: Riesig: die Menge der gefundenen Artikel

Tip: DejaNews oder AltaVista?

Falls der Zugriff auf den DejaNews-Server einmal nicht korrekt funktioniert (z. B. weil er derzeit mit Anfragen überlastet ist), sollten Sie auf einen anderen News-Suchservice zurückgreifen. Sehr schnell und zuverlässig arbeitet zum Beispiel AltaVista, der neben der bekannten WWW-Suche für Sie gern auch das Usenet nach Inhalten durchforstet. Sie finden ihn unter folgendem URL: *http://www.altavista.digital.com/*. Schalten Sie dann im Bereich *Search* auf die Optionen *The Usenet* um, tragen Sie Ihr Stichwort in das Eingabefeld ein und klicken Sie auf *Submit*, um die Anfrage abzuschicken.

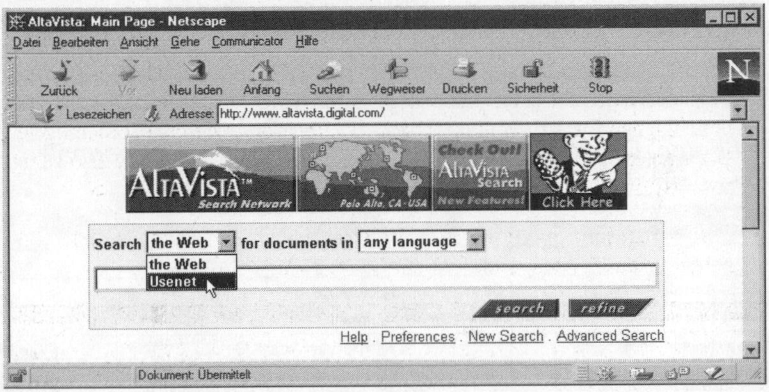

Abb. 218: Auch AltaVista durchsucht die Newsgroups.

Diese Newsgroups gibt es in Deutschland

Es gibt diverse deutschsprachige Newsgroups, und es werden ständig mehr. Im folgenden finden Sie daher eine Auswahl vorgestellt: Wie die Foren heißen, welche Themen sie behandeln, ob sie moderiert sind und was es sonst zu beachten gibt.

Foren, die für neue Netzteilnehmer interessant sind

Name des Forums	Worum dreht es sich?
De.answers	Fundgruppe für regelmäßige deutschsprachige Info-Artikel (Moderiert!)
de.newusers	Infos und periodische Postings für neue User (Moderiert!)
de.newusers.questions	Neue Benutzer im Netz fragen, Experten antworten
de.test	Tests. Aber Vorsicht, Sie erhalten automatische Antworten aus der ganzen Bundesrepublik!
De.alt.test	Tests im de.alt-Teilnetz. Auch hier gibt es automatische Antworten

admin-Foren: Administration (Verwaltung) der Foren

Name des Forums	Worum dreht es sich?
De.admin.archiv	Archive in Deutschland
de.admin.lists	Statistiken zur Netzbenutzung (Moderiert!)
de.admin.mail	Adressierungs- und andere Mailprobleme
de.admin.misc	Allgemeine Themen zum Netz
de.admin.news.announce	Allgemeine Netz-Administration
de.admin.news.groups	Diskussionen über (neue) Newsgruppen
de.admin.news.misc	Sonstige Themen rund um die Newsgroups
de.admin.news.net-abuse.announce	Informationen über Netzmißbrauch (Moderiert!)
de.admin.news.net-abuse.misc	Diskussion über Netzmißbrauch
de.admin.news.software	Technisches zur Newssoftware
de.admin.submaps	Spezielle Netzdaten (Moderiert!)

alt-Foren: Dateien, Bilder und vieles, was Sie in den „normalen" de-Foren nicht finden

Name des Forums	Worum dreht es sich?
De.alt.admin	Neue de.alt-Newsgroups und deren Verbreitung
de.alt.astrologie	Sterndeuter und Horoskope
de.alt.bbs.waffle	Die Waffle-BBS-Software
de.alt.binaries.amigaos	Programme für Amigas unter AmigaOS
de.alt.binaries.amigaos.d	Diskussionen über Postings in de.alt.binaries.amigaos
de.alt.binaries.msdos	Programme für MS-DOS-Rechner
de.alt.binaries.msdos.d	Diskussionen über Postings in de.alt.binaries.msdos
de.alt.binaries.next	Binaries für NeXT-Computer
de.alt.binaries.pictures.comix	Comic-Bilder
de.alt.binaries.pictures.d	Diskussionen über Postings in de.alt.binaries.pictures
de.alt.binaries.pictures.female	Bilder von weiblichen Menschen
de.alt.binaries.pictures.male	Bilder von männlichen Menschen
de.alt.binaries.pictures.misc	Bilder unterschiedlichster Art
de.alt.binaries.pictures.natur	Natur-Bilder
de.alt.binaries.pictures.relay-party	Bilder von Relay-Parties
de.alt.binaries.pictures.tech	Bilder mit technischen Motiven
de.alt.binaries.sounds	Audio-Dateien in unterschiedlichen Formaten
de.alt.binaries.sounds.d	Diskussionen über Sounds und Soundformate
de.alt.binaries.tos	Programme für den Atari ST/TT
de.alt.binaries.tos.d	Diskussionen über Postings in de.alt.binaries.tos
de.alt.buecher	Die Gruppe rund ums Buch
de.alt.cdrom	Diskussion um silberne Scheiben am Computer
de.alt.comm.mgetty	Das mgetty+sendfax Software-Paket (englischsprachig)

Name des Forums	Worum dreht es sich?
de.alt.comm.ums	Diskussion des Universal Message Systems
de.alt.comp.os.os9.classic	Das klassische OS9, für den 6809-Prozessor
de.alt.comp.sap-r3	Betriebswirtschaftliche Standard-Software SAP R/3
de.alt.drogen	Zum Thema Drogen
de.alt.dummschwatz	Für die dümmsten und inhaltsleersten Postings
de.alt.eisenbahn	Alles, was auf Schienen fährt
de.alt.fan.badesalz	Der Badesalz-Fanclub
de.alt.fan.dudenhoeffer	Becker, Laumann & Co
de.alt.fan.feinkost-zipp	Frau Werwolf sagt, des g´hert so
de.alt.fan.fruehstyxradio	Frühstyxradio und artverwandtes
de.alt.fan.haraldschmidt	Der Harald-Schmidt-Fanclub
de.alt.fan.helgeschneider	Der Helge-Schneider-Fanclub
de.alt.fan.lassie-singers	Alles über die Band „Die Lassie Singers“
de.alt.fan.n8schicht	Für Freunde des Rocktheaters N8schicht
de.alt.fan.perry-rhodan	Perry-Rhodan-Hefte, Bücher, etc.pp
de.alt.fan.pluesch	Plüschtiere: Aufzucht, Pflege und Knuddeln
de.alt.fan.prince	Diskussion über den Musiker „Symbol“, der früher „Prince“ hieß
de.alt.fan.swf3	Südwestfunk, drittes Programm: da röhrt der Elch
de.alt.fan.tastische4	Fanclub der „fantastischen Vier“
de.alt.flame	Hier darf gezankt werden
de.alt.folklore.computer	Anekdoten über Computer und ihre Benutzer
de.alt.fotografie	Alles rund und um Fotos
de.alt.games.pbem	E-Mail-Spiele Diskussion/Regeln/Spiele
de.alt.games.tradingcards	„Magic“, „Middle Earth“ und andere Sammelkartenspiele
de.alt.gblf	Diskussionsforum für Gays (Schwule), Bisexuelle, Lesben und Freunde
de.alt.geschichten	Selbstgeschriebene Geschichten
de.alt.horus	Diskussion um das Bildverarbeitungssystem Horus
de.alt.megatest	Besonders umfangreiche Tests
de.alt.messe	Ausstellungen und Messen im deutschsprachigen Raum
de.alt.messe.cebit	Informationen von und über die CeBIT in Hannover
de.alt.mud	Alles über Multi-User-Dungeon-Spiele
de.alt.naturheilkunde	Diskussion naturheilkundlicher Therapien
de.alt.netdigest	Aktueller und klassischer Humor aus allen Netzen und IRC. (Moderiert!)
de.alt.newsgroups	Vorstellung/Diskussion deutscher/internationaler Newsgroups
de.alt.pictures.sex.children	Diskussion um Zensurmaßnahmen im Usenet und im WWW (daher der offensive Titel)
de.alt.regionales	Regionale Events, Anfragen, Veranstaltungshinweise, Diskussionen
de.alt.sources.huge.unix	Umfangreiche Programme für UNIX
de.alt.sources.linux.patches	Linux – Kernelpatches. (Moderiert!)
de.alt.sources.next	NeXT-Programme (Quellcode)
de.alt.sources.next	Sourcen für NeXT-Computer

Name des Forums	Worum dreht es sich?
de.alt.sport	Es lebe der Sport!
de.alt.studienreform	Alles über Studienreform
de.alt.subnet	Diskussion zum SubNetz
de.alt.tv.mash	Über die amerikanische Fernseh-Serie: M*A*S*H
de.alt.tv.misc	Infos & Talk über TV, Programme, Videotext, das Medium
de.alt.tv.quarks	Quarks&Co, Wissenschaftssendung im WDR
de.alt.tv.simpsons	Alles über die gelbe Fernsehfamilie
de.alt.ufo	Unidentifizierte fliegende Objekte und ihre Freunde
de.alt.umfragen	Umfragen im Netz und Diskussionen darüber

comm-Foren: Rund um die Kommunikation

Name des Forums	Worum dreht es sich?
de.comm.chatsystems	Chat-Systeme, z. B. IRC
de.comm.gatebau	Gateprotokolle, -implementierungen (Moderiert!)
de.comm.gateways	News- und Mail-Gateways zu anderen Netzen
de.comm.ham	Amateurfunk, Packet Radio
de.comm.infosystems.misc	Sonstige Informationssysteme (Hyper-G, gopher, WAIS)
de.comm.infosystems.www.authoring	Erstellung von HTML-Dokumenten, cgi-Scripts
de.comm.infosystems.www.browsers	WWW-Clients (netscape, Mosaic, lynx usw.)
de.comm.infosystems.www.pages	Ankündigung von interessanten WWW-Seiten
de.comm.infosystems.www.servers	Software und Konfiguration von WWW-Servern
de.comm.internet.misc	Diverse Themen zum Internet ausser Infosystems
de.comm.internet.routing	Router, Topologie und Administrativa
de.comm.internet.software	Programme zur Internetnutzung
de.comm.internet.zugang	Internetzugang und Providersuche
de.comm.isdn.telefon	ISDN-Telefone und Telefonie allgemein
de.comm.isdn.tk-anlage	TK-Anlagen, a/b-Adapter, usw.
de.comm.isdn.computer	ISDN-Karten/-Modems fuer Computer
de.comm.isdn.technik	Technische Grundlagen (NT, Verkabelung, Protokoll)
de.comm.isdn.misc	Alles sonstige zu digitalen Telefonnetzen (ISDN)
de.comm.isdn	Digitale Telefonnetze (ISDN): Geräte,Software,Telekom
de.comm.misc	Kommunikation: Hardware, Protokolle und Probleme
de.comm.mobil	Mobile Kommunikation in jeder Form
de.comm.modem	Modems: Grundlagen, Konfiguration, Probleme
de.comm.protocols.misc	Diverse Protokolle (IPX, DECnet, Appletalk etc.)
de.comm.protocols.tcp-ip	TCP/IP-Themen
de.comm.service+tarife	Tarife, Service
de.comm.software.crosspoint	UUCP- und Pointpaket CrossPoint für MS-DOS
de.comm.software.pmail	Pegasus Mail (PMail/WinPMail) und SMTP-Gateways
de.comm.uucp	UUCP: Protokolle, Programme und Probleme

Name des Forums	Worum dreht es sich?
de.comm.software.ums	Das Universal Message System (UMS)
de.comm.uucp	UUCP: Protokolle, Programme und Probleme

comp-Foren: Computerthemen noch und nöcher

Name des Forums	Worum dreht es sich?
de.comp.databases	Diskussion über Datenbanken
de.comp.dtp	Desktop Publishing (DTP)
de.comp.gnu	Diskussionen über GNU's Not UNIX-Software
de.comp.graphik	Grafik, insbesondere auf Computern
de.comp.infosystems	Infosysteme in Deutschland (vor allem WWW)
de.comp.lang.c	Die Programmiersprache C
de.comp.lang.c++	Die Programmiersprache C++.
de.comp.lang.forth	Forth, Anwendungen in Forth, Forth-Hardware
de.comp.lang.lisp	Lisp, Scheme, andere Lisp-ähnliche Sprachen
de.comp.lang.misc	Alle Programmiersprachen ohne eigene Gruppe
de.comp.lang.pascal	Pascal, inklusive Turbo Pascal
de.comp.lang.perl	Die Script-Sprache Perl
de.comp.misc	Diverses rund um die Computerei
de.comp.os.linux.hardware	Hardware-Fragen zu Linux
de.comp.os.linux.misc	Alles zu Linux, was sich nicht anders einordnen läßt
de.comp.os.linux.networking	Rund um Netzwerke und Kommunikation
de.comp.os.linux.x	Alles zum X Window System unter Linux
de.comp.os.mac	plattformübergreifende Diskussion zum MacOS
de.comp.os.minix	Das Minix-Betriebssystem
de.comp.os.misc	Diverse Betriebssysteme (z. B. MVS, RTOS)
de.comp.os.msdos	MS-DOS und kompatible Betriebssysteme
de.comp.os.ms-windows	Die Betriebssysteme der MS-Windows-Familie
de.comp.os.os2.advocacy	Die Vorzüge des Betriebssystems OS/2
de.comp.os.os2.apps	Diskussion über Programme für OS/2
de.comp.os.os2.misc	Allgemeine Diskussionen zum Betriebssystem OS/2
de.comp.os.os2.networking	Netzwerkbetrieb mit OS/2
de.comp.os.os2.programmer	Programmieren für das Betriebssystem OS/2
de.comp.os.os2.setup	Installation des Betriebssystems OS/2
de.comp.os.os9	OS-9/68000
de.comp.os.sinix	SINIX-spezifische Probleme und Informationen
de.comp.os.unix	Fragen & Antworten zu UNIX-Systemen (nicht Xenix)
de.comp.os.vms	VAX/VMS
de.comp.os.xenix	Fragen & Antworten zu Xenix-Systemen
de.comp.periph.CDRom	Diskussion um silberne Scheiben am Computer
de.comp.security	Diskussion sicherheitsrelevanter Themen

Name des Forums	Worum dreht es sich?
de.comp.shareware	Entwickeln & Vermarkten von Shareware
de.comp.sources.amiga	Programme für den Amiga. (Moderiert!)
de.comp.sources.d	Sources-Diskussion, Anfragen nach Software
de.comp.sources.misc	Programme für MS-DOS, TOS, VMS etc. (Moderiert!)
de.comp.sources.os9	Programme für OS-9/68000. (Moderiert!)
de.comp.sources.st	Programme für den Atari ST. (Moderiert!)
de.comp.sources.unix	Programme für UNIX/XENIX. (Moderiert!)
de.comp.standards	Computerstandards und ihre Auswirkungen
de.comp.sys.amiga.advocacy	Diskussionen über die Zukunft des Amiga
de.comp.sys.amiga.archive	Listen und Ankündigungen von ftp- und Mailservern
de.comp.sys.amiga.comm	Kommunikation unter Zuhilfenahme des Amiga
de.comp.sys.amiga.misc	Allgemeine Themen zum Commodore Amiga
de.comp.sys.amiga.tech	Programmierung und Hardware des Amiga
de.comp.sys.amiga.unix	UNIX auf dem Amiga
de.comp.sys.amiga.uucp	UUCP mit dem Amiga
de.comp.sys.apple	Apple II/Macintosh
de.comp.sys.ibm-pc	IBMs und kompatible
de.comp.sys.misc	Andere Systeme
de.comp.sys.newton	Rund um die Newton-Technologie von Apple
de.comp.sys.next	Themen rund um NeXT-Computer
de.comp.sys.novell	Themen rund um das Novell NetWare
de.comp.sys.pcs	Alles zu Computern der Firma PCS (nicht zu verwechseln mit IBM-kompatiblen PCs!)
de.comp.sys.st	Atari ST
de.comp.tex	Diskussion um und Codeschnipsel für TeX
de.comp.x11	X Window System, alle Versionen, alle Implementationen sowie Applikationen

etc-Foren: Sonstige, nicht anders eingeordnete Themen

Name des Forums	Worum dreht es sich?
de.etc.finanz	Infos zu und Diskussion über Geld und Finanzanlagen
de.etc.finanz.boerse	Diskussion über das Geschehen an Wertpapierbörsen sowie verwandte Themen
de.etc.lists	Kurze und lange Listen zu allen Themen
de.etc.misc	Alles, was woanders nicht hinpasst
de.etc.notfallrettung	Alles über medizinische und technische Rettung, Brand- und Katastrophenschutz
de.etc.sprache.deutsch	Die deutsche Sprache: Fragen, Antworten und Diskussionen
de.etc.sprache.klassisch	Latein, Griechisch und Hebräisch
de.etc.sprache.misc	Das Sammelbecken für andere Sprachen

markt-Foren: Platz für Ihre Kleinanzeigen

Name des Forums	Worum dreht es sich?
de.markt.arbeit.angebote	Stellenangebote
de.markt.arbeit.d	Kommentare, Fragen, Diskussionen
de.markt.arbeit.gesuche	Stellengesuche
de.markt.comp.misc	Computer-Angebote und -Gesuche
de.markt.misc	Angebote/Gesuche. Aussagekräftige Themen bitte!
de.markt.wohnen	Der Wohnungsmarkt

org-Foren: Organisationen (Clubs, Firmen, Vereine ...)

Name des Forums	Worum dreht es sich?
de.org.announce	Mitteilungen und Bekanntmachungen verschiedener Organisationen. (Moderiert!)
de.org.announce.d	Diskussionen zu den Mitteilungen in de.org.announce
de.org.auge	Mitteilungen des AUGE e. V.
de.org.ccc	Mitteilungen des CCC e. V.
de.org.dfn	Mitteilungen des DFN e. V. (Moderiert!)
de.org.dfn.d	Diskussionen über den DFN e. V. und Artikel in de.org.dfn
de.org.eunet	Bekanntmachungen der unido-News-Verwalter. (Moderiert!)
de.org.in	Informationen des Individual Network e. V. (Moderiert!)
de.org.in.d	Diskussionen über den Individual Network e. V.
de.org.mensa	Mensa – die Leute mit dem Extraschuß IQ
de.org.politik.misc	Politische Organisationen
de.org.politik.spd	Diskussionen rund um die SPD und deren Politik
de.org.sub	Für Mitteilungen des sub-Netz e. V. (Moderiert!)
de.org.sub.d	Diskussionen über den sub-Netz e. V.
de.org.xlink	Mitteilungen der NTG/Xlink. (Moderiert!)
de.org.xlink.d	Diskussionen zu de.org.xlink

rec-Foren: Alles über Hobbies und Freizeitaktivitäten

Name des Forums	Worum dreht es sich?
de.rec.alpinismus	Alpinismus in allen seinen Erscheinungsformen
de.rec.fahrrad	Alles rund ums Fahrrad
de.rec.film.misc	Filme, Serien, TV, Video, Kino
de.rec.fotografie	Fotografie, EBV und verwandte Themen
de.rec.games.computer	Diskussionen rund um Computerspiele
de.rec.games.misc	Sonstige Spiele aller Art
de.rec.games.rpg	Rollenspiele
de.rec.luftfahrt	über den Wolken ...
de.rec.mampf	Alles, was mit Essen und Trinken zu tun hat

Name des Forums	Worum dreht es sich?
de.rec.misc	Diverse Themen im Bereich Freizeit
de.rec.modelle	Diskussionen über den Bau von Modellen
de.rec.motorrad	Alles rund ums Motorrad
de.rec.music.klassik	Werke, Komponisten, Darbietende
de.rec.music.misc	Sonstige musikbezogene Themen
de.rec.orakel	Forum zur Veröffentlichung der konzentrierten Weisheit des Orakels. (Moderiert!)
de.rec.outdoors	Abseits der Zivilisation – naturnahe Freizeitbeschäftigungen
de.rec.reisen	Alles rund ums Reisen
de.rec.sf.babylon5	Die SF-Fernsehserie „Babylon 5“
de.rec.sf.misc	Science-Fiction-Literatur aller Art
de.rec.sf.perry-rhodan	Perry Rhodan, die große Weltraumserie
de.rec.sf.startrek	Die Fernseh- und Kinoserie Star Trek
de.rec.sf.starwars	Themen zum Star Wars-Universum
de.rec.sport.fussball	Der Ball ist rund
de.rec.sport.misc	Sport allgemein
de.rec.sport.segeln	Segeln und alles, was dazugehört
de.rec.sport.tauchen	Fragen zum Sporttauchen
de.rec.tiere.katzen	Diskussionen über alles, was mit Katzen zu tun hat
de.rec.tiere.misc	Alles rund um Tiere allgemein
de.rec.tiere.pferde	Alles rund um Pferde
de.rec.tv.misc	TV/Video/Sat Themen

sci-Foren: Wissenschaftliche Themen

Name des Forums	Worum dreht es sich?
de.sci.announce	Wissensch. Ankündigungen und Veröffentlichungen (Moderiert!)
de.sci.astronomie	Diskussion zum Thema Astronomie
de.sci.biologie	Diskussion zum Thema Biologie
de.sci.chemie	Diskussion zum Thema Chemie
de.sci.electronics	Elektronik in Theorie und Praxis, Diskussionen
de.sci.informatik.ki	Künstliche Intelligenz
de.sci.informatik.misc	Wissenschaftliche Themen rund um Informatik
de.sci.ing	Diskussion zum Thema Ingenieurwissenschaften
de.sci.ki.announce	Ankündigungen zum Thema KI
de.sci.ki.discussion	Diskussion über künstliche Intelligenz
de.sci.ki.mod-ki	Elektronische Zeitung über KI. (Moderiert!)
de.sci.mathematik	Diskussion zum Thema Mathematik
de.sci.medizin.diabetes	Diabetes-Forum
de.sci.medizin.logopaedie	Diskussion um Stimm-, Sprach-, Sprech- und Hörstörungen
de.sci.medizin.misc	Rund um die Medizin

Name des Forums	Worum dreht es sich?
de.sci.misc	Diverse Themen aus der Wissenschaft
de.sci.paedagogik	Diskussion zum Thema Pädagogik
de.sci.philosophie	Diskussion zum Thema Philosophie
de.sci.physik	Diskussion zum Thema Physik
de.sci.politologie	Diskussion zum Thema Politologie
de.sci.psychologie	Diskussion zum Thema Psychologie
de.sci.soziologie	Diskussion zum Thema Soziologie
de.sci.theologie	Wissenschaftliche Diskussion zu theologischen/religionswissenschaftlichen Themen

soc-Foren: Gesellschaftliche und kulturelle Themen

Name des Forums	Worum dreht es sich?
de.soc.datenschutz	Diskussion über Datenschutzthemen
de.soc.familie	Alles, was mit Familie zu tun hat
de.soc.handicap	Alles zum Thema Behinderung
de.soc.jugendarbeit	Informationen und Anregungen zu Kinder- und Jugendarbeit
de.soc.kontakte	Bekanntschaftssuche
de.soc.kultur	Kulturelle Themen
de.soc.medien	Medien, Publizistik, Öffentlichkeitsarbeit
de.soc.misc	Diverse gesellschaftliche Themen
de.soc.netzwesen	Die Kultur der Datennetze
de.soc.pflichtdienste	Wehrdienst, Zivildienst, KDV und Ersatzdienste.
de.soc.politik	Politische Diskussionen
de.soc.recht	Aktuelle Urteile, juristische Fragen und Diskussionen
de.soc.senioren	Altenarbeit, -hilfe, -forschung, -politik
de.soc.studium	Diskussion Studium, Studienbedingungen usw
de.soc.studium.verbindungen	Studentenverbindungen, Inhalte, Probleme, Kritik
de.soc.umwelt	Infos zu und sachliche Diskussion über Umweltfragen
de.soc.verkehr	Autos sowie umweltfreundlichere Verkehrsmittel
de.soc.weltanschauung.christentum	Fragen zum Christentum allgemein
de.soc.weltanschauung.misc	Religion(en), Atheismus und sonstige Weltanschauungen
de.soc.weltanschauung.scientology	Diskussionen rund um die Organisation Scientology

talk-Foren: Diverse sonstige Gespräche zwischen Netzteilnehmern

Name des Forums	Worum dreht es sich?
de.talk.bizarre	Für Liebhaber des Unsinnigen, Hintergründigen, Bizarren
de.talk.chat	Offline-Chat und verwandte Krankheiten
de.talk.jokes	Witze und Humor
de.talk.jokes.d	Diskussion über Witze und Humor
de.talk.jokes.funny	Witze und andere Lustbarkeiten (Moderiert!)
de.talk.misc	Diverse Gespräche, zumeist Endlosthemen
de.talk.romance	Alles, was sich um Romantik und Liebe (nicht Sex!) dreht
de.talk.sex	Die menschliche Sexualität

7.4 Die Eigenheiten der Netzgemeinde

Viele sehen das Internet als kulturelle Revolution, andere etwas weniger plakativ als famoses Kommunikationsmedium, und für manchen ist es lediglich eine globale Vernetzung unzähliger Rechner in aller Herren Länder. Alle Teilnehmer haben jedoch eines gemeinsam: sie sind Menschen und sie kommunizieren mit Menschen. Die Systeme, auf deren Rücken diese Kommunikation ausgetragen wird, interessieren sich nicht für deren Inhalt. Wohl aber die Menschen.

Gutes Benehmen liegt im Interesse aller

Auch wenn es im Internet kreativ-chaotisch zugeht und es keine Gesetze und Verbote gibt, sollten Sie sich in Ihrer Nutzung des Netzes doch an einige grundlegende Regeln und freundliche Gebote halten – die im Grunde nichts anderes sind als elektronische Pendants allgemein anerkannter Grundsätze menschlicher Umgangsformen. Die wichtigste Richtlinie für das Verhalten im Netz kann lauten: „Tu im Internet nichts, was Du nicht auch sonst in der Öffentlichkeit tun würdest".

Besonders egoistisches Verhalten läuft dem ebenso zuwider wie das Beschimpfen anderer Netzteilnehmer. Denn, vergessen Sie nicht: Sie arbeiten zwar mit einem Computer; am anderen Ende der Leitung sitzt jedoch ein Mensch. Und der will auch ebenso behandelt werden. Wenn Sie ihm offen und freundlich begegnen, sind Sie schon bald ein voll akzeptiertes Mitglied der großen Gemeinschaft des Internet. Im folgenden finden Sie Ratschläge für gutes Benehmen im Netz – außerdem auch einige Hinweise, was Sie lieber vermeiden sollten, um nicht anzuecken. Des weiteren werden Sie einigen ganz speziellen Eigenheiten der Internet-Gemeinde begegnen, zum Beispiel was „:-)" oder „ROTFL" oder „bssrafvi" bedeutet.

Sag's mit einem Lächeln – Smilies/Emoticons :-)

Darf man Verhaltensforschern Glauben schenken, wird bei der zwischenmenschlichen Kommunikation nicht einmal ein Zehntel der Informationen sprachlich gesendet – der große Rest läuft „nonverbal" ab, das will heißen: über Stimmlage, Gesichtsausdruck, Körperhaltung.

„Moment, so war das doch gar nicht gemeint ..."

Usenet-Diskussionen gleichen vom Inhalt und Verlauf eher einer Unterhaltung auf einem öffentlichen Platz als der Kommunikation per Briefpost (obwohl auch sie schriftlich ablaufen). Genauso lax geht es dabei dann auch zu – aber jetzt versuchen Sie mal, die oben erwähnten neun Zehntel Ihrer Kommunikation in eine getippte Nachricht einzubauen. Problematisch, nicht wahr?

Und so kann es durchaus passieren, daß die Empfänger Ihres Schreibens dieses „in den falschen Hals" bekommen. Eine lockere Bemerkung wird plötzlich überaus ernst aufgefaßt, Ironie nicht als solche erkannt, generell einiges mißverstanden. Und alles nur, weil man Ihnen nicht ins Gesicht schauen kann, wenn man Ihre Nachricht liest.

Die Lösung des Dilemmas sieht so :-) aus!

Hier haben sich die Internetter schon lange etwas einfallen lassen! Nach einer scherzhaften Bemerkung steht plötzlich die Zeichenfolge:

:-)

und in einer Diskussion traurigen Inhalts begegnen Sie Zeichenfolgen wie:

:-(

oder bei der Kundgabe schlechter Neuigkeiten:

:-/

Was mag das bedeuten? Die Lösung erfahren Sie, wenn Sie den Kopf beim Lesen auf die linke Schulter legen. Dann wird aus

:-)

plötzlich ein lächelndes Gesicht: ☺

und aus

:-(

ein trauriges: ☹

und aus

:-/

ein Gesicht, das den Mund verzieht: 😐

Ein „Smiley“ (englisch für „Lächler“) also, wie er auch auf Autoaufklebern, T-Shirts und an vielen anderen Orten zu finden ist (zumeist mit leuchtend gelbem Knopf-Gesicht).

Das ist mal wieder typisch für Dich! :-)

Im Internet werden diese Smileys auch „Emoticons“ genannt, eine Wordschöpfung aus „Emotion“ (dem Gefühl) und „Icon“ (einem verkleinerten Sinnbild) – kurz: ein kleiner Ausdruck des momentanen Gefühls. Wenn Sie also unter eine Nachricht den Satz

Das ist mal wieder typisch für Dich! :-)

schreiben, weiß der Empfänger, daß Ihr Ausruf keineswegs ein Vorwurf sein soll, sondern vielmehr ironisch-nett gemeint ist.

Tip: Ein Lächeln am rechten Platz
Richtig eingesetzt wirken solche „Emoticons“ wahre Wunder. Das bedeutet: Strotzen Ihre Nachrichten nur so von Smileys, brauchen Sie sich nicht zu wundern, wenn Sie plötzlich nicht mehr Ernst genommen werden ... ;-)

Smileys gibt es für jeden Zweck

Ausgehend vom „Basis-Smiley“

:-)

können Sie Ihrer Phantasie bei der Gestaltung neuer Gefühlszeichen freien Lauf lassen. Gern gesehen ist es beispielsweise, den Leser anzuzwinkern, wenn die Nachricht eine gehörige Portion Ironie enthält:

;-)

Schlägt die Ironie in Sarkasmus um oder können Sie sich eine bissige Bemerkung nicht verkneifen, sollten Sie vielleicht ein verschmitztes Lächeln darunterstellen, etwa so:

;->

Hat Ihnen jemand eine Bemerkung zukommen lassen, über die Sie herzhaft lachen mußten, können Sie diesem ein großes, breites Grinsen zurückschicken:

:-D

Manches, das Sie in den News lesen, dürfte Sie zum Staunen bringen. Auch diese Reaktion können Sie durch einen Smiley ausdrücken:

:-o

Vielleicht tauschen Sie auch mal vertrauliche Informationen aus und möchten Ihrem Gegenüber zu verstehen geben, daß Sie diese Vertraulichkeit zu wahren wissen. Zeigen Sie ihm doch: „Meine Lippen sind verschlossen“:

:-x

Und wenn Sie Ihren E-Mail-Kontakt ganz besonders mögen, dann schicken Sie ihm ein virtuelles Küßchen:

:-*

Auch Ihre persönlichen Attribute können Sie in die Smileys einfließen lassen, um Ihren E-Mails eine noch individuellere Note zu geben. Sind Sie Linkshänder? Dann drehen Sie Ihren Smiley doch einfach herum:

(-:

Tragen Sie eine Brille? Die Zahl 8 kann diese gut simulieren:

8-)

Bei einer Hornbrille könnte das auch so aussehen:

B-)

Vielleicht schieben Sie die Brille aber auch in die Stirn, um Ihrem Gegenüber besser in die Augen schauen zu können:

B:-)

Sie sehen schon, Ihrer Kreativität sind keine Grenzen gesetzt! Sie können sogar ganze Smiley-Strichmännchen zeichnen:

(:)->-<

Eine nette Geste ist es auch, dem Empfänger zusammen mit Ihren herzlichen Grüßen auch eine blühende (wenngleich elektronische) Rose zu schicken:

@>---

Und wenn Sie jemanden wirklich mögen, dann umarmen Sie ihn (oder sie) doch einmal „virtuell“. Einfach den jeweiligen Namen in dreifach-geschweifte Klammern einschließen:

Hallo {{{ liebe Leser }}} !

Tip: Der große Smiley-Katalog im WWW

Im Laufe der Zeit bin ich während meiner Aufenthalte im Internet den verschiedensten Smiley-Typen begegnet. Darunter pfiffige neue Ideen, überraschende Konstrukte, deren Sinn erst auf den zweiten Blick klar wird, und sogar richtige Kunstwerke aus ellenlangen Zeichenfolgen. Irgendwann habe ich mir das Ziel gesetzt, alle Smileys zu katalogisieren. Daraus ist eine Art „Brehms Tierleben für Smileys“ entstanden. Unter der Maßgabe, jeden Smiley nur einmal aufzunehmen, sind bislang mehr als 480 verschiedene (!) Typen aufgenommen, nach ihrem Aussehen klassifiziert und in ihrer Bedeutung erklärt. Sie können diesen Katalog im World Wide Web einsehen und auf Ihren Rechner laden – schicken Sie Ihren Browser einfach zur Adresse: *http://ourworld.compuserve.com/homepages/mtrudolph/smile.htm*

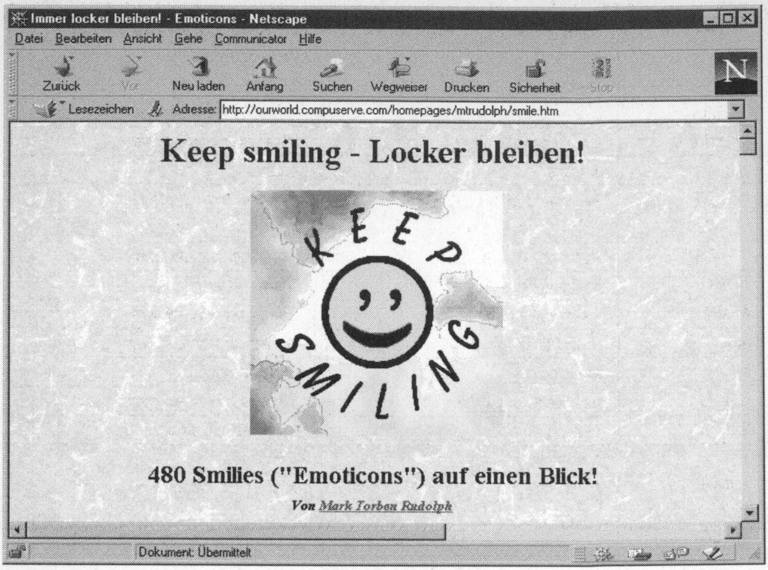

Abb. 219: Der große Smiley-Katalog im World Wide Web

ROTFL, IMHO & Co. – Der Internet-Slang

Wenn Sie sich eine Zeitlang mit anderen Internet-Teilnehmern verständigen, stoßen Sie früher oder später unweigerlich darauf: Auf den Internet-Slang mit seinen Insider-Abkürzungen wie IMHO, ROTFL, AFAIK, URW oder FYI. Dahinter steht das Bedürfnis, auch in Internet-Unterhaltungen kleine Floskeln der allgemeinen Sprache einfließen zu lassen, ohne diese aber ständig in voller Länge in die Tastatur einhämmern zu müssen. Aus dieser Notlage entstanden die sogenannten „Internet Acronyms", jene Kürzel, die zum guten Ton in Internet-Nachrichten gehören.

Im folgenden finden Sie ein Glossar, das Ihnen diese nicht nur in jeweils ausgeschriebener Form präsentiert, sondern zu jeder Abkürzung auch gleich die passende deutsche Übersetzung liefert.

Abkürzung	Ausgeschrieben	Deutsche Erklärung
(!)	Important	Wichtig, betont
(?)	Questionable	Fraglich, unsicher
($0.02)	Just my 2 cents worth	Viel ist es nicht, aber meine Meinung ...
{{{ NAME }}}	Giving "name" a big hug	"Name" wird fest umarmt
2L8	Too late	Zu spät
AAMOF	As a matter of fact	Übrigens ist es so, daß ...
AFAIC	As far as I'm concerned	Soweit es mich angeht ...
AFAICS	As far as I can see	So, wie ich die Sache sehe ...
AFAIK	As far as I know	Soweit ich weiß ...
AFAIR	As far as I recall	Soweit ich mich erinnere ...
AFK	Away from keyboard	Gerade nicht an der Tastatur
AIJ	Am I Jesus?	Bin ich Jesus?
AISI	As I see it	So, wie ich die Sache sehe ...
AKA	Also known as	Auch bekannt unter ...
am	Ante meridiem	Vormittags
ANFAWFOS	And now for a word from our sponsor	Und jetzt eine Nachricht von unserem Sponsor
ANFSCD	And now for something completely different	Und jetzt zu etwas ganz anderem
ASAFP	As soon as friggin' possible	So schnell wie irgend möglich
ASAP	As soon as possible	So schnell wie möglich
AWGTHTGTATA	Are we going to have to go through all this again?	Mussen wir das Ganze wirklich nochmal durchkauen?
AYOR	At your own risk	Auf eigene Gefahr
B4	Before	Vorher
BAK	Back at keyboard	Wieder an der Tastatur (nach "AFK")
BBIAB	Be back in a bit	Bin in Kürze zurück
BBL	Be back later	Bin später wieder da
BCNU	Be seeing you	Bis dann, wir sehen uns!
BFN	Bye for now	Tschüs erst mal
(bg)	With a broad grin	Mit einem breiten Grinsen
BIBI	Bye bye	Tschüs!
BION	Believe it or not	Glaube es oder auch nicht
BOT	Back on topic	Zurück zum Thema
BRB	Be right back	Bin gleich zurück
BTHOM	Beats the hell outta me!	Das haut mich um!
BTSOOM	Beats the sh*t out of me	Das haut mich um!
BTW	By the way	Ach, übrigens ...
CFV	Call for votes	Aufruf zur Abstimmung
CU	See you	Bis dann, wir sehen uns!
CUL	See you later	Bis dann, wir sehen uns später!

Internet-Slang

Abkürzung	Ausgeschrieben	Deutsche Erklärung
CUL8R	See you later	Bis dann, wir sehen uns später!
CWYL	Chat with you later	Laß uns später noch mal reden
DIIK	Damned if I know	Wenn ich´s nur wüßte
DILLIGAD	Do I look like I give a damn?!	Sehe ich so aus, als ob´s mich schert?
DYJHIW	Don't you just hate it when...	Haßt Du es nicht, wenn ...
(eg)	With an evil grin	Mit einem boshaften Grinsen (ironisch)
EGBOK	Everything's going to be ok	Alles wird gut
EOD	End of discussion	Ende der Diskussion
EOF	End of file	Ende der Datei
EOL	End of lecture	Ende des Vortrags
EOT	End of thread	Ende der Diskussion (zu diesem Thema)
ETLA	Extended three letter acronym	Erweiterte Drei-Buchstaben-Abkürzung
F2F	Face to face	Von Angesicht zu Angesicht
FAQ	Frequently asked questions	Häufig gestellte Fragen
FITB	Fill in the blank	Füll die Leerstellen aus
FOAD	F*ck off and die	Hau bloß ab und laß Dich nie mehr blicken!
FOAF	Friend of a friend	Der Freund eines Freundes
FTASB	Faster than a speeding bullet	Schneller als eine abgeschossene Kugel
FTL	Faster than light	Schneller als das Licht
FUBAR	F*cked up beyond all repair	Irreparabel
FUBB	F*cked up beyond belief	Unglaublich kaputt
FWIW	For what it's worth	Sei´s drum (es bringt ja doch nichts)
FYA	For your amusement	Zu Deiner Unterhaltung
FYEO	For your eyes only	Nur für Dich
FYI	For your information	Zu Deiner Information
(g)	Grin/grinning	Grinsend
(g,d&r)	Grinning, ducking and running	Erst grinsen, sich dann vor der Reaktion ducken und schnell wegrennen
(g,d&rvvf)	Grinning, ducking and running very very fast	Erst grinsen, sich dann vor der Reaktion ducken und ganz besonders schnell wegrennen
GA	Go ahead	Tu es doch
(gbh)	Great back hug	Große Umarmung
(gbh&k)	Great back hug & kiss	Große Umarmung und Kuß
(gd&r)	Grinning, ducking and running	Grinsend, duckend, rennend
GIGO	Garbage in, garbage out	Da rein, da raus
GIWIST	Gee, I wish I'd said that	Toll, ich wünschte, ich hätte das gesagt
GMTA	Great minds think alike	Große Geister denken genauso!
GRMBL	Grumble	Grummelnd ...

Abkürzung	Ausgeschrieben	Deutsche Erklärung
(h)	Hug	Umarmung
HAK	Hugs and kisses	Umarmungen und Küsse
(hb)	Hug back	Umarmung zurück
(hh)	Holding hands	Händchen haltend
HHO 1/2 K	Ha, ha, only half kidding	Haha, war nur ein halber Scherz!
HHOJ	Ha ha only joking	Haha, war nur ein Scherz!
HHOK	Ha ha only kidding	Haha, war nur Misl!
HHOS	Ha ha only serious	Haha, war mein Ernst!
HI	Hi!	Hallöchen!
HIH	Hope it helps!	Hoffe, es hilft!
HIWTH	Hate it when that happens	Ich hasse es, wenn das passiert
HTH	Hope this helps!	Hoffe, das hilft!
HUA	Heads up, ace	Kopf hoch, Meister!
IAC	In any case	In jedem Fall
IAE	In any event	In jedem Fall
IANAL	I am not a lawyer	Ich bin kein Anwalt
IBTD	I beg to differ	Ich bitte darum, hier zu unterscheiden
IC	I see	Ich verstehe!
IDK	I don't know	Ich weiß es nicht
IDU	I don't understand	Ich verstehe es nicht
IITYWIMWYBMAD	If I tell you what it means will you buy me a drink?	Wenn ich Dir verrate, was das bedeutet, spendierst Du mir dann einen Drink?
IITYWTMWYKM	If I tell you what this means will you kiss me?	Wenn ich Dir verrate, was das bedeutet, wirst Du mich dann küssen?
IIWM	If it were me	Wenn ich es wäre ...
ILSHIBAMF	I laughed so hard I broke all my furniture!	Habe so stark gelacht, daß alle Möbel zu Bruch gingen
IMCO	In my considered opinion	Meiner durchdachten Meinung ...
IMHO	In my humble/honest opinion	Meiner bescheidenen/ehrlichen Meinung nach
IMNSCO	In my not so considered opinion	Meiner nicht ganz so durchdachten Meinung nach
IMNSHO	In my not so humble/honest opinion	Meiner nicht ganz so bescheidenen/ehrlichen Meinung nach
IMO	In my opinion	Meiner Meinung nach
INPO	In no particular order	In keiner bestimmten Reihenfolge
IOW	In other words	Mit anderen Worten
IRL	In real life	Im wirklichen Leben
IYKWIM	If you know what I mean	Wenn Du weißt, was ich meine
JASE	Just another system error	Nur wieder ein weiterer Systemfehler
JAUA	Just another useless answer	Wieder eine unnütze Antwort

Abkürzung	Ausgeschrieben	Deutsche Erklärung
JFYI	Just for your information	Nur zu Deiner Information
(jk)	Just kidding	Scherzhaft gemeint
JSNM	Just stark naked magic	Das ist schlicht und einfach Zauberei
(k)	Kiss	Kuß
(kb)	Kiss back	Kuß zurück
KISS	Keep it simple, stupid	Halt es einfach, Dumpfbacke!
KOTC	Kiss on the cheek	Kuß auf die Wange
(l)	Laughing	Lachend
L8R	Later	Später
LAB&TYD	Life's a bitch & then you die	Das Leben ist Mist, und dann stirbt man!
LD	Long distance	Große Entfernung
LLTA	Lots and lots of thundering applause	Eine riesiger, donnernder Applaus
LMAO	Laughing my ass off	Sich kaputtlachend
LOL	Laughing out loud	Laut lachend
LTIP	Laughing til I puke	Lachend, daß ich mich fast übergeben muß
MIP	Meeting in person	Persönliches Treffen
MORF	Male or female?	Bist Du Männlein oder Weiblein?
MOTAS	Members of the appropriate sex	Personen des zutreffenden Geschlechts
MOTOS	Members of the opposite sex	Personen des anderen Geschlechts
MOTSS	Members of the same sex	Personen des gleichen Geschlechts
MSG	Message	Nachricht
MTBF	Mean time between failure	Durchschnittliche Zeit zwischen zwei Ausfällen
MTFBWY	May the force be with you	Möge die Macht mit Dir sein
MYOB	Mind your own business	Kümmer´ Dich um Deine eigenen Angelegenheiten!
NAA	Not at all	Ganz und gar nicht
NFI	No friggin' idea	Habe keine Ahnung
NFW	No friggin' way	Auf gar keinen Fall
NIH	Not invented here	Das wurde hier nicht erfunden
NIMBY	Not in my back yard	Nicht mit mir!
NINO	No input, no output	Für nichts gibt´s nichts
NOM	No offense meant	War nicht bös' gemeint ...
NPB	No Problem	Kein Problem!
NRN	No reply necessary	Antwort nicht nötig
OATUS	On a totally unrelated subject	Und jetzt zu etwas ganz anderem
OAUS	On an unrelated subject	Und jetzt noch zu etwas anderem
OBTW	Oh, by the way	Ach, übrigens ...

Abkürzung	Ausgeschrieben	Deutsche Erklärung
OHDH	Old habits die hard	Alte Gewohnheiten lassen sich nicht ausrotten
OIC	Oh, I see!	Ach, jetzt verstehe ich!
ONNA	Oh no, not again	Oh nein, nicht schon wieder
ONNTA	Oh no, not this again	Oh nein, nicht das schon wieder
ONNYA	Oh no, not you again	Oh nein, nicht Du schon wieder
OOTC	Obligitory on topic comment	Obligatorischer Kommentar zum Thema
OTB	Off to bed	Schlafen gegangen
OTOH	On the other hand	Auf der anderen Seite
OTOOH	On the other other hand	Aaaaaaber ....
OTTH	On the third hand	Aaaaaaber ....
OTTOMH	Off the top of my head	Ich sag´s mal, ohne lange nachzudenken
OWTTE	Or words to that effect	Sinngemäß (nicht wortwörtlich) gesagt
PD	Public domain	Öffentliches Gut (frei kopierbar)
PFM	Pure friggin´ magic	Einfach Zauberei
PITA	Pain in the arse	Absolut schrecklich
pm	post meridiem	Nachmittags
PM	Private mail	Privater Brief
PMFJI	Pardon me for jumping in	Entschuldigung, daß ich hier hereinplatze ...
PMIGBOM	Put mind in gear, before opening mouth	Erst das Gehirn einschalten, dann das Mundwerk
POTC	Peck on the cheek	Küßchen auf die Wange
POV	Point of view	Gesichtspunkt
PTMM	Please, tell me more	Bitte erzähl mir mehr darüber
RAEBNC	Read and enjoyed, but no comment	Habe es gelesen und mag es, gebe aber keinen speziellen Kommentar
Re	Reply	Antwort
REHI	Hi, too!	Hallo auch! (Als Erwiderung auf "hi")
REXMAN	Relax, experiment, and read the manual	Entspann Dich, probier etwas herum und lies das Handbuch
RFD	Request for discussion	Aufruf zur Diskussion
RL	Real life	Das „wahre Leben" (im Gegensatz zur VR, der „virtuellen Realität")
ROFL	Rolling on floor laughing	Sich auf dem Boden rollend vor Lachen
ROTFL	Rolling on the floor laughing	Sich auf dem Boden kugelnd vor Lachen
ROTFLACGU	Rolling on the floor laughing and can't get up	Sich auf dem Boden kugelnd vor Lachen und nicht wieder aufstehen könnend
ROTFLAHMS	Rolling on the floor laughing and holding my sides	Sich auf dem Boden kugelnd und den Bauch haltend vor Lachen

Abkürzung	Ausgeschrieben	Deutsche Erklärung
ROTFLASTC	Rolling on the floor laughing and scaring the cat!	Sich auf dem Boden kugelnd vor Lachen und dabei die Katze erschreckend
ROTFLBTC	Rolling on the floor laughing biting the carpet	Sich auf dem Boden kugelnd und in den Teppich beißend vor Lachen
ROTFLBTCACGU	Rolling on the floor laughing biting the carpet and can't get up	Sich auf dem Boden kugelnd und in den Teppich beißend vor Lachen und nicht wieder aufstehen könnend
ROTFLBTCASCTC	Rolling on the floor laughing biting the carpet and scaring the cat	Sich auf dem Boden kugelnd, in den Teppich beißend vor Lachen und dabei die Katze erschreckend
ROTFLGO	Rolling on the floor laughing guts out!	Sich auf dem Boden kugelnd und die Innereien herauslachend
ROTFLMFHO	Rolling on the floor laughing my f*cking head off	Sich auf dem Boden kugelnd und so stark lachend, daß dabei fast der Kopf abfällt
ROTFLSHIWMP	Rolling on the floor laughing so hard I wet my pants	sich auf dem Boden kugelnd und so stark lachend, daß ich mir dabei in die Hosen machte.
ROTFLSTCIIHO	Rolling on the floor laughing scaring the cat if I had one	Sich auf dem Boden kugelnd vor Lachen und dabei die Katze erschrekkend, wenn Ich denn eine hätte
RSN	Real soon now	Schon bald
RTFAQ	Read the frequently asked questions list	Lies das Verzeichnis häufig gestellter Fragen
RTFM	Read the "fine"(=f*cking) manual	Lies das schöne (=schreckliche) Handbuch!
RTFMA	Read the "fine"(=f*cking) manual again	Lies das schöne (=schreckliche) Handbuch nochmals!
RTFOH	Read the "fine"(=f*cking) online-help	Lies die schöne (=schreckliche) Programm-Hilfe!
RTM	Read the manual	Handbuch lesen!
RTOH	Read the online-help	Programm-Hilfe lesen!
RTWFQ	Read the whole f*cking question	Lies doch die ganze verdammte Frage!
RYFM	Read your "fine"(=f*cking) manual again	Lies Dein schönes (=schreckliches) Handbuch nochmals!
RYS	Read your screen	Lies, was auf Deinem Bildschirm steht!
(s)	Smiling	Lächelnd
(sb)	Smiling back	Zurücklächelnd
SCNR	Sorry could not resist	Entschuldigung, konnte nicht widerstehen ...
(sic)	Lat. "sic" = "so, ebenso, wirklich so"	Wird häufig verwendet, um auf eine Stelle in einem Zitat besonders hinzuweisen, z. B. um beim Zitieren eines Schreibfehlers zu zeigen, daß man diesen durchaus erkannt hat, jedoch aus Gründen der Authentizität beibehält.
SICR	Sorry I couldn't resist	Entschuldigung, ich konnte nicht widerstehen ...

Abkürzung	Ausgeschrieben	Deutsche Erklärung
SICS	Sitting in chair snickering	Im Stuhl sitzend und kichernd
SIDU	Sorry I don't understand	Entschuldigung, ich verstehe das nicht
SISDU	Sorry I still don't understand	Entschuldigung, ich verstehe das immer noch nicht
SITD	Still in the dark	Immer noch im Dunkeln
SNAFU	Situation normal: all f*cked up	Es ist wie immer: alles Mist!
SO	Significant other	Meine „bessere Hälfte“ (Lebensgefährte/in)
SOL	Sh*t outta luck	Kein Glück mehr
(sp?)	Spelling in question	Schreibweise unsicher
SWAG	Super wild ass guess	Besonders wilde Vermutung
SYL	See you later	Bis später
TAFN	That's all for now	Das wäre alles für heute!
TAL	Thanks a lot	Vielen Dank
TANJ	There ain't no justice	Es gibt keine Gerechtigkeit
TANSTAAFL	There ain't no such thing as a free lunch	Für nichts gibt's nichts
TARFU	Things are really f*cked up	Die Dinge sind wirklich schief gelaufen
TGAL	Think globally, act locally	Denke global, handle vor Ort
TGIF	Thank god it´s friday	Gott sei Dank, es ist Freitag!
THANX	Thanks	Dankeschön
THX	Thanks	Dankeschön
TIA	Thanks in advance	Danke im voraus
TIC	Tongue in cheek	Ironisch gemeint
TINWIM	That is not what I meant	Das hatte ich nicht gemeint
TINWIS	That is not what I said	Das hatte ich nicht gesagt
TLA	Three letter acronym	Drei-Buchstaben-Abkürzung
TNX	Thanks	Dankeschön
TNX 1.0E6	Thanks a million	Millionen Dank
TOYM	Turn on your mind!	Schalte Dein Gehirn an!
TPTB	The powers that be	Die Macher/Entscheider
TRDMC	Tears running down my cheeks	Tränen laufen über meine Wangen
TTBOMK	To the best of my knowledge	So weit ich mich auskenne
TTFN	Ta ta for now	Das war´s für heute!
TTMS	Talk/type to me soon	Schreib' mir bald!
TTUL	Talk to you later	Wir sprechen uns später
TTYAWFN	Talk to you a while from now	Wir sprechen uns einige Zeit später wieder
TTYL	Talk/type to you later	Schreib' mir später!
TTYLA	Talk/type to you later "alligator"	Nach einem Bill Haley-Song
TXL	Thanxalot!	Vielen Dank

Abkürzung	Ausgeschrieben	Deutsche Erklärung
TYCLO	Turn your CAPS LOCK off	Schalte die GROSSBUCHSTABEN-Taste aus!
URW	You are welcome	Bitte, keine Ursache
(veg)	Very evil grin	Besonders böses Grinsen
(ves)	Very evil smile	Besonders böses Lachen
VR	Virtual Reality	„Virtuelle Realität" (das Treiben im Netz im Gegensatz zum „RL", dem „Real Life" in der Außenwelt)
(vwg)	Very wicked grin	Sehr gemeines Grinsen
(vws)	Very wicked smile	Sehr gemeines Lachen
(w)	Giving a wink	Zwinkernd
WAG	Wild ass guess	Wilde Vermutung
WB	Welcome back!	Willkommen zurück!
WDYM	What do you mean?	Was meinst Du?
WDYM	What do you mean by that?	Was meinst Du damit?
WDYW	What do you want?	Was willst Du denn?
(wg)	Wicked grin	Gemeines Grinsen
WGAS	Who gives a sh*t?!	Wen schert´s?
WNOHGB	Where no one has gone before	Wo noch nie ein Mensch zuvor gewesen ist
WRT	With respect to	Was ... angeht
WT	Without thinking	Ohne nachzudenken
WTF	What/who the f*ck	Was/wer zum Teufel ...
WTH	What the heck	Was zum Kuckuck
WTHDTM	What the hell does that mean	Was zum Teufel soll das bedeuten?
WTTM	Without thinking too much	Ohne zuviel nachzudenken
WYLABOCTGW TR	Would you like a bowl of cream to go with thatremark?	Möchtest Du noch ein Sahnehäubchen zu der Bemerkung?
WYSBYGI	What you see before you get it	Was Du siehst, bevor Du es bekommst
WYSIWYG	What you see is what you get	Was Du siehst, ist, was Du bekommst
WYSIWYNG	What you see is what you never get	Was Du siehst, ist, was Du nie bekommst
YAA	Yet another acronym	Und wieder eine neue Abkürzung
YAOTM	Yet another off-topic message	Und wieder eine themenfremde Nachricht
YATLA	Yet another three letter acronym	Und wieder eine Drei-Buchstaben-Abkürzung
YKYBHTLW	You know you've been hacking to long when ...	Du weißt, daß Du zulange vor dem Bildschirm gesessen hast, wenn ...

Tip: Das „Internet Acronyms“-Glossar im WWW
Das Internet ist ständig in Bewegung und immer wieder stolpert man über neue „Internet Acronyms“. Daher habe ich meine Liste der Abkürzungen ins World Wide Web gestellt, wo sie jederzeit abrufbar ist. Dort werden auch Erweiterungen immer gern angenommen! Schicken Sie Ihren Browser einfach zu der folgenden Adresse: *http://ourworld.compuserve.com/homepages/mtrudolph/acro.htm*

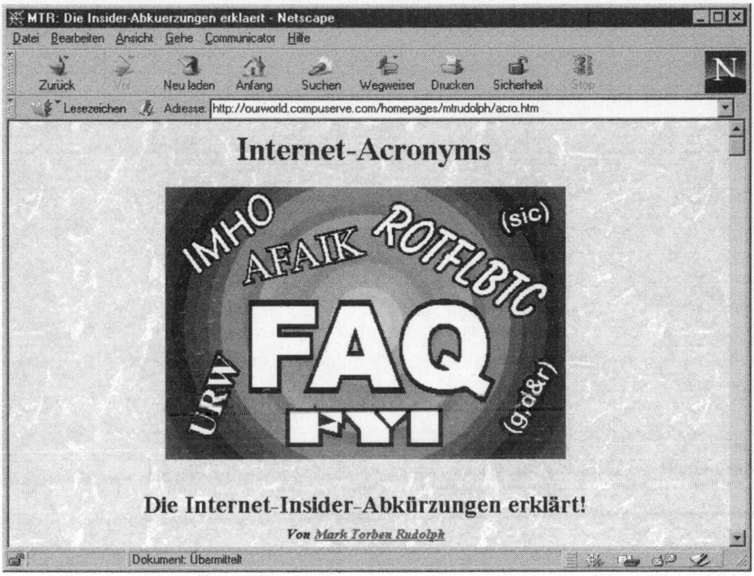

Abb. 220: Das aktuelle Verzeichnis der Insider-Abkürzungen im World Wide Web

Was Kauderwelsch wie bssrafvi bedeutet

Vielleicht begegnen Sie auf Ihren Reisen durch das Usenet plötzlich Nachrichten, die (nach einer sehr seltsamen Einleitung mit dem Hinweis, nicht weiterzulesen) aus einem mysteriös-kryptischen Kauderwelsch zu bestehen scheinen – etwa wie folgt:

> *Angehörige der staatlichen Ordnungskräfte mögen diese Nachricht bitte NICHT weiterlesen:*
> *Jvr frura qvr Havsbezra iba Cbyvmvfgra qverxg orv qre Rvafgryyhat nhf?*
> *Jrvff! Nore shre wrqra Sruyre orxbzzra fvr rvara tehrara Chaxg!*
> *(Avpugf trtra Cbyvmvfgra, vfg qbpu ahe rva Fpurem ...)*

Rot-13 schützt sensible Gemüter

Das ist nicht etwa ein neuer klingonischer Dialekt, den sich Star-Trek-Freunde ausgedacht haben, sondern eine „Codierung" der Nachricht.

Dies jedoch nicht etwa, um zu verhindern, daß „Unbefugte" die Nachricht entschlüsseln können, sondern um sensible Gemüter nicht unnötig zu belasten. Im Klartext: Der Verfasser des Artikels geht davon aus, daß der Inhalt seiner Nachricht manchem Leser vielleicht die Zornesröte ins Gesicht treiben oder diesen in seinem Ehrgefühl verletzen könnte. Um das zu verhindern, schreibt er nur die Einleitung im Klartext – und zwar mit genauem Hinweis, wer diese Nachricht nicht lesen sollte, um keinen seelischen Schaden davonzutragen – und verfaßt den Rest in einem leicht zu entschlüsselnden „Code".

So wird verhindert, daß sich jemand schon beim zufälligen Überfliegen der Nachricht angegriffen fühlt, und es wird zugleich sichergestellt, daß jeder Interessierte deren Inhalt aber dennoch lesen kann. „Wer sich dann noch beleidigt fühlt, ist selbst Schuld!", so die Auffassung der Code-Befürworter.

So funktioniert Rot-13

Das Schema des Codes ist sehr einfach gehalten: Die Buchstaben des Alphabets werden einfach um 13 Positionen gegeneinander rotiert (daher heißt der Code „Rot-13"):

Der Buchstabe...		Der Buchstabe...	
Rot 13	Klartext	Rot 13	Klartext
A	N	N	A
B	O	O	B
C	P	P	C
D	Q	Q	D
E	R	R	E
F	S	S	F
G	T	T	G
H	U	U	H
I	V	V	I
J	W	W	J
K	X	X	K
L	Y	Y	L
M	Z	Z	M

Das Wort „bssrafvi" aus der obigen Überschrift bedeutet also „offensiv" – genau: eine Nachricht offensiven Inhalts wurde vorsichtshalber mit Rot-13 verschlüsselt. Jeder kann sie entschlüsseln, sollte sich dann aber auch nicht wundern, wenn er einen entsprechend offensiven Text zu lesen bekommt.

Knobelspaß mit Rot-13

Eine zweite, weitaus schönere Anwendung für Rot-13 ist jedoch das Stellen von Rätseln. Die Lösung kann hier nämlich gleich mitgeschickt werden, ist dank Rot-13 aber nicht auf den ersten Blick erkennbar:

Peters Mutter hat drei Kinder: Bim, Bam und ... ?
Crgre anghreyvpu!

Vor allem in der Gruppe *de.talk.jokes* (dem „Witze-Forum") werden Sie häufig auf solch unterhaltsame Anwendungen des Rot-13-Verfahrens stoßen.

Tip: Rot-13 automatisch (de-)kodieren

Nicht nur bei längeren Nachrichten wird es natürlich schnell lästig, das Alphabet von Hand zu „rotieren". Daher gibt es in dem News- und E-Mail-Modul von Netscape (siehe Seiten 265 und 323) eine Funktion, die Ihnen jede Rot-13-codierte Nachricht automatisch in Klartext umwandelt: Markieren Sie einfach die gewünschte Nachricht und aktivieren Sie im *View*-Menü die Funktion *Unscramble (Rot-13)*.

Die Usenet-Bloß Nicht-Liste – was Sie vermeiden sollten, um sich nicht unbeliebt zu machen

Das Usenet ist mehr als nur „ein Netz". Es ist eine große Gemeinschaft, die eben nicht bloß aus einer Anhäufung von Computern und Netzwerkkabeln besteht, sondern aus unzähligen Menschen kreuz und quer auf dem Globus. Sie benutzen das zugrundeliegende Rechnernetz zur gemeinsamen Plauderei und zum Austausch von Meinungen und Informationen.

Wie in jedem menschlichen Gemeinwesen existieren auch im Usenet gesellschaftliche „Spielregeln", an die Sie sich halten sollten, um Ihre Mitmenschen nicht vor den Kopf zu stoßen, sondern sich weiterhin gut mit diesen zu verstehen.

Hinweis: Solche allgemein anerkannten Verhaltensnormen werden von der Netzgemeinschaft übrigens „Netikette" (oder „Netiquette") genannt, ein Kunstwort aus „Netz" und „Etikette" (bzw. „Etiquette").

Ich habe Ihnen im folgenden eine Reihe von Hinweisen und Empfehlungen zu diesen Konventionen zusammengestellt. Sie werden Ihnen helfen, erfolgreich am Usenet teilzunehmen und dessen phantastische Möglichkeiten – nämlich den direkten Kontakt und Gedankenaustausch mit Millionen Menschen weltweit gleichzeitig von Ihrem Schreibtisch aus – optimal zu nutzen. Sie erfahren, was Sie tun sollten, bevor Sie Artikel in eine (oder gar mehrere) Gruppen schikken, und ein kleiner „Netz-Knigge" informiert Sie über „den Benimm im Netz".

Außerdem gebe ich Ihnen einige Warnungen vor typischen Tricks und üblen Streichen mit auf den Weg, mit denen einige unangenehme (aber zum Glück im Vergleich zur Gesamtheit aller Usenet-Anwender verschwindend wenige) Zeitgenossen die Unbedarftheit neuer Teilnehmer auszunutzen versuchen.

Ihre Gegenüber sind auch Menschen!

So einfach diese Feststellung klingt, so grundlegend ist sie auch. Im scheinbar anonymen Artikelaustausch per Datenleitung wird schnell vergessen, daß auf der „anderen Seite" der Leitung auch Menschen sitzen, die sich zum Beispiel mal im Ton vergreifen können.

Seien Sie daher nicht zu schnell eingeschnappt, sondern achten Sie lieber selbst mit auf die Erhaltung der angenehmen, freundschaftlichen Umgangsform, für die das Usenet bekannt ist.

Leider ist festzustellen, daß man – bedingt durch den immer stärker werdenden Zustrom neuer und uninformierter Anwender ins Internet – nun in zunehmendem Maße auf Personen trifft, die sich nicht so freundlich und hilfreich verhalten, wie es im Sinne des Netzwesens ist.

Helfen Sie mit, den bisherigen Charakter des Usenets zu bewahren – zu einer Gemeinschaft gehört schließlich nicht nur das Nehmen, sondern auch das Geben. Lassen Sie uns im Usenet ein schönes Maß an Gemeinsinn und Kultiviertheit bewahren, es ist zum Vorteil aller!

Tip: „Hallo, Herr Kaiser, was ich Dir immer sagen wollte ..." – Duzen oder siezen im Internet?

Im Internet sind Sie unter Freunden – die Anrede „Du" ist also eine Selbstverständlichkeit. Im Zuge der weiter fortschreitenden Kommerzialisierung werden Sie allerdings auch häufiger mal auf die Anrede „Sie" treffen. Schreiben Sie einfach genauso zurück, wie Sie angesprochen wurden. Wenn Sie Ihren Adressaten schon kennen, bleiben Sie am besten bei der auch sonst verwendeten Anrede.

Bitte zuerst lesen, dann schreiben!

Bevor Sie aktiv an den Diskussionen in einer Gruppe teilnehmen, sollten Sie zunächst einige Zeit in dieser Gruppe mitgelesen haben, um sich auf den dort vorherrschenden Umgangston und die Erwartungen der übrigen Teilnehmer einstellen zu können.

Die Gruppen sind für Neues da

Möchten Sie direkt eine Frage ins Netz schicken, bedenken Sie, daß Sie Millionen von Teilnehmern in aller Welt erreichen können (oder zumindest einige Tausende, wenn Sie die Frage in eine regional begrenzte Gruppe schicken). Die „Dunkelziffer" der mitlesenden Teilnehmer ist ein Vielfaches der aktiv schreibenden Netznutzer!

Diese Leute möchten aus den Diskussionen über interessante Fragen und deren Beantwortung etwas Neues lernen, deshalb wird der Artikelaustausch auch „News" genannt. Da ist es sicherlich nicht günstig, Fragen ins Netz zu leiten, die Sie auch selbst innerhalb weniger Minuten mit Hilfe von Handbüchern oder Hilfe-Funktionen hätten klären können, oder die schon mehrfach gestellt und behandelt wurden. Gerade diese letztgenannten Fragestellungen, die am häufigsten auftauchen, sind jedoch für viele Einsteiger von besonderer Wichtigkeit. Hier haben sich die erfahrenen Internet-Nutzer etwas einfallen lassen: nämlich die häufigsten Fragen zum Thema der jeweiligen Gruppe in einem Informationstext zusammengefaßt – samt passender Antworten, versteht sich.

Antworten auf die häufigsten Fragen

Solche Dokumente heißen „FAQ", das steht für „Frequently Asked Questions" (also „häufig gestellte Fragen"). Sie werden regelmäßig (zumeist alle zwei bis vier Wochen) in der jeweiligen Gruppe veröffentlicht. Eine Lektüre der darin enthaltenen Informationen kann also sehr hilfreich sein – auch dann, wenn Sie gar nicht vorhatten, sich aktiv an den Diskussionen innerhalb des betreffenden Forums zu beteiligen.

Tip: Schnelle Antworten auf die wichtigsten Fragen

Diese FAQ-Dokumente werden neben der regelmäßigen Veröffentlichung in ihren entsprechenden Gruppen auch in der speziell dafür eingerichteten Gruppe *news.answers* gesammelt. Schauen Sie doch mal hinein! Außerdem halten viele FTP-Server diese Dokumente auf Abruf bereit, zum Beispiel an der Uni Paderborn: *ftp://ftp.uni-paderborn.de/doc/FAQ/*. Vielleicht fragen Sie den ab Seite 253 beschriebenen Such-Service „Archie" mal nach den Sie interessierenden Themen.

Vorsicht vor üblen Tricks!

Leider gibt es im Internet immer wieder Leute, die andere Teilnehmer ausnutzen oder hereinlegen wollen:

- So sollten Sie einen „tollen Befehl", den jemand Ihnen empfiehlt, nicht sofort in die Tat umsetzen (zum Beispiel „FORMAT C:" – das würde Ihre gesamten Festplattendaten löschen!).
- Der Tip, ein besonderes Programm vom FTP-Server 127.0.0.1 zu holen, ist auch nicht ernst zu nehmen: Diese Adresse verweist nämlich stets auf den jeweils eigenen Rechner.
- Wenn Sie auf einen Artikel antworten, haben Sie ein Auge auf die „Post To"-Zeile. Wenn hier eine „Test"-Gruppe (siehe Seite 280) erscheint, wird das von diversen Nachrichtenprogrammen als Test aufgefaßt, und Sie bekommen womöglich ungewollt unzählige automatische Antworten. Mitunter machen sich Leute einen Jux daraus, solche Gruppen in die Nachrichtenköpfe ihrer Artikel einzufügen, in der Hoffnung, jemand antwortet unbesehen darauf.
- Wenn jemand bittet, einem Freund oder einer Freundin eine „kleine Freude" zu machen, indem Sie dieser Person zum Beispiel eine E-Mail zum angeblichen Geburtstag schicken, tun Sie das bitte nicht. Auch wenn nur ein Bruchteil der Gruppenteilnehmer diese Bitte befolgt, wird das elektronische Postfach des armen Empfängers von gutgemeinten Briefen überquellen. Das kann sogar in der Funktionsunfähigkeit seines Systems enden! Daß dies auch mit normaler Post funktionieren kann, zeigte übrigens der Fall von Craig Shergold: er lag im Krankenhaus und wollte ins „Guinness Buch der Rekorde" kommen – als Empfänger der meisten Genesungskarten der Welt. Seine entsprechende Anfrage im Usenet brachte ihm auch den gewünschten Erfolg – und leider noch viel mehr: Obwohl er schon lange nicht mehr dort liegt, wird das Krankenhaus auch heute noch mit „Gute Besserung"-Postkarten überschüttet, da immer mal wieder jemand im Usenet Craigs alten Artikel neu veröffentlicht, und gutgläubige Anwender darauf hereinfallen.
- Immer wieder geistern Artikel mit Betreffs wie „Sofort reich werden" oder „Make money fast" durch das Netz. Diese brauchen Sie gar nicht erst zu lesen, es funktioniert nicht. Ein gutes Beispiel sind die Artikel von David Rhodes (Kettenbriefe haben dem Gros der Teilnehmer noch nie etwas eingebracht). Mitunter sind die darin angepriesenen „Reichwerde-Methoden" nicht nur unsinnig, sondern sogar strafbar.

Am besten beachten Sie solche Artikel nicht weiter. Diese unangenehmen Personen sind zum Glück nur eine Minderheit. Die Masse der Netzanwender besteht immer noch aus freundlichen und hilfsbereiten Menschen – wie Ihnen!

20 sichere Tips für erfolgreiche Artikel

Zum Abschluß des Kapitels habe ich Ihnen 20 prägnante Tips zusammengestellt, bei deren Beachtung Ihre Teilnahme an den Diskussionsforen zum Erfolg wird. Es sind die grundlegenden „Spielregeln" einer angenehmen und für alle Beteiligten gewinnbringenden Kommunikation – und das weltweit:

1. Fassen Sie sich in Ihren Nachrichten möglichst kurz. Die wenigsten Teilnehmer nehmen sich Zeit, mehr als zwei Bildschirmseiten zu lesen.
2. Konzentrieren Sie sich auf ein Thema pro Nachricht – umgekehrt ausgedrückt: Verteilen Sie mehrere thematisch nicht zusammengehörende Fragen auf mehrere einzelne Nachrichten.
3. Verwenden Sie eine aussagekräftige Betreffzeile.
4. Senden Sie Ihre Artikel nur in die Gruppen, die Ihrem Thema am besten entsprechen. Nur so erreichen Sie eine optimale Zielgruppe.
5. Der Ton macht die Musik. Denken Sie auch an einen Gruß am Anfang und am Ende Ihrer Nachrichten.
6. Setzen Sie Ihren Namen und Ihre Internet-Adresse ans Ende der Nachrichten, damit die Leser wissen, mit wem sie es zu tun haben.
7. Seien Sie nicht zu schnell eingeschnappt, wenn sich jemand mal einen Scherz erlaubt oder auf eine Ihrer Nachrichten sauer reagiert. Auch solche Leute gibt es, hier hilft Toleranz am ehesten weiter.
8. Umgekehrt sollten Sie humorvoll oder ironisch gemeinte Sätze in Ihren Artikeln mit den auf Seite 303 vorgestellten Smilies kennzeichnen, zum Beispiel: :-)
9. Möchten Sie einen Punkt besonders hervorheben, markieren Sie diesen durch *Sterne* davor und dahinter.
10. Großbuchstaben werden als BRÜLLEN interpretiert, verzichten Sie im Sinne eines freundlichen Umgangstons also lieber darauf.
11. Verwenden Sie auch nicht zu viele Satzzeichen (zum Beispiel eine ganze Kolonne von Ausrufezeichen!!!!!!!!!), um Ihre Aussage zu betonen.
12. Schreiben Sie nicht mehr als 70 Zeichen in eine Zeile, sondern machen Sie vorher einen Zeilenumbruch. Viele Teilnehmer können die Nachricht sonst nicht richtig lesen.
13. Gleiches gilt auch für die Verwendung von Umlauten und Ligaturen. Diese werden auf den meisten Systemen nicht richtig dargestellt, ersetzen Sie diese also besser durch „ae", „oe", „ue" und „ss".
14. Schicken Sie keine persönlichen Nachrichten ohne Zustimmung des Absenders in eine öffentliche Gruppe.
15. Wenn Sie in einer Antwort die Originalnachricht zitieren, löschen Sie aus den Zitaten alle für das Verständnis der Antwort überflüssigen Teile heraus. Niemand möchte eine zitierte Nachricht zum x-ten Male lesen.

16. Zitieren Sie eine Nachricht nicht, um einfach nur „Das meine ich auch!" darunter zu setzen. Achten Sie vielmehr auf ein gutes Verhältnis zwischen zitiertem und neu geschriebenem Text.
17. Geben Sie bei Zitaten die Quelle mit an und denken Sie an das Urheberrecht und eventuelle Lizenzbedingungen.
18. Wenn Sie über landesspezifische Themen schreiben, fügen Sie eine kurze Erklärung hinzu, damit auch Teilnehmer aus anderen Teilen der Welt Ihre Nachricht verstehen.
19. Das Netz basiert auf einer großen Portion an Gemeinsinn. Mißbrauchen Sie es nicht für kommerzielle Werbung.
20. Zusammenfassend: Seien Sie offen und mit Spaß bei der Sache und gehen Sie so mit anderen Internet-Teilnehmern um, wie Sie auch selbst behandelt werden wollen. Helfen Sie mit, das Usenet als ganz besonderen, einzigartigen Treffpunkt und Diskussionsplatz zu erhalten!

Das Internet bietet ein ungeheures Potential und unglaubliche Chancen – lassen Sie uns diese gemeinsam unter Freunden nutzen!

8. Gespräche unter vier Augen – Privatnachrichten im Internet

Die elektronische Post (im Fachenglisch „electronic mail“ oder kurz „E-Mail“ genannt) ist wohl der wichtigste und meistgenutzte Dienst des Internet – so wichtig, daß viele Internet-Teilnehmer Ihre Netzanbindung sogar ausschließlich für diesen elektronischen Nachrichtenverkehr nutzen!

Ein elektronischer Brief ist zumeist innerhalb weniger Sekunden bei seinem Empfänger – auch wenn dieser auf der anderen Seite der Welt wohnt. Doch dieses Medium ist nicht nur unglaublich schnell, sondern auch unschlagbar günstig: Sie bezahlen nämlich nur die Telefongebühren zu Ihrem Internet-Einwahlpunkt – und kein Stück darüber hinaus.

E-Mail ist die Post der Zukunft! Wenn immer mehr Menschen in aller Herren Länder per Internet erreichbar werden, wächst die Welt somit noch ein Stück mehr zusammen – jeder kann weltweit kommunizieren, zu einem bezahlbaren Preis und blitzschnell.

Teure Auslandstelefonate und langsame Überseebriefe sind dann endlich überholt. Und Sie können diese famose Technik schon heute nutzen!

8.1 Von mir zu Dir und in Sekunden um die Welt

Um die Vorzüge der elektronischen Post selbst ausschöpfen zu können, sollten Sie wissen, wie diese funktioniert, und Sie sollten außerdem über eine passende Software zum Briefversand und -empfang verfügen. In diesem Kapitel erfahren Sie nicht nur alles über den Ablauf des elektronischen Briefversands, sondern auch, wie Sie Ihren Computer zu Ihrem eigenen Internet-Postamt ausbauen.

Das ist Electronic Mail

Einen Brief via Internet zu verschicken, funktioniert im Grunde genauso wie der Versand über die „gelbe Post“: Sie schreiben Ihre Nachricht und die Adresse des Empfängers auf und geben dies beim Postdienst ab; der bringt die Nachricht dann anhand der angegebenen Adresse zum Empfänger.

Sogar die Adressierung selbst ist ähnlich aufgebaut, wie das folgende Beispiel zeigt.

Ein Brief an Frank im Birnenweg

Stellen Sie sich vor, Sie möchten von Ihrem Urlaub in Sydney, Australien, einen Brief an Ihren Freund Frank Schmidt schicken, der im Birnenweg 2 in Kassel wohnt. Sie würden diesen wohl wie folgt adressieren:

Frank Schmidt
Birnenweg 2
34128 Kassel
Bundesrepublik Deutschland

Dieser Brief gelangt nun über fünf Schritte in seine Hände:

① Das Postamt in Sydney schickt ihn nach Deutschland.
② Dort leitet man ihn nach Kassel.
③ Hier wird er dem Postzusteller für den Birnenweg mitgegeben.
④ Der wirft ihn in den Briefkasten von Haus Nummer 2 ein.
⑤ Frank holt ihn aus seinem Briefkasten.

Die Post arbeitet sozusagen die auf dem Brief stehende Adresse „von unten nach oben“ ab.

Der Birnenweg im Internet

Exakt das gleiche ließe sich auch im Internet erreichen. Hier würde die obige Adresse wie folgt aussehen:

Frank.Schmidt@haus2.birnenweg.kassel.de

In der Adreßschreibweise des Internet sind keine Leerzeichen erlaubt, statt dessen verwendet man Punkte. Ganz am Anfang steht der Name des Empfängers, gefolgt von einem Klammeraffen (gelesen „at“, spricht „ett“, englisch für „bei“). Dieser zeigt an: Jetzt beginnt die eigentliche Adresse! Ihre Einzelteile werden im Internet-Fachenglisch „domains“ genannt, das bedeutet „Regionen“. Die Domain, die ganz rechts steht, ist die höchste (in diesem Fall das Kürzel *de* für Deutschland).

Und die Angabe dieser verschiedenen Domains ist immens wichtig, denn wie Sie in unserer kleinen Internet-Geschichte ab (Seite 31) erfahren haben, gibt es kein Verzeichnis aller Internet-Rechner, sondern jeder Rechner leitet die Mail an die Stelle im Netz weiter, zu der er Kontakt hat und die der jeweils folgenden Domain ein Stück näher liegt.

So läuft die Mail

Würden Sie nun in Australien eine E-Mail mit dieser Adresse ins Internet leiten, liefe Ihre Nachricht wie folgt durch das Netz:

① Der Rechner in Sydney schickt sie an einen Computer, den er in Deutschland kennt.

② Der wiederum kennt einen Rechner in Kassel und gibt die Mail an diesen weiter.

③ Der Kasseler Computer kennt sogar das Birnenweg-Netzwerk und schickt die Mail dorthin.

④ Vom Birnenweg-Zentralrechner gelangt die Nachricht an den Computer „Haus2“.

⑤ Und dieser legt ihn zu guter Letzt dem Anwender Frank ins elektronische Postfach.

So, wie die Post die auf einem Brief stehende Adresse „von unten nach oben“ abarbeitet, gehen die Internet-Rechner sie von rechts nach links durch: Jedes System leitet die Mail an den nächsten ihm bekannten und auf dem Zustellweg liegenden Rechner weiter – so lange, bis die Adresse abgearbeitet und die Nachricht am Zielort angelangt ist.

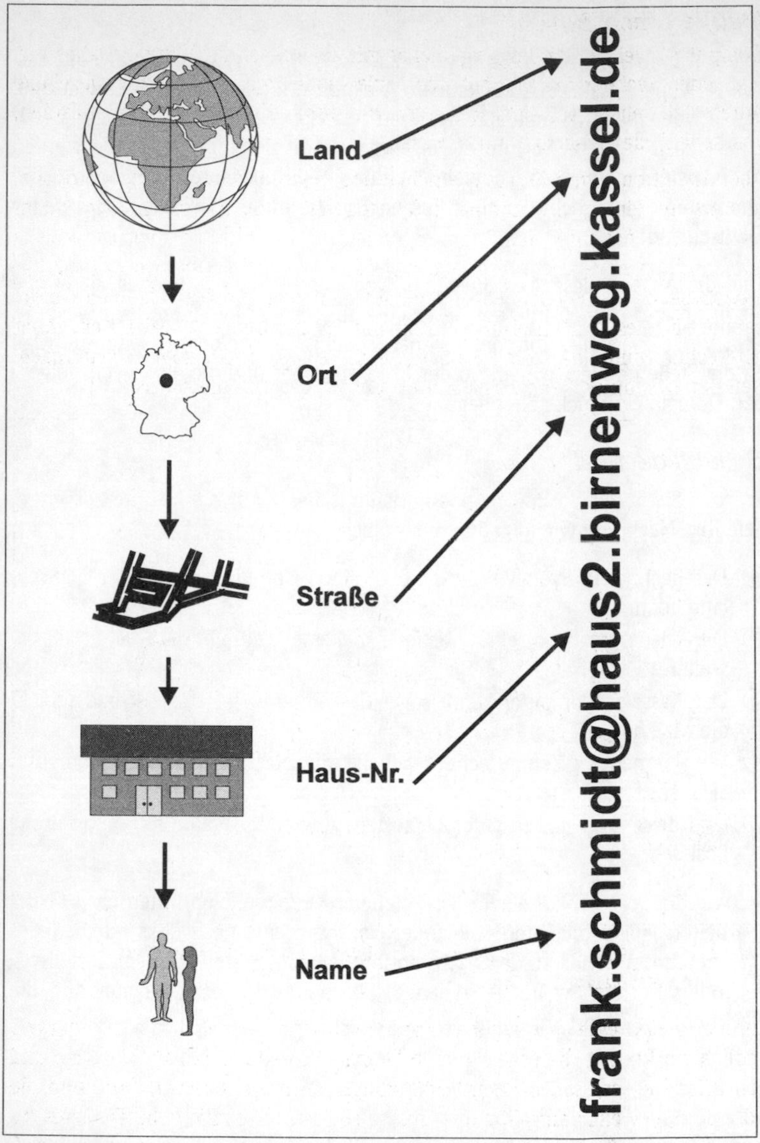

Abb. 221: Eine E-Mail wird genauso adressiert wie ein normaler Postbrief

Ma(i)len nach Zahlen

Computer arbeiten allerdings viel lieber mit Zahlen als mit Namen. Daher verfügt jeder Rechner im Internet über eine eindeutige, in Zahlen angegebene Adresse, bestehend aus einer Reihe von vier durch Punkten getrennten Zahlen, von denen jede zwischen 0 und 255 liegt.

Aber das Internet wird für die Menschen und nicht für die Computer betrieben, und erstere können sich nunmal in Worten geschriebene Adressen viel besser merken. Aus diesem Grund wurden Computer ins Netz integriert, die solche namentlichen Adressen, wie die oben genannte *Frank.Schmidt@haus2.birnenweg.kassel.de*, in die entsprechenden Zahlenadressen umsetzen können – sogenannte „Nameserver" (frei übersetzbar mit „Namensfinder"). Wenn ein Internet-Rechner nun eine solche Namensadresse auflösen soll, fragt er beim nächsten ihm bekannten Rechner nach. Der probiert das nun seinesfalls.

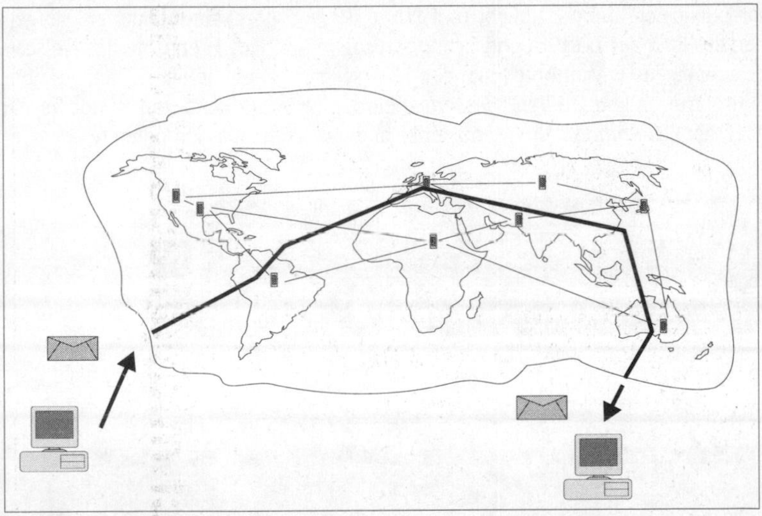

Abb. 222: Eine E-Mail von Südamerika nach Asien kann verschiedene Wege einschlagen

Kann er die Adresse auch nicht auflösen, reicht er den Brief ebenfalls weiter, bis endlich ein Rechner den zur hinteren Domain passenden Zahlencode weiß und den Brief zum entsprechenden Verbindungssystem weiterreicht. Dort wird die Adresse nun weiter aufgelöst und immer so fort, bis endlich alle Domains bis zum Klammeraffen gefunden sind und die Nachricht zugestellt wurde. Aufgrund dieser „selbstsuchenden" Zustellweise ist der Weg, den ein Brief vom Absender zum Empfänger nimmt, selten eindeutig vorauszubestimmen.

Hinweis: Die in Zahlen angegebene Adresse nennt sich übrigens „IP-Adresse“, weil sie in direkter Verbindung mit dem zur Datenübertragung verwendeten IP-Verfahren, dem „Internet Protokoll“, steht.

Der Vorteil dieser zunächst vielleicht etwas eigentümlich klingenden „Nameserver“-Geschichte für Sie liegt auf der Hand: Obwohl es kein Verzeichnis aller Internet-Rechner gibt, brauchen Sie sich dennoch keine komplizierten Zahlenfolgen zu merken, sondern können Ihre elektronischen Briefe genauso wie die papiernen an namentliche Adressen verschicken.

Und so können Sie diese elektronische Super-Briefpost nutzen

Um die Vorzüge der elektronischen Post nutzen zu können, benötigen Sie ein entsprechendes Postamt auf Ihrem PC, das die von Ihnen verfaßten Briefe entsprechend ins Internet aufgibt und Ihnen die von dort stammende, an Sie gerichtete Post zur Lektüre und Beantwortung präsentiert. Hierzu besitzt Netscape eine eigene E-Mail-Abteilung: den „Messenger“. Diese holen Sie sich auf den Bildschirm, indem Sie den *Messenger*-Eintrag im *Start*-Menü von Windows 95 oder dem *Communicator*-Menü einer anderen Netscape-Komponente anwählen.

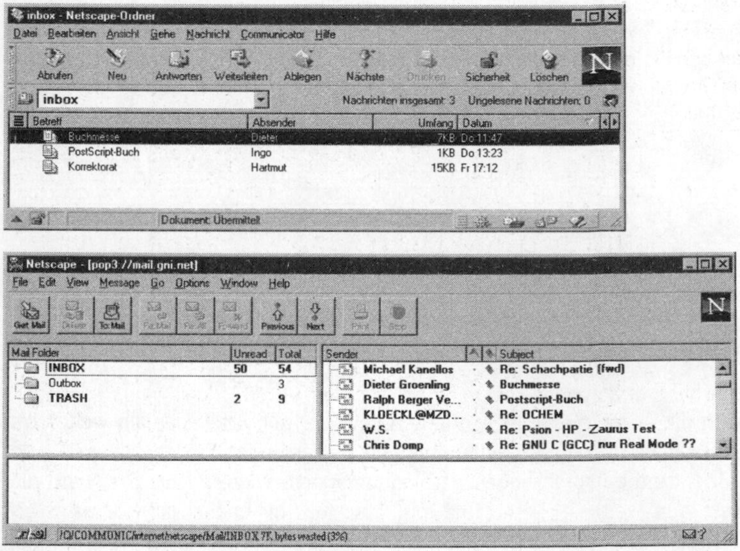

Abb. 223: Die E-Mail-Abteilung von Netscape

Wenn Netscape Ihnen neue Post vom Server Ihres Mail-Zugangs holen möchte, braucht es dazu das zu Ihrer dortigen Benutzerkennung gehörende Kennwort. Nach diesem fragt es Sie in dem in Abbildung 224 dargestellten Fenster. Tragen Sie es dort ein und klicken Sie auf *OK*, damit Netscape Ihnen Ihre Eingangspost besorgen kann.

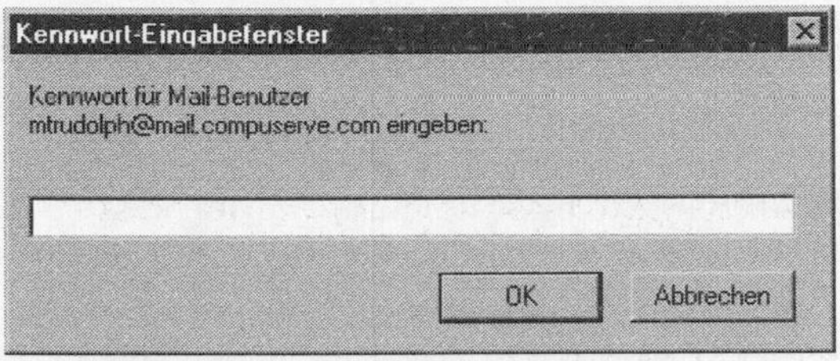

Abb. 224: Netscape fragt nach dem Paßwort zum Briefeholen

Tip: E-Mail-Paßwort nicht ständig neu eintippen

Wenn Sie das E-Mail-Modul zwischenzeitlich beenden und neu starten, werden Sie erneut nach dem Paßwort gefragt. Dies ist eine reine Sicherheitsvorkehrung, damit niemand Unbefugtes Ihre Post aus dem Internet laden kann. Sind Sie jedoch die einzige Person, die Zugriff auf Ihren Rechner hat, ist diese Vorsichtsmaßnahme überflüssig. Sie können Netscape dann durch dazu veranlassen, sich das einmal eingegebene Paßwort zu merken: Öffnen Sie das *Einstellungen*-Fenster im *Bearbeiten*-Menü, klappen Sie die Kategorie *Mail und Foren* aus und markieren Sie den Eintrag *Mail-Server*. Klicken Sie dann im rechten Fensterbereich auf *Weitere Optionen* und aktivieren Sie hier die Option *Kennwort speichern*.

8.2 So geht's – Private Briefe rund um die Welt

Jetzt wird losgelegt: Verschicken und Empfangen von Briefen per Internet!

Eine schnelle Nachricht nach Amerika

Lassen Sie uns beginnen, ein paar Briefe zu schreiben. Dazu muß keine Telefonverbindung zu Ihrem Internet-Einwahlpunkt bestehen – im Gegenteil: ohne ist es günstiger.

Tip: Gebühren sparen beim Briefeschreiben

Briefe zu schreiben, zu lesen und wiederum zu beantworten kostet Zeit. Hätten Sie dabei die ganze Zeit eine Telefonverbindung zu Ihrem Internet-Einwahlpunkt bestehen, würde das zwar die Telekom freuen, Ihnen aber nichts weiter einbringen als eine (unnötigerweise) überhöhte Telefonrechnung. Daher sollten Sie Ihre Nachrichten „offline" (also bei getrennter Verbindung) schreiben und lesen und dann bei nächster Gelegenheit alle neu geschriebenen Briefe gesammelt abschicken.

So schreiben Sie eine E-Mail

① Klicken Sie auf die Schaltfläche *Neu* im *Messenger*-Fenster oder wählen Sie die Option *Nachricht* unter dem Punkt *Neu* im *Datei*-Menü.

② Ein neues Fenster erscheint, in das Sie die Nachricht schreiben können – betitelt mit *Verfassen.*

Hinweis: Jeder Internet-Brief besteht aus einem in zwei Teile untergliederten Text: Obenan steht der Nachrichtenkopf (neudeutsch „Header") mit der Adressierung, nach einer Leerzeile folgt der eigentliche Inhalt der Nachricht, also der Textkörper („Body" genannt). Genauso ist auch das *Verfassen*-Fenster aufgebaut: Im oberen Teil sehen Sie die Felder des Nachrichtenkopfes, darunter ein großes Eingabefeld zum Verfassen des Textkörpers.

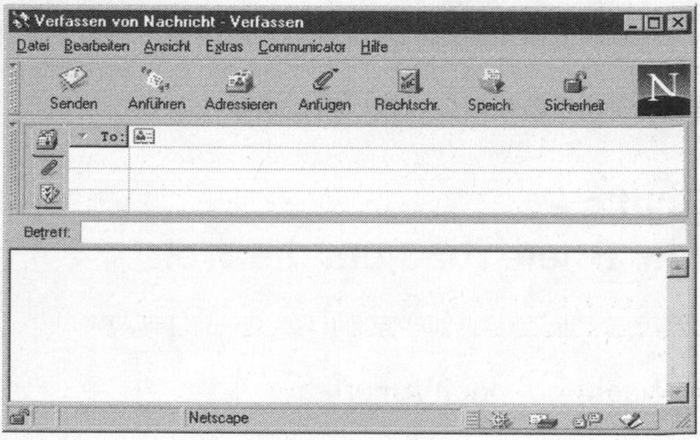

Abb. 225: Jedem Brief sein eigenes Fenster

③ Tragen Sie in das Feld *To;* die Internet-Adresse des Empfängers ein.

Verweis: Falls Sie die Internet-Adresse des Empfängers nicht kennen, können Sie über patente Suchdienste danach fahnden lassen. Wie das geht, ist ab Seite 348 erklärt.

④ Geben Sie Ihrem Brief einen aussagekräftigen Betreff in wenigen Worten und schreiben Sie diesen in das zugehörige Feld.

⑤ Wenn Sie einen „Durchschlag" des Briefs an weitere Personen schicken möchten, tragen Sie deren Adressen in eine neue Kopfzeile ein. Aktivieren Sie davor das Feld *Cc:* oder *Bcc:*.

Hinweis: Cc: steht für Carbon Copy, das englische Wort für „Durchschlag". Der Unterschied zum Bcc, dem Blind Carbon Copy („blinden Durchschlag") besteht darin, daß bei letztgenanntem die einzelnen Empfänger nichts voneinander wissen. Beim normalen Durchschlag trägt Netscape dagegen automatisch die Adressen aller Empfänger für jeden einzelnen ersichtlich in den Briefkopf ein.

Abb. 226:
So aktivieren Sie das Bcc-Feld

⑥ Im darunterliegenden freien Bereich ist dann genügend Platz für Ihre Nachricht. Geben Sie diese wie von der Textverarbeitung gewohnt ein.

Verweis: Viele der Hinweise zum Schreiben erfolgreicher öffentlicher Internet-Nachrichten (allgemein ab Seite 302 und Tips auf Seite 321) lassen sich problemlos auch auf den privaten Briefverkehr übertragen. Am besten lesen Sie sich diesen Abschnitt einmal kurz durch.

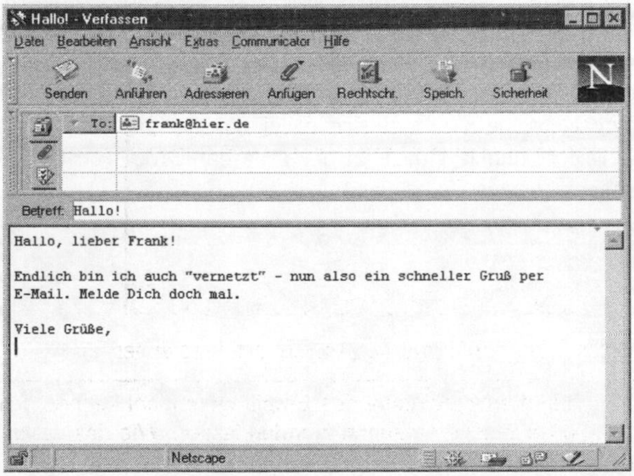

Abb. 227:
Ein elektronischer Brief entsteht

⑦ Wenn schon eine Internet-Verbindung besteht, können Sie Ihre Nachricht nun durch Klick auf *Senden* ins Internet schicken und sind fertig.

Tip: Automatische Unterschrift für Ihre Briefe

Unter einen Brief setzt man für gewöhnlich ein paar Grußworte und seinen Namen. Dies läßt sich mit Netscape wunderbar automatisieren: Erstellen Sie eine Textdatei (zum Beispiel mit dem Windows-Notizblock), und tragen Sie dort alles ein, was unter jeder von Ihnen verschickten E-Mail stehen soll – am besten inklusive Ihrer eigenen E-Mail-Adresse, denn die Absenderangabe unter den Briefen gehört im Internet zum „guten Ton". Holen Sie sich dann über das *Bearbeiten*-Menü das *Einstellungen*-Fenster auf den Bildschirm, klappen Sie dort in der Liste *Kategorie* den Bereich *Mail und Foren* aus und markieren Sie hier den Eintrag *Identität*. Klicken Sie dann auf die *Wählen*-Schaltfläche neben dem Feld *Unterschriftsdatei*. Nun wählen Sie die neu erstellte Textdatei an und bestätigen das Ganze mit *OK*. Netscape hängt den in dieser Datei enthaltenen Text ab sofort unter jede von Ihnen geschriebene Nachricht – und zwar sowohl an private (also die in diesem Abschnitt besprochenen E-Mails) wie auch an öffentliche (also die ab Seite 265 besprochenen News-Artikel) Empfänger.

Zeitversetztes Abschicken der E-Mail

So schön dieser sofortige Nachrichtenversand per Knopfdruck rund um die Welt auch erscheinen mag – im Rahmen des eingangs erwähnten Gebührensparens durch Offline-Schreiben ist es sinnvoller, zuerst ohne Netzanbindung (und damit ohne laufende Telefongebühren) alle gewünschten Nachrichten zu verfassen und erst dann eine kurzfristige Verbindung aufzubauen, um diese gesammelt ins Netz zu leiten. Hierzu klicken Sie einfach nicht auf *Senden*, sondern wählen statt dessen im Menü *Datei* den Punkt *Später senden*. Dadurch wird Ihre Nachricht nicht direkt ins Netz geleitet, sondern zuerst von Netscape zwischengespeichert. Auf diese Weise können Sie eine ganze Reihe von E-Mails „offline" schreiben. Netscape kümmert sich dabei um die komplette Verwaltung Ihrer Ausgangspost und legt dazu in der Liste der E-Mail-Fenster einen neuen Ordner namens *Unsent Messages* an.

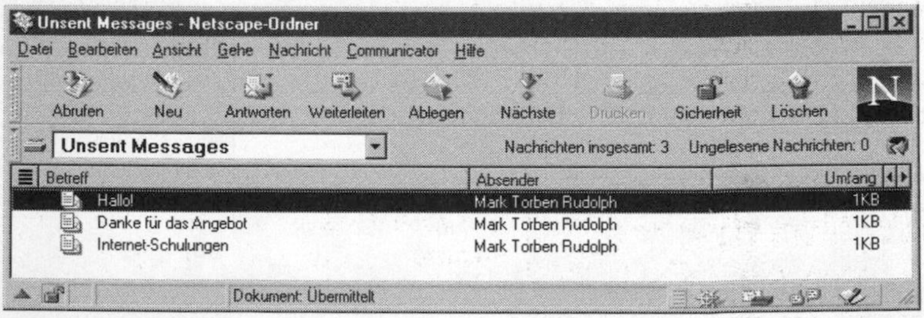

Abb. 228: Der Postausgang im Überblick

Der Versand geht ähnlich leicht:

① Um die erfaßten Briefe ins Internet einleiten zu können, muß natürlich zuerst eine Verbindung dorthin bestehen – sprich: der TCP/IP-Sockel muß aktiviert sein. Koppeln Sie sich hierzu wie auf Seite 108 beschrieben an den Internet-Rechner Ihres Providers an.

② Sobald dann später eine Internet-Verbindung besteht, rufen Sie im *Datei*-Menü des Messengers (nicht des *Verfassen*-Fensters) den Punkt *Ungesendete Nachrichten senden* auf, um die bislang angesammelte Ausgangspost auf einen Rutsch ins Netz zu leiten.

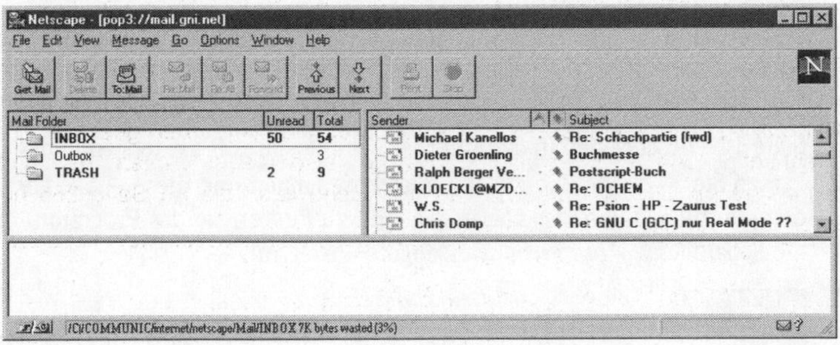

Abb. 229: Leiten Sie Ihren Briefstapel ins Netz

Tip: Briefversand mit anderen Internet-Anwendungen koordinieren

Wenn Sie sowieso schon eine Telefonverbindung zum Internet-Rechner Ihres Providers bestehen haben – beispielsweise, um sich einige Dateien via FTP zu holen – können Sie bei der Gelegenheit auch gleich Ihre eigenen Briefe ins Internet aufgeben. Durch dieses zeitliche Zusammenfassen von Internet-Arbeiten können Sie täglich mehrere Telefonanrufe bei Ihrem Einwahlpunkt und somit auf Dauer eine Menge Geld sparen.

Wenn Sie den Messenger über den Punkt *Schließen* im *Datei*-Menü beenden, während noch unverschickte Nachrichten im *Unsent Messages*-Ordner liegen, fragt Netscape sicherheitshalber nach: „Jetzt senden?“. Bestätigen Sie dies, werden die Nachrichten sofort ins Netz geleitet, andernfalls bleiben Sie im Ordner und warten weiterhin auf ihren Versand.

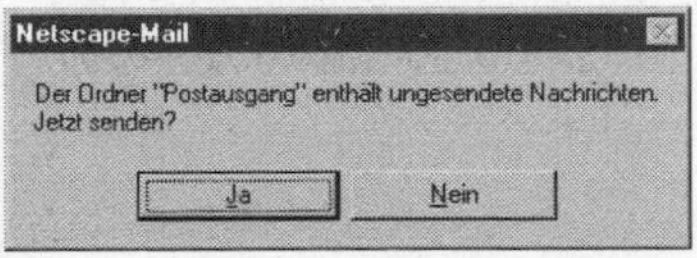

Abb. 230:
Soll die Ausgangspost direkt verschickt werden?

Wenn die E-Mail zweimal klingelt

Nun haben Sie wahrscheinlich schon eine ganze Reihe von Personen mit elektronischen Briefen beglückt; nun wird es Zeit, nach an Sie selbst gerichteter Post zu schauen.

Ist Post für mich da?

Netscape sucht selbst auf dem Internet-Rechner Ihres Providers nach für Sie eingegangener Post, die zwischen Ihren einzelnen Anrufen dort gelagert wird.

① Damit Netscape die bei Ihrem Provider für Sie eingetroffenen Briefe aus dem Internet ziehen kann, muß natürlich eine Verbindung dorthin bestehen. Aktivieren Sie also wieder den TCP/IP-Sockel, indem Sie sich wie auf Seite 108 beschrieben in den Internet-Rechner Ihres Providers einklinken.

② Lassen Sie Netscape dann nach neuer Post suchen und diese – falls vorhanden – auf Ihren Rechner übertragen. Hierzu fordern Sie das Programm über die Schaltfläche *Abrufen* im Messenger-Fenster auf.

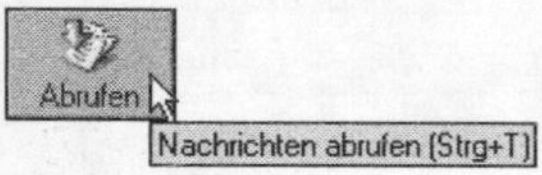

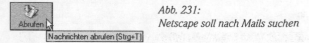

Abb. 231:
Netscape soll nach Mails suchen

Hinweis: Besteht beim Start des E-Mail-Moduls schon eine Internet-Verbindung, so wird automatisch sämtliche neue Post auf Ihren Rechner übertragen.

③ Nun baut Netscape wieder einen Zugang zum Mail-Server Ihres Providers, also dem Lagerungsort der für Sie eingegangenen Post, auf, und schaufelt den dort liegenden Briefstapel über die Leitung.

Lesen eingegangener Post

Wie schon beim Postausgang verwaltet Netscape ebenfalls auch sämtliche eingegangenen Briefe in einer übersichtlichen Liste. Diese finden Sie im Ordner *Inbox*, den Sie über die Ordnerliste links unter der Symbolleiste erreichen.

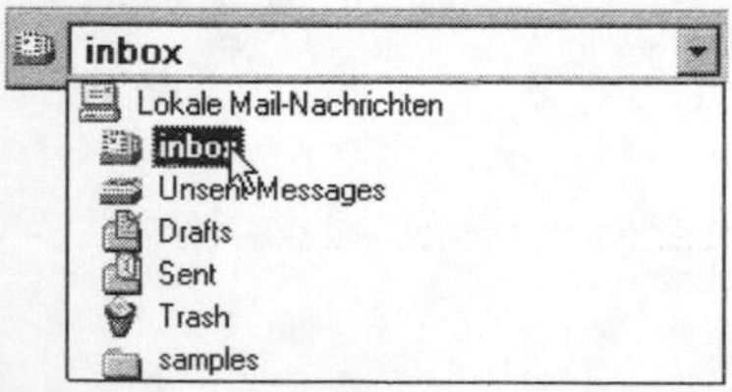

Abb. 232:
Die Eingangspost befindet sich im Inbox-Ordnet

Wie Sie sehen, hat jeder Brief eine Betreffzeile, die das Thema des eigentlichen Brieftextes kurz umschreibt. Außerdem wird davor der Name des Verfassers mit angegeben (hat dieser beim Absenden des Artikels keinen Real-Namen angegeben, steht dort seine Internet-Adresse). Bislang ungelesene Nachrichten werden fett hervorgehoben.

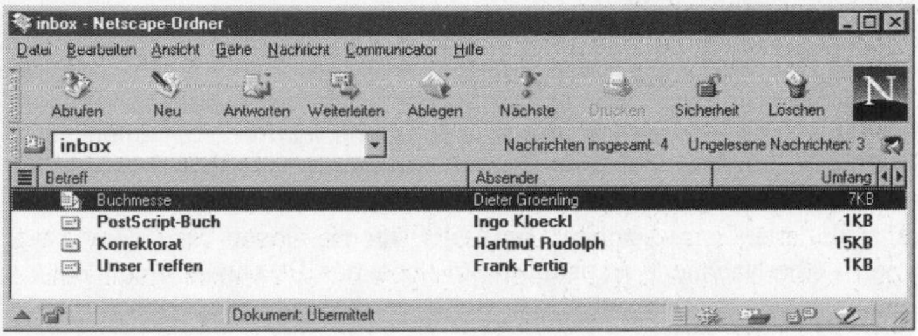

Abb. 233: Die eingegangenen Briefe im Überblick

Sie brauchen nur noch auf die Nachricht zu klicken, die Sie lesen möchten. Sofort zeigt Netscape sie Ihnen im Textfenster (unterhalb der Liste) an.

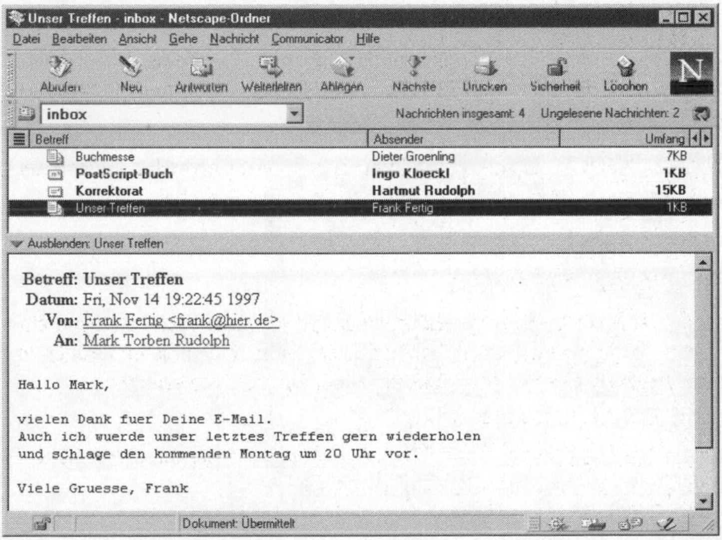

Abb. 234: Ein Brief von Frank

Ist das Textfenster zur Zeit nicht zu sehen, können Sie es über die Funktion *Nachricht einblenden* im Menü *Ansicht* auf den Bildschirm holen.

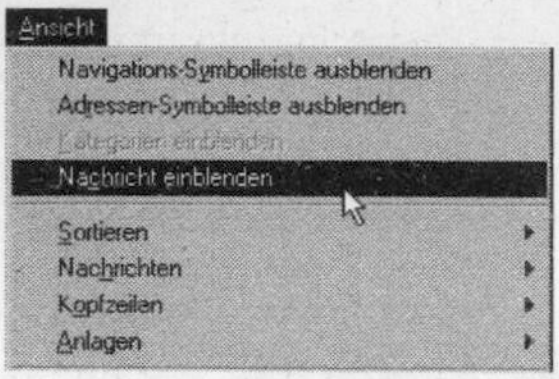

Abb. 235:
Blenden Sie die Textanzeige ein

Tip: Vorsicht vor E-Mail-Scherzbolden!

Wenn Sie plötzlich E-Mails vom Papst, vom Bundeskanzler, vom amerikanischen Präsidenten, von Elvis Presley oder von Albert Einstein erhalten, sollten Sie das nicht allzu ernst nehmen. Hier hat sich wohl jemand einen Scherz erlaubt und Ihnen das geschickt, was alte Internet-Hasen als „Fake" bezeichnen – eine Nachricht mit gefälschtem Absender. So etwas kommt leider vor – nicht immer mit lustigem Anlaß, wie in der folgenden Abbildung zu sehen ist.

In diesem Textfenster zeigt Netscape jeweils zu Beginn der Nachricht (und vor dem eigentlichen Text) nochmals einige Informationen aus dem Nachrichtenkopf an: den Betreff , das Datum und die Zeit des Schreibens sowie den Namen und die E-Mail-Adresse des Verfassers. Falls vorhanden, gibt es Ihnen auch Verweise auf der aktuellen Nachricht vorausgegangene Briefe – zum Beispiel bei einer Antwort auf eine Mail.

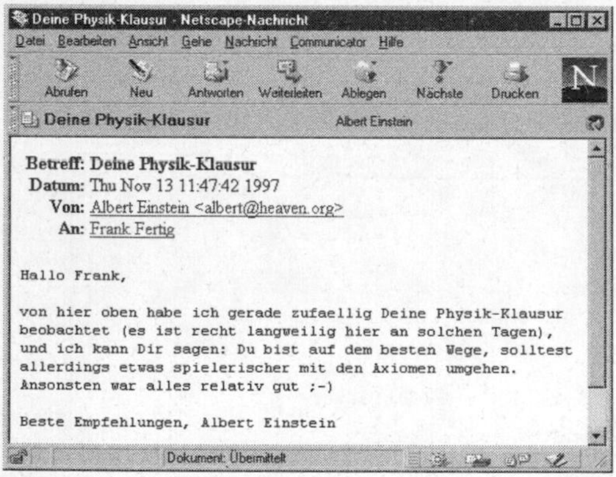

Abb. 236: Eine E-Mail von Albert Einstein ist ganz sicher gefälscht

Beantworten einer E-Mail

Natürlich ist E-Mail keine Einbahnstraße! Vielmehr können Sie sofort eine Antwort auf erhaltene Nachrichten losschicken.

① Hierzu markieren Sie die Nachricht in der Liste des Posteingangs und klicken auf die *Antworten*-Schaltfläche und im ausklappenden Menü auf *Antwort an Absender*.

Hinweis: Ging die ursprüngliche Nachricht an mehrere Empfänger, können Sie Ihre Antwort automatisch an alle schicken lassen, indem Sie im Menü unter der *Antwort*-Schaltfläche auf *Antwort an Absender und alle Empfänger* klicken.

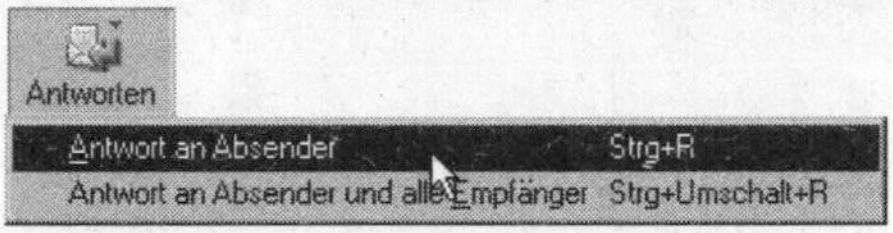

Abb. 237: Mit diesem Schalter werden Briefe beantwortet

② Netscape öffnet sogleich ein neues Fenster für Ihren Antwortbrief. Und die *Antwort*-Funktion leistet noch mehr, nämlich:

- Die E-Mail-Adresse des Absenders der Originalnachricht wird automatisch als Empfänger eingetragen.
- Die Betreffzeile wird aus der Ursprungsnachricht übernommen, und dieser wird ein *Re:* vorangestellt, um den neuen Brief als Antwort („Re" steht für das englische „Reply") zu kennzeichnen.
- Der Text der Originalnachricht wird in den neuen Brief kopiert, wobei jeder Zeile ein „>" vorangestellt wird. Dieses Zeichen wird im Internet verwendet, um Zitate aus vorangegangenen Nachrichten zu kennzeichnen. Es stellt den zitierten Zeilen die Einleitung „Name schrieb:" voran, wobei der Name des Absenders eingesetzt wird.

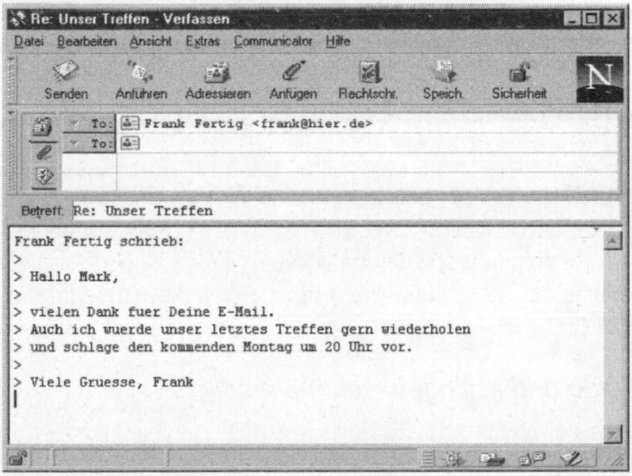

Abb. 238: Der Originalbrief wird automatisch zitiert

③ Jetzt können Sie Ihre Antwort schreiben. Am besten löschen Sie zunächst die überflüssig zitierten Zeilen heraus und setzen eine Begrüßung an den Beginn des Textes. Hat sich die Diskussion nach mehreren Antworten so weit fortbewegt, daß der eigentliche Betreff nicht mehr stimmt, sollten Sie diesen ändern und dahinter in Klammern noch kurz auf den ursprünglichen Betreff hinweisen.

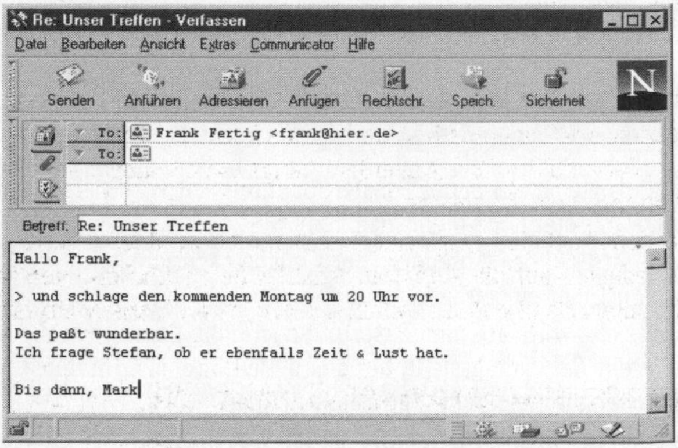

Abb. 239: Der Antwortbrief ist fertig und kann verschickt werden

Der fertige Brief läßt sich dann wie gehabt (und auf Seite 331 gezeigt) verschikken.

Nachrichten weiterleiten und weiterverarbeiten

So manche Nachricht, die Sie per E-Mail erhalten, dürfte wohl auch für Freunde, Bekannte oder Kollegen von Interesse sein. Um diese ebenfalls über den jeweiligen Inhalt zu informieren, müssen Sie den Text nicht abtippen. Netscape macht es nämlich möglich, erhaltene E-Mails beliebig an andere Internet-Teilnehmer weiterzuleiten.

Außerdem lassen sich alle E-Mails beliebig in andere Programme übernehmen, beispielsweise in Ihre bevorzugte Textverarbeitung, um sie dort weiterzuverarbeiten. Natürlich funktioniert auch der umgekehrte Weg, nämlich das Übernehmen von Passagen aus den Dokumenten Ihrer Textverarbeitung in eine zu verschickende E-Mail.

Mails an Freunde und Kollegen weiterleiten

Wenn Sie das obige Beispiel in Abb. 234 und Abb. 239 mitgelesen haben, wissen Sie, daß Frank sein Kommen für den Montagabend, 20 Uhr, angekündigt hat. Ich hatte ihm dies bestätigt und geschrieben, daß ich auch Stefan einladen würde. Genau das will ich nun tun – indem ich Franks Mail an Stefan weiterleite (wie der alte Internet-Hase im eingedeutschten Techno-Englisch sagen würde: „forwarde").

① Wie zuvor beim Beantworten, markieren Sie auch für das Weiterleiten einer Nachricht dieselbe in der Liste des Posteingangs, klicken dann aber auf die *Weiterleiten*-Schaltfläche.

Abb. 240:
Über diesen Schalter leiten Sie Briefe an Dritte weiter

② Netscape öffnet automatisch ein neues Fenster, übernimmt den Betreff des weiterzuleitenden Briefs automatisch und setzt diesem ein Kürzel *fwd* (für das englische „Forward") voran. Außerdem hängt es eine Kopie der Originalnachricht an Ihre neue Mitteilung.

③ Möchten Sie den Text der Originalnachricht in Ihrem Brief zitieren, so brauchen Sie lediglich auf die *Anführen*-Schaltfläche zu klicken. Netscape fügt den Originaltext dann automatisch in das Nachrichtenfenster ein (samt Zitatenzeichen).

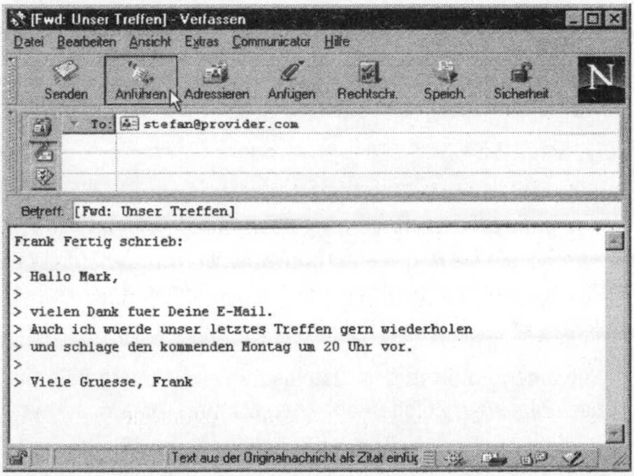

Abb. 241:
Die Zitate werden mit „>„ markiert und eingefügt

④ Tragen Sie hier den neuen Empfänger in das Empfängerfeld ein. Am besten schreiben Sie noch eine kurze Begrüßung an den neuen Empfänger, entfernen die überflüssigen Zeilen aus dem zitierten Text und setzen noch einen kurzen Kommentar dazu. Vergessen Sie auch nicht, den Betreff in der *Betreff*-Zeile so zu ändern, daß der neue Empfänger auf den ersten Blick etwas damit anfangen kann. Danach können Sie den fertigen Brief verschicken.

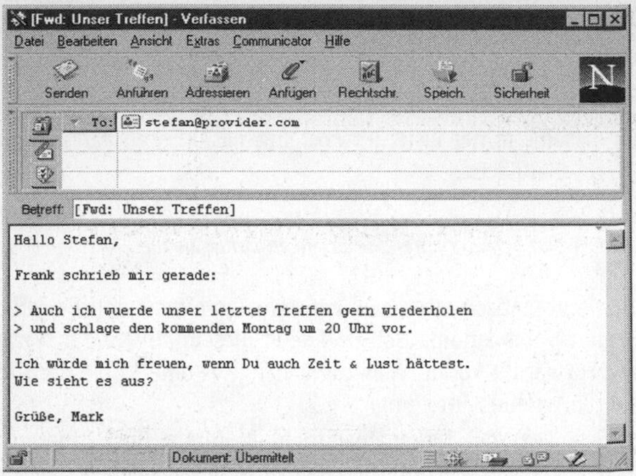

Abb. 242: Der Brief ist zur Weiterleitung bereit

E-Mail-Inhalte in eine Textverarbeitung übernehmen

Per E-Mail erhaltene Nachrichten besonders interessanten Inhalts wollen Sie vielleicht nicht nur in Ihrem Internet-Postfach speichern, sondern am besten auch in Ihre Textverarbeitung übernehmen und dort weiterverarbeiten, möglicherweise in eigene Texte oder „normale" Briefe einbinden, entsprechend mit speziellen Schriftarten oder Hervorhebungen formatieren und dann ausdrucken. Kein Problem, in drei Schritten läßt sich das erledigen:

① Als erstes holen Sie sich in das E-Mail-Modul von Netscape die Mail auf den Bildschirm, die Sie in Ihre Textverarbeitung übernehmen möchten.

② Dann rufen Sie im Menü *Datei* die Funktion *Speichern unter* auf. Wählen Sie ein passendes Verzeichnis zur Ablage der Nachricht und geben Sie der dabei entstehenden Textdatei einen Namen.

Hinweis: Wenn Sie einen Punkt in den Dateinamen einbauen, erhält die Datei die dem Punkt nachfolgenden Zeichen als eine „Endung", die Windows normalerweise zum Feststellen des Dateityps verwendet. Daher empfehle ich Ihnen, zur Kennzeichnung der gespeicherten Nachricht als Textdatei die Endung *.txt* an den Dateinamen anzuhängen und ansonsten keinen weiteren Punkt im Namen zu verwenden.

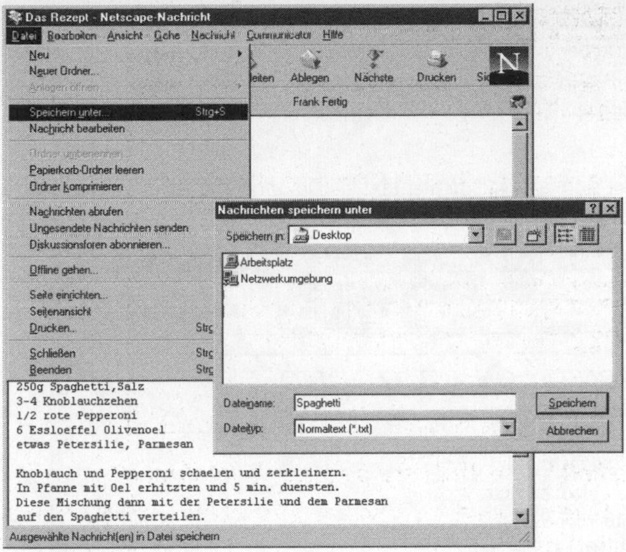

Abb. 243: Eine interessante E-Mail wird in einer Textdatei abgespeichert ...

③ Nun wechseln Sie zu Ihrer Textverarbeitung, beispielsweise Word, und laden dort die soeben erzeugte Datei ein. Bei Word geschieht dies über den Befehl *Öffnen* im Menü *Datei.*

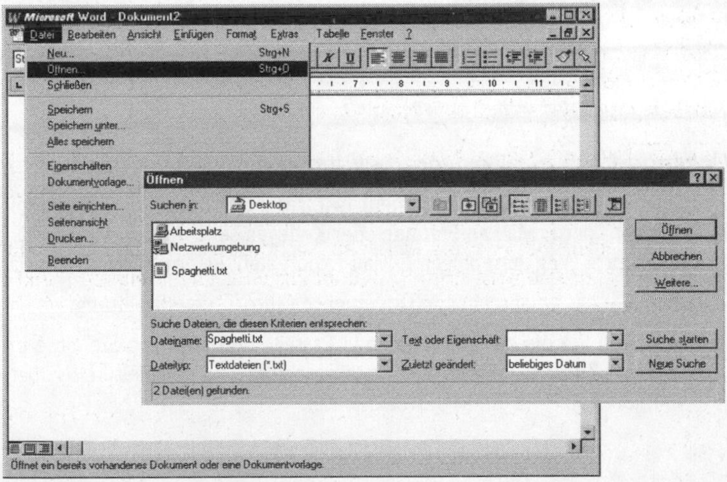

Abb. 244: ... sowie in Word eingeladen ...

Hinweis: Achten Sie darauf, beim Öffnen den korrekten Dateityp einzustellen. Wenn Sie beim Speichern der Nachricht als Endung *.txt* verwendet haben, ist dies der Typ „Textdatei". Ansonsten stellen Sie *Alle Dateien* ein, um sämtliche vorhandenen Dateien (unabhängig von deren Typ) angezeigt zu bekommen.

Nun befindet sich der Nachrichtentext als Dokument in Ihrer Textverarbeitung und läßt sich dort beliebig weiterverarbeiten.

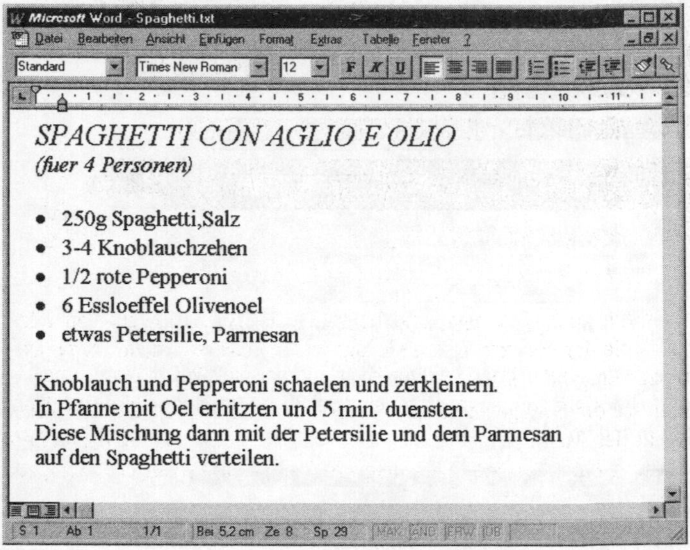

Abb. 245: ... und dort weiterbearbeitet

Passagen aus der Textverarbeitung in eine E-Mail übernehmen

Sie haben ein interessantes Dokument in Ihrer Textverarbeitung, aus dem Sie Passagen gern per E-Mail an Freunde oder Kollegen senden möchten? Auch dieser umgekehrte Weg zum obigen E-Mail-Export stellt keine Schwierigkeit dar:

① Laden Sie das entsprechende Dokument in Ihre Textverarbeitung.

② Markieren Sie die zu übernehmende Passage und kopieren Sie diese in die Windows-Zwischenablage. Bei Word geschieht dies beispielsweise über die Funktion *Kopieren* im Menü *Bearbeiten*.

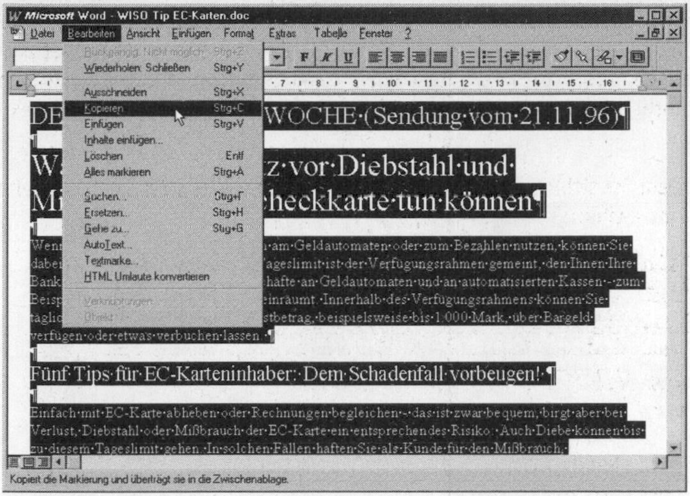

Abb. 246: Der zu übernehmende Text wird zunächst kopiert ...

③ Wechseln Sie zum Messenger und holen Sie die Nachricht auf den Bildschirm, in die der kopierte Text eingefügt werden soll (schon im *Verfassen*-Fenster zur Eingabe des Nachrichtentextes).

④ Plazieren Sie die Einfügemarke (den *Cursor*) an die Stelle, an der ihre Textpassage in der Mail erscheinen soll, und wählen Sie im Menü *Bearbeiten* die Funktion *Einfügen*. Sofort erscheint die Textpassage in Ihrer E-Mail, als hätten Sie diese von Hand eingegeben.

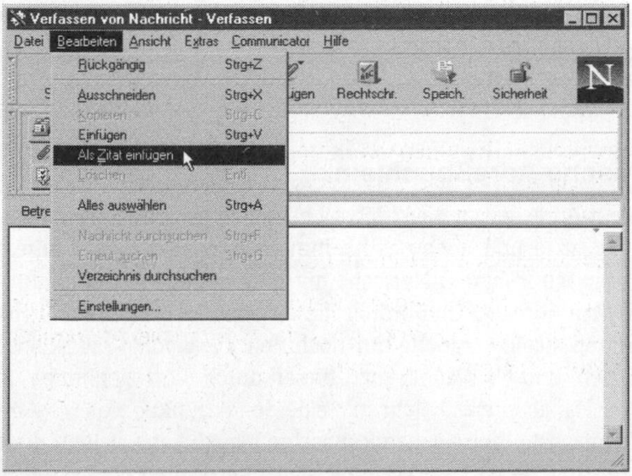

Abb. 247: ... und dann als Zitat eingefügt

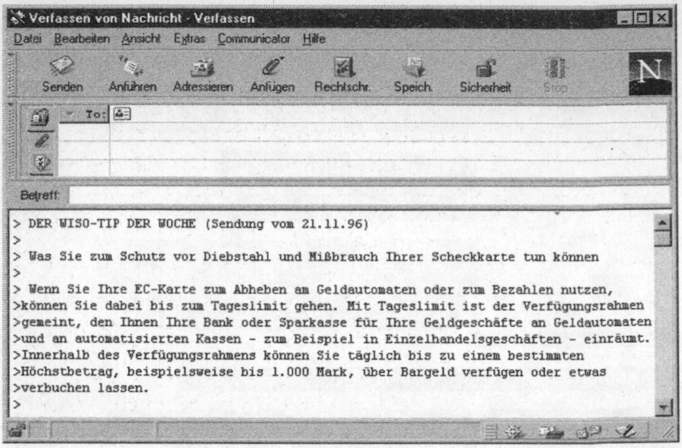

Abb. 248: Der Brief ist fertig

Tip: Text als Zitat einfügen

Soll Ihre Textpassage in der E-Mail wie ein Zitat erscheinen, also mit der Markierung „>„ zu Beginn jeder Zeile, fügen Sie diese über die Funktion *Als Zitat einfügen* ein.

8.3 Die E-Mail-Auskunft und Störungshilfe

Der blitzschnelle Nachrichtenaustausch rund um die Welt funktoniert! Jetzt geht es darum, diesen noch etwas komfortabler und reibungsloser zu gestalten: Sie erfahren, wie Sie die Internet-Adressen Ihrer Korrespondenz-Partner verwalten (und unbekannte herausfinden) und was zu tun ist, wenn E-Mails plötzlich als „unzustellbar“ zurückkommen.

Das elektronische Adreßbüchlein

Können Sie sich gut Adressen merken? Ich nicht, schon gar nicht, wenn es sich um teilweise recht lange und noch dazu mitunter kryptische E-Mail-Adressen handelt. Deshalb bin ich froh, daß Netscape mir die meiste Arbeit abnimmt: Es merkt sich alle E-Mail-Adressen und ordnet diese speziellen (von mir frei eingegebenen) Kurznamen zu. Ich brauche nur noch den Kurznamen (zum Beispiel „Frank“) einzutippen, und Netscape ersetzt diesen durch die zugehörige Adresse in voller Länge. Daneben ermöglicht mir eine Sonderfunktion dieses Adreßbuchs sogar, auf einfachste Weise ganze Rundschreiben zu veranstalten, um mit meinen Texten einen größeren Leserkreis via Mail zu erreichen.

Adreßbuch-Eintrag anlegen

Sogar bei der Eingabe der Adreßbucheinträge nimmt Ihnen das Programm die meiste Arbeit ab:

① Markieren Sie in der Liste der Briefe eine E-Mail von dem Internet-Teilnehmer, den Sie mit einem Kurznamen in Ihr Adreßbuch aufnehmen möchten.

> **Verweis:** Wie Sie Adressen von Teilnehmern eintragen, mit denen Sie bislang keinen E-Mail-Kontakt hatten, erfahren Sie etwas weiter hinten.

② Rufen Sie dann die Funktion *Ins Adreßbuch aufnehmen* im Menü *Nachricht* auf, und wählen Sie in der ausklappenden Liste den Punkt *Absender*

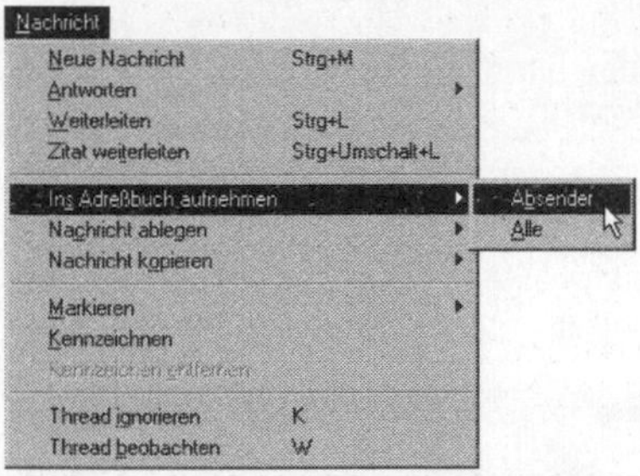

Abb. 249: Der Absender der markierten Nachricht soll ins Adreßbuch aufgenommen werden

③ Sofort erscheint das *Visitenkarten*-Fenster. Hier können Sie alle zur jeweiligen Person gehörigen Daten eintragen, wobei Netscape die schon bekannten Feldinhalte (Internet-Adresse und ggf. auch Realname) schon eingesetzt hat.

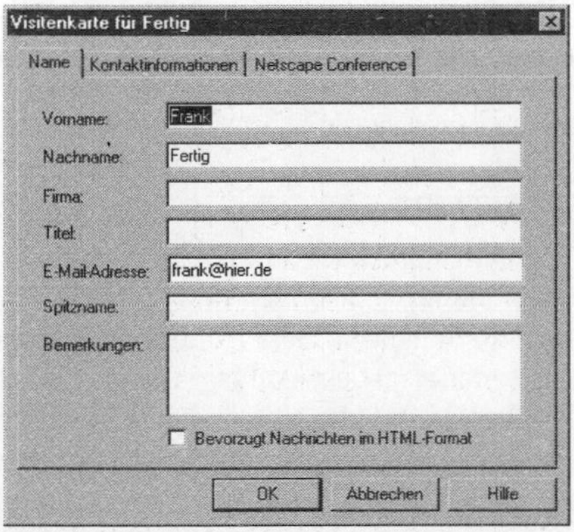

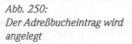

Abb. 250: Der Adreßbucheintrag wird angelegt

④ Bestätigen Sie Ihre Eintragungen mit *OK*.

Wenn Sie nun beim Adressieren einer neuen E-Mail einen schon im Adreßbuch eingetragenen Namen neu eingeben, merkt Netscape dies automatisch und vervollständigt Ihre Eingabe selbständig.

Adreßbuch-Einträge bearbeiten

Adreßbücher sind einem ständigen Wandel unterzogen. Oft kommen neue Einträge hinzu, mitunter wird auch mal ein alter überfällig. Um die Einträge Ihres Netscape-Adreßbuchs durchzusehen und nachzubearbeiten, holen Sie sich das Fenster des Adreßbuchs über den Punkt *Adreßbuch* im Menü *Communicator* auf den Bildschirm. Jede Person, deren E-Mail-Anschrift Sie in Ihrem Adreßbuch verwalten, wird durch ein kleines Symbol dargestellt, wie in beispielhaft dargestellt.

- Um dem Adreßbuch einen Personen-Eintrag hinzuzufügen, klicken Sie auf die Schaltfläche *Neue Karte.*
- Um einen Eintrag nachträglich abzuändern, klicken Sie auf dessen Symbol und dann auf die Schaltfläche *Eigenschaften.*
- Möchten Sie eine Person ganz aus dem Adreßbuch entfernen, klicken Sie auf deren Symbol und dann auf die Schaltfläche *Löschen.*

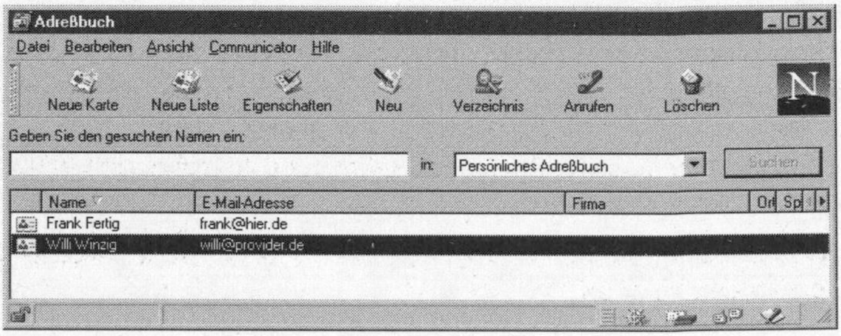

Abb. 251: Das Fenster des Netscape-Adreßbuchs

Das Adreßbuch noch besser nutzen

Um eine Nachricht an eine der in Ihrem Adreßbuch verwalteten Personen zu schicken, brauchen Sie lediglich deren Eintrag anzuklicken und dann die Schaltfläche *Neu* (mit dem Füller-Symbol) zu aktivieren. Sofort öffnet Netscape ein neues *Verfassen*-Fenster zum Erfassen der Nachricht und trägt die gewünschte Anschrift auch direkt in das dortige *Empfänger*feld ein. Befinden Sie sich schon im *Verfassen*-Fenster, so können Sie dort auf den *Adressieren*-Schalter klicken, um das Adreßbuch aufzurufen.

Elektronische Rundschreiben und Verteiler

Möchten Sie eine Nachricht an mehrere Empfänger schicken, dann können Sie diese natürlich über *Weiterleiten* an jeden einzeln kopieren – das wäre die umständliche Methode. Die einfachere Variante ist, das Adreßbuch von Netscape dazu zu verwenden, eine „Verteilerliste" anzulegen.

Abb. 252: Eine Verteilerliste

① Hierzu klicken Sie im Adreßbuch-Fenster auf die Schaltfläche *Neue Liste.*

② Netscape öffnet dann ein neues Fenster, in welchem Sie den Namen der Liste festlegen und einen beschreibenden Text erfassen können.

③ In das darunter liegende, linierte Feld geben Sie dann die einzelnen Adressen der Listenteilnehmer ein.

Die Einträge der Verteilerlisten lassen sich auf gleiche Weise nachbearbeiten, wie die normalen Einträge.

So finden Sie E-Mail-Adressen

Die Zahl der Internet-Teilnehmer ist riesig und es werden täglich mehr – aus allen Bereichen, sowohl aus beruflichem wie auch privatem Interesse. Genauso vielfältig sind aber auch die verschiedenen E-Mail-Adressen der Teilnehmer. Und das kann ein Problem darstellen, denn wenn Sie die Empfängeradresse Ihrer Nachricht nicht exakt richtig eingeben, wird die Mail ihr Ziel nicht erreichen. Es müßte also eine Art „Telefonbuch" her, in dem alle Internet-Teilnehmer mitsamt ihren Adressen verzeichnet sind.

Warum es kein Internet-Telefonbuch gibt

Wenn Sie unsere kleine Internet-Geschichte ab Seite 31 gelesen haben, wissen Sie, daß das Internet dezentral aufgebaut ist. Es gibt keine „Oberinstanz", die

Teilnehmer an das Netz lassen oder vom Netz ausschließen könnte. Aus gleichem Grund weiß aber auch niemand, wie viele Personen nun wirklich am Netz der Netze beteiligt sind – es gibt keinerlei verläßliche Information.

Wie Sie trotzdem nach Personen suchen können

Hier haben findige Programmierer angesetzt und einen neuen Weg gefunden, doch noch eine Art „Teilnehmerverzeichnis" für das Internet zu erstellen: Spezielle Programme durchforsten die Diskussionsforen des Internet und merken sich den Namen und die Internet-Adresse jedes Absenders eines dort erschienenen Artikels (natürlich jeden nur einmal). So gibt es zumindest eine Datenbank mit den Adressen von Personen, die aktiv an den Diskussionen im Netz teilnehmen – und das sind ja nicht gerade wenige. Außerdem kann sich jeder Internet-Teilnehmer selbst in die Verzeichnisse eintragen.

E-Mail-Suche im Netscape-Adreßbuch

Über das Netscape-eigene Adreßbuch können Sie eine solche Suche ganz bequem durchführen:

① Wählen Sie im Feld rechts oberhalb der Adreßliste (neben der *Suchen*-Schaltfläche) den Namen des zu durchsuchenden Verzeichnisdienstes aus.

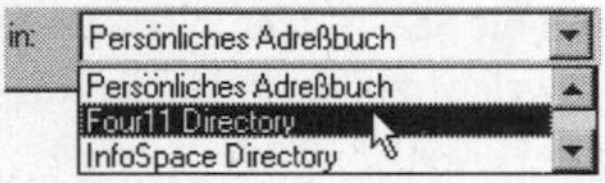

Abb. 253:
Welches Verzeichnis soll durchsucht werden?

② Tragen Sie dann den Suchbegriff in das links daneben liegende Eingabefeld ein und klicken Sie auf *Suchen*.

③ Sogleich listet Netscape alle passenden Adressen, die es im genannten Netzverzeichnis gefunden hat, in Ihrem Adreßbuch auf.

Tip: E-Mail-Adressen schnell finden – die besten Server

Wie so oft sind auch diese Server bei weitem nicht die einzigen ihrer Art im Internet. Andere bekannte Adreßfinder sind als externe Dienste im World Wide Web erreichbar. Um einen schnellen und bequemen Zugriff auf die verschiedensten Adreßsuchdienste im Netz zu ermöglichen, habe ich eine Vielzahl solcher Suchhilfen unter folgender WWW-Adresse verfügbar gemacht: *http://ourworld.compuserve.com/homepages/mtrudolph/email.htm*. Wählen Sie einen gewünschten Service aus, tragen Sie den Suchbegriff ein und klicken Sie auf „Suche starten". Sogleich wird die komplette Suchanfrage automatisch durchgeführt, und wenige Augenblicke später erhalten Sie die Liste der Fundstellen. Ein Klick auf den jeweiligen Servicenamen führt Sie zu dessen Hauptseite.

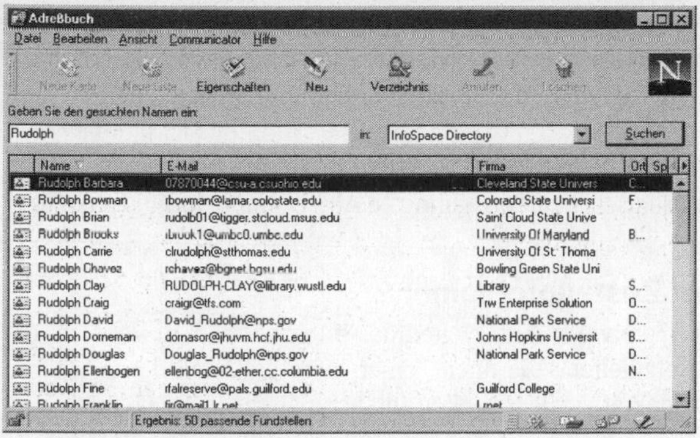

Abb. 254: Das Resultat einer Adreßsuche

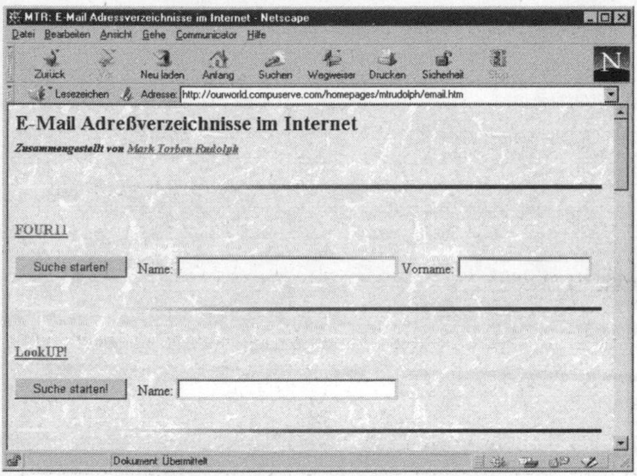

Abb. 255: Eine Vielzahl von Suchdiensten auf einen Blick

Was tun, wenn E-Mail zurückkommt?

Schwierigkeiten bei der Postzustellung (beispielsweise aufgrund von Schreibfehlern in der Adresse) sind nie ausgeschlossen – weder bei der „gelben Post" (von Internet-Nutzern aufgrund des riesigen Geschwindigkeitsunterschiedes auch hämisch „Schneckenpost" genannt) noch im Internet.

Der schwarze Peter liegt beim Anwender

Einen Unterschied gibt es allerdings in der Behandlung solcher Zustellschwierigkeiten: Während sich bei der gelben Post oft Mitarbeiter darum bemühen, die korrekte Adresse herauszufinden, um den Brief doch noch zustellen zu können, bleibt es im Internet ganz an Ihnen als Absender hängen, für die richtige Adresse zu sorgen. Mehr noch: Macht es bei der gelben Post kaum Probleme, wenn Sie den Straßennamen nicht ganz richtig geschrieben haben (zum Beispiel „Darmstetter Alee" statt „Darmstädter Allee"), da hier ja immer noch Menschen am Werk sind, reagieren die automatischen Zustellprogramme des Internet höchst allergisch selbst auf die geringste Abweichung von der richtigen Schreibweise.

Was passiert bei Zustellproblemen?

Stößt ein Programm irgendwo in den Weiten des Internet bei dem Versuch, einen Ihrer Briefe weiterzuleiten, auf einen Fehler, wird es Ihnen den Brief mit 99%iger Wahrscheinlichkeit zurückschicken (manchmal gehen Briefe auch einfach verloren, etwa weil auf einem Rechner unterwegs eine Festplatte mit dem kompletten Inhalt samt Ihrem Brief in die ewigen Jagdgründe ging). Zusätzlich wird er Ihrer Mail eine Information voranstellen, wo genau das Problem bei der Zustellung lag.

Wo liegt das Problem?

Eine solche Fehlermeldung sehen Sie in Abb 255. Hier ist folgendes aufgetreten:

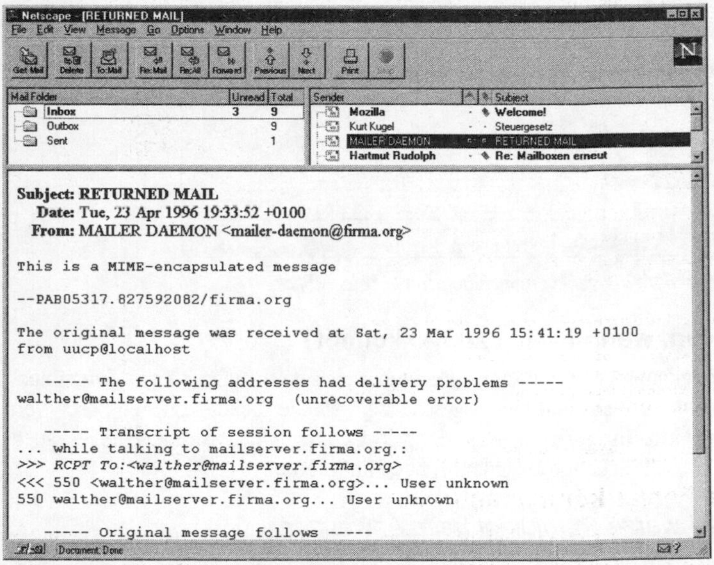

Abb. 256: Eine typische Fehlermeldung per E-Mail

① Die Fehlermeldung stammt vom Mailer-Daemon (dem Programm, das für die Postzustellung zuständig ist) des Rechners firma.org, wie die Zeile *From* im Nachrichtenkopf besagt:
From: MAILER DAEMON <mailer-daemon@firma.org>

② Darunter wird mitgeteilt, bei welcher Adresse es zu dem Zustellproblem gekommen ist – in unserem Fall bei walther@mailserver.firma.org.
----- The following addresses had delivery problems -----
walther@mailserver.firma.org (unrecoverable error)

③ Sogar ein Hinweis, woran die Zustellung gescheitert ist, fehlt nicht: „User unknown“ – ein Nutzer namens Walther ist dem Zielrechner nicht bekannt.
----- Transcript of session follows -----
... while talking to mailserver.firma.org.:
550 walther@mailserver.firma.org... User unknown

④ Damit Sie wissen, um welche Nachricht es sich handelt, hängt ganz unten noch der von Ihnen verfaßte Brieftext an, von der Fehlermeldung durch folgende Zeile getrennt:
----- Original message follows -----

Jetzt wissen Sie, wo der Fehler lag, und können die Nachricht mit korrigierter Adresse nochmals absenden. Vielleicht schreibt sich Walther gar nicht mit einem „h“, sondern nur walter@mailserver.firma.org?

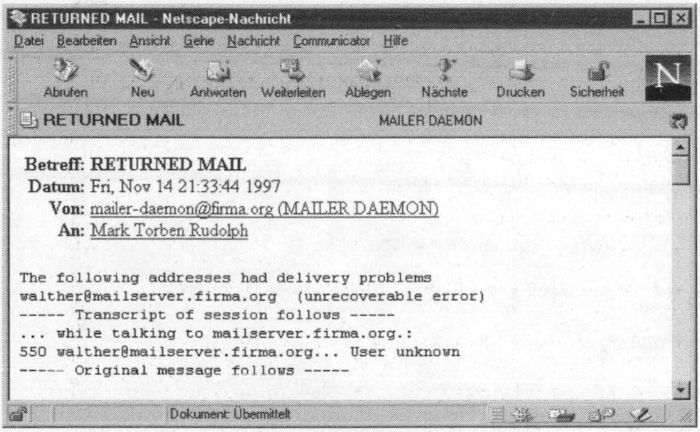

Diese Fehler können auftreten

Nicht immer läßt sich der Fehler so genau einkreisen, daher habe ich Ihnen im folgenden eine Liste der häufigsten Fehlermeldungen mit ihrer jeweiligen Bedeutung zusammengestellt.

Während die vier oberen Meldungen zumeist auf Schreibfehler hindeuten, sind die unteren Probleme oft nur temporärer Natur, so daß Sie es ruhig nochmal versuchen sollten.

Die Meldung ...	... und was sie bedeutet
User unkown	Der Name des Teilnehmers (vor dem @-Zeichen) ist unbekannt, vielleicht falsch geschrieben?
Host unkown	Der angegebene Rechner (nach dem @-Zeichen) konnte nicht aufgefunden werden. Auch hier kann ein Schreibfehler vorliegen.
Unkown Domain	Die angegebene Domain des Zielrechners wurde nicht gefunden. Wahrscheinlich ebenfalls aufgrund eines Schreibfehlers.
Domain unresolvable	Wie „Unknown Domain".
Network unreachable	Das Netzwerk, dem der Zielrechner angehört, wurde zwar gefunden, konnte aber nicht erreicht werden. Vielleicht war gerade eine Leitung zusammengebrochen?
Connection timed out	Der angegebene Zielrechner ist zwar gefunden, aber nicht erreicht worden. Ein typisches Übertragungsproblem.
Connection refused	Der Zielrechner ließ die Übertragung der Nachricht nicht zu. Hier könnte ein Software-Problem dieses Rechners vorliegen.
Service unavailable	Wie „Connection refused".

Wenn gar nichts mehr hilft – Postmaster fragen

Führen Ihre Bemühungen, den Fehler auszumerzen, zu keinem Ziel (vielleicht weil der Fehler beim Zielrechner oder einem System auf dem Postweg liegt?), so sollten Sie versuchen, Hilfe zu bekommen.

Hierfür ist der sogenannte Postmaster zuständig. Dies ist der Spezialist, der den korrekten Nachrichtenfluß auf dem jeweiligen Rechner sicherstellt.

Wenden Sie sich an den Postmaster des Rechners, der Ihnen die Fehlermeldung geschickt hat. Im obigen Schritt 1 der Fehleranalyse wurde festgestellt, daß die Meldung von folgendem System stammte:

From: MAILER DAEMON <mailer-daemon@firma.org>

Die Adresse des Postmasters ist demnach:

postmaster@firma.org

Schreiben Sie ihn einfach an: Leiten Sie ihm die Fehlermeldung weiter (wie auf Seite 338 beschrieben) und bitten Sie ihn freundlich um Hilfe.

Die wird er Ihnen sicher nicht verweigern. Allerdings sind Postmaster zumeist sehr stark mit der bei ihrer Aufgabe anfallenden Arbeit und allerlei Anfragen von Nutzern (so wie der Ihren) beschäftigt, so daß es durchaus ein paar Tage dauern kann, bis Sie Antwort erhalten.

8.4 Blick über den Tellerrand

Mit E-Mail geht noch eine ganze Reihe mehr als das bisher Gezeigte: So können Sie beispielsweise auch die Teilnehmer anderer Netze und Online-Dienste erreichen, beispielsweise CompuServe. Oder Sie hängen Dateien jeglicher Couleur an Ihre Nachrichten an und verpassen Ihren Mails so einen Hauch von Multimedia. Auch der Datenschutz ist einige Worte wert.

E-Mail in andere Netze schicken

Neben dem Internet existieren auch noch weitere Datennetze, über die ein elektronischer Nachrichtenverkehr möglich ist. Hierdurch ergibt sich natürlich auch gleich die Frage, ob ein Austausch von Briefen zwischen Teilnehmern verschiedener Netze möglich ist. Die Antwort lautet in den meisten Fällen: ja!

Brückenschlag zwischen verschiedenen Netzen

Speziell zu diesem Zweck wurden an vielen Stellen sogenannte „Gateways" eingerichtet – wie schon im Rahmen unserer kleinen Internet-Geschichte auf Seite 31 geschildert und in Abb. 23 dargestellt. Solche „Gateways" sind „Brücken" zwischen zwei Netzen – Verbindungswege, und noch dazu intelligente, denn die meisten Netze verwenden unterschiedliche Arten, ihre Briefe zu adressieren. Würden Sie beispielsweise im Internet eine CompuServe-Adressierung verwenden (diese Ziffernfolge mit dem Komma zwischendrin), käme der Brief nie bei seinem Empfänger an, da kein Internet-Rechner auf dem Übertragungsweg mit dieser Adressierung etwas anfangen könnte. Hier greift nun das Gateway ein: Es ist von jedem der beiden Netze, die es verbindet, ganz normal adressierbar. Intern schreibt es dann die jeweils zusätzlich angegebenen Zieladressen der weiterzuleitenden Nachrichten in das Format des Zielnetzes um und schickt die Nachricht an seinen Verbindungsrechner in diesem Netz. Dort wandert der Brief nun problemlos weiter bis zu seinem Empfänger. Der kann darauf antworten, und die ganze Geschichte geht wieder retour.

Tip: Adreßfindung zu anderen Netzen

Dementsprechend leicht haben Sie es bei Antworten auf Nachrichten aus anderen Netzen: Hier ist die Ursprungsnachricht ja überhaupt erst durch ein Gateway ins Internet gekommen – demnach wurde die Adressierung angepaßt, so daß Sie einfach darauf antworten können. Möchten Sie dagegen E-Mails in weitere Netze verschicken und wissen die genaue Adressierung nicht, dann fragen Sie doch einfach einmal wie auf Seite 271 beschrieben in der Gruppe *de.newusers.questions* nach. Hier wird man Ihnen gerne helfen!

Der Geburtstagsgruß – eine E-Mail nach CompuServe schicken

Ein solches Gateway wird – wie schon im obigen Beispiel kurz erwähnt – vom bekannten Online-Dienst CompuServe betrieben. Es ermöglicht den Nachrichtenaustausch zwischen Internet- und CompuServe-Teilnehmern, wie das folgende Szenario veranschaulicht:

Frank möchte seinem guten Freund Julius zum Geburtstag gratulieren – allerdings ist es schon etwas spät für eine Karte; nur ein elektronischer Gruß würde den Empfänger an seinem Ehrentag noch pünktlich erreichen. Auf Julius' Visitenkarte ist auch eine E-Mail-Adresse angegeben, allerdings befindet sich diese im Netz von CompuServe und hat die für Internet-Augen seltsame Schreibweise 100234,567.

So sieht die Adresse aus

In der Diskussionsgruppe *de.newusers.questions* hat Frank aber vor kurzem gelesen, wie das Gateway zu CompuServe angesprochen wird. Es hat eine eigene Internet-Adresse:

compuserve.com

Davor wird als Empfängerangabe die Nummer des jeweiligen CompuServe-Teilnehmers gesetzt. Allerdings muß, um mit den Adressierungsnormen des Internet konform zu bleiben, das Komma durch einen Punkt ersetzt werden. Julius´ Adresse sieht von Internet-Seite demnach so aus:

100234.567@compuserve.com

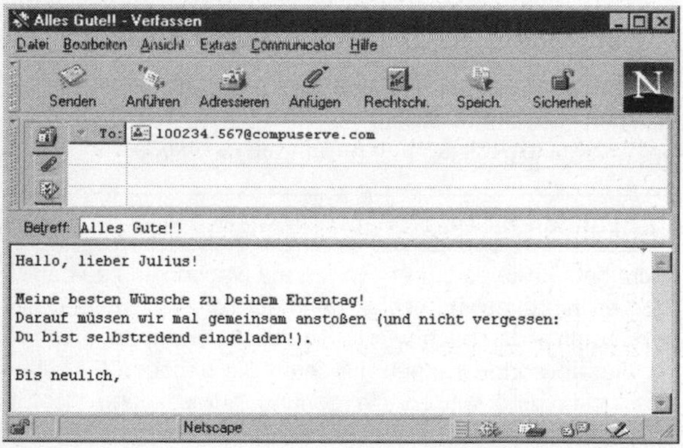

Alles Gute!! - Verfassen
Datei Bearbeiten Ansicht Extras Communicator Hilfe
Senden Anführen Adressieren Anfügen Rechtschr. Speich. Sicherheit
To: 100234.567@compuserve.com
Betreff: Alles Gute!!
Hallo, lieber Julius!
Meine besten Wünsche zu Deinem Ehrentag!
Darauf müssen wir mal gemeinsam anstoßen (und nicht vergessen:
Du bist selbstredend eingeladen!).
Bis neulich,
Netscape

Abb. 257: Eine E-Mail wird zu CompuServe geschickt

Jetzt wird geschrieben!

Frank ruft also im Menü *Message* den Punkt *New Message* auf. Als Empfänger gibt er, wie zuvor ermittelt, die folgende Adresse ein:

100234.567@compuserve.com

Er schickt die Nachricht ab. Kurze Zeit später erhält er Antwort von Julius, der offenbar selbst an seinem Geburtstag vor dem Computer sitzt. Franks E-Mail ist gut eingetroffen und hat ihren Zweck erfüllt.

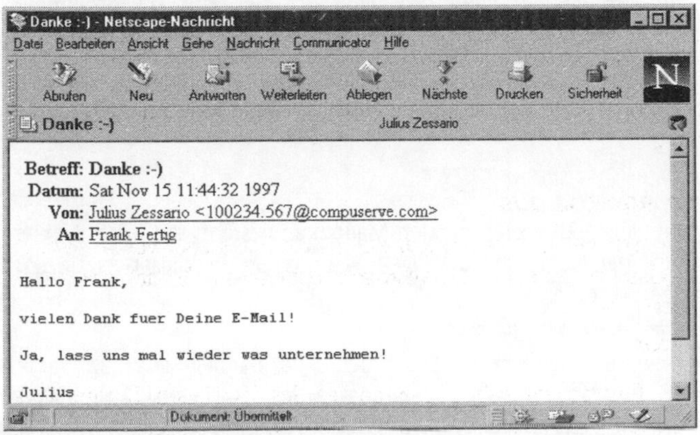

Abb. 258: Antwort aus dem fremden Netz

Übersicht: Adreßschreibweisen anderer Netze

Neben CompuServe gibt es noch eine Reihe weiterer Netzwerke, deren Adressierung ich Ihnen hier (vom Internet aus gesehen) kurz vorstellen möchte.

America Online

America Online benutzt eine stark ans Internet angelehnte Schreibweise:

name@aol.com

Heißt Ihr Freund bei AOL also „Julius“, lautet die Empfängeranschrift:

julius@aol.com

Kommt ein Leerzeichen in dessen AOL-Namen vor, so lassen Sie dies bei der Internet-Adresse einfach weg, als sei es gar nicht vorhanden.

Delphi

Ähnlich America Online ist auch das Schreiben von E-Mails nach Delphi angenehm einfach – die Adressierung lautet:

name@delphi.com

T-Online

T-Online verwendet sowohl Namen als auch Nummernfolgen (die Telefonnummer). Hier lautet die Adresse:

nutzerkennung@T-Online.de

Hat Ihr Freund bei T-Online also den Nutzernamen julius.mueller, so lautet die Empfängeranschrift:

julius.mueller@T-Online.de

Wird eine Nummernfolge verwendet, so bildet sich diese aus Telefonnummer (mit Vorwahl) und vierstelliger Mitbenutzernummer (mit führenden Nullen). Hat Ihr Freund bei T-Online also die Rufnummer 01234/56789 und die Mitbenutzernummer 1, so lautet die komplette Adressierung:

0123456789-0001@T-Online.de

Maus Net

Da das Maus Net aus mehreren separaten Mailboxen besteht, muß zum Namen des Nutzers auch der Name der jeweiligen Mailbox, an der dieser angeschlossen ist, angegeben werden:

vorname_nachname@mailbox.maus.de

Die Adressierung für den Nutzer julius_mueller bei der Mailbox „zz" lautet dann:

julius_mueller@zz.maus.de

FIDO

Das FIDO-Netzwerk hat reine Zahlenadressen. Zu deren Umwandlung wurde ein eigenes Gateway-Programm bei fidonet.org ins Leben gerufen. Die Adreßschreibweise vom Internet aus lautet:

vorname.nachname@pX.fX.nX.zX.fidonet.org

Dabei stehen die X jeweils für die entsprechende Nummer in umgekehrte Reihenfolge der Originaladresse. Hat Ihr Freund Julius Müller im FIDO also die Adresse 1:2345/6789.0, so schreiben Sie aus dem Internet an:

julius.mueller@p0.f6789.n2345.z1.fidonet.org

Bitnet

Im Bitnet hat jeder Nutzer eine Adresse in der Form

Nutzer@dDomain

Da diese schon selbst sehr stark ans Internet angelehnt ist, reicht es aus, einfach den Zusatz *.bitnet* an diese anzuhängen:

julius@domain.bitnet

Sollte diese Schreibweise wider Erwarten nicht zum gewünschten Erfolg führen, müssen Sie ein Bitnet-Gateway direkt anschreiben. Hierzu ändern Sie den Klammeraffen @ aus der obigen Adresse in ein Prozentzeichen und hängen die Adresse das Gateways (wahlweise *@vm.marist.edu* oder *@cunyvm.cuny.edu*) hinten an. Somit ergibt sich:

julis%domain.bitnet@vm.marist.edu

julius%domain.bitnet@cunyvm.cuny.edu.

GEnie

GEnie vergibt Nutzernamen und -nummern. Die Adressierung lautet dann:

nutzerkennung@genie.geis.com

Bei der Schreibweise der Namen heißt es allerdings aufgepaßt: Ist im Namen ein Leerzeichen enthalten, dann müssen Sie dieses durch einen Unterstrich ([Umschalt]+[-]) ersetzen. Die E-Mail an Julius Mueller bei GEnie geht also an:

Julius_Mueller@genie.geis.com

MCI Mail

Zum Abschluß wieder etwas ganz einfaches: MCI Mail macht ebenso wie America Online oder Delphi keinerlei Probleme bei der Adreßschreibweise. Diese lautet nämlich wie folgt:

name@mcimail.com

Für Julius also beispielsweise:

julius@mcimail.com

E-Mail mit Multimedia

Standardmäßig können E-Mails nur eine bestimmte Art von Zeichen übertragen, nämlich den „lesbaren" Teil der Zeichensatztabelle Ihres Computers, die sogenannten „7-Bit-Zeichen". Dummerweise sind darin weder Umlaute und landesspezifische Sonderzeichen noch die für Binärdateien (wie Bilder, Klänge oder Programme) benötigten Steuerzeichen enthalten – diese sogenannten „8-Bit-Zeichen" tummeln sich im restlichen Bereich der Zeichensatztabelle.

0	00		32	20		64	40	@	96	60	`
1	01	☺	33	21	!	65	41	A	97	61	a
2	02	☻	34	22	"	66	42	B	98	62	b
3	03	♥	35	23	#	67	43	C	99	63	c
4	04	♦	36	24	$	68	44	D	100	64	d
5	05	♣	37	25	%	69	45	E	101	65	e
6	06	♠	38	26	&	70	46	F	102	66	f
7	07	•	39	27	'	71	47	G	103	67	g
8	08	◘	40	28	(	72	48	H	104	68	h
9	09	○	41	29	)	73	49	I	105	69	i
10	0A	◙	42	2A	*	74	4A	J	106	6A	j
11	0B	♂	43	2B	+	75	4B	K	107	6B	k
12	0C	♀	44	2C	,	76	4C	L	108	6C	l
13	0D	♪	45	2D	-	77	4D	M	109	6D	m
14	0E	♫	46	2E	.	78	4E	N	110	6E	n
15	0F	—	47	2F	/	79	4F	O	111	6F	o
16	10	►	48	30	0	80	50	P	112	70	p
17	11	◄	49	31	1	81	51	Q	113	71	q
18	12	↕	50	32	2	82	52	R	114	72	r
19	13	‼	51	33	3	83	53	S	115	73	s
20	14	¶	52	34	4	84	54	T	116	74	t
21	15	§	53	35	5	85	55	U	117	75	u
22	16	▬	54	36	6	86	56	V	118	76	v
23	17	↨	55	37	7	87	57	W	119	77	w
24	18	↑	56	38	8	88	58	X	120	78	x
25	19	↓	57	39	9	89	59	Y	121	79	y
26	1A	→	58	3A	:	90	5A	Z	122	7A	z
27	1B	←	59	3B	;	91	5B	[	123	7B	{
28	1C	∟	60	3C	<	92	5C	\	124	7C	¦
29	1D	↔	61	3D	=	93	5D	]	125	7D	}
30	1E	▲	62	3E	>	94	5E	^	126	7E	~
31	1F	▼	63	3F	?	95	5F	_	127	7F	▓

...

128	80	Ç	160	A0	á	192	C0	└	224	E0	α
129	81	ü	161	A1	í	193	C1	┴	225	E1	ß
130	82	é	162	A2	ó	194	C2	┬	226	E2	Γ
131	83	â	163	A3	ú	195	C3	├	227	E3	π
132	84	ä	164	A4	ñ	196	C4	─	228	E4	Σ
133	85	à	165	A5	Ñ	197	C5	┼	229	E5	σ
134	86	å	166	A6	ª	198	C6	╞	230	E6	µ
135	87	ç	167	A7	º	199	C7	╟	231	E7	τ
136	88	ê	168	A8	¿	200	C8	╚	232	E8	Φ
137	89	ë	169	A9	⌐	201	C9	╔	233	E9	Θ
138	8A	è	170	AA	¬	202	CA	╩	234	EA	Ω
139	8B	ï	171	AB	½	203	CB	╦	235	EB	δ
140	8C	î	172	AC	¼	204	CC	╠	236	EC	∞
141	8D	ì	173	AD	¡	205	CD	═	237	ED	φ
142	8E	Ä	174	AE	«	206	CE	╬	238	EE	ε
143	8F	Å	175	AF	»	207	CF	╧	239	EF	∩
144	90	É	176	B0	░	208	D0	╨	240	F0	≡
145	91	æ	177	B1	▒	209	D1	╤	241	F1	±
146	92	Æ	178	B2	▓	210	D2	╥	242	F2	≥
147	93	ô	179	B3	│	211	D3	╙	243	F3	≤
148	94	ö	180	B4	┤	212	D4	╘	244	F4	⌠
149	95	ò	181	B5	╡	213	D5	╒	245	F5	⌡
150	96	û	182	B6	╢	214	D6	╓	246	F6	÷
151	97	ù	183	B7	╖	215	D7	╫	247	F7	≈
152	98	ÿ	184	B8	╕	216	D8	╪	248	F8	°
153	99	Ö	185	B9	╣	217	D9	┘	249	F9	∙
154	9A	Ü	186	BA	║	218	DA	┌	250	FA	·
155	9B	¢	187	BB	╗	219	DB	█	251	FB	√
156	9C	£	188	BC	╝	220	DC	▄	252	FC	η
157	9D	¥	189	BD	╜	221	DD	▌	253	FD	²
158	9E	₧	190	BE	╛	222	DE	▐	254	FE	■
159	9F	ƒ	191	BF	┐	223	DF	▀	255	FF	

Abb. 259: Der lesbare Teil des ASCII-Zeichensatzes ... und der Rest

Hinweis: Die 7-Bit-Zeichen finden Sie in der „ASCII-Tabelle", die den Zeichensatz Ihres Computers enthält, auf den Positionen bis 127.

Binärdateien als Text verschicken

Aus diesem Grund müssen alle Dateien, die Sie über das Internet verschicken, in reinen Text umgewandelt werden, so daß sie nur noch aus 7-Bit-Zeichen bestehen. Beim Empfänger werden diese Dateien wieder in ihre ursprüngliche Form gebracht und können genutzt werden. Dazu gibt es drei Verfahren:

Das Verfahren	Was es bewirkt
Uuencode	UUencode stammt aus der UNIX-Welt (die beiden großen Us stehen für „UNIX to UNIX", also den Nachrichtenversand zwischen UNIX-Rechnern). Es ist sehr weit verbreitet und ein Quasistandard im UNIX-Zweig des Internet. Leider ist es nicht in Netscape integriert, sondern muß als separates Programm besorgt werden (der auf Seite 253 beschriebene Archie-Service hilft Ihnen da gern weiter).
BinHex	Funktioniert ähnlich wie UUencode, findet aber nur in der PC- und Macintosh-Welt Anwendung. Daher wird es im Internet nur selten genutzt.
MIME	Die „Multipurpose Internet Mail Extensions", zu deutsch „Mehrzweck-Internet-Brief-Erweiterungen". Dies ist das neueste und modernste Verfahren. Es wird auch von Netscape unterstützt. Leider kann aber manche auf anderen Internet-Rechnern eingesetzte Software MIME-Nachrichten noch nicht korrekt behandeln.

Hinweis: Beachten Sie, daß beim Umwandeln der Zeichen von 8-Bit nach 7-Bit die meisten 8-Bit-Zeichen jeweils durch mehrere 7-Bit-Zeichen ersetzt werden müssen (es gibt ja mehr 8-Bit- als 7-Bit-Zeichen). Daher bläht das Konvertieren der Nachrichten die ursprüngliche Größe mitunter auf das Doppelte auf!

Dateien an E-Mails anhängen

Eine beliebige Datei zusammen mit einer E-Mail zu verschicken, ist dank Netscape ein Kinderspiel:

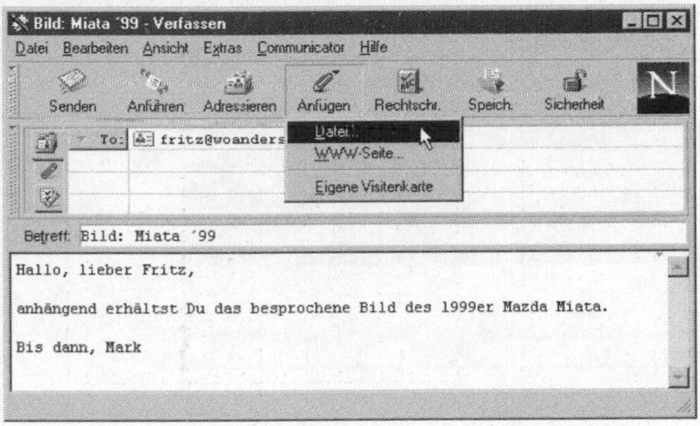

Abb. 260: Hier wird eine Datei an die Nachricht angehängt

① Schreiben Sie Ihre E-Mail wie gewohnt.
② Klicken Sie dann auf die Schaltfläche *Anfügen* in der Symbolleiste.
③ In der darunter ausklappenden Liste wählen Sie den Punkt *Datei*.
④ Wählen Sie im Laufwerksfenster die gewünschte Datei aus und klicken Sie auf *Öffnen*.

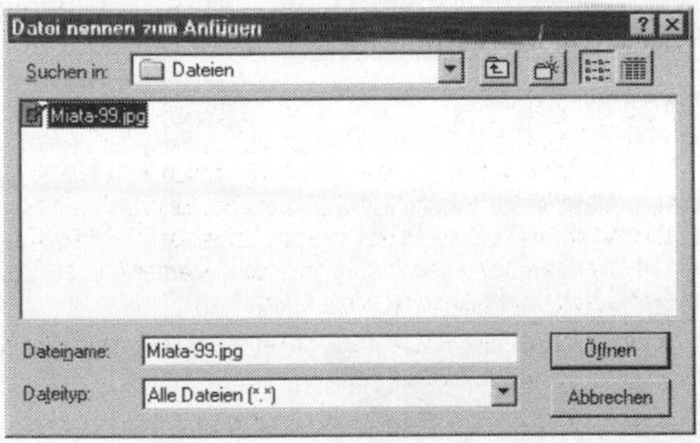

Abb. 261: Welche Datei darf's denn sein?

Tip: Schlanke Dateien werden schneller übertragen

Am besten packen Sie Ihre Datei vor dem Versand mit einem Kompressionsprogramm, wie auf Seite 248 beschrieben. Dadurch läßt sich deren Größe nämlich beträchtlich reduzieren und somit die Übertragungszeit verkürzen. Das spart sowohl Ihnen wie auch dem Empfänger bares Geld. Sprechen Sie dies aber zuvor mit dem Adressaten ab, damit er über das gleiche Programm verfügt und die Datei auch wieder entpacken – also nutzbar machen – kann.

⑤ Netscape vermerkt nun Pfad und Namen der Datei im *Anfügen*-Bereich des *Verfassen*-Fensters. Sie können noch weitere Dateien anhängen und gegebenenfalls mit der *Delete*-Schaltfläche das aktuell markierte „Anhängsel" wieder aus der Liste entfernen.

⑥ Entspricht die Liste Ihren Wünschen, können Sie die Nachricht wie gewohnt absenden. Die Datei wird mit übertragen..

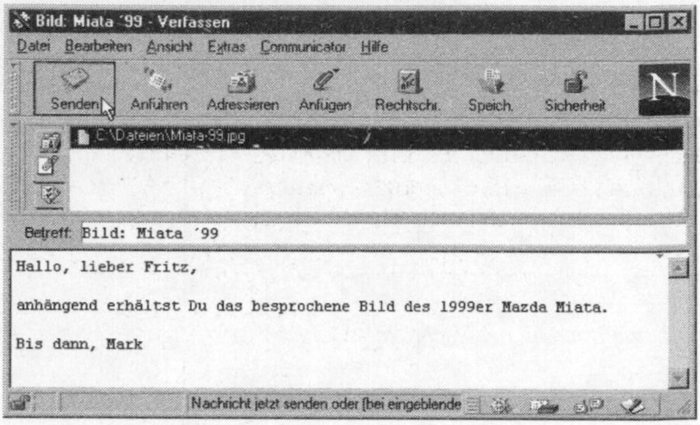

Abb. 262: Alles klar, los geht's!

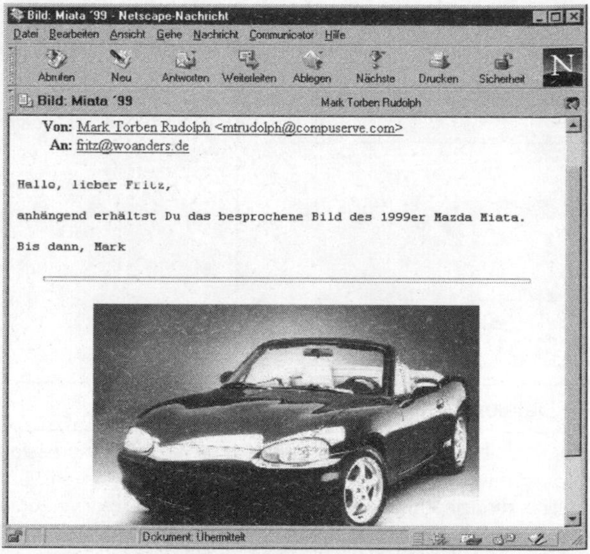

Abb. 263: So kommt das „Anhängsel" beim Empfänger an

Tip: Was tun, wenn der Empfänger kein MIME versteht?

Wie zuvor erwähnt, wird MIME von Netscape problemlos unterstützt. Allerdings ist dieses moderne Format noch sehr jung, weshalb manche auf anderen Internet-Rechnern eingesetzte Software MIME-Nachrichten noch nicht korrekt behandeln kann. Es existieren jedoch einige Programme, die MIME-Nachrichten unabhängig von der jeweils verwendeten E-Mail-Software decodieren können. In diesem Fall heißt die Abhilfe also: Die E-Mail lokal auf der Festplatte speichern und von einem solchen externen Programm in die ursprüngliche Datei zurückverwandeln lassen. Eines der weitestverbreiteten Programme dieser Art ist „munpack" von der Carnegie-Mellon-Universität. Es liegt in Versionen für PCs, Apple Macintosh, UNIX und Amiga vor und kann außer MIME auch Nachrichten im älteren UUencode-Format decodieren. Sie erhalten munpack per FTP vom Rechner *ftp.andrew.cmu.edu.* Dort können Sie aus dem Verzeichnis */pub/mpack/* die für Ihr System passende Version herunterladen.

9. Die besten Internet-Tips

Vielerorts in diesem Buch sind hilfreiche Tips & Tricks zu entdecken – Insider-Kniffe zum direkten Nachvollziehen für Ihre Internet-Praxis! Hier finden Sie alle Tips mit Überschrift und Seitenzahl aufgelistet, damit Sie jederzeit sofortigen Zugriff auf das beste Praxis-Know-how haben:

Der optimale Internet-Zugang

Die Zugangseinrichtung unter Windows

Zugriff über Online-Dienste

Die Netscape-Installation

Geld sparen in der Online-Welt

Surfen im World Wide Web

Suchen & Finden im WWW

Lesezeichen und WWW-Archiv

Elektronische Netzpost – E-Mail

Die Diskussionsforen – Newsgroups

Dateitransfer – FTP und Archie

Tuning für Geschwindigkeit & Effizienz

Sicherheit und Datenschutz

Umgang im Netz – Smileys, Slang und „Netikette“

Schnelle Antworten auf die wichtigsten Fragen Der optimale Internet-Zugang

Die Zugangseinrichtung unter Windows

Zugriff über Online-Dienste

Lesezeichen und WWW-Archiv

Elektronische Netzpost – E-Mail

Die Diskussionsforen – Newsgroups

Dateitransfer – FTP und Archie

Tuning für Geschwindigkeit & Effizienz

Sicherheit und Datenschutz

Umgang im Netz – Smileys, Slang und „Netikette“

Anhang

A Der Microsoft Internet Explorer 4

Neben dem in den Anleitungen dieses Buchs verwendeten Netscape Communicator erfreut sich auch der *Internet Explorer* des Windows-Herstellers Microsoft wachsender Beliebtheit bei den Internet-Nutzern. Selbstverständlich können Sie alle Beispiele aus diesem Buch genausogut auch mit dem Explorer anstelle von Netscape nachvollziehen! Im folgenden dazu ein paar Hinweise.

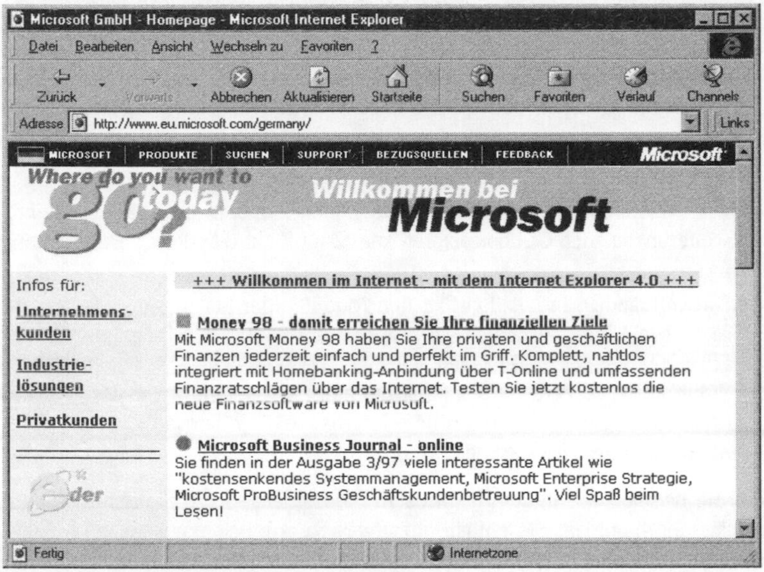

Abb. 264: Der Microsoft Internet Explorer

Den Explorer besorgen und installieren

Der Explorer wird von Microsoft kostenlos an alle Interessenten abgegeben. Sie erhalten diesen entweder von Ihrem Internet-Provider, bei einem Softwarehändler, als Kopie von Freunden oder aus dem Internet.

Den Explorer direkt aus dem Internet holen

Dort liegt er unter der Adresse *http://www.microsoft.com/ie_intl/de/ie40/download/* im Rahmen des sogenannten Active Setup vor: Hierbei wird zunächst ein kleiner Installations-Assistent auf Ihre Festplatte geladen (etwa 500 Kbytes). Starten Sie diesen, bereitet er die Einrichtung des Explorers auf Ihrem System vor und lädt dann das Hauptprogramm aus dem Netz. Hierbei ist es auch endlich kein Beinbruch mehr, wenn während des Herunterladens der riesigen Hauptdatei (deren Größe durchaus – je nach gewähltem Funktionsumfang – im zweistelligen MByte-Bereich liegen kann!) einmal die Verbindung abbricht. Im Gegensatz zu typischen anderen Internet-Übertragungen muß beim nächsten Versuch nicht mehr wieder bei Null angefangen werden, sondern der Active-Setup-Assistent setzt auf dem schon zuvor übertragenen Stück auf und macht direkt dort weiter, wo die Verbindung beim letzten Mal abgebrochen ist.

Der Installationsumfang: minimal, typisch oder vollständig

Der Explorer liegt in mehreren Installationsfassungen vor – je nachdem, wie viele Extras Sie gleich mitinstallieren möchten:

- Die minimale Installation umfaßt lediglich den Explorer selbst mit einigen Multimedia-Erweiterungen und eignet sich somit nur zum Surfen im Web, elektronische Post oder Diskussionsforen werden nicht unterstützt.
- Die Standardinstallation bietet neben dem Explorer mit Multimedia-Erweiterungen auch Outlook Expreß zum Zugriff auf E-Mail und Diskussionsforen.
- Die vollständige Installation fügt den Modulen der Standardinstallation zusätzlich die Internet-Konferenzsoftware NetMeeting, das Programm FrontPage Express zum Erstellen eigener WWW-Seiten, Microsofts Web-Publishing-Assistent, die Explorer-Erweiterung NetShow für Live-Audio- und Video-Übertragungen aus dem Internet sowie Microsoft Chat zur Teilnahme an Internet-Talkrunden hinzu.

Um die Beispiele aus diesem Buch nachzuvollziehen, sollten Sie sich die Standardfassung besorgen. Sie enthält alles, was Sie zum Surfen im World Wide Web sowie für E-Mail und Newsgroup-Zugriff brauchen. Möchten Sie später auch die erweiterten Zusätze nutzen, lassen sich diese separat aus dem Netz nachladen und hinzuinstallieren.

Unterschiede zwischen Netscape und Explorer

Im Grunde genommen funktioniert die Bedienung des Internet Explorers analog zu der des Netscape Communicators. Daher können Sie die Anleitungen der vorangegangenen Kapitel mit nur geringen Änderungen auch mit dem Explorer umsetzen. Ein paar kleine Unterschiede gibt es zwar, diese beschränken sich jedoch im grossen und ganzen auf unterschiedliche Namensgebungen.

Die Explorer-Symbolleiste

Die Symbolleiste des Explorers birgt die gleichen Funktionen wie die des Communicators.

Abb. 265: Die wichtigsten Funktionen des Explorers auf der Symbolleiste

Die wichtigsten Funktionen im einzelnen:

Schaltfläche	Funktion	Bei Netscape	Siehe Seite
Zurück	Blättert zur vorher besuchten WWW-Seite zurück.	Zurück	Seite 154
Vorwärts	Blättert (nach vorherigem „Zurück") wieder zur zuletzt besuchten Seite weiter.	Vor	Seite 155
Abbrechen	Unterbricht die laufende WWW-Übertragung.	Stop	Seite 154
Aktualisieren	Lädt die aktuell angezeigte Seite erneut ein.	Neu laden	Seite 156
Startseite	Lädt die Startseite ein.	Anfang	Seite 156
Suchen	Durchsucht das WWW.	Suchen	Seite 169
Favoriten	Verwaltet Ihre Lieblingsseiten im Netz.	Menü Lesezeichen	Seite 157

Wie der Navigator verwaltet auch der Explorer eine Liste aller bisher besuchten Seiten unter dem *Zurück*-Schalter (Seite 154). Um diese aufzuklappen, müssen Sie hier allerdings nicht länger auf den Schalter selbst klicken, sondern auf das kleine nach unten weisende Dreieck unmittelbar rechts neben dem Schalter.

Abb. 266:
Schnell zu einer weiter zurückliegenden Seite

Outlook Express für E-Mail und News

Für den Zugriff auf elektronische Post (E-Mail, siehe Seite 324) und Diskussionsforen (Newsgroups, siehe Seite 265) bringt der Explorer ein zusätzliches Programm mit: Outlook Express. Es ist aber der oben beschriebenen Standardversion im Paket enthalten (die Minimalversion enthält Outlook Express nicht!).

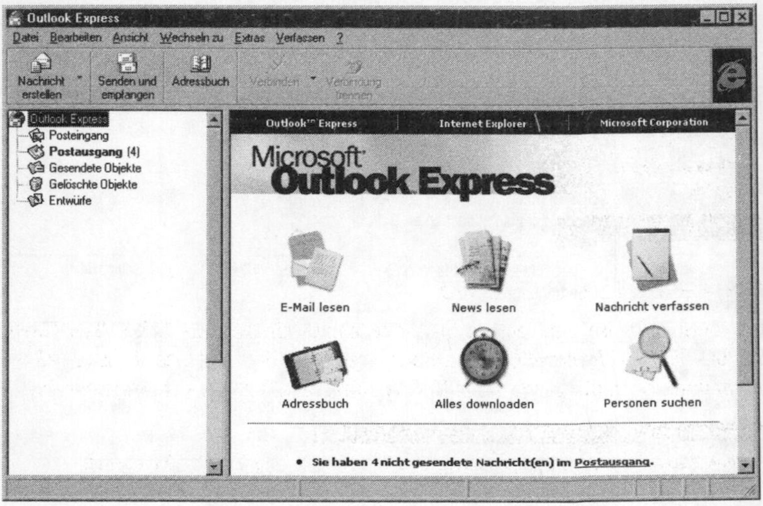

Abb. 267: Outlook Express kümmert sich um E-Mails und Newsgroups

Um Outlook Express zu starten, rufen Sie entweder seinen Eintrag im *Start*-Menü von Windows 95 auf oder klicken im Menü *Wechseln zu* des Explorers auf die Option *E-Mail* bzw. *News*.

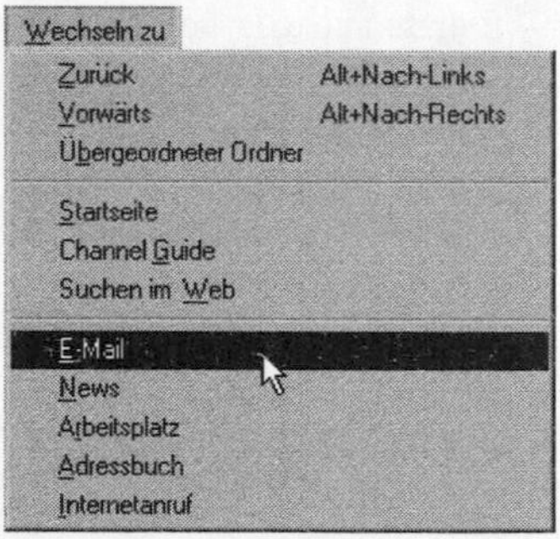

Abb. 268:
Hier rufen Sie Outlook Express auf

Die individuellen Einstellungen des Explorers

Was Sie bei Netscape über das Fenster *Einstellungen* im Menü *Bearbeiten* festlegen, wird im Explorer in das Fenster *Internet-Optionen* im Menü *Ansicht* eingetragen.

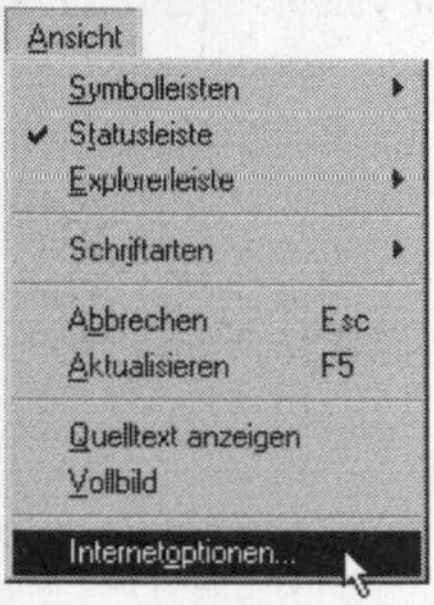

Abb. 269: Über diesen Menüpunkt wird der Explorer individuell konfiguriert

Ihre persönliche Start-Seite

Um beispielsweise eine eigene Startseite einzustellen (siehe Seite 181), rufen Sie das Fenster *Internet-Optionen* auf, wechseln dort auf das Register *Allgemein* und tragen die gewünschte WWW-Adresse in den Bereich *Startseite* ein.

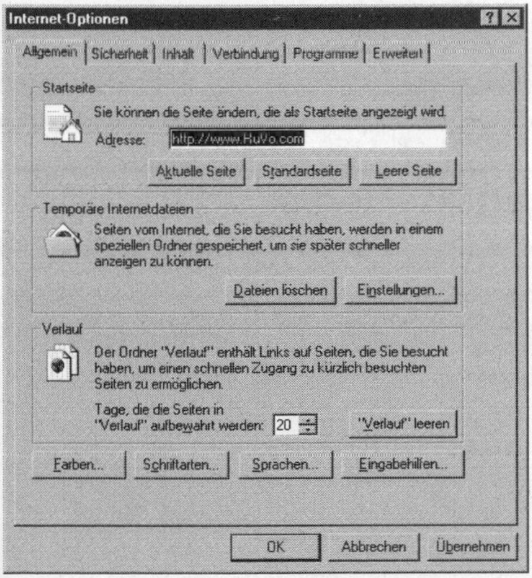

Abb. 270: Stellen Sie eine eigene Startseite ein

Kein automatisches Laden von Bildern

Auch das auf Seite 186 beschriebene Abschalten der WWW-Bilder ist im Explorer möglich: Rufen Sie die *Internet-Optionen* auf, schalten Sie auf das Register *Erweitert* und deaktivieren Sie in der Liste unter der Überschrift *Multimedia* die Option *Bilder anzeigen.* Es ist zudem möglich, auch Videos, Sounds und Animationen ein- und auszuschalten.

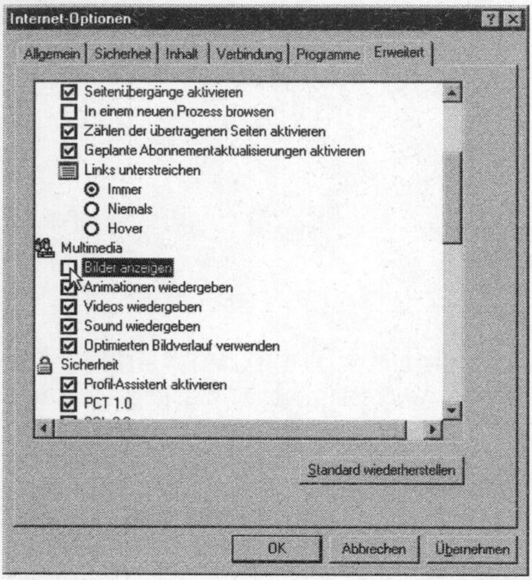

Abb. 271: Die Bilder sollen nicht mehr angezeigt werden

B Länderkennungen im Internet

Das Internet umspannt die ganze Welt! Kaum ein Land, das nicht schon irgendwie im Netz der Netze eingebunden wäre. In der nachstehenden Liste finden Sie sämtliche Länderkennungen für den weltweiten Nachrichtenaustausch.

Hinweis: Die Liste wird verwaltet und aktualisiert von Larry Landweber (E-Mail: lhl@cs.wisc.edu). Sie können via anonymem FTP (siehe Seite 233) vom Server *ftp.cs.wisc.edu* aus dem Verzeichnis *connectivity_table* geholt werden. Sie wurde von mir stellenweise leicht verändert, so wurde zum Beispiel für Großbritannien zusätzlich zum „offiziellen" Kürzel GB auch das häufiger verwendete UK ergänzt und zudem das zum Teil noch immer gesehene SU für die Staaten der ehemaligen Sowjetunion eingefügt. Außerdem wurde die Liste alphabetisch nach den Kürzeln sortiert.

ad	Andorra (Principality of)	ck	Cook Islands
ae	United Arab Emirates	cl	Chile (Republic of)
af	Afghanistan (Islamic Republic of)	cm	Cameroon (Republic of)
ag	Antigua and Barbuda	cn	China (People's Republic of)
ai	Anguilla	co	Colombia (Republic of)
al	Albania (Republic of)	cr	Costa Rica (Republic of)
am	Armenia	cu	Cuba (Republic of)
an	Netherlands Antilles	cv	Cape Verde (Republic of)
ao	Angola (People's Republic of)	cx	Christmas Island (Indian Ocean)
aq	Antarctica	cy	Cyprus (Republic of)
ar	Argentina (Argentine Republic)	cz	Czech Republic
as	American Samoa	de	Germany (Federal Republic of)
at	Austria (Republic of)	dj	Djibouti (Republic of)
au	Australia	dk	Denmark (Kingdom of)
aw	Aruba	dm	Dominica (Commonwealth of)
az	Azerbaijan	do	Dominican Republic
ba	Bosnia-Herzegovina	dz	Algeria (People's Democratic Republic of)
bb	Barbados	ec	Ecuador (Republic of)
bd	Bangladesh (People's Republic of)	ee	Estonia (Republic of)
be	Belgium (Kingdom of)	eg	Egypt (Arab Republic of)
bf	Burkina Faso (formerly Upper Volta)	eh	Western Sahara
bg	Bulgaria (Republic of)	er	Eritrea
bh	Bahrain (State of)	es	Spain (Kingdom of)
bi	Burundi (Republic of)	et	Ethiopia (People's Democratic Republic of)
bj	Benin (People's Republic of)	fi	Finland (Republic of)
bm	Bermuda	fj	Fiji (Republic of)
bn	Brunei Darussalam	fk	Falkland Islands (Malvinas)
bo	Bolivia (Republic of)	fm	Micronesia (Federated States of)
br	Brazil (Federative Republic of)	fo	Faro Islands
bs	Bahamas (Commonwealth of the)	fr	France (French Republic)
bt	Bhutan (Kingdom of)	ga	Gabon (Gabonese Republic)
bv	Bouvet Island	gb	Great Britain and Northern Ireland
bw	Botswana (Republic of)	gb	United Kingdom (United Kingdom of Great Britain and Northern Ireland)
by	Belarus	gd	Grenada
bz	Belize	ge	Georgia (Republic of)
ca	Canada	gf	French Guiana
cc	Cocos (Keeling) Islands	gh	Ghana (Republic of)
cf	Central African Republic	gi	Gibraltar
cg	Congo (Republic of the)	gl	Greenland
ch	Switzerland (Swiss Confederation)	gm	Gambia (Republic of the)
ci	Cote d'Ivoire (Republic of)	gn	Guinea (Republic of)

gp	Guadeloupe (French Department of)	lk	Sri Lanka (Democratic Socialist Republic of)
gq	Equatorial Guinea (Republic of)	lr	Liberia (Republic of)
gr	Greece (Hellenic Republic)	ls	Lesotho (Kingdom of)
gt	Guatemala (Republic of)	lt	Lithuania
gu	Guam	lu	Luxembourg (Grand Duchy of)
gw	Guinea-Bissau (Republic of)	lv	Latvia (Republic of)
gy	Guyana (Republic of)	ly	Libyan Arab Jamahiriya
hk	Hong Kong	ma	Morocco (Kingdom of)
hm	Heard and McDonald Islands	mc	Monaco (Principality of)
hn	Honduras (Republic of)	md	Moldova (Republic of)
hr	Croatia	mg	Madagascar (Democratic Republic of)
ht	Haiti (Republic of)	mh	Marshall Islands (Republic of the)
hu	Hungary (Republic of)	mk	Macedonia (Former Yugoslav Republic of)
id	Indonesia (Republic of)	ml	Mali (Republic of)
ie	Ireland	mm	Myanmar (Union of)
il	Israel (State of)	mn	Mongolia
in	India (Republic of)	mo	Macau (Ao-me'n)
io	British Indian Ocean Territory	mp	Northern Mariana Islands (Commonwealth of the)
iq	Iraq (Republic of)	mq	Martinique (French Department of)
ir	Iran (Islamic Republic of)	mr	Mauritania (Islamic Republic of)
is	Iceland (Republic of)	ms	Montserrat
it	Italy (Italian Republic)	mt	Malta (Republic of)
jm	Jamaica	mu	Mauritius
jo	Jordan (Hashemite Kingdom of)	mv	Maldives (Republic of)
jp	Japan	mw	Malawi (Republic of)
ke	Kenya (Republic of)	mx	Mexico (United Mexican States)
kg	Kyrgyz Republic	my	Malaysia
kh	Cambodia	mz	Mozambique (People's Republic of)
ki	Kiribati (Republic of)	na	Namibia (Republic of)
km	Comoros (Islamic Federal Republic of the)	nc	New Caledonia
kn	Saint Kitts and Nevis	ne	Niger (Republic of the)
kp	Korea (Democratic People's Republic of)	nf	Norfolk Island
kr	Korea (Republic of)	ng	Nigeria (Federal Republic of)
kw	Kuwait (State of)	ni	Nicaragua (Republic of)
ky	Cayman Islands	nl	Netherlands (Kingdom of the)
kz	Kazakhstan	no	Norway (Kingdom of)
la	Laos People's Democratic Republic	np	Nepal (Kingdom of)
lb	Lebanon (Lebanese Republic)	nr	Nauru (Republic of)
lc	Saint Lucia	nt	Neutral Zone (between Saudi Arabia and Iraq)
li	Liechtenstein (Principality of)	nu	Niue
nz	New Zealand	sz	Swaziland (Kingdom of)

om	Oman (Sultanate of)	tc	Turks and Caicos Islands
pa	Panama (Republic of)	tc	Chad (Republic of)
pe	Peru (Republic of)	tf	French Southern Territories
pf	French Polynesia	tg	Togo (Togolese Republic)
pg	Papua New Guinea	th	Thailand (Kingdom of)
ph	Philippines (Republic of the)	tj	Tajikistan
pk	Pakistan (Islamic Republic of)	tk	Tokelau
pl	Poland (Republic of)	tm	Turkmenistan
pm	Saint Pierre and Miquelon (French Department of)	tn	Tunisia
pn	Pitcairn	to	Tonga (Kingdom of)
pr	Puerto Rico	tp	East Timor
pt	Portugal (Portuguese Republic)	tr	Turkey (Republic of)
pw	Palau (Republic of)	tt	Trinidad and Tobago (Republic of)
py	Paraguay (Republic of)	tv	Tuvalu
qa	Qatar (State of)	tw	Taiwan (Republic of China)
re	Réunion (French Department of)	tz	Tanzania (United Republic of)
ro	Romania	ua	Ukraine
ru	Russian Federation	ug	Uganda (Republic of)
rw	Rwanda (Rwandese Republic)	uk	United Kingdom (United Kingdom of Great Britain and Northern Ireland)
sa	Saudi Arabia (Kingdom of)	um	United States Minor Outlying Islands
sb	Solomon Islands	uy	Uruguay (Eastern Republic of)
sc	Seychelles (Republic of)	uz	Uzbekistan
sd	Sudan (Democratic Republic of the)	va	Vatican City State (Holy See)
se	Sweden (Kingdom of)	vc	Saint Vincent and the Grenadines
sg	Singapore (Republic of)	ve	Venezuela (Republic of)
sh	Saint Helena	vg	Virgin Islands (British)
si	Slovenia	vi	Virgin Islands (U.S.)
sj	Svalbard and Jan Mayen Islands	vn	Vietnam (Socialist Republic of)
sk	Slovakia	vu	Vanuatu (Republic of, formerly New Hebrides)
sl	Sierra Leone (Republic of)	wf	Wallis and Futuna Islands
sm	San Marino (Republic of)	ws	Samoa (Independent State of)
sn	Senegal (Republic of)	ye	Yemen (Republic of)
so	Somalia (Somali Democratic Republic)	yt	Mayotte
sr	Suriname (Republic of)	yu	Yugoslavia (Socialist Federal Republic of)
st	Sao Tome and Principe (Democratic Republic of)	za	South Africa (Republic of)
su	Soviet Union (former)	zm	Zambia (Republic of)
sv	El Salvador (Republic of)	zr	Zaire (Republic of)
sy	Syria (Syrian Arab Republic)	zw	Zimbabwe (Republic of)

C Glossar – Fachchinesisch eingedeutscht

Gerade im Internet stößt man immer wieder auf unbekannte Wörter. Zumeist handelt es sich um Anglizismen und wenn nicht, dann mit großer Wahrscheinlichkeit um Abkürzungen (im schlimmsten Falle handelt es sich gleich um beides, also um englische Abkürzungen). Hier finden Sie die wichtigsten und häufigsten Begriffe aufgeführt und erklärt.

Account	Die Zugangsberechtigung zu einem Internet-Rechner, Online-Dienst, Mailbox oder dergleichen. Besteht zumeist aus Benutzernamen und Paßwort.
LDAP	Kürzel für das „**L**ightweight **D**irectory **A**ccess **P**rocotol", ein Verfahren zur Teilnehmersuche in netzweiten Adreßdatenbanken direkt aus dem lokalen Adreßbuch heraus und der Einbindung dieser Datenbestände scheinbar nahtlos in das eigene Adreßbuch.
Acrobat	Von der Firma Adobe hergestelltes →Plugin für WWW-Zugriffssoftware, das →PDF-Dateien anzeigt.
ActiveX	ActiveX ist Microsofts Antwort auf →Java: Programme – sogenannte „Controls" –, die von der Zugriffssoftware bei Bedarf automatisch aus dem Netz geladen und auf dem Rechner des Anwenders gestartet werden, um dort verschiedene Aufgaben zu erfüllen.
Adresse	Mittels seiner →IP-Adresse ist jeder Rechner im Internet eindeutig identifizierbar und somit von der ganzen Welt aus zu erreichen.
Alias	Eine andere E-Mail-Adresse für einen Benutzer, beispielsweise wenn dieser unter mehreren Namen bekannt ist.
America Online	Ein kommerzieller amerikanischer Informationsdienst, ähnlich →CompuServe, der seinen Kunden den Zugang zum Internet ermöglicht.
American Standard Code of Information Interchange	Ausgeschriebene Bezeichnung für den →ASCII-Zeichensatz.
Analog	Bei der analogen Datenübertragung werden die Daten durch elektrische Schwingungen übertragen. Im Gegensatz zur →digitalen Datenübertragung können dadurch alle Werte zwischen zwei Grenzen (z. B. 0 und 1) erreicht werden.
Animated GIF	Spezielle Variante des Grafikformats →GIF, bei der die Grafik mehrere aufeinander abfolgende Einzelbilder enthält, die filmähnlich abgespielt werden können.
Anonymous FTP	Die Möglichkeit, sich per →FTP „anonym" in andere Rechner einzuklinken, um Dateien von dort zu holen. Normales FTP erfordert das Bestehen einer speziellen Kennung auf dem jeweiligen Rechner für jeden, der sich dort einklinken möchte. Bei einem „anonymen" FTP-Server reicht die Angabe der E-Mail-Adresse als Zugangsberechtigung.
Anonymous UUCP	Ein freier Zugang zu E-Mail und Diskussionsgruppen (über das →UUCP-Verfahren), der keine vorherige nachgeprüfte Identifizierung des Teilnehmers voraussetzt.
ANSI	Abkürzung für das „**American National Standardization Institute**". Es hat den ANSI-Zeichensatz entwickelt, mit dem z. B. Windows arbeitet. DOS arbeitet dagegen mit dem →ASCII-Zeichensatz. Im Internet findet wiederum ein →ISO-Zeichensatz Verwendung. Zum Glück ist der Kern aller Zeichensätze gleich, so daß Texte ohne Sonderzeichen (wie etwa Umlaute) problemlos von allen drei Zeichensätzen lesbar ist. Für Daten, die Sonderzeichen enthalten (z. B. Bild- oder Klangdateien) gibt es das →UUencode-Verfahren zur Konvertierung in einen auf allen Systemen gleichermaßen verwertbaren Code.
AOL	Abkürzung für →"**A**merica **O**nline".

Applet — Als „Applet“ werden die in der Internet-Programmiersprache →Java geschriebenen Programme bezeichnet, die von der Zugriffssoftware automatisch aus dem Netz geladen und ausgeführt werden.

Archie — Ein Internet-Service, der →FTP-Server für Sie nach bestimmten Kriterien auf interessante Software hin durchstöbert.

ARJ — Ein Format für verkleinerte Dateien ähnlich →Compress, in der PC-Welt sehr verbreitet.

ARPA — Die „**A**dvanced **R**esearch **P**rojects **A**gency“, eine amerikanische Regierungsstelle. Sie trug maßgeblich zum Aufbau des Internet bei.

Artikel — Als Artikel werden im Internet die in ein öffentliches Diskussionsforum (eine →“Newsgroup“) geschickten Nachrichten bezeichnet. Das Gegenstück ist die private →E-Mail. Eine besondere Form solcher Artikel sind z. B. öffentliche Antworten auf bestehende Artikel (→Follow-up). Demgegenüber sind private Antworten (→Reply) keine Artikel, sondern →Mails.

ASCII — Der „**A**merican **S**tandard **C**ode of **I**nformation **I**nterchange“, ein Zeichensatz, den beispielsweise alle DOS-Rechner zur Darstellung von Informationen verwenden. Viele andere Systeme (wie etwa Windows) nutzen dagegen den →ANSI-Zeichensatz.

Attachment — Englisch für „Anhängsel“. Im Internet eine Datei, die an eine elektronisch verschickte Nachricht angehängt wird.

AU — Von der Firma Sun entwickeltes Format für Audio-Dateien.

Ausloggen — Das Gegenstück zum →“Einloggen“, nämlich das „Sich wieder Ausklinken“ aus einem System (zumeist einem →Bulletin Board System).

Avatar — Virtueller Stammhalter der eigenen Person im Internet, z. B. zur Darstellung im →Chat.

AVI — Film-Dateien im „Video for Windows“-Format.

Backbone — Wörtlich das „Rückgrat“ eines Netzes (oder Teilnetzes), im übertragenen Sinn eher die „Hauptstraße“, welche die wichtigsten Rechner miteinander verbindet und als „Zentrale“ dient. Ein Backbone-Computer ist in der Lage alle Netzadressen aufzulösen (also einen Weg zur jeweiligen Adresse zu finden) oder zumindest festzustellen, ob es sich um eine gültige Adresse handelt. Idealerweise ist das „Backbone“ ring- oder sternförmig angeordnet. Deutsche Backbones arbeiten zumeist mit einer Geschwindigkeit von 2 MBit/s, während das wichtigste amerikanische Backbone sage und schreibe 48 MBit/s durchschleust.

Bandbreite — Ein Kommunikationskanal (z. B. eine Telefonleitung) verkraftet nur eine bestimmte Menge von Informationen innerhalb einer bestimmten Zeit. Diese Menge pro Zeiteinheit wird „Bandbreite“ genannt. Ist diese überschritten, wird die Kommunikation entweder elend langsam oder bricht sogar gänzlich zusammen.

Bandwidth — Das englische Wort für →Bandbreite.

Baudrate — „Baud“ ist eine Meßeinheit der Nachrichtentechnik: Sie beschreibt die Schrittgeschwindigkeit bei der Übertragung von Daten, beispielsweise über eine Telefonleitung und insbesondere auch aus der Telegrafiergeschwindigkeit herrührend. Die Geschwindigkeit „1 Baud“ bedeutet, daß der kürzeste Stromschritt genau eine Sekunde lang ist (Baud = 1/kürzester Stromschritt). Häufiger Anlaß zu Verwechslungen: Die Einheit Baud ist nicht gleich der Angabe in →“bit/s“, die für Modem-Geschwindigkeiten genutzt wird.

BBS — Abkürzung für →“**B**ulletin **B**oard **S**ystem“.

Binhex — Ein Verfahren ähnlich →Uuencode zum Austausch von Daten zwischen Systemen, die verschiedene Zeichensätze verwenden.

Bit — Kürzel für „**Bi**nary Digi**t**“ („Binärziffer“). Ein Bit ist die kleinste Informationseinheit in der EDV. Alle Daten eines Computersystems bestehen aus Bits, wobei ein Bit nur die Werte 0 oder 1 annehmen kann. 8 Bit ergeben zusammen ein →Byte.

Bit/s	„**Bit** pro **S**ekunde" (engl. „bit per second"). Benennt die Geschwindigkeit der Datenübertragung anhand der Anzahl der in einer Sekunde übermittelten Bit (kleinste Informationseinheit eines Computers). Häufiger Anlaß zu Verwechslungen: Die Angabe von bit/s ist nicht gleich der Einheit →"Baud", welche die Schrittgeschwindigkeit bezeichnet.
Bitnet	Abkürzung von „**B**ecause **I**t's **T**ime **NET**work". Das Bitnet entstand als akademisches Netzwerk an der City University of New York und verbindet über 3000 Rechner in mehr als 32 Ländern miteinander.
Bookmarks	„Lesezeichen" in Form von Verweisen auf von Ihnen ausgewählte Internet-Adressen, welche die Zugriffssoftware für Sie verwaltet. Im Internet Explorer →"Favoriten" genannt.
Bots	Kürzel für „Ro**bots**". Dabei handelt es sich nicht um Maschinen, sondern um Programme. Meistens werden sie im Zusammenhang mit →IRC erwähnt, da diese Programme die Verbindung zum IRC-Channel halten und den →Chat ermöglichen.
Bps	Abkürzung für „**B**it **p**ro **S**ekunde" (engl. „bit per second"), kurz →bit/s.
Bridge	Wie eine „Brücke" (daher der Name) verbinden Bridges zwei oder mehrere Teile des gleichen Netztyps zu einem logischen Gesamtnetz.
Broadcasting	Eine Verteilungsmethode für elektronische Nachrichten, welche die Mitteilungen an alle angeschlossenen Nutzer leitet. →Artikel werden im Broadcasting verteilt, →E-Mails jedoch nicht (da sie nur an jeweils einen einzelnen oder einen kleinen Kreis von Empfängern gerichtet sind).
Browser	Abgeleitet vom Englischen „to browse" für „durchblättern". Eine Software, die es Ihnen ermöglicht, durch die Seiten des →"World Wide Web" zu blättern. Internet Explorer und Netscape Navigator sind solche Browser, vermögen jedoch noch weitaus mehr zu leisten.
BTX	Kürzel für **B**ildschirm**tex**t, wurde dann in „Datex-J" umbenannt und heißt seit 1995 →T-Online, nachdem es um einige Funktionen erweitert wurde. Ein Informationsdienst der Deutschen Telekom (mittlerweile Online Pro GmbH), der zumeist primär für Anwendungen wie Homebanking oder das Einholen von Zug-Fahrplanauskünften genutzt wird, aber auch über Anbindungen zum Internet verfügt.
Bulletin Board System	Dies ist ein Computer, der zumeist Tag und Nacht in Betrieb ist und über eine Telefonleitung angewählt werden kann. Die Nutzer dieses Rechners können Daten hinauf- und herabladen oder sich mit anderen Nutzern unterhalten. Die Bezeichnung (kurz „BBS" genannt) stammt von der Art des Austauschs öffentlicher Nachrichten: Sie werden an einer Art elektronisches „schwarzes Brett" (engl. „Bulletin Board") geheftet und können dort von jedermann gelesen werden. Der Name wird zumeist gleichbedeutend mit →"Mailbox" verwendet.
Byte	Informationseinheit in der EDV. Jedes Byte setzt sich aus 8 →Bit zusammen. Da ein Bit aus den Werten 0 oder 1 besteht, ergeben sich so 256 verschiedene Bitmuster. Der →ASCII- und der →ANSI-Zeichensatz bestehen z. B. aus 256 Zeichen. Jedes dieser Zeichen wird also durch ein Byte dargestellt.
CA	Abkürzung für →„**C**ertificate **A**uthority".
Cache	Zwischenspeicher zur Geschwindigkeitserhöhung, z. B. auf der Festplatte des Anwenders. Dort legt die WWW-Zugriffssoftware die aus dem Netz geladenen Seiten ab, um sich später ein erneutes Laden aus dem Netz zu ersparen.
Cancel	Ein „Cancel" ist eine Mitteilung an Internet-→Server, bestimmte →Artikel aus Diskussionsgruppen zu löschen, z. B. wenn diese anstößige oder rassistische Äußerungen enthalten.
CCITT	Kürzel des „**C**omité **C**onsultatif **I**nternational **T**éléphonique et **T**élégraphique", einer internationalen Organisation von Telefongesellschaften, Firmen und Wissenschaftlern aus aller Welt. Sie entwickelt Normen der Telekommunikation zur Vereinfachung des weltweiten Datenaustauschs.
CERN	Das „**C**onceil **E**uropeen pour la **R**echerche **N**ucleaire", ein Genfer Institut zur physikalischen Forschung und zugleich Wiege des →"World Wide Web".

Certificate Authority	Zeritifzierungsstelle zur Vergabe von „Schlüsseln" für die Übermittlung vertraulicher Daten (als Schutz vor Ausspähung oder Manipulation und zur Identitätsprüfung).
CGI	„**C**ommon **G**ateway **I**nterface", ein Verfahren zur Einbindung externer Programme in einen WWW-Server, beispielsweise zur Bearbeitung von Datenbanken nach Benutzereingaben oder zur Zählung der Zugriffe auf eine WWW-Seite.
Chat	Englisch für „schwätzen". Eine nette Bezeichnung für eine muntere Plauderei im Internet, die zumeist →online erfolgt.
CIS	Abkürzung für →"**C**ompuServe **I**nformation **S**ervice".
Client	Das System, das auf die im Netz (von einem →Server) bereitgestellten Daten zugreift. Das Wort „Client" kann sowohl den ganzen Rechner als auch ein einzelnes Programm bezeichnen.
COFDM	Kürzel für „**C**oded **O**rthogonal **F**requency **D**ivision **M**ultiplex", ein Verfahren zur gleichzeitigen Übertragung von großen Datenmengen über viele verschiedene Frequenzen. Besonders geeignet für schlechte Datenverbindungen.
Compress	Ein Unix-Werkzeug, das Dateien ohne Informationsverlust in ihrer Größe verkleinert. Durch die geringere Größe werden bei der Übertragung Zeit und somit Telefonkosten gespart. Mit Compress behandelte Dateien erkennen Sie an der Endung „Z". Diese müssen erst wieder in ihre eigentliche Form gebracht werden, bevor sie verwendet werden können.
CompuServe	Ein kommerzieller amerikanischer Informationsdienst, der seinen Nutzern den Zugang zum Internet ermöglicht.
Connect	Mit Connect (englisch für „Verbindung") wird der erfolgreiche Aufbau einer Netz- oder Telefonverbindung zu einem anderen Rechner bezeichnet.
Content Provider	Ein Anbieter (→Provider) von Informationsleistungen in einem Online-Bereich (z. B. Nachrichtenticker).
Control	Als „Control" werden die in der Internet-Programmiersprache →ActiveX geschriebenen Programme bezeichnet.
Cookie	Von einem WWW-Service auf dem Rechner des Anwenders abgelegte Information, die später von diesem Service wieder abgefragt werden kann. Genutzt beispielsweise zur Zuteilung eindeutiger Kundennummern, über die der Anwender bei jedem Besuch im WWW-Service automatisch identifiziert werden kann.
cps	Abkürzung von „**C**haracters **P**er **S**econd", zu deutsch „Zeichen pro Sekunde". Benennt die Geschwindigkeit der Datenübertragung anhand der Anzahl der in einer Sekunde übermittelten Zeichen. Ein Zeichen wird vom Computer durch 1 Byte dargestellt, welches aus 8 Bit besteht. Somit entspricht 1 cps 8 bit/s.
Cracker	Eine Person, die ohne Berechtigung in ein Computersystem eindringt und dort oft Schäden verursacht (im Gegensatz zu →Hackern, die meistens „nur" ihre elektronische Visitenkarte hinterlassen wollen).
Crossposting	Ein →Posting, das in mehrere →Newsgroups zugleich geschickt wurde. Zwischen den verschiedenen Netzrechnern wird der jeweilige →Artikel nur einmal übertragen und dann lokal vervielfältigt und in die einzelnen darin angebenen →Gruppen gelegt. Auf diese Weise spart das Crossposting-Verfahren gegenüber dem separaten Verschicken eines Artikels in mehrere Gruppen eine gute Portion →Bandbreite des Netzes.
CSLIP	Abkürzung für „**C**ompressed **S**erial **L**ine **I**nternet **P**rotocol", ein spezielle Unterart des Datenübertragungsverfahrens →"SLIP".
Cyberspace	Trendbegriff für den virtuellen Raum eines weltumspannenden Computernetzes.
Daemon	Kürzel für „**D**isk **A**nd **E**xecution **Mon**itor". Auf einem →Server laufende Routine zur Abwicklung bestimmter Dienste – beispielsweise „HTTP-Daemon" (kurz „httpd") zur Durchführung von WWW-Übertragungen im →HTTP-Verfahren.
Datendurchsatz	→Durchsatz an Daten über eine Datenleitung in einer bestimmten Zeiteinheit (z. B. in →Bit/s angegeben).

Datenkompression Die →Kompression, also sozusagen das „Eindampfen" beliebiger Daten, beispielsweise zur Verkürzung der Übertragungsdauer.

Datex-J Abgeleitet von „**Date**nte**x**t für **J**edermann", die neue Bezeichnung für →BTX.

DAU „**D**ümmster **a**nzunehmender **U**ser". Unangenehme, da abwertende Bezeichnung für unerfahrene oder sich daneben benehmende Internet-Nutzer. Wird häufig in Bezug auf Personen gebraucht, die aus →"America Online" oder →BTX ins Internet schreiben, da hier bei vielen „alteingesessenen" Internettern Animositäten vorliegen.

DDNS Abkürzung für „→**D**ynamic **D**omain **N**ame **S**ervice", das Zugriffsrechnern (→Clients) eigene →Domain-Namen zuteilt, ähnlich dem „→Dynamic Host Configuration Protocol" (DHCP) für →IP-Adressen.

DE-CIX Das „**De**utsche **C**ommercial **I**nternet **E**xchange", eine Vereinbarung zwischen den größten deutschen Internet-Anbietern über die kommerzielle Netznutzung. Ziele sind der Betrieb eines gemeinsamen Knotenpunktes in Frankfurt und die Beschleunigung der Datenübertragung.

DE-NIC Das „**De**utsche →**N**etwork **I**nformation **C**enter" mit Sitz in Karlsruhe zur Vergabe von Internet-Adressen der →Top-Level-Domain „de". Außerdem wird hier der zentrale →Nameserver dieser Domain verwaltet.

DFÜ Die Abkürzung für **D**aten**f**ern**ü**bertragung – also jegliche Art, Daten über eine Online-Verbindung in die Ferne zu schicken oder von dort zu empfangen.

DHCP Abkürzung für „→**D**ynamic **H**ost **C**onfiguration **P**rotocol", das Zugriffsrechnern (→Clients) eigene →IP-Adressen zuteilt.

Dial-Up Englische Bezeichnung für eine Anwahlverbindung zu einem anderen Rechner.

Digital Art und Weise, in der Daten im Rechner vorliegen: dieser arbeitet nur mit zwei Zuständen - 0 und 1. Im Gegensatz zu →analogen Verfahren, wo es auch Zwischenstufen geben kann.

Diskussionsforum/-gruppe Deutsche Bezeichnung für eine →"Newsgroup".

Distribution Möglicher Eintrag im Kopf einer Nachricht (dem →"Header"), der die Verbreitung des jeweiligen →Artikels einschränken soll. Der Artikel wird dann nur in dem in dieser Zeile angegebenen Teilnetz des Internet verteilt (vom englischen „to distribute", verteilen).

DNS Abkürzung für „→**D**omain **N**ame **S**ervice", ein System zur Verwaltung und Abfrage von Internet-Adressen über deren Namen. Kann zugleich auch den eigentlichen „Domain Name Server", also den zur Verwaltung genutzten Rechner, bezeichnen.

Domain Name Server Ein spezieller →Name Server für eine →Domain, der im Rahmen des „→Domain Name Service" die zu ihr gehörenden Internet-Adressen mit Namen gespeichert hat.

Domain Name Service Ein spezielles System zur Verwaltung von Internet-Adressen, das die für Menschen leichter zu merkenden Namen in die für Computer besser zu verarbeitenden Zahlenadressen umsetzt. Für diese Umsetzung ist der „→Domain Name Server" zuständig.

Domain Die Einzelteile einer Internet-Adresse rechts des Klammeraffen (zu deutsch „Regionen"). Die Domain, die ganz rechts steht, ist die höchste: Sie wird daher „Top-Level-Domain" genannt (z. B. das Kürzel „de" für Deutschland).

Downlink Ein mit anderen Systemen verbundener Rechner (→Link genannt), der Daten von diesen bezieht, diese also „herunterlädt" (→Download).

Download Englisch für „herunterladen", also das Übertragen von Daten eines fremden Rechners auf das eigene System. Der umgekehrte Weg heißt →Upload.

Durchsatz	Tatsächliche Menge von Informationen, die innerhalb einer bestimmten Zeit über einen Kommunikationskanal (z. B. eine Telefonleitung) übertragen werden. Die maximale Menge wird von der →Bandbreite des Kanals bestimmt, die erreichte hängt zudem von der Leistungsfähigkeit des →Servers, der Verbindungsgeschwindigkeit und der Anzahl der diesen Kanal zur gleichen Zeit nutzenden Teilnehmer ab.
Dynamic Domain Name Service	Ein spezielles System zur Vergabe von →domains an Anwenderrechner bei deren Einwahl in einen Internet-Rechner, ähnlich dem „→Dynamic Host Configuration Protocol" (DHCP) für →IP-Adressen.
Dynamic Host Configuration Protocol	Ein spezielles System zur Vergabe von →IP-Adressen an Anwenderrechner bei deren Einwahl in einen Internet-Rechner.
eCash	Kurzform für →„**e**lectronic **Cash**".
Einloggen	Eingedeutsche Fassung des →"Login", das ist die Prozedur des „Sich Einklinkens" in ein System (zumeist einem →Bulletin Board System). Das spätere Ausklinken wird →"Ausloggen" genannt
Electronic Cash	Elektronische Bezahlung im Internet über spezielle Anbieter (Online-Banken), die ein elektronisches Konto für den jeweiligen Benutzer führen.
Electronic Mail	Die moderne Art, private Nachrichten zu verschicken: Als elektronische Post im Internet.
E-Mail	Abkürzung für einen Brief mittels „**E**lectronic **Mail**", der elektronischen Post im Internet. Wenn Sie Nachrichten öffentlich verschicken, heißen diese →"Artikel". Antworten Sie per E-Mail auf eine schon vorhandene Nachricht, so heißt Ihr Schreiben →"Reply".
Ethernet	Ein lokales Netzwerk, das Computer und Peripherie in einem begrenzten Gebiet, meist im selben Gebäude, verbindet.
Fake	Eine „Täuschung": Jemand schreibt eine Nachricht unter einer anderen (zumeist gefälschten) Absenderangabe. Auf solche Fakes reagiert man im Internet sehr allergisch – zu Recht!
FAQ	**F**requently **A**sked **Q**uestions. Ein Dokument, das zu den am häufigsten gestellten Fragen eines Themenbereichs entsprechende Antworten parat hält. Nahezu jedes Diskussionsforum (→Newsgroup) verfügt über eine eigene FAQ zum Thema der Gruppe. Dieses Dokument sollten Sie unbedingt gelesen haben, bevor Sie Fragen in die Gruppe schicken. Andernfalls kann man dort sehr ärgerlich reagieren, wenn eine in der FAQ hinreichend beantwortete Frage nun zum tausendundeinsten Male öffentlich gestellt wird.
Favoriten	Zusammenstellung von Verweisen auf von Ihnen ausgewählte Internet-Adressen, welche die Zugriffssoftware für Sie verwaltet. Im Netscape Navigator →"Bookmarks" genannt.
Feed	Kurzform für →Newsfeed.
Fido	Name eines amerikanischen Hundes und eines sehr erfolgreichen, nach diesem benannten Hobby-Netzwerk mit Verbindung (→Gateway) zum Internet. Das Fido ist größtenteils englischsprachig orientiert, hat aber auch eine starke deutschsprachige Fraktion.
File	Englisch für „Dokument", zumeist in Form einer Computer-Datei.
File-Server	Ein Computer, der seine Dateien und Programme (englisch „files") anderen Computern im Netz zur Verfügung stellt (also „serviert"). Dadurch kann jeder Teilnehmer im Netzwerk mit den Daten arbeiten, obwohldiese nur einmal vorhanden sind.
Find	Englisch für „finden", in unserem Fall also das Aufspüren von Informationen im Internet. Der eigentliche Suchvorgang heißt demgegenüber →"Search".
Finger	Ein Programm, um Informationen über einen bestimmten Benutzer abzufragen, der auf einem System des Netzwerks eingetragen ist.

Firewall	Englisch für „Brandschutzmauer" – und so ähnlich funktioniert ein „Firewall" auch: Wie eine Mauer umgibt diese Sicherheitsvorkehrung einen Rechner und schirmt unberechtigte Zugriffe von außen oder auch nach außen ab.
Flame, Flaming	Abgeleitet vom englischen „flame", der Flamme. Wenn ein Internet-Nutzer „flamed", so bedeutet dies, daß er andere User verbal angreift, was zumeist mit unsachlicher Diskussion, der Verbreitung falscher Informationen und schlichtweg dem Versuch des „Fertigmachens" des jeweiligen Gegenübers einhergeht. Flames sind wohl die unangenehmste Form der Verschwendung von →Bandbreite.
Follow-up	Englisch für „nachfolgen". Eine öffentliche Antwort auf einen →"Artikel" in einem Diskussionsforum. Häufiger Anlaß zu Verwechslungen: private Antworten werden als →"Reply" bezeichnet.
Follow-up-to	Eine spezielle Art des →Follow-up, also der öffentlichen Antwort auf einen Artikel mit der die laufende Diskussion in eine andere Gruppe umgeleitet werden soll. Die ist beispielsweise immer dann sinnvoll, wenn sich die Diskussion schon zuweit vom eigentlichen Thema der Gruppe entfernt hat und daher eine andere Gruppe ein viel passenderer Platz dafür wäre.
Form	Formular auf einer WWW-Seite mit Eingabefeldern, Auswahllisten und dergleichen.
Forward	Vom englischen „to forward", „weiterreichen". Wenn Sie eine Nachricht „forwarden", leiten Sie diese per elektronischer Post an einen anderen Internet-Teilnehmer oder als →Artikel in ein Diskussionsforum weiter.
Frames	Englisch für „Rahmen". Dienen zur Unterteilung von WWW-Seiten in mehrere unabhängig voneinander ansprechbare Bereiche, z. B. ein ständig sichtbares Inhaltsverzeichnis neben dem eigentlichen Seiteninhalt.
Free Software Foundation	Eine Organisation, die Software nach dem →GNU-Prinzip verbreitet.
Freeware	Viele Programmierer geben ihre Werke als sogenannte „Freeware" frei. Diese dürfen dann beliebig verteilt und kostenlos genutzt werden.
FSF	Kürzel der →"**F**ree **S**oftware **F**oundation".
FTP	**F**ile **T**ransfer **P**rotocol. Eine Möglichkeit Dateien von einem fremden Rechner zu laden oder dort abzulegen. Es gibt spezielle →"Anonymous FTP"-Server, die (zumindest für das Herunterladen von Dateien) jedem zugänglich sind und im Internet zur Verbreitung von Software, Bildern und anderem Datenmaterial genutzt werden.
FTP-Server	Ein Programm, das die Datenübertragung von einem →File-Server auf einen anderen Rechner per →FTP-Verfahren ermöglicht.
Gateway	Englisch für „Verbindungsweg", ein Brückenschlag zwischen verschiedenen Netzen oder Rechnersystemen. Besteht meist aus einem Rechner mit spezieller Umsetzungssoftware. So ermöglicht z. B. ein Gateway den Austausch von Nachrichten zwischen →BTX und dem Internet.
GIF	**G**raphics **I**nterchange **F**ormat. Eine besonders platzsparende Art, Bilder ohne nennenswerten Qualitätsverlust in Dateien zu speichern. Aus diesem Grund ist GIF neben →JPEG ein „Quasi"-Standard im Internet. Es wird unter anderem im World Wide Web genutzt, um trotz der Anzeige von Grafiken die Übertragunskosten minimal zu halten. Allerdings ist GIF auf 256 Farben beschränkt.
GNU	Ein von der →"Free Software Foundation" eingeführtes Vertriebskonzept für Software, das es den Nutzern der Programme nicht nur ermöglicht, diese kostenlos und mitsamt Quelltext zu erhalten, sondern auch beliebig zu verändern und an eigene Bedürfnisse anzupassen, solange sämtliche Veränderungen im Quelltext dokumentiert und offen an andere Nutzer weitergegeben werden. Auf diese Weise entstehen im Internet durch die Zusammenarbeit von Programmierern aus aller Welt leistungsfähige Softwarepakete, die es in Funktionsumfang und Qualität leicht mit kommerziellen Produkten aufnehmen können, diese in Sachen Anwenderunterstützung (dank programmbezogener →Newsgroups) zumeist noch in den Schatten stellen und für jedermann kostenlos erhältlich sind.
Gopher	Ein Internet-Service, um per Menü auf Informationsdatenbanken zugreifen zu können. Gopher wird gern von Bibliotheken eingesetzt.

Group	Kurzform für →"Newsgroup".
Gruppe	Deutsche Bezeichnung für eine →"Newsgroup".
GZ	Dateien, die mit →GZIP verkleinert wurden.
GZIP	Ein Programm ähnlich →Compress, welches Dateien verkleinert, um bei deren Übertragung von einem Rechner zum nächsten Zeit (und damit Geld) zu sparen. Anschließend müssen sie mit dem gleichen Programm wieder in ihre ursprüngliche Fassung zurückverwandelt werden, um nutzbar zu sein. GZIP ist für verschiedene Systeme erhältlich, darunter Unix und MS-DOS.
Hacker	Eine Person, die unbefugt in Computersysteme oder Netze eindringt, um z. B. an sensible Daten zu gelangen. Hacker wollen, im Gegensatz zu einem →Cracker, im Regelfall keine Daten verändern.
Halbduplex	Bei einer Halbduplex-Verbindung werden Daten in beide Richtungen übertragen, allerdings nicht gleichzeitig, wie bei einer →„Vollduplex"-Verbindung, sondern nacheinander.
Hardcopy	Die „harte Kopie" einer elektronischen Information, sprich: ein Ausdruck auf Papier. Auch →Printout genannt.
Header	Abgeleitet vom englischen „head", „Kopf". Die am Anfang eines Nachrichtenpakets stehenden Informationen über Absender, Empfänger, Betreff, Datum und Format der enthaltenen Nachricht.
Helper Application	Anwendung, die der Zugriffssoftware hilft, indem Sie bestimmte Aufgaben übernimmt (beispielsweise das Anzeigen von Dateien in einem der Zugriffssoftware selbst unbekannten Format). Heute durch verschiedene →Plug-Ins weitestgehend ersetzt.
Hits	Anzahl der Zugriffe auf einen Web-Server. Es werden alle Zugriffe auf dortige Seiten, Grafiken und weitere Elemente aufsummiert, daher sind Hits nicht sehr aussagekräftig. Genauere Angabe erlauben →Visits und →Page-Views.
Homepage	Die Seite im →World Wide Web, auf der Sie „sich heimisch fühlen". Das kann ein beliebiges WWW-Dokument sein, welches Ihr →Browser für Sie beim Programmstart einladen soll. Wenn Sie selbst eigene Seiten im WWW veröffentlichen, wird zumeist die Seite als „Homepage" bezeichnet, auf der Sie sich selbst Ihren Besuchern vorstellen.
Hop	Der „Hüpfer", den eine Nachricht macht, um von einem Internet-Rechner zum nächsten zu gelangen. Da im Internet zumeist eine ganze Reihe dieser Übertragungen von jeweils einem Rechner zum nächsten nötig sind, um eine solche Nachricht ans Ziel zu bringen (es sei denn, der Zielrechner ist direkt mit dem Absender verbunden), hat sich der Begriff „Hop" als Einheit für die zum Transport der Nachricht vom Absender zum Empfänger nötige Übertragungszahl eingebürgert. „Eine Nachricht ist über acht Hops gelaufen" heißt also, daß diese Nachricht über acht verschiedene Rechner zu ihrem Ziel gelaufen ist, und somit acht „Hüpfer" gemacht hat.
Host	Englisch für „Gastgeber". Ein Rechner, in den Sie sich über eine Telefonleitung als „Gast" einklinken können, um Daten auszutauschen.
HQX	Kennungen für Daten, die mit dem →Binhex-Verfahren behandelt wurden. Sie müssen erst wieder in ihre ursprüngliche Form zurückverwandelt werden, bevor sie verwendet werden können.
HTML	Die „**H**yperText **M**arkup **L**anguage", eine Art „Seitenbeschreibungsprache" zur Präsentation von Informationen in Form von Seiten im →World Wide Web. Ihr größter Vorteil sind die „Hypertext"-Fähigkeiten. Hierunter versteht man Querverbindungen (sogenannte „Links") zu anderen Seiten. Klicken Sie auf einen solchen Link, gelangen Sie automatisch zur verbundenen Seite. Möchten Sie eine solche WWW-Seite einmal nicht im Endlayout, sondern in der darunterliegenden Html-Sprache sehen, öffnen Sie im Explorer das Menü Ansicht und wählen dort Quelltext bzw. in Netscape Navigator das Menü Ansicht und dort den Punkt Dokumentquelltext.

HTML-Editor	Ein Editor zur Erstellung von →HTML-Dokumenten. Man unterscheidet dabei einfache →ASCII-Text-Editoren und komfortable →WYSIWYG-Editoren.
HTTP	Das „**H**yper**T**ext **T**ransfer **P**rotocol". Dieses Datenübertragungs-Verfahren wird im →World Wide Web eingesetzt (deshalb beginnen die Adreßeinträge dort auch mit „http://...").
HTTPS	Absicherung des Übertragungsverfahrens →**HTTP** durch die Sicherheitstechnik →**S**SL.
Hyperlink	Verweis auf eine andere Quelle in einem →Hypertext-Dokument.
Hypermedia	Die Verknüpfung von →Hypertext mit →Multimedia.
Hypertext	Ein Verfahren, mit dem Informationen auf verschiedenen Seiten, in verschiedenen Dateien und sogar auf verschiedenen Rechnern miteinander verknüpft werden können. Die Seitenverweise im →World Wide Web basieren auf dieser Technik.
IAB	Das „**I**nternet **A**rchitecture **B**oard" koordiniert die technische Weiterentwicklung der im Internet verwendeten →Protokolle zur Datenübertragung. Dachorganisation ist die →ISOC.
IETF	Die „**I**nternet **E**ngineering **T**ask **F**orce" koordiniert kurzfristige technische Entwicklungen im Internet. Für langfristigere Projekte ist die →IRTF zuständig. Dachorganisation der beiden ist die →ISOC.
IMAP	Abkürzung für „**I**nternet **M**essage **A**ccess **P**rotocol", ein Verwaltungs- und Übertragungsverfahren für elektronische Post.
Impulswahlverfahren	Wahlverfahren für Telefonnummern, bei dem die einzelnen Ziffern durch entsprechende Impulse („Klackern" in der Leitung) übertragen werden.
Internet Content Provider	Ein →Content Provider im Internet.
Internet Explorer	Eine →"Browser"-Software zum Zugriff auf das →"World Wide Web".
Internet Presence Provider	Ein →Provider, der Präsentationsdienstleistungen übernimmt, also beispielsweise WWW-Services für Firmen erstellt und betreibt. Abgekürzt mit „IPP". Meist bieten IPP auch zugleich eigene Zugangsmöglichkeiten zum Netz an, sind also auch →"Internet Service Provider" (ISP).
Internet Protocol	Das standardmäßige Datenübertragungsverfahren im Internet, abgekürzt „IP".
Internet Service Provider	Ein →Provider, der ein eigenes Teilnetz im Internet betreibt, und Ihnen darüber Zugang ermöglicht. Abgekürzt mit „ISP".
Internet	Ein weltweites Netzwerk von Computern, die über Leitungen oder Funkstrecken miteinander verbunden sind. Jeder Computer hat eine eindeutige Internet-→Adresse mit der Daten weltweit zielsicher versendet werden können. Diese Daten werden dabei über einen freien Weg geleitet, d. h. fällt eine Verbindung aus, so erfolgt eine Umleitungüber eine Alternativstrecke.
Internet-Adresse	Die Adressen, mit der alle Rechner im Internet eindeutig identifizierbar und somit von der ganzen Welt aus zu erreichen sind, stehen in direkter Verbindung mit dem zur Datenübertragung verwendeten →IP-Protokoll und nennen sich daher →IP-Adressen.
InterNIC	Von der Firma Network Solutions betriebene „oberste Instanz" zur Vergabe von Internet-Adressen. Delegiert je nach gewählter →Top-Level-Domain die Aufgaben an regionale Unterorganisationen. So ist beispielsweise für Deutschland das →DE-NIC zuständig.
Intranet	Firmeninternes Netzwerk, das auf Internet-Technologien (insbesondere →TCP/IP) basiert.
INXS	Der „**I**nternet **Ex**change **S**ervice", ein Projekt zur Vereinfachung und Beschleunigung des Datentransfers im Internet.
IP	Abkürzung für „**I**nternet **P**rotocol", das Datenübertragungsverfahren im Internet.

IP-Adresse — Jeder Rechner im Internet ist über eine spezielle, ihm zugewiesene Adresse eindeutig identifizierbar und somit von der ganzen Welt aus zu erreichen. Solche Adressen werden in einer Reihe von vier durch Punkten getrennten Zahlen angegeben, von denen jede zwischen 0 und 255 liegt.

Weil diese Adresse in direkter Verbindung mit dem zur Datenübertragung verwendeten IP-Verfahren, dem „Internet Protokoll", steht, nennt Sie sich „IP-Adresse". Damit Sie den Rechner aber auch mit einem einfacher zu merkenden Namen anschreiben können, ordnen sogenannte →Name Server diese Namen den entsprechenden Adressen zu.

IPP — Abkürzung für →"Internet Presence Provider", einen Anbieter von Netzdienstleistungen.

IPX — Abkürzung für „Internetwork Packet Exchange, ein von Novell definierter Standard für Datenübertragung.

IRC — Der „Internet Relay Chat" ist ein textbasiertes Online-Kommunikationssystem. Mehrere Teilnehmer treffen sich via Netzleitung in einem virtuellen Raum und können sich dort über Textzeilen unterhalten.

IRTF — Die „Internet Research Task Force" koordiniert langfristige technische Entwicklungen im Internet. Für kurzfristigere Projekte ist die →IETF zuständig. Dachorganisation der beiden ist die →ISOC.

ISAPI — „Internet Server Application Programming Interface", als leistungsfähigere Alternative zu →CGI entwickeltes Verfahren für die Koppelung von WWW-Services mit externen Programmen.

ISDN — Die Abkürzung für „Integrated Services Digital Network" (zu deutsch „Dienstintegriertes digitales Netzwerk") bezeichnet das neue →digitale Telefonnetz, das Sprach-, Bild- und Datenübertragung auf einer einzigen Leitung ermöglicht. Es stellt weitaus höhere Übertragungsraten als die bisherigen →analogen Leitungen zur Verfügung. Durch die direkte digitale Datenübertragung entfällt das Umwandeln der Daten in akustische Signale (was sonst über ein →Modem geregelt würde).

ISDN-Karte — Über dieses Gerät zum Einbau in Ihren PC schließen Sie Ihren Computer an die →ISDN-Leitung an und können ab sofort Daten darüber übertragen. Es wird zwischen „aktiven" und „passiven" Karten unterschieden – je nachdem, ob diese über einen eigenen Prozessor verfügen („aktiv") oder sich für die Behandlung der Übertragungsvorgänge etwas Rechenleistung vom eigentlichen Computer ausborgen („passiv").

ISO — Kürzel der „Internationale Standardisation Organisation", einer internationalen nichtstaatlichen Normungsgesellschaft. Sie hat z. B. den ISO-Zeichensatz entwickelt, der Probleme im Datenaustausch mit nationalen Zeichensätzen →ASCII vermeiden soll.

ISOC — Die „Internet Society", eine Dachorganisation von Internet-Interessengemeinschaften wie →IAB, →IETF und →IRTF, kümmert sich um die Koordination der technischen Weiterentwicklung.

ISP — Abkürzung für →"Internet Service Provider", einen Anbieter von Netzdienstleistungen.

IV-DENIC — Der „Interessenverbund Deutsches →Network Information Center" ist eine Vereinigung überregionalen Internet-Anbieter in der Bundesrepublik.

IWV — Abkürzung für das →Impulswahlverfahren zur Anwahl von Telefonnummern.

Java — Java ist eine Programmiersprache, die von der Firma Sun Microsystems für das World Wide Web entwickelt wurde. Java-Programme – die sogenannten →„Applets" – zeichnen sich dadurch aus, daß Sie schnell über das Netz geladen werden können und dann direkt auf dem Rechner des Anwenders laufen, wodurch sie ein sehr großes Spektrum an Einsatzmöglichkeiten bieten. Da Java-Programme auf einem speziellen, auf verschiedene Systeme übertragbaren Code basieren, laufen sie auf jeder Plattform, für die ein Java-Interpreter (also ein diesen Code ausführendes Programm) existiert.

JavaScript	Von der Firma Netscape in Anlehnung an die Internet-Programmiersprache →Java entwickelte Skriptsprache: Befehle werden in den →HTML-Quelltext einer WWW-Seite geschrieben und von der Zugriffsoftware interpretiert, ohne daß es dazu externer Programme bedarf, ähnlich →VBScript.
JPEG	Kürzel der „**J**oint **P**hotographic **E**xperts **G**roup". Diese Gruppierung hat ein neues Format zur Speicherung von Bildern entwickelt und nach sich benannt (Datei-Endung: JPG). Die Dateigrößen werden durch verschieden starke Reduzierungdes Informationsgehalts weitaus kleiner als in anderen Formaten (auch dem bekannten →GIF), leider kann mit stärkerem „Eindampfen" der Grafiken auch deren Qualität beträchtlich sinken. Im Gegensatz zu →GIF sind bei JPEG allerdings beliebig viele Farben möglich.
JPG	Eine Grafik im sogenannten →"JPEG"-Format.
Klammeraffe	Bezeichnung für das im Internet ständig verwendete Sonderzeichen @ (z. B. →in E-Mail-Adressen). Im Englischen heißt es „at" (gesprochen „ett").
Kompression	Größenmäßige Verkleinerung von Dateien, z. B. zur Erhöhung der Übertragungsgeschwindigkeit. Bestenfalls ohne Informationsverlust (z. B. durch das Unix-Werkzeug →Compress).
Konto	„Benutzerkonto" oder „Zugangskonto" sind Übersetzungen für →Account.
Konventionen	Verhaltensregeln, die sich für ein positives Miteinander im Internet eingebürgert haben. Zumeist werden solche Regelungen vom gesunden Menschenverstand schon beachtet, dennoch sind diese Konventionen nochmals zusammengefaßt und niedergeschrieben worden – und zwar in der sogenannten →Netiquette...
Kryptographie	Verschlüsselungstechnik zum Schutz vor dem Ausspähen von Nachrichten und Daten
Kurznamen	Leicht zu merkende Kürzel, die anstelle umständlicher →E-Mail-Adressen verwendet werden können, sofern das E-Mail-Programm dies erlaubt.
LAN	Kürzel für „**L**okal **A**rea **N**etwork" („örtliches Netzwerk"). Bezeichnet den Zusammenschluß von Rechnern, die sich auf einem begrenzten Gebiet (z. B. in einem Gebäude) befinden.
LHA	Ein Format für verkleinerte Dateien ähnlich →compress, in der Computer-Welt sehr verbreitet, da es dieses Format verarbeitende Programme für fast alle Rechnersysteme gibt.
Link	Englisch für „Verbindung". Dieser Begriff ist im Internet gleich dreifach belegt: Zum einen bezeichnet er allgemein eine Verbindung zwischen verschiedenen Rechnern (z. B. per Telefonleitung). Dann wird oft nicht nur die eigentliche Verbindung, sondern auch gleich der angekoppelte Rechner als „Link" bezeichnet, wobei wiederum zwischen →Uplink (Sender) und →Downlink (Empfänger) unterschieden werden kann. Schließlich wird im →World Wide Web damit ein Querverweis von einer Seite zu einer anderen bezeichnet.
Login	Die Prozedur des „Sich Einklinkens" in ein System (zumeist einem →Bulletin Board System). Das spätere Ausklinken wird →Logout genannt
Logout	Das Gegenstück zum →Login, nämlich das „Sich wieder Ausklinken" aus einem System (zumeist einem →Bulletin Board System).
Lurker	Als „Lurker" (vom englischen „to lurk", d. h. „im Verborgen lauern") werden Netzteilnehmer bezeichnet, die zwar in den →Newsgroups lesen, dort aber nicht selbst durch das Verfassen und den Versand eigener →Artikel vertreten sind.
Lynx	Eine weitere →"Browser"-Software zum Zugriff auf das →"World Wide Web". Im Gegensatz zu grafischen Browsern wie Netscape Navigator oder Internet Explorer ermöglicht Lynx auch Internet-Nutzern, deren Systeme nur Text darstellen können, Informationen über das World Wide Web zu erhalten.
LZH	Ein Format für verkleinerte Dateien ähnlich →Compress, in der PC-Welt sehr verbreitet.

MacWeb — Eine weitere →"Browser"-Software zum Zugriff auf das →"World Wide Web", speziell für den Apple Macintosh entwickelt.

Mail Transport Agent — Ein Programm, das sich um den Transport von →E-Mail-Nachrichten durch das Netz kümmert.

Mail User Agent — Anwendungsprogramm zur Erstellung von →E-Mail-Nachrichten (und deren Versand von Nutzerseite aus).

Mail — Englisch für „Post". Als elektronische Privatnachricht im Internet auch →E-Mail (für „electronic Mail") genannt. Öffentliche Nachrichten werden demgegenüber als →Artikel bezeichnet. Eine Antwort per E-Mail nennt sich →Reply.

Mailbox — Ein moderner „Briefkasten", also ein Rechner, der seinen Nutzern die Möglichkeit zum Versand und Empfang elektronischer Post bietet. Zumeist gleichbedeutend mit →"Bulletin Board System" gebraucht.

Mailing, mailen — Abgeleitet vom englischen „to mail", „verschicken". Wenn Sie jemandem eine Nachricht „mailen", schicken Sie diese privat via elektronischer Post zu ihm (als →E-Mail). Das Gegenstück dazu ist der öffentliche Versand der Nachricht (das →"posten") als sogenannter →"Artikel" in ein Diskussionsforum (eine →"Newsgroup").

Mailing-Liste — Eine Art „private Diskussionsgruppe" im Internet. Sie funktioniert wie eine E-Mail-Adresse, nur daß sich dahinter nicht eine einzelne Person, sondern eine Liste mit Adressen weiterer Internet-Nutzer verbirgt. Über dieses Verteilersystem werden Kopien einer an die Mailing-Liste geschickten Nachricht an jeden Listenteilnehmer weitergeleitet.

Map — Wie eine Landkarte (engl. „map") Ortsnamen und Verbindungsstraßen zwischen diesen Orten verzeichnet, enthalten „Map"-Dateien eines Netzes die Namen der angeschlossenen Rechner und eine Auflistung der zwischen diesen bestehenden Verbindungen. Vornehm ausgedrückt spiegelt die „Map" eines Netzes also dessen Topologie wieder – eine wichtige Informationsquelle zur Aufrechterhaltung des reibungslosen Nachrichtenverkehrs.

Maus — Steuerungshilfe für Computer („Rollkugel-Eingabegerät") und Name eines deutschsprachigen Hobby-Netzwerks mit Verbindung (→Gateway) zum Internet.

MBit/s — Abkürzung für „**M**ega**bit** pro **S**ekunde" (engl. „megabit per second"). Das 1024-fache der Einheit →Bit/s zur Messung der Geschwindigkeit einer Datenübertragung.

Mehrfrequenzverfahren — Wahlverfahren für Telefonnummern, bei dem die einzelnen Ziffern durch Tonsignale in unterschiedlichen Höhen (Frequenzen) übertragen werden.

Message-ID — Ein spezieller Eintrag im →"Header", dem Kopf einer Nachricht, welcher dieser Nachricht einen im Netz individuell einzigartigen Code zuordnet. Dadurch kann die Nachricht schnell identifiziert werden, was besonders häufig beim Herausfiltern doppelt erhaltener Meldungen aus einem Nachrichtenpaket eingesetzt wird.

MFV — Abkürzung für das →**M**ehr**f**requenz**v**erfahren zur Anwahl von Telefonnummern.

Microsoft Network — Ein kommerzieller amerikanischer Informationsdienst, der seinen Nutzern den Zugang zum Internet ermöglicht. Er wird von vielen Internet-Nutzern sehr argwöhnisch betrachtet und ist hinsichtlich seiner Politik zur Weitergabe nutzerbetreffender Daten nicht unumstritten. Unter einigen Nachrichten im Internet findet man daher einen Rechtsvermerk „Darf nicht im Microsoft Network veröffentlicht werden".

MIME — Die Abkürzung „MIME" steht für „**M**ultipurpose **I**nternet **M**ail **E**xtensions", auf gut deutsch also „Mehrzweck-Erweiterungen für die Internet-Post". Dies bezeichnet einen Standard, mit dem sich mehrteilige, multimediale und binäre (also nicht nur als reiner Text vorliegende, z. B. Grafiken oder auch ganze Programme) Dateien per →E-Mail im Internet verschicken lassen.

MNP — Abkürzung für „**M**icrocom **N**etworking **P**rotocol", ein Übertragungsverfahren, das sich zu einem Quasi-Standard im Bereich der Datenfernübertragung per Telefonleitung entwickelt hat.

Glossar

Modem Kunstwort aus „Modulator-Demodulator". Ein Modem wird zwischen Computer und Telefonleitung geschaltet und wandelt dann die elektrischen Impulse des Computers in akustische Signale um, die über die Telefonleitung übertragen werden. Eintreffende Signale werden wieder in Impulse zurückgewandelt.

Moderierte Gruppen Nachrichten in eine „moderierte" →Newsgroup gelangen nicht direkt in das Netz, sondern werden zunächst einer Person zugeleitet, die als Moderator fungiert. Dieser wählt die seiner Meinung nach interessanten Nachrichten aus, die dann als →Artikel in der Gruppe erscheinen.

Mosaic Eine weitere →"Browser"-Software zum Zugriff auf das →"World Wide Web".

MOV Film-Dateien im →QuickTime-Format.

MPEG Kürzel der „**M**otion **P**icture **E**xperts **G**roup", sozusagen die →JPEG für bewegte Bilder.

MPG Ein Film im sogenannten →"MPEG"-Format.

MSN Abkürzung für →"**M**icro**s**oft **N**etwork".

MTA Kurzform für →**M**ail **T**ransport **A**gent.

MUA Kurzform für →**M**ail **U**ser **A**gent.

MUD Abkürzung für „**M**ulti **U**ser **D**ungeon", ein Internet-Rollenspiel für mehrere Teilnehmer.

Multimedia Die Nutzung verschiedener Medien (z. B. Bilder, Videos, Klänge) mit dem Computer.

Multipurpose Internet Mail Extensions Die ausgeschriebene Fassung des Kürzels →"MIME".

Name Server Ein Rechner, der die in Zahlen angegebenen Adressen der ans Internet angeschlossenen Systeme in leichter zu merkende Klartext-Namen umsetzt (und umgekehrt). Name Server sitzen zumeist an zentraler Stelle des von ihnen betreuten Netzbereiches und vermögen es festzustellen, ob die in einer versandten →E-Mails angegebenen Empfängeradressen gültig sind, sowie nach Möglichkeit direkt einen Weg für den Transport der Nachricht zu dieser Adresse zu finden. Jede „Region" des Internet (→Domain genannt) hat einen eigenen Name Server, den sogenannten →"Domain Name Server" (kurz DNS). Die Zahlenschreibweise nennt sich übrigens →IP-Adresse.

NCP Abkürzung für „**N**etwork **C**onnection **P**oint". So nennen verschiedene →Provider ihre Internet-Einwählpunkte.

NCSA Kürzel des „**N**ational **C**enter for **S**upercomputing **A**pplications". Aus dieser Schmiede stammen viele Internet-Programme, die zunächst für Wissenschaftler gedacht waren doch aufgrund ihrer universellen Einsatzmöglichkeiten schnell allgemeine Verbreitung fanden, z. B. die WWW-Software →Mosaic.

Net Explorer Eine weitere →"Browser"-Software zum Zugriff auf das →"World Wide Web".

Netikette, Netiquette Kunstwort aus „Netz" und „Etikette"/"Etiquette", die Benimmregeln für Netzteilnehmer

Netnews Über das Internet verteilte „Neuigkeiten" – im übertragenen Sinne sind damit die Nachrichten in den öffentlichen Diskussionsgruppen (den →Newsgroups) gemeint. Das Gegenstück ist die private →Mail.

Netscape Navigator Eine →"Browser"-Software zum Zugriff auf das →"World Wide Web".

Network Information Center Koordinationsstellen für die weltweite und eindeutige Vergabe von Internet-Adressen. „Oberste Instanz" ist das →InterNIC, für Deutschland ist das →DE-NIC zuständig.

Network Information Service	Ein von der Firma Sun Microsystems entwickeltes System zur zentralen Verwaltung von Netzwerkadministrativa, beispielsweise Namen und Standorte der in das jeweilige Netz eingebundenen Rechner. Früher unter dem Namen →"Yellow Pages" bekannt.
Netz(werk), Net(work)	Die Gesamtheit aller verbundenen Rechner bildet das Netz, dessen jeweiliger Aufbau in einer Art Landkarte (der sogenannten →Map) wiedergegeben wird.
Netzbandbreite	Die →Bandbreite eines Netzes, also die Menge gleichzeitigen Datenverkehrs, den das jeweilige Netz verkraftet.
Newbie	Abkürzender Spitzname für einen →„Newcomer", als einen Neuling im weltweiten Internet. Im Gegensatz zum →"DAU" enthält „Newbie" keine Abwertung.
Newcomer	Neutrale (nicht abwertende!) Bezeichnung für neue (zumeist noch unerfahrene) Internet-Nutzer.
News	Die englische Bezeichnung für „Neuigkeiten", im Internet sind damit die Nachrichten in den öffentlichen Diskussionsgruppen (den →Newsgroups) gemeint. Das Gegenstück ist die private →Mail.
Newsfeed	Ein Internet-Rechner, der andere angeschlossene Rechner (sogenannte →Links) mit →News „füttert" (engl. „to feed"), diesen also die jeweiligen Gruppeninhalte bereitstellt (sogenanntes →Spooling).
Newsgroup	Eine Diskussionsgruppe. Hier diskutieren Teilnehmer aus aller Welt über ein Thema (nach dem diese Gruppe benannt wurde). Mittlerweile existieren weit über 6000 verschiedener Gruppen. Nicht jeder Server führt alle davon.
Newsreader	Das Programm, das Sie zum Lesen (engl. „to read") der →"News", also der Diskussionen in den öffentlichen Foren des Internet, verwenden.
NIC	Kurzfassung für →**N**etwork **I**nformation **C**enter.
Nickname	Englisch für →"Kurznamen"
NIS	Abkürzung des →**N**etwork **I**nformation **S**ervice.
NNTP	Kürzel für „**N**et **N**ews **T**ransport **P**rotocol", ein Verfahren zur Datenübertragung öffentlicher Nachrichten (→Artikel) in den Diskussionsforen (→Newsgroups).
NOC	Abkürzung für „**N**etwork **O**perations **C**enter", also die Verwaltung eines Netzwerks.
Offline	Das Gegenteil von →"online". Aus Kostengründen lohnt es sich, den Hauptteil der Arbeit im Internet „offline" zu erledigen und nur kurz „online" zu gehen. Wenn Sie also viel elektronische Post schreiben, brauchen Sie während des Verfassens nicht dauerhaft „online" zu bleiben, was durch die ständig bestehende Telefonverbindung hohe Kosten verursacht. Viel besser ist es, die Briefe offline zu tippen und dann nur kurz online zu gehen, um sie abzuschicken.
Online	Sie sind „online" („on the line", „auf der Leitung"), wenn Sie im Internet über eine bestehende Telefonverbindung arbeiten.
Onlinedienste	Onlinedienste bieten Ihren Kunden über Telefon- oder Datenleitung abrufbare Informationen. Bekannte Onlinedienste sind AOL (→America Online), →CompuServe, →T-Online und MSN (→Microsoft Network). Diese bieten Ihren Kunden auch Zugriff auf das Internet an (über →Gateways).
Organization	Angabe im Kopf einer →Mail oder eines →Artikels, welcher Organisation (engl.: „z", nicht „s") – z. B. Firma oder sonstigen Einrichtung – sich der Verfasser angehörig fühlt. Hier sieht man auch häufig die Info „Private →Site", die auf einen rein privaten Internet-Zugang hinweist.
OSI	Abkürzung für „**O**pen **S**ystems **I**nterconnection", ein Standard zur Kommunikation zwischen Rechnern.
Page Views	Anzahl der Abrufe einer bestimmten WWW-Seite eines →Servers.

Path	Der „Pfad", den eine Nachricht durch das Netz vom Sender zum Empfänger genommen hat. In dieser Zeile, die im Kopf der Nachricht (dem →"Header") geführt wird, trägt sich jedes die Nachricht transportierende System ein. So kann verhindert werden, daß ein- und dieselbe Nachricht mehrmals über dasselbe System läuft und somit in einen Endloskreislauf gerät.
PD	Abkürzung für →"**P**ublic **D**omain"-Software.
PDF	„**P**ortable **D**ocument **F**ormat", von der Firma Adobe entwickeltes Dateiformat für Dokumente in fertigem Layout. Kann über das →Acrobat-Plugin auch in WWW-Zugriffsoftware wie Netscape oder dem Explorer angezeigt werden.
Peripherie	Peripherie werden alle an den Computer angeschlossenen Ein- und Ausgabegeräte bezeichnet, z. B. Tastalur, Maus, Drucker etc.
Perl	Einfache Programmiersprache zur Entwicklung von Programmen, die mittels →CGI in einen WWW-Service eingebunden werden sollen.
Personal Certificates	„Digitale Unterschriften" für elektronische Transaktionen.
PGP	Das Kürzel für →"**P**retty **G**ood **P**rivacy".
PICS	Abkürzung für „**P**latform for **I**nternet **C**ontent **S**election", also „Grundlage für Internet-Inhaltswahl". Ein Kategoriesystem für Inhalte von Internet-Services, anhand derer eine Zugriffseinschränkung (z. B. zum Schutze minderjähriger Anwender vor überzogener Gewaltdarstellung) möglich ist.
Ping	Kürzel für „**P**acket **I**nter**N**et **G**roper", ein Programm mit dem die Erreichbarkeit eines Computers in einem Netzwerk getestet werden kann. Es sendet eine Anfrage an diesen Rechner und mißt die Zeit bis zum Eintreffen der Antwort.
Plug-In	Hilfsprogramm zur Erweiterung von WWW-Zugriffssoftware wie Netscape oder Explorer um neue Funktionen. Im Gegensatz zu →"Helper Applications" öffnen Plug-Ins kein eigenes Fenster, sondern laufen im Fenster der Zugriffssoftware selbst ab.
PNG	„**P**ortable **N**etwork **G**rafic", ein Dateiformat für Bilder, das ähnlich →GIF zur Erzeugung möglichst kleiner Dateigrößen entwickelt wurde, um Bilder im Netzwerk schnell übertragen zu können.
PoP	Kürzel für „**P**oint **o**f **P**resence". Ein lokaler Einwählpunkt Ihres →Providers.
POP3	Abkürzung für „**P**ost **O**ffice **P**rotocol", ein Ablageverfahren für elektronische Post.
Posting, posten	Abgeleitet vom englischen „to post", „anschlagen". Wenn Sie eine Nachricht „posten", schlagen Sie diese an ein öffentlich lesbares schwarzes Brett an – kurzum: Sie schicken diese als sogenannten →Artikel in ein Diskussionsforum (eine →Newsgroup). Das Gegenstück dazu ist das →Mailen einer privaten Nachricht.
Postmaster	Der auf einem System für den Nachrichtenfluß verantwortliche Systembetreuer. Bei Problemen mit Ihrer →E-Mail-Anbindung sollten Sie sich an ihn wenden.
PPP	Abkürzung für „**P**oint to **P**oint **P**rotocol", ein Datenübertragungsverfahren ähnlich →SLIP (jedoch etwas moderner).
Preferences	Englisch für „Vorlieben", in der Computerwelt die Vorlieben eines Benutzers für bestimmte Einstellungen (z. B. Bildschirmfarben). In gleichnamigen Menüs können diese definiert werden.
Pretty Good Privacy	Im fast wörtlichen Sinne „ein ganz schön guter Schutz für Ihre Privatsphäre". Das Programm verschlüsselt Nachrichten auf geniale Weise so, daß nur der (oder die) Empfänger diese wieder entschlüsseln (und damit lesen) können. Und das noch einfach und bequem – ohne vorherige (und zumeist unsichere) Paßwort-Absprache. Das Programm (kurz PGP genannt) darf frei kopiert werden, ist für nahezu alle Betriebssysteme verfügbar und nicht nur im Internet sehr beliebt. Da sich solcherart verschlüsselte Nachrichten in annehmbarem Zeitaufwand nicht unbefugt wieder entschlüsseln lassen, versuchen staatliche Stellen seine Nutzung unter Strafe zu stellen.
Printout	Abgeleitet vom englischen „to print out", „ausdrucken", also die Ausgabe einer Information über den Drucker auf Papier. Auch →"Hardcopy" genannt.

ProtokollInternet	Eine Sammlung von Festlegungen und Regelungen, beispielsweise zur Rechnerkommunikation. Wichtige Protokolle im Internet sind z. B. →IP, →SLIP oder →PPP.
Provider	Englisch für „Anbieter". Der Mensch bzw. die Firma oder Einrichtung, der/die Ihnen Netzdienstleistungen erbringt, beispielsweise Ihnen den Internet-Zugang ermöglicht. Oft wird zwischen dem Typus der →"Internet Service Provider" (ISP) und der →"Internet Presence Provider" (IPP) unterschieden.
Proxy	Ein Rechner, der verschiedene Seiten aus dem World Wide Web lokal bei seinem Betreiber (also Ihrem Provider) zwischenspeichert. Werden diese dann später erneut angefordert, können sie direkt von dort eingeladen und müssen nicht erst zeitaufwendig aus dem Internet geholt werden. Der Zugriff auf häufig benötigte WWW-Seiten wird damit mitunter beträchtlich beschleunigt.
Public Domain	Englisch für „öffentliches Gut". Software, die von ihren Autoren als „Public Domain" (kurz „PD") freigegeben wurde, darf nicht nur frei kopiert, sondern zumeist auch beliebig verändert und an eigene Bedürfnisse angepaßt werden.
Query	Als „Query" (deutsch „Anfrage") wirden die Suche in Datenbanken bezeichnet.
QuickTime	Von der Firma Apple entwickelter Standard zur Übertragung von Bild- und Tondaten (z. B. kleinere Videofilme).
Quote	Ein Zitat (englisch „to quote" heißt „zitieren") innerhalb einer Internet-Nachricht. Zitierte Zeilen sind zumeist durch vorangestellte > Zeichen kenntlich gemacht.
RA	Ton-Dateien im →**R**eal-**A**udio-Format.
RAR	Ein Format für verkleinerte Dateien ähnlich →Compress, in der PC-Welt sehr verbreitet.
Real Audio	Von der Firma Progressive Networks entwickelte Technik zur Übertragung von Audiodaten in Echtzeit über das Internet.
References	Eine Zeile im Kopf (→"Header") des Antwortschreibens auf eine Nachricht, die kurz und genau angibt, auf welche Ursprungsnachricht sie sich bezieht (geschieht über die →Message-ID dieser Nachricht). Oftmals wird zudem auch der Inhalt der References-Zeile aus der Ursprungsnachricht mit angegeben.
Reply	Englisch für „antworten". Eine private Antwort auf eine (öffentliche oder private) Nachricht. Häufiger Anlaß zu Verwechslungen: öffentliche Antworten werden als →"Follow-up" bezeichnet.
Reply-To	Englisch für „antworten an". Umleitung der Antwort auf die Nachricht eines Teilnehmers an eine andere E-Mail-Adresse als diejenige, unter der die betreffende Nachricht abgeschickt wurde.
RFC	Abkürzung für „**R**equest for **C**omments", „Bitte um Kommentar". Eine geregelte Möglichkeit des Gedankenaustauschs und der zielgerichteten Diskussion im Internet, z. B. über netzinterne Angelegenheiten. Alle RFCs werden in der Reihenfolge ihres Erscheinens durchnumeriert.
RIPE	Kürzel für „**R**éseaux **IP** **E**uropéens", eine Vereinigung europäischer Internet-Anbieter.
Rot-13	Ein Kodierverfahren für öffentliche Nachrichten, welches alle 26 Buchstaben des Alphabets (keine Sonderzeichen oder Umlaute) um die Hälfte gegeneinander verschiebt (also 13 Zeichen rotiert, daher der Name). So wird beispielsweise aus „a" ein „n", aus „b" ein o" und aus „n" ein „a" sowie aus „o" ein „b". Es wird eingesetzt, wenn sich manche Leser der Nachrichten von deren Inhalt verletzt oder angegriffen fühlen könnten, und der Verfasser so verhindern will, daß die Nachricht „versehentlich" gelesen wird.
Router	Ein Router ist der Zugangsrechner für eine →digitale Wählverbindung. Er führt auch die Zugangskontrolle durch. Router werden auch zur Verbindung von Netzwerken oder Teilnetzwerken benutzt.
Routing	Das Finden eines Übertragungsweges vom Absender einer Nachricht zu deren Empfänger.

Search	Englisch für „suchen“, in unserem Fall also das Fahnden nach Informationen im Internet. Ist die Suche erfolgreich, heißt dies →“Find“ (eben „finden“).
Second-Level-Domain	Der „zweite“ Teil einer Internet-Adresse, von rechts gelesen neben dem ersten Punkt. Enthält zumeist den Namen des Service-Betreibers (z. B. „microsoft“ in „www.microsoft.com“).
Secure HTTP	„Secure HTTP“, abgesicherte Variante des Übertragungsverfahrens →HTTP zur sicheren Übertragung vertraulicher Daten.
Server Hosting	„Unterstellen“ eines Computers (→Server) bei einem Internet-Anbieter (→Provider).
Server	Eine Rechner im Internet, der Daten für seine Nutzer (die User) bereithält – sprich: ihnen diese „serviert“.
Service Provider	Siehe →Internet Service Provider (kurz „ISP“).
SGML	„**S**tandard **G**eneralized **M**arkup **L**anguage“, eine „Seitenbeschreibungssprache“, aus der das für WWW-Seiten verwendete →HTML hervorging.
Shareware	Dieses Kunstwort aus dem englischen „share“ („teilhaben“) und „Software“ bezeichnet einen Vertriebsweg für Programme. Jeder darf daran teilhaben, das Programm also kostenfrei kopieren (beispielsweise durch Herunterladen von einem →FTP-Server) und beliebig ausprobieren. Entschließen Sie sich, das Programm regelmäßig zu benutzen, wird die Zahlung einer gewissen Gebühr als Entlohnung an den Programmierer fällig.
Shockwave	Von der Firma Macromedia entwickeltes Multimedia-Datenformat zur Anzeige von Animationen auf WWW-Seiten. Zur Darstellung in der Zugriffssoftware wird ein spezielles →Plug-In benötigt.
SHTTP	Kurzform für „→**S**ecure **HTTP**“ eine abgesicherte Variante des Übertragungsverfahrens →HTTP.
Signature	Englisch für „Unterschrift“. Alles, was nach dem eigentlichen Text in einer elektronisch verschickten Nachricht steht, also beispielsweise der Name des Absenders, Grüße, dessen Adresse oder auch ein dummer Spruch. Besonders lange Signatures mögen zwar zunächst als schön erscheinen, sind aber tatsächlich äußerst störend, da sie das Datenvolumen im Internet unnötig aufblähen. Auch Kleinvieh macht nunmal Mist! Die Obergrenze sollten fünf Zeilen darstellen, ansonsten ist mit →Flames verärgerter Mitbenutzer des Netzes zu rechnen.
Site	Ein System, das am Netzverbund teilnimmt. Oftmals werden als „Sites“ zusammengehörende Gruppierungen von Einzelrechnern (sogenannten →“Hosts“) gemeint.
SLIP	Abkürzung für „**S**erial **L**ine **I**nternet **P**rotocol“, ein Datenübertragungsverfahren im Internet. Es macht Ihren Rechner zur „echten Internet-Maschine“.
Smiley	Da die Verständigung im Internet über Texte läuft, sieht der Empfänger die Mimik und Gestik seines Gegenübers nicht. Damit es nicht zu Mißverständnissen kommt werden textliche Symbole zum Ausdruck der Stimmungslage genutzt, z. B. :-). Legt man den Kopf auf die linke Schulter, ist diese Zeichenfolge mit etwas gutem Willen als lächelndes Gesicht erkennbar und wird daher „Smiley“ genannt.
SMTPNetzwerk:	Kürzel für „**S**imple **M**ail **T**ransport **P**rotocol“, ein Verfahren zur Datenübertragung elektronischer Post.
Snail Mail	Englisch für „Schneckenpost“ und damit zutreffende (wenn auch augenzwinkernde) Bezeichnung für die „normale Post“ im Gegenstück zur blitzschnellen E-Mail.
Spooling	Während bei einer Verbindung zweier Rechner mittels Standleitung alle ankommenden Nachrichten sofort an den jeweils anderen weitergeleitet werden können, müssen diese bei Einwählverbindungen bis zum jeweils nächsten Anruf des jeweiligen Systems lokal zwischengespeichert werden. Diesen Vorgang nennt man als „Spooling“.
SSI	„**S**erver **S**ide **I**nclude“, ein Verfahren zum dynamischen Einbinden von Informationen in WWW-Seiten, beispielsweise für Datenbank-Abfragen.

SSL Kürzel für „**S**ecure **S**ocket **L**ayer“, ein von der Firma Netscape entwickeltes Verfahren zur abgesicherten Übertragung vertraulicher Daten über das Internet (z. B. bei Kreditkarten-Transaktionen).

Streaming Normalerweise können Dateien erst dargestellt bzw. abgespielt werden, wenn sie komplett übertragen wurden. Seit einiger Zeit gibt es jedoch Programme, die Dateien in kleine Pakete aufteilen und diese hintereinander in einem Strom (englisch „stream“) verschicken. So ist es möglich die Datei zu nutzen, obwohl noch nicht alles übertragen wurde. Für den Audiobereich gibt es z. B. RealAudio, für den Videobereich z. B. Shockwave, RealVideo oder VDO.

Subject Der Betreff einer elektronischen Nachricht. Er sollte möglichst klar und prägnant formuliert und dabei kurz gefaßt sein und wird im Kopf der jeweiligen Nachricht (dem →“Header“) angegeben.

Surfen „Surfen“ oder auch „im Web surfen“ nennen Onliner es, wenn sie in ihrem →Web-Browser von Seite zu Seite springen (quasi „von Welle zu Welle“).

TAE Abkürzung für „**T**elekommunikations-**A**nschluß-**E**inheit“. So bezeichnet die deutsche Telekom die Anschlußdosen im Telefonnetz.

Tag Befehl innerhalb der →HTML-Sprache.

TAR Abkürzung für den „**T**ape **Ar**chiver“, ein Unix-Werkzeug, das sämtliche zu einem Softwarepaket gehörende Dateien in eine einzelne Datei hineinpackt. Statt dutzender Einzelteile braucht somit nur noch diese Datei übertragen zu werden. Der Empfänger kann aus ihr dann (wieder mit dem TAR-Werkzeug) alle Einzelteile auspacken.

TAZ Ein mit →TAR behandeltes Archiv, das danach mit →Compress verkleinert wurde, um bei der Übertragung Zeit und Kosten zu sparen.

TCP/IP Eine Kombination der Abkürzungen „**T**ransmission **C**ontrol **P**rotocol“ und „**I**nternet **P**rotocol“, und somit ein wichtiges Datenübertragungsverfahren im Internet.

Telnet Eine Software, die das Einklinken in andere Rechner ermöglicht. Man kann damit so arbeiten, als würde man selbst an dem entfernten Rechner sitzen. Es muß jedoch auf der Gegenseite eine Telnet-→Server-Software laufen und einen Zugang (→Account) eingerichtet sein.

Terminalprogramm Eine Software, die von einem anderen Rechner eintreffende Zeichen auf dem Bildschirm darstellt und die vom Nutzer eingegebenen Zeichen an den anderen Rechner weiterschickt.

Thread In den →Newsgroups werden zu einem Thema gehörende →Artikel in der Reihenfolge Ihres Erscheinens miteinander verknüpft. Die Gesamtheit derartig verketteter, zu einem bestimmten Thema gehörender Nachrichten wird in der →Usenet-Fachsprache als „Thread“ bezeichnet.

T-Online Informationsdienst der Deutschen Telekom AG, der neben anderen Diensten auch →BTX und →Internet-Zugang vereint.

Top-Level-Domain Der „oberste“ und zuerst bearbeitete Teil einer Internet-Adresse. In der Adreßschreibweise steht ganz rechts (z. B. das Kürzel „de“ für Deutschland).

Traffic Wörtlich der „Verkehr“ auf den Straßen der Datenautobahn. Sein Umfang wird von der →Bandbreite des Netzes beschränkt.

Transfervolumen Menge an Daten, die über eine Leitung bewegt wurden, z. B. zur Abrechnung von Übertragungskosten. Wird übelicherweise über einen Zeitraum von einem Monat angegeben.

Uniform Ressource Locator Eine Schreibweise, in der Adressen für den Zugriff auf Dokumente im →World Wide Web dargestellt werden, so daß diese von der jeweiligen Zugriffssoftware eindeutig identifiziert und erreicht werden können.

Unix Ein Betriebssystem das mehrere Anwendungen gleichzeitig ausführen kann. Durch seine Leistungsfähigkeit und Stabilität wird es sehr häufig im Internet und für CAD, sowie Grafikanwendungen eingesetzt. Viele →WWW-Server laufen daher unter Unix oder einem Unix-ähnlichen System wie Linux.

Uplink	Ein mit anderen Systemen verbundener Rechner (→Link genannt), der Daten an diese liefert, diese also „herauflädt" (→Upload).
Upload	Englisch für „hinaufladen", also das Übertragen von Daten des eigenen Rechners in ein fremdes System. Das Gegenstück dazu heißt →Download.
URL	Abkürzung für →"**U**niform **R**essource **L**ocator".
Usenet	Häufiger Anlaß für Verwechslungen: Das Usenet ist nicht das Internet und umgekehrt! Dennoch hängen beide eng zusammen – das Usenet besteht nämlich aus den Diskussionsforen, den sogenannten →Newsgroups.
User Authentication	Identifizierung eines Benutzers und seiner Zugriffsrechte (→Account), z. B. für auf bestimmte Nutzergruppen beschränkte Angebote.
User	Englische Bezeichnung für den/die Nutzer eines Systems, gleiche Form in Ein- wie auch Mehrzahl. Also auch Sie selbst!
UU, UUD, UUE	Kennungen für Daten, die mit dem →Uuencode-Verfahren behandelt wurden. Sie müssen erst mittels eines gegenläufigen Verfahrens (UUdecode) wieder in ihre ursprüngliche Form zurückverwandelt werden, bevor sie verwendet werden können.
uucico	Kürzel für das Mega-Wort „**U**nix to **U**nix **C**opy **i**n **C**opy **o**ut", ein Programm zur Datenübertragung nach dem →UUCP-Protokoll. Amerikaner sprechen das Kürzel gerne als Ausruf „You see, I see, oh!" aus.
UUCP	Abkürzung für „**U**nix to **U**nix **Copy**", ein Datenübertragungsverfahren, über das im Internet hauptsächlich Nachrichten wie →E-Mail und →News ausgetauscht werden.
UUencode	Verschiedene Computersysteme nutzen verschiedene Zeichensätze. Der Kern (die reinen Buchstaben und Zahlen) ist zwar überall gleich, Sonderzeichen jedoch nicht. So sind z. B. Umlaute unter Windows in einem DOS-Text nicht mehr lesbar. Damit dennoch auch Dateien, die solche Sonderzeichen verwenden (z. B. Bild- oder Klangdateien), problemlos unter allen Rechnergattungen ausgetauscht werden können, gibt es das →UUencode-Verfahren. Es überträgt solche Dateien in einen Code, der auf allen Systemen gleich dargestellt wird. Dadurch können diese Daten per →E-Mail übertragen werden, ohne Informationen zu verlieren (etwa weil Umlaute oder Sonderzeichen von einem zwischen Sender und Empfänger liegenden System verschluckt würden). Um die Datei später auf dem eigenen System weiterverwerten zu können, kommt das Gegenstück „Uudecode" zum Einsatz, das aus solchem Code wieder funktionstüchtige Dateien erzeugt.
uuxqt	Ein Hilfsprogramm zum →uucico.
VBScript	Von der Firma Microsoft auf Basis ihrer Programmiersprache „VisualBasic" entwikkelte Skriptsprache: Befehle werden in den →HTML-Quelltext einer WWW-Seite geschrieben und von der Zugriffsoftware interpretiert, ohne daß es dazu externer Programme bedarf, ähnlich →JavaScript.
Veronica	Ein Suchsystem, das →Gopher-Datenbanken für Sie nach bestimmten Kriterien durchstöbert.
Virtueller Server	Einer von mehreren →Servern, die zusammen auf einem Rechner eines Anbieters (→Provider) laufen, nach außen hin aber den Anschein geben, eigene Rechner zu sein.
Virus	Ein Programm, das sich selbständig vermehrt und dabei meist an andere Programme anhängt. So gelangt es von Computer zu Computer, um dort nach einer gewissen Zeit oder aufgrund eines anderen Umstandes (z. B. Druck einer speziellen Taste) eine Aktion meistens schädlicher Art auszuführen.
Visits	Anzahl der Besuche auf einem →WWW-Server.
V-Normen	Standards zur Datenübertragung per Telefonleitung, festgelegt von der →CCITT, beispielsweise V.32bis oder V.42bis.
Vollduplex	Bei einer Vollduplex-Verbindung können Daten zur gleichen Zeit in beide Richtungen übertragen werden.

VRML	Die „**V**irtual **R**eality **M**arkup **L**anguage", eine Art „Weltenbeschreibungsprache" zum Aufbau virtueller Szenerien im →World Wide Web.
W3	Nochmalige Abkürzung für „WWW", die Abkürzung für das →"World Wide Web".
WAIS	Kürzel für „Wide Area Information Server". Hierbei handelt es sich um Datenbanken, welche scheinbar die menschliche Sprache „verstehen" (ähnlich wie der Hilfe-Assistent aus Windows 95). Eine Anfrage könnte z. B. lauten „Was ist alles über den Mount Everest zu erfahren?"
WAN	„Wide Area Network", im Gegensatz zum →LAN sind hier größere Bereiche vernetzt. Meist sind es mehrere LANs, z. B. die Filialen einer großen Firma, die zu einem großen Netzwerk verbunden werden.
Web	Das →"World Wide Web" wird zumeist schlicht als „The Web" bezeichnet.
WebExplorer	Eine weitere →"Browser"-Software zum Zugriff auf das →"World Wide Web".
Webmaster	Der auf einem System für die Verwaltung des →WWW-Servers verantwortliche Systembetreuer.
World Wide Web	Einer der jüngsten und aufregendsten Internet-Dienste: Informationen werden auf Seiten präsentiert, die untereinander verknüpft sein können. So entsteht ein weltweites Geflecht verschiedenster Publikationen, die immer öfter multimedial aufbereitet, also mit Bildern, Videos und Klängen gemischt werden.
WWW	Abkürzung für das →"**W**orld **W**ide **W**eb".
WYSIWYG	Kürzel für „**W**hat **Y**ou **S**ee **I**s **W**hat **Y**ou **G**et" („Du bekommst, was Du siehst"). D. h. schon während der Bearbeitung eines Dokuments (z. B. einer WWW-Seite) wird das spätere Erscheinungsbild angezeigt.
X-Modem	Älteres Übertragungsprotokoll, welches auf fast allen Rechnern verfügbar ist und den Datenaustausch zwischen verschiedenen Systemen ermöglicht.
Yellow Pages	Der englische Name für „Gelbe Seiten" bezeichnet nicht nur Telefonbücher, sondern auch Verzeichnisse von Netzwerkadressen. Zudem war darunter der →"Network Information Service", ein System zur zentralen Verwaltung von Netzwerkadministrativa, bekannt.
Y-Modem	Ein Übertragungsprotokoll, das sich aus dem langsameren →X-Modem entwickelt hat. Es wurde durch das schnellere und auch heute noch sehr oft genutzte →Z-Modem ersetzt.
yp	Kurzfassung für →**Y**ellow **P**ages.
Z	Dateien mit dieser Endung wurden mit dem Unix-Werkzeug →"Compress" eingedampft, um durch geringere Größe Übertragungskosten zu sparen. Sie müssen nun wieder in ihre eigentliche Form gebracht werden, um verwendbar zu sein.
Z-Modem	Ein heute oft genutztes schnelles Übertragungsprotokoll, das auf den meisten Rechner verfügbar ist und die Datenübertragung koordiniert. Es hat sich über das →Y-Modem aus dem →X-Modem entwickelt.

Stichwortverzeichnis

A

B

E

I

J

K

V

W

X

Y

Z